VENENO REMÉDIO

JOSÉ MIGUEL WISNIK

Veneno remédio
O futebol e o Brasil

3ª reimpressão

COMPANHIA DAS LETRAS

Copyright © 2008 by José Miguel Wisnik

Grafia atualizada segundo o Acordo Ortográfico da Língua Portuguesa de 1990, que entrou em vigor no Brasil em 2009.

Capa
warrakloureiro

Foto de capa
© Herbert List/ Magnum Photos

Preparação
Vanessa Barbara

Índice remissivo
Luciano Marchiori

Revisão
Arlete Souza
Daniela Medeiros

Atualização ortográfica
Página Viva

Dados Internacionais de Catalogação na Publicação (CIP)
(Câmara Brasileira do Livro, SP, Brasil)

Wisnik, José Miguel
    Veneno remédio : o futebol e o Brasil / José Miguel Wisnik.
— 1ª ed. — São Paulo : Companhia das Letras, 2008.

    ISBN 978-85-359-1228-9

    1. Futebol — Aspectos sociais 2. Futebol — Brasil 3. Futebol — História 4. Sociologia I. Título

08-03366   CDD-306.483

Índice para catálogo sistemático:
1. Futebol : Cultura : Sociologia   306.483

[2023]
Todos os direitos desta edição reservados à
EDITORA SCHWARCZ S.A.
Rua Bandeira Paulista 702 cj. 32
04532-002 — São Paulo — SP
Telefone (11) 3707 3500
www.companhiadasletras.com.br
www.blogdacompanhia.com.br
facebook.com/companhiadasletras
instagram.com/companhiadasletras
twitter.com/cialetras

Sumário

Agradecimentos, 7

1. PRELIMINARES, 11
Livro e futebol, 11
O campo do assunto, 16
A ilha de São Vicente, 28
Roteiro, 40

2. A QUADRATURA DO CIRCO: A INVENÇÃO DO FUTEBOL, 42
Pontapé inicial, 42
Bola e campo, 57
Capotão e capital, 61
Rito e jogo, 68
Soule, 76
O consenso inglês, 87
A lama e a grama, 95
O fino e o grosso, 100
O juiz, 104
O tempo, 110
Prosa e poesia, 114
Futebol não tem lógica, 120

A otimização do rendimento, 125
O técnico, 128
A "diferença", 131
A maturidade viril, 133
O goleiro, 136
O rúgbi, o futebol americano e o *soccer*, 141
Donos do campo e donos da bola, 155
Berlim 2006, 158

3. A ELIPSE: O FUTEBOL BRASILEIRO, 168
O capoeira e o emplasto, 168
A prova dos nove, 174
1938: a epifania, 183
O futebol mulato, 194
A dupla cena, 200
Pegada "a Marcos de Mendonça", 212
O moleque primordial, 217
O futebol, a prontidão e outras bossas, 221
O Homero do Maracanã, 232
A democracia racial em questão, 240
A catástrofe, 245
Garrincha e Pelé, 267
Macunaíma e seu outro, 275
A Copa das Copas, 293
O império da elipse, 309
O *intermezzo*, 321
Os Ronaldos: a futebolização do mundo, 350
Ronaldos, Ronaldinhos e Ronaldões, 363
Ronaldos e Rivaldo, 369
Ronaldos e Ronaldos, 385
Comentários finais: bola no chão, 395

4. BOLA AO ALTO: INTERPRETAÇÕES DO BRASIL, 404
A droga, 404
Epílogo, 429
Índice remissivo, 431

Agradecimentos

A Paulo Neves, Guilherme Wisnik, Arthur Nestrovski, Vadim Nikitin, João Camillo Penna, Luiz Schwarcz, Nuno Ramos e Lorenzo Mammì, seja pelo acompanhamento generoso, pelas preciosas contribuições e correções, seja por ideias inspiradoras, que contribuíram muito para melhorar este livro, mesmo no que ele continua deixando a desejar.

A José Geraldo Vinci de Moraes, pelas contribuições, correções, pelo inestimável apoio bibliográfico e pela cessão de sua valiosa biblioteca especializada.

A Haquira Osakabe, pela companhia sempre iluminadora, qualquer que seja o tema.

A Zé Tatit, pela inspiração, pela companhia, pela inesgotável paixão pelo futebol e a justiça à sua grandeza.

A Michel Lahud (em memória), que me apresentou ao Pasolini futebolista, no início dos anos 80; a Maria Betânia Amoroso, que resgatou seus textos junto ao Fondo Pier Paolo Pasolini; a Felipe Fortuna, que me presenteou com a edição francesa dos textos de Pasolini sobre esporte.

A Luiz Sérgio Coelho de Sampaio (em memória), pelo texto inédito sobre "as lógicas do futebol", que contribuiu com coordenadas importantes para este trabalho.

A Jairo Severiano, pelo acesso às importantes entrevistas inéditas que realizou com personagens da história do futebol brasileiro.

A Antonio Arnoni Prado, pelo valioso material criteriosamente selecionado de Lima Barreto sobre o futebol.

A Ricardo Aleixo, pelo convite para a mesa "O futebol e as outras artes: relação de parentesco", no seminário *O país do futebol*, realizado em Belo Horizonte em 1993, cuja proposta estimulante está entre as motivações deste livro.

A Alberto Alexandre Martins, Alfred Bilyk, Bernardo Buarque de Hollanda, Carlos Augusto Nicéas, Celso Sim, Clara Rowland, Claudio Mello Wagner, Eduardo Climachauska, Fabrizio Rigout, Francisco Bosco, Gustavo Rosa de Moura, Hélio Guimarães, Idelber Avelar, Inês Pedrosa, João Máximo, João Moreira Salles, José de Souza Pinto Júnior, Ligia Chiappini Moraes Leite, Luiz Carlos de Almeida, Marcelino Rodrigues da Silva, Manuel da Costa Pinto, Maria Helena Soares de Souza, Maria Resende, Nicolau Sevcenko, Olga Tulik, Ryusuke Ishikawa, Rodrigo Naves, Sebastian Rojo, Túlio Velho Barreto, seja por indicações de leitura, livros, estímulos, sugestões, conversas, ideias, seja por comentários esclarecedores e inspiradores.

A Alcides Villaça, Arnaldo Afonso de Souza (em memória), Arnaldo Soares de Souza, Augusto Massi, Carlos Rennó, Edgard Rodrigues de Souza, Eugênio Vinci de Moraes, Flávio Aguiar, Jorge Grinspum, José Gonzaga Araújo, José Luiz dos Santos, Luiz Carlos Soares de Souza, Luiz Fernando Franklin de Matos, Marcus Vinicius Mazzari, Mila Marques, Pedro Maia Soares, Péricles Cavalcante, Rafael Millares, Rubem Mauro Machado, Vadinho (em memória), Viriato Campelo, Willi Bolle, pela curtida convivência futebolística ao longo dos anos, mesmo que interrompida ou intermitente; ao Willi, também pelas iniciativas práticas e teóricas, que culminaram na organização da fecunda mesa-redonda "Estética do futebol: Brasil *vs.* Alemanha", na *nossa* Universidade de São Paulo.

Ao Departamento de Espanhol e Português da Universidade da Califórnia, Berkeley, pelo convite para lecionar em janeiro-maio de 2006, que me permitiu desfrutar de condições especiais de pesquisa e de convívio num momento importante do trabalho; à especial receptividade dos professores de português, Candace Slater, José Luiz Passos, Milton Azevedo, Orlanda Azevedo; aos professores de espanhol Julio Ramos e Natalia Brizuela; a José Rabasa, além disso, por algumas indicações preciosas, bem como a Lúcia de Sá e Gordon Brotherston, professores, então, em Stanford. Aos doutorandos Alejandro Reyes e Valéria Costa e Silva, pelo apoio caloroso e estimulante.

A Chico Buarque, por ter me convidado a jogar pelo Politheama, na Vila Belmiro, com os veteranos do Santos Futebol Clube.

A Maria Emilia Bender, pela confiança e paciência.

A Laura, pela total simpatia pela causa, a companhia, e tudo mais.

Ao Dani (em memória).

Ao Guile, ainda, por tudo que atravessamos levando juntos essa chama e essa bola, e pelos muitos passes certeiros que tenho recebido dele.

1. Preliminares

LIVRO E FUTEBOL

O leitor a quem se dirige este livro não é evidente: em geral, quem vive o futebol não está interessado em ler sobre ele mais do que a notícia de jornal ou revista, e quem se dedica a ler livros e especulações poucas vezes conhece o futebol por dentro. Pierre Bourdieu observa, por exemplo, que a sociologia esportiva é desdenhada pelos sociólogos e menosprezada pelos envolvidos com o esporte.[1] A observação pode valer também para ensaios como este aqui, embora ele não seja do gênero sociológico. No limite, a onipresença do jogo de bola soa abusiva e irrelevante para quem acompanha a discussão cultural. Assim, mais do que um desconhecimento recíproco entre as partes, pode-se falar, de fato, de uma dupla resistência. Viver o futebol dispensa pensá-lo, e, em grande parte, é essa dispensa que se procura nele. Os pensadores,

---

1. Ver "Programme for a sociology of sport". *In other words: Essays towards a reflexive sociology*. Stanford: Stanford University Press, 1990, p. 156.

por sua vez, à esquerda ou à direita, na meia ou no centro, têm muitas vezes uma reserva contra os componentes anti-intelectuais e massivos do futebol, e temem ou se recusam a endossá-los, por um lado, e a se misturar com eles, por outro. Tudo isso, por si só, já daria um belo assunto: o futebol como o nó cego em que a cultura e a sociedade se expõem no seu ponto ao mesmo tempo mais visível e invisível. E esse não deixa de ser o tema deste livro, que talvez possa interessar a quem esteja disposto a lê-lo independentemente de conhecer o futebol ou de ser ou não "intelectual".

Não é incomum, também, que intelectuais vivam intensamente o futebol, sem pensá-lo, e que resistam, ao mesmo tempo, a admiti-lo na ordem do pensamento. Nesse caso, aqueles dois personagens a que nos referimos no começo podem se encontrar numa pessoa só. Um exemplo do desencontro entre o que se pensa e o que se vive do futebol pode ser lembrado no fato conhecido — que o filme *O ano em que meus pais saíram de férias* incorporou a seu modo — de que muitos dos que se decidiram a torcer pela Tchecoslováquia contra o Brasil, na primeira partida da Copa de 1970, por identificarem a seleção com a ditadura militar, viraram do avesso a decisão inicial assim que a partida esquentou: a verdade é que, apesar das boas razões políticas que os guiavam, o tempo do jogo os devolvia a um lugar em que o time de futebol, *contra aquilo que pensavam*, não se confundia com o regime, mas se mostrava ligado a eles mesmos através de uma identificação inesperada e mais profunda.

É com zigue-zagues como esse que temos de lidar. E com mais um agravante: dada a extensão que tem o futebol no Brasil, a imersão na vida futebolística se faz de uma maneira tal que não passa por uma atividade refletida, ou então *passa tanto* que todo mundo se considera mais na posição de ensinar futebol do que de aprender sobre ele. Afinal, trata-se do fenômeno em relação ao qual parecemos estar sempre *ou muito por dentro ou muito por fora*, obnubilados por ele ou desconectados da sua verdade sob a espécie de uma "superioridade" crítica.

A primeira motivação para encarar o assunto me veio dos esboços quase brincalhões de uma teoria do futebol, escritos pelo ensaísta-cineasta Pier Paolo Pasolini, que um amigo — Michel Lahud — me mostrou no início dos anos 80. Pasolini dizia que o futebol é uma linguagem, e comparava jogadores italianos com escritores seus contemporâneos, vendo analogias entre os estilos e as atitudes inerentes aos seus "discursos". Mais do que isso, falava, escrevendo em 1971, de um futebol jogado em *prosa*, predominante na Europa, e de um futebol jogado como *poesia*, referindo-se ao futebol sul-americano, e, em particular, ao brasileiro.[2] Essas ideias, que se tornaram mais conhecidas recentemente, foram muitas vezes banalizadas e reduzidas à superfície, sem que se atentasse para o alcance inédito das suas sugestões. Apesar de seu caráter apenas indicativo, Pasolini não falava de poesia no sentido vago e costumeiro de uma "aura" lírica qualquer a cercar o futebol. Também não estava projetando "conteúdos" narrativos para dentro do campo. Em vez disso, influenciado, e não sem humor, pela voga semiológica da época, identificava processos comuns aos campos da literatura e do futebol: pode-se dizer que via na prosa a vocação linear e finalista do futebol (ênfase defensiva, passes triangulados, contra-ataque, cruzamento e finalização), e na poesia a irrupção de eventos *não lineares* e imprevisíveis (criação de espaços vazios, corta-luzes, autonomia dos dribles, motivação atacante congênita). Sugeria com isso, pela via estética, uma maneira de abordar o jogo por dentro, e nos dava, de quebra, uma chave original para tratar da singularidade do futebol brasileiro.

Embora sumária, e aparentemente esquemática, a sua teoria

---

2. Pier Paolo Pasolini, "Il calcio 'è' un linguaggio con i suoi poeti e prosatori". *Il Giorno*, 3 jan. 1971.

do futebol contemplava a necessária imbricação da "poesia" e da "prosa" no tecido do jogo (sem afirmar a superioridade de uma sobre a outra), e pontuava genericamente suas gradações, passando por aquilo que ele via como a *prosa realista* de ingleses e alemães, a *prosa estetizante* dos italianos e a *poesia* sul-americana, chegando por todas essas vias ao delírio universal do gol, que suspende as oposições porque é necessariamente um paroxismo poético. Nada impede de dizermos a partir dele, sem dualismos rígidos, que os lances criativos mais surpreendentes não dispensam a prosa corrente do "arroz com feijão" do jogo, necessário a toda partida. Ou de constatar, na literatura como no futebol, que a "prosa" pode ser bela, íntegra, articulada e fluente, ou burocrática e anódina, e a "poesia", imprevista, fulgurante e eficaz, ou firula retórica sem nervo e sem alvo. Pois a mais importante consequência de sua rápida semiologia exploratória, a meu ver, é de que o futebol é o esporte que comporta múltiplos registros, sintaxes diversas, estilos diferentes e opostos e gêneros narrativos, a ponto de parecer conter vários jogos dentro de um único jogo. A sua narratividade aberta às diferenças terá relação, muito possivelmente, com o fato de ter se tornado o esporte mais jogado no mundo inteiro, como um modelo racional e universalmente acessível que fosse guiado por uma ampla margem de diversidade interna, capaz de absorver e expressar culturas. O mote pasoliniano, formulado num momento muito particular do apogeu do futebol-arte, em que a distinção entre a prosa e a poesia futebolística era de uma evidência e de uma pertinência centrais, permanece, a meu ver, como um modelo simples e estimulante para comentar, mesmo quando pelo avesso, as transformações do futebol durante esses tempos e a insistente natureza *elíptica* do futebol brasileiro — sua ancestral compulsão a driblar a linearidade do esporte britânico.

Acresce ainda que esse viés estético-analítico, no caso de Pasolini, é inseparável de sua paixão pelo esporte, do sentimento de sua impregnação na vida e do modo como ele testemunha as relações humanas. A sua paixão pelo futebol é uma *paixão do real*, sem afetações ou restrições moralistas. O futebol era para ele o terreno em que se dava ainda o grande teatro e o rito da presença, expondo ao vivo, em corpo e espírito, um largo espectro da escala humana. Sendo assim, uma zona de contatos lúdicos, primária e refinada, física e metafísica, que desafia e desencadeia o desnudamento da existência autêntica. Por isso mesmo, afirmava que jogar futebol era um dos seus maiores prazeres, junto da literatura, do *eros* e do cinema, além de ser, como para Albert Camus ou Eugenio Evtuchenko, um campo de aprendizado total, uma espécie de romance de formação.

A recente publicação de seus escritos reunidos sobre esporte mostra que, mesmo tendo percebido desde longa data o movimento da tomada desse terreno real pela *irrealidade* dos simulacros da mídia burguesa, pela vacuidade da sua espetacularização e pela sagração de suas vedetes como paradigmas do consumismo, e mesmo tendo se tornado um dos críticos mais contundentes desse fato, nem por isso se permitia atacar o futebol enquanto tal.[3] Na verdade, era nesse ponto de estrangulamento, de certa forma desesperado, inquieto e fecundo, que a sua paixão viva não se deixava anular nem separar de sua consciência crítica, exigindo ver o futebol ao mesmo tempo *de dentro e de fora*, suportando a consciência daquilo que ele tem de alienante e manipulado em nome daquilo que tem de autêntico, memorável, apaixonante e inesperado — em outros termos, bem seus, naquilo que ele tem de popular e real.

3. Ver Pier Paolo Pasolini, *Les terrains: Écrits sur le sport*. Tradução de Flavio Pisanelli. Pantin: Le Temps des Cérises, 2006. Para a noção de paixão da realidade em Pasolini, como adesão àquela porção do real que preserva certa inocência e integridade "face à degradação e à corrupção do mundo capitalista", ver Michel Lahud, "Pasolini: paixão e ideologia". In *Os sentidos da paixão*. São Paulo: Funarte/Companhia das Letras, 1987, pp. 251-67.

No Brasil, a incapacidade de combinar a paixão e a crítica tornou-se um traço recorrente, dominando em boa parte a cena pública invadida a todo momento pelo futebol: é como se fôssemos obrigados a estar muito colados ao fenômeno ou muito fora dele, como se só pudéssemos ser ou *frívolos* ou *graves*, para usar aqui a famosa definição de Brás Cubas para as "duas colunas máximas da opinião". Um futebolismo avassalador, multiplicado pela mídia e euforizado ainda mais pela propaganda, tem como contraponto quase obrigatório as vozes altivas que se põem no que parece ser a posição pensante e que timbram por minimizar o futebol em si, destituindo-o de qualquer relevância cultural. No momento que agora se abre, com a perspectiva da Copa do Mundo de 2014 no Brasil, a conhecida combinação brasileira de sucesso futebolístico com desmando político acaba por chapar o processo, fazendo dele inteiro uma só medalha, com uma face eufórica e outra disfórica a se revezarem infinitamente (papel exercido pelo duplo viés de exaltação e bombardeio acusatório com que a imprensa trata comumente o assunto). Aqui, a tentativa é fazer contato com a experiência total do futebol na vida brasileira sem cair na gangorra onipresente que balança entre o veneno da crítica *ou* a droga euforizante — polos que se equivalem, quando falsamente contrapostos, em nivelar e esconder a questão.

O CAMPO DO ASSUNTO

Não é sem razão que o campo de problematização do futebol tenha crescido no mundo todo, nos últimos tempos. Como desconhecer que ele se tornou uma espécie de língua geral que coloca em contato as populações de todos os continentes; como encarar o fato de que essas populações não só o consomem, mas, diferentemente da relação passiva igualmente implicada nas relações consumistas, que substituíram as culturas locais, também o praticam; como avaliar o *imbroglio* da sua mercantilização massiva e os lampejos de sua profunda inserção nas experiências coletivas; como não ver que nele está cifrado o embate da economia com a cultura, e alguns dos nós cruciais do nosso tempo; como desvendar as suas enigmáticas e ambivalentes relações com a violência, que o jogo ao mesmo tempo aplaca e provoca; como chegou ele a tal ponto de saturação?

Eric Hobsbawm observou, recentemente, que "o futebol carrega o conflito essencial da globalização", suportando de maneira paradoxal, talvez como nenhuma outra instância, a dialética entre as entidades transnacionais, seus empreendimentos globais e a fidelidade local dos torcedores para com uma equipe.[4] A globalização consegue depauperar os campeonatos locais em países periféricos onde eles sempre foram fortes, como os do Brasil e da Argentina, e não consegue extinguir, até aqui, a forte demanda pela representação nacional contra a sua descaracterização globalizada.[5] Terry Eagleton, observando por sua vez a pulverização contemporânea da vida social num turbilhão anódino de culturas particulares e pontuais, diferencia desse quadro o "significado político extraordinário" do esporte e, em particular, do futebol: "basta pensar em como seria transformada a paisagem social e política britânica se não mais existisse o futebol para fornecer às pessoas a tradição, o ritual, o espetáculo dramático, o senso de existência corporativa, a hierarquia, a lealdade, a agressividade selvagem, o combate gladiatório, o espírito de rivalidade, o panteão de

---

4. "Futebol de hoje sintetiza globalização", entrevista a Sylvia Colombo, *Folha de S.Paulo, Mais!*, 30 set. 2007, p. A33.
5. Ver Eric Hobsbawm, "As nações e o nacionalismo no novo século". In *Globalização, democracia e terrorismo*. Tradução de José Viegas Filho. São Paulo: Companhia das Letras, 2007, pp. 86-96.

heróis e a apreciação de habilidades estéticas que fazem falta tão grande ao cotidiano capitalista".[6] As duas observações, vindas de críticos de formação marxista, sugerem curiosamente o futebol — para o bem ou para o mal — como o elo perceptível que sobrou da relação entre a totalidade e as partes, no mundo contemporâneo, ou como o fio tênue entre a pós-modernidade e a resistente *mise-en-scène* de valores que a modernidade dissipou — situação que eu tento definir, mais adiante, como uma espécie de *quadratura do circo*.

O fenômeno geral tem sido objeto de uma bibliografia crescente, que não deixa de proliferar também na forma das inumeráveis "culturas" que Eagleton acusa: as situações raciais, de gênero, os interesses econômicos localizados, as implicações políticas, o *hooliganismo*, o futebol multirracial da França, o futebol como o único lugar em que a União Europeia se realiza, o futebol feminino, o africano, o asiático, o futebol e a violência, o sexo, a propaganda, a moda, a espetacularização generalizada etc. Nesse conjunto, a participação brasileira é ainda magra, e comparece mais com estudos sociológicos, históricos e biográficos do que com ensaios culturais interpretativos e literários, mais frequentes, por exemplo, em língua espanhola.

A esmagadora maioria dos livros, no entanto, por mais interessantes e esclarecedores que sejam, fala de futebol sem falar *do futebol*. O assunto é o entorno, aquilo que cerca, mobiliza, reage, produz, envolve, explora o mundo do jogo — o grande universo do futebol subtraído daquilo que é a sua razão de ser. A tentativa, aqui, é tratar desse buraco negro que é o próprio campo do jogo, perguntando sobre o que acontece nele, e seus efeitos. Tentar perseguir as ligações entre o jogo e os processos que o cercam, o interno e o entorno. Desde já, então, o rumo do nosso argumento vai contra a visão simplificadora e conspiratória de que o futebol se

---

6. Terry Eagleton, "Balzac encontra Beckham", *Folha de S.Paulo, Mais!*, 5 dez. 2004.

resume aos seus bastidores empresariais, se reduz à sua manipulação publicitária e a seus efeitos espetacularizantes. Essa visão pretende captar a verdade do jogo real, para além das aparências, mas tende a ser uma visão de fora que aplica ao futebol, desprezando as suas particularidades, a crítica já pronta da indústria cultural e da sociedade do espetáculo — que nele chegaram, de fato, a uma expressão extremada, como em quase tudo. Mas o lugar muito especial do futebol no mundo contemporâneo acaba por exigir uma leitura específica, a ser inventada.

Como se verá, uma das teses aqui defendidas é a de que o futebol inglês, o *soccer*, pela singularidade da sua formulação, abre-se, mais do que os demais esportes, a uma margem narrativa que admite o épico, o dramático, o trágico, o lírico, o cômico, o paródico. Nele, o tempo da competição é mais distendido, alargado e contínuo do que no futebol americano, no vôlei, no basquete ou no tênis. A margem flutuante de acontecimentos que não se contabilizam, mas que são inerentes à trama continuada da partida, constitui-se, nele, numa sobra significativa que amplia o alcance dos seus efeitos (para não dizer de seus conteúdos, que são difusos e indeterminados, como na música). Não quero dizer que outros esportes sejam desinteressantes — muito ao contrário. Mas é que neles, em geral, há um foco mais cerrado sobre cada momento contábil, em que se traduz em números ou em ganho de território o embate frontal de performances e competências. No beisebol, no futebol americano, no vôlei, no basquete, no tênis, temos uma série de alternâncias de ataques e defesas, de confrontos repicados, individuais ou coletivos, que vão varrendo exaustivamente acertos e erros e sinalizando-os em posições e em números. No futebol, temos uma sequência contínua e inumerável de alternativas em que o avanço numérico é um acontecimento entre outros, que se destaca de um magma de possibilidades não cumpridas, de um vai e vem de lances falhados ou belos em si. Como sintetiza Gumbrecht, que formulou em bases sistemáticas a diferença do futebol em relação a outros esportes, há uma alternância muito maior da posse de bola entre as equipes antagonistas, uma margem maior de contingência e de irredutibilidade aos programas prévios.[7]

É isso que faz o *soccer* desinteressante ou incompreensível, acho eu, para a maioria dos norte-americanos: ele não se presta a uma demonstração cabal e serial de competência, e não se estrutura como uma bateria de provas decisivas de performance. Para o resto do mundo, por sua vez, essa faixa de gratuidade estrutural, essa margem improdutiva inerente ao ritmo do jogo, esse resíduo pré-moderno incluído na competição — elementos que a diversificam sem chegar a afrouxá-la — permitiram identificar o futebol com a vida, e acabaram por fazer dele um campo hospitaleiro ao diálogo polêmico e não verbal entre populações do mundo inteiro. O futebol é uma língua geral que acontece numa zona limiar entre tempos culturais que se entremeiam. É essa a maior consequência, conforme assinalei, dos artigos de Pasolini sobre a prosa e a poesia do futebol.

Foi nessa brecha, também, que o futebol foi assimilado e ressignificado no Brasil, onde se ocupou com galhardia a sobra de desocupação estrutural que o jogo oferecia, fazendo-o coletivo e individualista, pragmático e artístico, útil e inútil, surpreendente e belo, carnavalesco e trágico. Essas qualidades foram, aliás, reconhecidas em toda parte, sem prejuízo das contradições e paradoxos que ele abriga, e que serão tratadas aqui sob o mote do veneno remédio.

---

7. Ver Hans Ulrich Gumbrecht, "Comunidades imaginadas", *Folha de S.Paulo, Mais!*, 4 jun. 2006, pp. 4-5; e Willi Bolle (org.), Hans Ulrich Gumbrecht, Flávio Aguiar, Antonio Medina, José Miguel Wisnik, "Estética do futebol: Brasil *vs.* Alemanha", *Pandemonium Germanicum* (Revista de Estudos Germânicos), São Paulo, Departamento de Letras Modernas FFLCH/USP, n. 2, pp. 67-104, 1998. Nuno Ramos tratou com apuro o caráter contingente e frágil do domínio do jogo em "Os suplicantes: aspectos trágicos do futebol". In *Ensaio geral: projetos, roteiros, ensaios, memória*. São Paulo: Globo, 2007, pp. 245-54.

Este livro se confronta, no entanto, com o seu próprio veneno: se a sua tese de fundo é a da ampla margem de narrativas propiciada em particular pelo futebol, o que fazer com o panorama recente, atualizado pela Copa do Mundo da Alemanha, em que esse traço foi sendo mitigado a ponto de se reduzir ao mínimo? Notavelmente, estávamos diante de uma poesia minguada "em tempo de carência", para dialogar com Holderlin. Já que nos é praticamente impossível renegar o caráter oracular de cada Copa do Mundo, onde algo do estado contemporâneo das coisas se dá a ver, por fatalidade e acaso, no campo de jogo, a questão está lançada: os jogos afunilaram para um giro vicioso em que as partidas semifinais e finais pareciam todas, já, a mesma partida, a depender de um gol isolado ou das cobranças de pênaltis. A própria final foi, nesse sentido, uma partida terminal, em que o campeonato mundial agonizava a sua incapacidade de produzir não só gols, mas acontecimento. E teve afinal, de supetão, como o grande acontecimento memorável, a cabeçada intempestiva de Zidane em Materazzi, que diz mais, em sua impropriedade enigmática, do que toda a Copa. Como esses acontecimentos podem ser lidos, de fora e de dentro do campo?

Voltando ao plano mais geral: ao longo dos anos 80, a ESPN fracassou em implantar o basquete como esporte mundial (o que seria uma decorrência natural no mundo da universalização da calça jeans e da Coca-Cola, do McDonald's, do cinema de Hollywood e da música pop), e a Nike teve de lidar, fora do seu programa, com um esporte que lhe era estranho. Correndo atrás do prejuízo, ambas corrigiram a rota e vieram a fazer da incorporação do futebol a seu programa um objetivo estratégico alcançado com sucesso.[8] O ajuste do interesse econômico à realidade cultural, no entanto, não deixa de dizer algo sobre esta: é significativo que o

---

8. Ver Jorge Caldeira, *Ronaldo: glória e drama no futebol globalizado*. Rio de Janeiro/São Paulo: Lance!/Editora 34, 2002, pp. 19-31.

mais mundial dos esportes não faça sentido para os Estados Unidos, e que os esportes que fazem mais sentido para os Estados Unidos estejam longe de fazer sentido para o mundo. O futebol ofereceu uma curiosa e nada desprezível contraparte simbólica à hegemonia do imaginário norte-americano, assinalando, nesta, um intrigante ponto de falha do seu empuxo totalizador.

É intrigante, também, o contraponto disso: que o Brasil seja o país que se notabiliza, entre todos, por fazer dessa falha o seu forte. Em 1998, o comentador francês Pascal Boniface afirmava, com um toque hiperbólico, que o império do futebol, conquistado pacificamente, e, ao contrário dos impérios militares, "com a adesão entusiasta dos povos conquistados", é o reino de "uma única superpotência — Brasil — muito adiante de um grupo de potências menores (Alemanha, Itália, Inglaterra, Argentina, França etc.) incapazes de rivalizar com o líder mundial". Assinalava a diferença dessa hegemonia brasileira com a hegemonia político-econômica do império norte-americano, já que, no caso do futebol, "nunca uma potência dominante suscitou tanta simpatia e admiração de todos". E completava, com humor, que, se a superpotência brasileira exporta futebolistas não só para a Espanha, França, Inglaterra e Itália, mas também para Malta, Japão e China, então "o Sol jamais se põe no império brasileiro do futebol".[9]

Esse domínio ironicamente realizado sob a espécie do lúdico, essa tecnologia de ponta do ócio capaz de maravilhar os confins do planeta — esse Quinto Império do futebol brasileiro — será examinado ao longo da segunda parte deste livro. A pergunta será, sempre: como firmar categorias críticas capazes de superar o eterno bamboleio do deslumbramento apologético e do negativismo crônico, que, em última instância, se equivalem na cegueira

---

9. Pascal Boniface, "Geopolítica del fútbol", em Santiago Segurola (org.), *Fútbol y pasiones políticas*. Barcelona: Editorial Debate, 1999, p. 90.

com que se mostram incapazes de perceber o processo em que estão incluídos?

Retomando então do ponto em que estávamos: a exportação de jogadores de futebol para o mundo todo é, evidentemente, um índice gritante da fragilidade econômica, política e cultural, incapaz de reter os grandes craques consumados ao mesmo tempo em que produz também os obscuros trabalhadores da bola à procura de oportunidades em todos os confins do mundo. Num só fôlego, o crítico francês não deixa de dizer espirituosamente que o império brasileiro sobre o futebol rebate de modo feliz — porque universalmente aceito — o império político-econômico norte-americano, ao mesmo tempo em que recobre a extensão do império britânico, que se impôs como aquele sobre o qual, por abarcar toda a redondez da Terra, o Sol jamais se punha. A expansão do futebol pelo mundo teria dado lugar, assim, pelo menos dentro do campo, a um império que, no seu núcleo lúdico, não é nem político, nem econômico, nem militar: não um "império que contra-ataca", mas um contraimpério que se faz na contramão dos impérios. Refiro-me ao reconhecimento admirativo, espontâneo e popular de Pelé, Ronaldo ou Ronaldinho, e do futebol que eles representam, manifesto nos centros e nas periferias mais distantes, no Haiti, na África, no Leste Europeu, nos recônditos do Afeganistão ou do Iraque ocupados.

No documentário *Promessas de um mundo novo* (*Promises*, 2001, de Justine Shapiro, B. Z. Goldberg e Carlos Bolado), por exemplo, a traumatizada e praticamente inviável aproximação entre garotos palestinos e israelenses, promovida pelos documentaristas, tem seu único momento francamente desarmado no encontro através do jogo de futebol, e na intenção, compartilhada pelos dois grupos, de torcer pelo Brasil na Copa do Mundo. Saad Eskander, diretor da Biblioteca e Arquivo Nacional do Iraque depois da queda de Saddam Hussein, atribui a inédita vitória da seleção iraquiana na Copa da Ásia, em 2007, nas condições mais improváveis, reunindo curdos, sunitas e xiitas, à extraordinária capacidade aglutinadora do futebol e ao técnico brasileiro Jorge Vieira, que se tornou indiscutivelmente mais popular no país do que o presidente e o primeiro-ministro.[10] Trata-se de um caso extremo entre aqueles, apontados por Hobsbawm, em que uma seleção nacional de futebol estabeleceu, "pela primeira vez, uma identidade nacional independente das identidades locais, tribais ou religiosas".[11]

Pierre Brochand analisa a mesma questão proposta por Pascal Boniface em termos — digamos — mais equilibrados e analiticamente mais amplos. Segundo ele, o mapa geopolítico do futebol inverte em boa parte a ordem das potências econômicas: Estados Unidos e Ásia são "minipotências" periféricas, Europa e América do Sul são "as superpotências consagradas", e a África, graças ao futebol e só nele, uma potência emergente inserida simbolicamente "no jogo mundial do poder e da influência".[12] Ao lado das Nações Unidas, e tanto ou mais que esta, o futebol "é a instituição mais autenticamente mundial que existe; é o único esporte praticado em todos os lugares e por todos, em graus diferentes, mas praticamente através de todos os continentes". Observa, ainda, que o traço singular do futebol no mundo, sua "centelha de gênio", como fenômeno, é o de estar no lugar exato entre o nacional e o transnacional, e de nos prover com o "mapa formidável" que permite escalar ao mesmo tempo as "duas vertentes da montanha": a representação dos países no concerto das nações, tal como os vemos

---

10. "Leituras de guerra", entrevista a Ernane Guimarães Neto, *Folha de S.Paulo, Mais!*, 19 ago. 2007, p. 10.
11. Hobsbawm, op. cit., p. 95.
12. Pierre Brochand, "Entre lo nacional y lo transnacional", em Santiago Segurola (org.), op. cit., p. 101.

classicamente, com suas identidades culturais, ou ideais, mais ou menos decantadas nas Copas do Mundo, e a avalanche global de "entidades infraestatais e supraestatais, não estatais, cidades, regiões, empresas, organizações não governamentais, organizações supranacionais", polarizada pelos clubes europeus, agitada pelo capital sem pátria, desgarrando, em seu turbilhão, as unidades nacionais na nova ordem futebolística transnacional.[13]

Incidindo sobre o nó da economia e da cultura, essa "centelha de gênio" esquizofreniza, de certa forma, os apreciadores, divididos entre o apelo da expressão local e a mundialização futebolística, e converge para um núcleo litigioso. A título de sintoma: permanecerá nos próximos tempos o rito internacional da Copa do Mundo, que fez do futebol o teatro das nações, ou será esvaziado e banalizado "a cada dois anos", em favor de campeonatos globalizados de clubes europeus com jogadores trazidos dos celeiros periféricos do mundo? Vingará ainda o estado de exceção das nações reunidas ou se imporá a realidade mais básica de que as nações são ficções que modulam os jeitos de se tomar Coca-Cola? Permanecerão os gramados naturais ou serão substituídos por gramados sintéticos em estádios cobertos, com regras facilitadoras de maior número de gols? A Copa de 2006 deu os primeiros sinais de que essas possibilidades remotas, sopradas pelo vento real dos interesses, começam a tomar forma. A FIFA, que é fiel, como a Igreja católica, a seus tabus, pode estar inclinada a quebrá-los. Aparentemente particulares no detalhe, as mudanças seriam, de fato, decisivas como conjunto: transformariam o futebol num esporte equivalente aos outros, e corrigiriam, com isso, aquilo que ele tem de triunfante anomalia na ordem mundial.

Dentro do campo, o futebol é o esporte que melhor permite,

---

13. Idem, ibidem, p. 99.

pela sua própria abertura à contingência, como reconheceu Gumbrecht — um filósofo resistente à hermenêutica —, a identificação de *estilos* nacionais: haveria um estilo alemão, um estilo italiano, um estilo holandês, um estilo argentino, um estilo brasileiro, embora não correspondam, segundo ele, à expressão de *essências* nacionais. Em vez disso, esses estilos corresponderiam a formulações futebolísticas bem-sucedidas que vingaram por acaso em certo momento, e que permaneceram como paradigma. O *ethos* da "bem-sucedida vontade para o sacrifício" e a capacidade de renascer das cinzas, nos alemães, por exemplo, e sua tradução como estilo de jogo, não viria desde sempre, mas seria uma construção ligada às vicissitudes da Copa de 1954 e do pós-guerra. A evidente disciplina tática e a recorrente e refinada atenção dos italianos à defesa não encontrariam correspondente na vida italiana: quem sustentaria, em sã consciência, que os italianos são um povo propenso "à defesa disciplinada"? O "inspirado ataque integral dos holandeses", que se formou graças à coalizão dos gênios do técnico Rinus Michels com Johan Cruyjff e sua geração, não encontrariam correspondência numa cultura secularmente comercial e burguesa.[14]

Curiosamente, sobre esse mesmo ponto, diz um outro autor — David Winner, em *Brilliant orange: the neurotic genius of dutch football* —[15] que os holandeses jogam futebol exatamente como guerreavam: nos Países Baixos, onde a terra é "construída" a partir do bombeamento de água do mar, o território se distingue por ser estruturado em diques e canais, inundando certas áreas e diminuindo o espaço em pontos estratégicos. Cruyjff e a "Laranja Mecânica" de Rinus Michels dividiam o campo em passes diagonais e formas geométricas, com a linha de defesa avançando e diminuindo espaços como uma enchente, em "claro paralelo" com os sistemas

---

14. Gumbrecht, op. cit., p. 5.
15. Londres, Bloomsbury, 2000.

sociais, políticos e geográficos da Holanda. A ideia, vera ou bem trovada, nos devolve, assim, ao fato de que a interpretabilidade ou não dos estilos nacionais é uma fascinante *questão de interpretação*.

Ao mesmo tempo, como diz bem o próprio Gumbrecht, esses estilos nacionais, "essenciais" ou não, se adaptaram, todos, nos últimos tempos, a um "estilo globalizado" que é uma combinação aproximativa, e adaptada ao uso genérico, da defesa atacante italiana com o ataque defensivo holandês. Ou seja: dentro do campo assistimos, também, ao encontro das "duas vertentes da montanha", onde os estilos nacionais se confundem num estilo transnacional. Os jogadores ocupam cerradamente o espaço desdobrando-se nas duas funções, despendendo um preparo físico antes impensável. Ao mesmo tempo, fazem "rodar a bola" para o lado e para trás, evitando ao máximo colocá-la em risco de perda, como se quisessem neutralizar, justamente, aquela margem de contingência que distingue o futebol, e aquela sucessiva, imprevisível e contínua alternância de posse de bola, que caracteriza a textura do jogo. Sem desmerecer a vitória da Itália, que soube se defender quase sem erros e fazer, sempre *in extremis*, os gols de que precisava, numa completa funcionalidade congenial com a ordem das coisas, muito daquilo que se estampou na Copa é o retrato dessa considerável uniformização.

Gumbrecht previu, pouco antes da Copa da Alemanha, que a configuração atual facilitaria a confirmação do favoritismo brasileiro, graças a seu estilo capaz de reter amplamente a bola e, ao mesmo tempo, de inventar, nesses espaços fechados, saídas imprevisíveis e momentâneas. Tirando disso uma consequência em outros termos: o Brasil seria o país mais vocacionado, nesse quadro uniforme e estreitado, para fazer valer, ainda, a diferença cultural. Mas podemos dizer que essa profecia já tinha se cumprido quatro anos antes, quando o Brasil ganhou a Copa do Japão e Coreia, em 2002, exatamente por ser capaz, no futebol já amplamente globalizado, de relances criativos e definidores. Em 2006, o que se viu foi, como definiu Tostão, uma "globalização da mediocridade", em que o Brasil deixou de fazer o que pode e de ser o que é — o que o devolve, como que viciosamente, a síndromes já vividas, inesgotavelmente reatualizadas e quase que ritualizadas, entre as quais a vertiginosa reversão do fracasso ao sucesso e do sucesso ao fracasso, do veneno à panaceia universal, e, dessa, ao seu próprio envenenamento.

A interpretabilidade do Brasil e seu futebol será posta em causa na parte final deste livro. Aliás, passam pelo futebol brasileiro linhas incontornáveis das interpretações do Brasil, que se irradiam pela música, pela literatura e pelas formas da sociabilidade. É possível discutir, como faz Gumbrecht, se o futebol expressa ou não o modo de ser de um país europeu. Mas no Brasil a questão se coloca de maneira oposta: para o bem e para o mal, uma das mais reconhecíveis maneiras pelas quais o país *se fez ser* foi o futebol. Um outro filósofo europeu, Vilém Flusser, em termos que lembram os de Pasolini, chegou a poder dizer (também nos anos 70) que "o futebol brasileiro é ontologicamente diferente do futebol europeu". Na Europa constituiu-se, historicamente, numa forma de fuga que se abriu ao proletariado; no Brasil, serviu de canal para uma "relação autêntica intra-humana". "Lá, faz esquecer uma dura realidade. Aqui é realidade."[16]

A ILHA DE SÃO VICENTE

Como este livro tem ambições críticas e analíticas, das quais não abre mão, ao mesmo tempo em que se baseia numa relação vivida e passional com o seu objeto, é em nome dessas mesmas

16. Vilém Flusser, em Gustavo Bernardo (org.), *Fenomenologia do brasileiro: em busca do novo homem*. Rio de Janeiro: UERJ, p. 100.

intenções críticas que as relações sentimentais, no limite suspeitas, do autor com o tema devem ficar claras para o leitor.

Nasci na Baixada Santista, no litoral do estado de São Paulo, em São Vicente, cidade que compartilha a ilha do mesmo nome com a sua vizinha, a tradicional cidade portuária de Santos, colada a ela como se fossem uma só cidade em duas. Vivi ali até os dezoito anos, entre 1948 e 1966. Era um mundo fusional de cidade, praia e mangue, onde o futebol estava em toda parte. Nos terrenos vazios e ruas não pavimentadas, em terrenos alagadiços de lama escura, a molecada esperava a muito custo a digestão do almoço para começar um jogo que terminava sempre na boca da noite, e que se estendia por todo o verão de férias. Muitas vezes voltei coberto da cabeça aos pés, sempre descalço e sem camisa, daquela lama — como uma camisa dez. Mais tarde, as aulas de educação física do meu ginásio se faziam na praia, e consistiam num jogo de futebol sem trégua, desde as sete horas até quase o final da manhã, por conivência de um professor interessado em outras atividades, que nos deixava sob as ordens do apito final de um salva-vidas.

Tudo isso tinha correspondência, é claro, com o que se via em volta, no mundo dos adultos. Como tantas cidades pelo Brasil, se não todas, São Vicente era pontuada de campos de futebol expostos à rua, às praças, às várzeas, rodeados de simples cercas baixas de madeira, onde se disputavam, a cada domingo, os campeonatos da "divisão principal" e da "primeira divisão". O campo gramado do Itararé (onde tantas batalhas houve) nascia quase diretamente da areia da praia, e o do Beira-Mar, que ficava curiosamente do lado oposto ao mar, era uma praça irregular em que se distinguiam no chão, além das áreas e círculo central apagadiços, trilhas de passantes diários que tinham no campo de futebol o seu caminho, e onde, em trechos mais concentrados de capim, algum cavalo pastava descuidado durante a semana, entre roupas postas a quarar. O Beija-Flor da Vila Margarida desentranhava seu gramado impecável das redondezas do mangue, em meio a um bairro pobre, arriscando-se já, a partir de um modesto esboço de arquibancada, à aventura de um ensaio de iluminação noturna. E o São Vicente Atlético Clube simulava um estádio real cercando o seu gramado, rente e duro, de muros altos e alambrado, além de uma fileira de arquibancadas toscas de madeira escura e crua, com cabeças de prego à mostra, mas ousadamente cobertas. Some-se o Vidrobrás (time da fábrica em que meu pai trabalhava como chefe do forno), o Corinthians da Vila Cascatinha e o Continental da Vila Melo (relembrado, com um amor e humor dignos de *Amarcord*, no livro *Bombas de alegria*, do ponta-esquerda Pepe, que viveu, anos antes que eu, esse universo vicentino, indo daí para o Santos Futebol Clube). Ao lado da pequena estação ferroviária da Santos-Juquiá, o campo baldio do rubro-negro SPR (*São Paulo Railway*), espremido num entorno mais urbanizado, denunciava ainda, já camuflada pelo tempo, a origem histórica de toda essa onda: a ferrovia inglesa, à margem da qual, num núcleo que incluiu também clubes, fábricas e várzeas, o futebol nasceu no Brasil.

Era talvez o futebol, acima de tudo, que evidenciava São Vicente e Santos como duas cidades diferentes, embora grudadas num *continuum* urbano no qual o visitante não perceberia falhas, à primeira vista. O futebol vicentino era essencialmente local, com a modéstia e a proximidade animada que lhe correspondem, enquanto o de Santos tinha dimensão estadual, com três times de divisão principal: a Portuguesa Santista, o Jabaquara do torcedor Plínio Marcos,[17] com seu inesquecível uniforme rubro-amarelo e

---

17. Além de importantíssimo autor teatral, Plínio Marcos escreveu algumas poucas e notáveis crônicas sobre futebol. Ver Plínio Marcos, *Histórias das quebradas do mundaréu*, São Paulo, Mirian Paglia Editora de Cultura, 2004, pp. 44-58. Em especial "Dois times sem jogo", em que dois clubes de várzea não chegam a um acordo sobre a realização de uma partida, através de uma troca de cartas. A crônica deixa ver, na linguagem ao mesmo tempo popular e muito peculiar do autor, as complexas e hilariantes relações de poder envolvidas.

sua incurável condição de time sem estádio, e o Santos Futebol Clube. Este iria ganhar, como todos sabem, mas exatamente ao longo desses anos, a sua fulgurante dimensão nacional, internacional, mundial e única. O que não diminuía em absolutamente nada, que fique claro, a vibração das tardes impecáveis, ou dos dias dramáticos de gramados lamacentos e empoçados, em que transcorriam turno e returno do campeonato vicentino. Através deste, os bairros mais remotos e desiguais da cidade se comunicavam, se entremostravam e dividiam campos comuns. Do Catiapoã à Vila Voturuá, da praia ao Parque Bitaru, o fim de semana transfigurava o dia a dia numa festa de cores e convertia uma população de operários, empregados do comércio, biscateiros e funcionários em seres algo míticos, embora irrecusavelmente terrenos no choque dos corpos com o capotão, eclodindo na potência sonora dos chutes, em meio à lama preta, seu cheiro penetrante como o da grama — tudo a uma distância curtíssima de tirar o fôlego. O goleiro Alicate, o meia-esquerda Barbosa e um centroavante baixinho e inexcedível do Vidrobrás, cujo nome não me perdoo ter deixado escapar da memória (Nilson, Nélio, Neizinho?), jogam cada vez melhor na minha lembrança (como diz Chico Buarque sobre os craques do passado). Tudo fazia justiça à frase de Nelson Rodrigues que será repisada neste livro: "a mais sórdida pelada é de uma complexidade shakespeariana".

Na praia, esse movimento todo de clubes, divisões e campeonatos se deixava derramar numa dimensão definitivamente atemporal e utópica. As praias de Santos e São Vicente, assim como as que se estendem desde a Praia Grande a Itanhaém e Peruíbe, são planas e de areia dura, ao contrário das areias fofas e movediças do Rio de Janeiro. Quando a maré baixa, elas se oferecem como extasiantes e granuladas mesas de bilhar ao sol, prateadas, ao crepúsculo, na beira líquida e firme do vai e vem do mar. Ali se jogou, durante tardes infinitas, um futebol sem fronteiras definidas, e onde, aí sim, não se distinguiam mais as duas cidades. Com dois "gols-caixote" de cerca de um metro, demarcados com pedaços de madeira ou chinelos, e participantes às vezes inumeráveis, juntados ao acaso, o jogo se estendia interminavelmente, e em geral semiesquecido do placar, que importava menos do que a condução e a disputa da bola, o festival desperdiçante dos dribles, o descortino inusual dos passes, a brisa e a água do mar espirrando nas divididas pela beirada. O modo de organização dessa cultura lúdica era simples: quem chegava à praia e se aproximava de um grupo já reunido em torno de uma bola, no momento da formação dos times, entrava no jogo a partir do par ou ímpar de dois representantes apontados para escolher os demais. Quem se apresentava para um jogo em andamento, de preferência em dupla, era geralmente admitido na forma do um-para-cada-lado, até o limite numérico do generosamente razoável. Esse regime de inclusão espontânea me parecia tão natural como a própria natureza, o mar e o morro. Ao longo dos anos, sempre que voltava a São Vicente, eu buscava imediatamente o império das tardes na praia, entrando naqueles jogos onde se misturavam livremente classes sociais e faixas etárias, e reconhecendo neles um dos bens preciosos que é possível compartilhar, de modo informal e gratuito, no mundo. Nos anos 90, se não me engano, fui sentindo uma mudança que a minha consciência demorou a registrar: tornava-se mais difícil entrar nos jogos. Eles escasseavam. Os grupos já chegavam equipados com camisetas básicas, mas pré-distribuídas, traves e redes instaladas, e um cordão de isolamento com que cercavam e cerceavam o espaço da disputa. Várias vezes zanzei de jogo em jogo pela faixa da praia, azulíssima e calmamente dourada, sob uma temperatura ideal na tarde declinante. (Surgiam agora, aqui e ali, jogos organizados de futebol feminino, disputados com uma fúria inédita por garotas pobres que pareciam reeditar na areia a várzea de outros tempos.)

Mas o futebol de praia, junto com a escola pública e os campeonatos de várzea, formava na verdade um campo de contato democrático e informal que ia sendo desativado, demarcado e regulado pelos novos padrões de consumo e por uma reorganização da separação social onde não cabia a mesma permeabilidade. Como acontece na constituição de todas as formas míticas, aquela utopia lúdica me foi dada a ver, com toda a sua evidência, justamente quando ela se mostrava já transitória e passada. A entrada em cena dos padrões de consumo de massa, a relativa conversão do município em cidade-dormitório de empregados de Santos e Cubatão, seu crescimento demográfico, a especialização do entretenimento das populações pobres que melhoraram de vida nesse período, e sinais esparsos da violência urbana iam se fazendo sentir, indiretamente, naqueles sábados solitários. E a zona despovoada que se estendia do campo do Beira-Mar até os fundos da ilha, próximos dos mangues, braços de mar e a ponte dos Barreiros, tinha se transformado num aglomerado urbano cujo nome não era outro senão *México 70*.

Os estudos sociológicos sobre futebol que leio batem quase sempre na tecla dos conflitos sociais que fazem do jogo a sua maneira de expressão — como se o jogo fosse antes de mais nada um instrumento da necessidade de manifestar os choques sociais, quase que a sua alegria. Esses conflitos certamente estão e estavam lá, naquela São Vicente, assim como os estudos sociológicos não sabem viver sem eles. Mas eram menos esquemáticos em si e menos visíveis para um garoto de classe média como eu, imerso nas possibilidades dadas por uma ilha de fantasia que era, *ao mesmo tempo*, real. Ao sociologismo automático eu prefiro ainda o meu idealismo ginasiano — porque, em compensação, me foi dado ver ali o substrato autenticamente lúdico do jogo, e a margem de certa gratuidade irredutível que ele guardava — margem que vai ficando inverossímil num mundo ostensiva, extensiva e intensivamente capitalizado.

Agora, um outro complicador. Em 1956, com sete ou oito anos de idade, me vi às voltas com a escolha do time a torcer. Para a criança já capturada pelo fascínio do futebol, talvez seja a primeira decisão pressentida como sendo um ato que alterará a sua vida inteira. Um rito de passagem oficiado no recesso de um foro íntimo imenso e quase virgem. Às vezes essa decisão pode vir pronta e dada pela tradição familiar, como numa sociedade tradicional que já filiasse o nativo a um clã. Mas o meu caso, como imagino ser o de muitos, supunha a indecisão entre as alternativas dadas pelos clubes de São Paulo e a eleição, em princípio arbitrária e cruelmente gratuita, de um objeto para *ideal-de-eu*, com a consequente inclusão forçosa num campo de compartilhamento, no qual passamos a acreditar e ao qual passamos a pertencer como se essa identificação nunca tivesse sido objeto de uma escolha arbitrária. Não acho que esteja exagerando: a escolha do time de futebol redobra, por um gesto nosso, a sujeição primeira a um nome, a inclusão na ordem da linguagem e a identificação inconsciente com um objeto de amor. Ou seja, reencena as bases do nosso processo de identificação, dando-lhe um fantástico teatro em que se desenvolver e se esquecer. Alimentado e açulado pelas motivações grupais e sociais, não é à toa que passamos a defendê-lo pela vida inteira, às vezes furiosa e desesperadamente.

Depois de um exame das alternativas, a minha dúvida se concentrou em duas possibilidades: o São Paulo Futebol Clube, que era o time do meu pai, e o Santos Futebol Clube, que tinha o atrativo de estar bafejado por uma aura de proximidade e de ter sido campeão no ano de 1955, depois de vinte anos sem títulos. Era o velho e o novo (o símbolo do São Paulo era, exatamente, um velho de barbas brancas). A época era da decisão do campeonato de 1956 que, não por acaso, envolvia os dois protagonistas do meu dilema, ritualmente confrontados. Acredito que podemos escolher por imitação direta de um modelo (o time do pai) ou escolher por contraidentificação, já dentro do espírito do jogo, onde a existência do outro *me nega e me afirma ao me negar*. De certo modo, é disso que precisamos e é isso que o futebol nos dá com a sua trama de alteridades, sua combinatória de espelhos invertidos. A verdade é que, no dia do jogo decisivo, escolhi o Santos Futebol Clube. Dormi ouvindo a partida pelo rádio, no intervalo do meio-tempo, quando o Santos perdia por 2 × 1, e acordei campeão, com uma goleada de 4 × 2, e a foto do meu time estampada numa página inteira de jornal.

Os fatos se precipitaram. Num dia qualquer de 1957, vi numa gazeta esportiva a foto de um garoto que vinha se destacando no Santos. Em 1958 esse garoto se chamava Pelé e fazia parte da seleção brasileira, e a seleção brasileira, num domingo infinito que parece a própria final dos tempos, era campeã do mundo. Quando Pelé volta para a Vila Belmiro — o pequeno estádio do Santos —, já se podia ouvir pelo rádio, no momento em que a bola chegava a ele, um alarido diferente na plateia, um clamor excitado e ansioso, uma marca de sagração. Um acontecimento dessa potência nunca se dá sozinho, não só porque um time de futebol tem onze jogadores, como se sabe, mas porque um poder de imantação parece arrastar, por acaso e necessidade, o que está à sua volta. Entre outros, Pelé estava ao lado de craques: do volante Zito, do centroavante Pagão, do ponta-esquerda vicentino Pepe (que reivindica ser, com razão, o maior artilheiro da história do Santos, contando com o fato de que "Pelé não conta"). E a eles se somaram o centroavante Coutinho (cujas tabelinhas com Pelé faziam dele um alter ego, uma soma e um *plus*, como se não bastasse, e deles uma dupla de heróis geminados, à maneira de certas narrativas míticas), Calvet, Dorval e Mengálvio, vindos do futebol gaúcho, e ainda o goleiro Gilmar, o central Mauro, além de Lima, o "coringa". Garantiu-

-se uma sobrevida desse período de glórias com a vinda do lateral-direito Carlos Alberto, com as substituições posteriores de Laércio por Gilmar e deste por Cejas, de Mauro por Ramos Delgado, de Calvet por Orlando, de Pepe por Edu, de Zito por Clodoaldo, de Coutinho por Toninho Guerreiro, de Dorval por Manoel Maria.

Como é sabido, o Santos ganhou — no período de 56 a 69, que coincide, na maior parte, com a minha "vida útil" de torcedor na Baixada Santista — os campeonatos paulista (58-60-61-62-64-65-67-68-69), brasileiro (61-62-63-64-65), Rio-São Paulo (59-63-64-66), sul-americano (62-63) e mundial (62-63), ao mesmo tempo em que excursionava por todos os quadrantes. Eu e a torcida do Santos dessa fase somos, afinal, uma espécie extravagante de avesso de Nick Hornby, o romancista inglês que escreveu, em *Febre de bola*, a sua autobiografia de torcedor do Arsenal num período em que o time não ganhava de ninguém. A situação se invertia em toda linha: meu pai virou santista, como quase todos os são-paulinos nessa época de exceção, e nos associou ao clube, com direito a duas cadeiras cativas (o São Paulo construía o estádio do Morumbi e enfraqueceu o time; o Santos era irresistível mesmo para as torcidas adversárias em geral). A pequena Vila Belmiro, com sua calma e arejada atmosfera de província, que passei a frequentar quase semanalmente, continha uma parte considerável da expressão máxima que o futebol já conheceu em qualquer tempo (como se pode dizer de maneira insuspeita, nesse caso raríssimo, sem medo de estar cometendo algum ato de prepotência).

O que se passou ali tem pouco registro em vídeo. Pelé é um ser de transição entre o futebol do rádio e o futebol da televisão, cujos teipes contribuíram para torná-lo o símbolo de alcance planetário que ele é. Mas, no que se tem para ver, falta a massa do dia a dia do futebol da Vila. Ali, aconteceu de tudo o que se pode e o que não se pode imaginar em matéria de criação futebolística. Como um fabuloso time que pôde jogar junto muito tempo, o que não acontece mais, a combinação dos talentos e da genialidade se decantou e quintessenciou fantasticamente. Um ou outro jogador mais limitado, como os laterais Dalmo ou Geraldino, resplandeciam como craques no corpo daquele time, induzidos por um ritmo de jogo que tanto podia arrebentar em onda branca quanto passear pelo campo como um tapete de espuma suave e implacável. A alvura do uniforme, por sinal, sem a poluição da logomarca do patrocinador, que não existia, em contraste com as peles negras de sua linha atacante (descontado Pepe, a ovelha branca), e só se deixando marcar pelo distintivo alvinegro no coração, era um ícone e um ideograma de alguma fórmula alquímica que tivesse sido alcançada ali.

Entre os gols dessa época que se perderam da memória coletiva, escolho um que não é de Pelé, mas de Coutinho, e que não aconteceu na Vila Belmiro, mas no Maracanã, numa noite de 1962, na primeira partida da decisão mundial interclubes entre Santos e Benfica. A bola foi lançada pelo alto, vinda da intermediária pelo lado direito, caindo sobre o bico esquerdo da área pequena, onde estava Coutinho. Ele matou de efeito sem deixá-la cair no chão, aproveitando tanto o impulso natural da bola quanto o seu desenho em curva para dar um chapéu de fora para dentro num primeiro zagueiro, e, em seguida, um outro chapéu simétrico num segundo zagueiro, antes de concluir, sem que a bola tocasse o chão. Vi esse gol, de uma perfeição rara, uma única vez — ele é de antes da existência do replay. A TV em preto e branco dobrava hipnoticamente o branco do uniforme alvinegro, redobrado ainda pelo contraponto visual da pele negra com a bola branca (que só se usava, então, para jogos noturnos). Tudo num flash — àquela época espocavam flashes, confundidos na luz da tela e na da memória com o próprio gol fulminante em tempo-espaço mínimo. Mais do que produzir o efeito de "uma pintura", ele me lembra aquela técnica de desenho japonês em preto e branco, o *sumiê*, em que o artista arremata a obra com uma única pincelada. Não conheço ninguém mais que se lembre desse gol (um colega de ginásio me disse na época que o tinha visto no cinema, mas nunca o reencontrei nas raras e extasiantes retrospectivas do Canal 100). O filme *Pelé eterno* não o mostra, reduzindo-o literalmente a uma mutiladora fração de segundo. Li num jornal, dois dias depois do jogo, que, ao embarcar de volta para Portugal, um dirigente do Benfica declarou sobre o gol, numa autêntica chave de ouro camoniana, que valera a pena atravessar o oceano, só para sofrê-lo.

Ao mesmo tempo, o Santos era um time real que também perdia. Às vezes, Pelé jogava mal — embora pudesse reverter esse fato a qualquer momento. A equipe tinha épocas de crise. Mesmo num grande dia, podia se deparar com um adversário à altura, como o Palmeiras o foi tantas vezes com vantagem, nesse período. Os ataques eram mais francos, as defesas mais abertas. Podia ser goleado por um time pequeno, como o foi pela própria Portuguesa Santista e pelo Jabaquara (talvez, nesse caso, num inconsciente sistema ritual de compensações locais). Esse é, de todo modo, um corretivo a fazer às insistentes idealizações de times mitificados e supostamente prontos e perfeitos desde sempre, contrapostos às equipes atuais, vistas como insatisfatórias desde o primeiro instante. O imaginário, e talvez em especial o brasileiro, tende a renegar a necessidade da contínua construção de um time através da invocação idealizante de um passado impecável (como se o futebol não fosse, entre todas as artes, aquela que exibe o rascunho de si mesma como o seu resultado final).

Nesse período, o time do Santos passou a transitar entre o bairro e o mundo, virando lenda transcontinental, com seus episódios inéditos e folclóricos conhecidos (guerras interrompidas na África para ver os jogos, juízes depostos pela torcida na Colômbia para que Pelé expulso voltasse a campo etc.). A memória, por outro lado, guarda restos de uma domesticidade provinciana: Pelé, já campeão do mundo, como sentinela no quartel do 2º Batalhão de Caçadores, em São Vicente, onde cumpria o serviço militar; contratado como gerente-propaganda da loja A. D. Moreira, perto da praça Barão do Rio Branco, no início da sua fama; deixando a irmã, de manhã cedo, na porta do colégio público onde eu estudava. Ao voltar da Copa de 1970, ao lado do seu carro, num posto de gasolina, cercado de populares para os quais comentava possivelmente a pedidos um lance da Copa, Pelé foi abordado por meu amigo Wanderley Sanches, que teria aberto espaço entre os curiosos e lhe perguntado com naturalidade: "Pode me dizer onde fica a rua Djalma Dutra?". Além do efeito de desconcertante trivialidade, Wanderley, um gênio maliciosamente (ou deliciosamente) erradio de poeta-filósofo, que aplicava sua metafísica originalíssima ao exame das circunstâncias, queria conferir, segundo ele mesmo, se aquela cabeça vista por milhões ao fazer o primeiro gol da final contra a Itália continha uma certa *informação local*. Se a história é verídica ou inventada por ele, não importa, nem a resposta. Ela se basta como a cifra do que vivíamos ali, e como a antevisão de uma experiência nova que mal se prefigurava — o primeiro espasmo da localidade com a globalidade planetária —, que Wanderley parecia adivinhar através de um futurível Google Earth que enxergasse a mente, e do qual Pelé fosse o *aleph* e o elo.

Quanto a mim, fui condenado a não poder deixar de viver tudo aquilo senão como se fosse natural — insisto, como o morro e o mar. Um amigo dez anos mais novo, e também torcedor do Santos, ao ver filmes do auge da era Pelé, afirmou sem hesitar que o fato de eu ter sido exposto, em tenra idade, à força daqueles fatos, *como se isso fosse normal*, produziu danos irreversíveis à minha personalidade. Ele não foi mais explícito do que isso, mas a frase me atinge. Na melhor das hipóteses, ela se refere à minha incurável tendência a ver sentido em tudo. Este livro é o resultado mais direto da resistência, longamente ruminada, dessa síndrome.

ROTEIRO

O estudo que se segue está organizado em três tempos: "A quadratura do circo: a invenção do futebol", uma consideração sobre a formação dos jogos de bola e a constituição do futebol inglês, pondo ênfase naquilo que o distingue dos demais esportes; "A elipse: o futebol brasileiro", uma consideração sobre o modo com que se desdobrou a adoção do futebol no Brasil, focalizando a questão da sua originalidade e as ambivalências implicadas nele, que podem ser reconhecidas em outros campos da vida brasileira; finalmente, "Bola ao alto: interpretações do Brasil", uma discussão, em registro mais geral, sobre as visões de Gilberto Freyre, Sérgio Buarque de Holanda e Caio Prado Júnior e seu possível alcance atual, quando postas em contraponto comparativo e quando confrontadas com as questões suscitadas pelo futebol brasileiro.

Essa terceira parte, mais curta que as anteriores, porém escrita num registro mais teórico e talvez mais denso, faz a ponte com um conjunto maior e em desenvolvimento, no qual esse trabalho se insere, sobre o *veneno remédio* na cultura brasileira.[18] Este pretende enfocar a música e a literatura, tendo como emblema primeiro o "Emplasto Brás Cubas", a panaceia universal que mata seu inventor enquanto ele a inventa, ou finge inventá-la, como acontece no início das *Memórias póstumas de Brás Cubas*, de Machado de Assis. (Impossível deixar de comentar a coincidência curiosa, para nosso efeito, de que Brás Cubas é o fundador de Santos, cujo

---

18. Como se sabe, a ambivalência do *fármacon* enquanto remédio *e* veneno, focada na desconstrução do *Fedro*, é objeto do importante ensaio de Jacques Derrida, *A farmácia de Platão*, Tradução de Rogério da Costa, São Paulo: Iluminuras, 1997. Outras abordagens, envolvendo filosofia, psicanálise, mito, literatura, tratam também do *fármacon*, associado ao *farmacós* — o bode expiatório, a vítima sacrificial. Sem seguir Derrida, embora aproveitando indicações suas, pretendo remeter o exame da questão às ambivalências recorrentes na representação do Brasil.

nome o pai do protagonista do romance machadiano invoca como modo de dourar a fortuna adquirida no trabalho manual com um prestígio de origem nobre, dando-o ao filho, e de que este fraudulentamente alega, na passagem citada, como o fundador de São Vicente, agregando ao nome Cubas, possivelmente, o prestígio de fundador da primeira vila do Brasil.)

Além das informações historiográficas e sociológicas, lidei com elementos de natureza antropológica, psicanalítica e literária. A intenção não é historiográfica e nem exaustiva, mas ensaística: interrogar por mais de um lado um tema cultural. O livro foi sendo escrito entre 2003 e 2007, e se ressente talvez, na sua redação, das próprias oscilações pelas quais o futebol vai revelando seus meandros, suas faces, e algo do mundo. No caso, entre as experiências opostas e significativas das Copas de 2002 e 2006 — entre a vitória e a derrota. Muito mais importante do que isso, ele testemunha a incerteza sobre o alcance das mudanças que afetam o futebol quando submetido ao circuito sem trégua da sua repetição continuada, ao planejamento e à concorrência introjetados em grau muito mais cerrado, ao carrossel errático das contratações milionárias, e erodido na sua capacidade de simbolização e superação da violência. Mas extrai muito do seu ânimo e sua energia do Santos de Diego e Robinho, que deram alento novo não só ao clube, mas ao futebol jogado no Brasil durante uma boa parte desse tempo. O fato de Robinho renovar como ninguém, nos últimos tempos, a perspectiva de um futebol criativo no Brasil fez que eu jogasse no destino dele, instintivamente, o destino do meu próprio assunto neste livro, que as provações e trapalhadas da Copa de 2006 acabaram por deixar em suspenso. (O fato de Robinho ter nascido e crescido em São Vicente, por sua vez, lá perto do Beira-Mar e do Beija-Flor da Vila Margarida, fica só como o registro inevitável de quem sofre da tendência incurável a ver sentido em tudo.)

2. A quadratura do circo: a invenção do futebol

PONTAPÉ INICIAL

Ao final de *La era del fútbol* — que é talvez o mais contundente de todos os livros escritos *contra* o futebol —, o ensaísta argentino Juan José Sebreli afirma que "nenhuma das grandes ideologias universais — o cristianismo, o islamismo ou o socialismo [...] — puderam abarcar unanimemente sociedades, culturas, continentes, raças e sistemas políticos tão diversos como o futebol chegou a fazê-lo neste final de século". Para Sebreli, o futebol se ombreia, de maneira usurpadora, "com os grandes sistemas religiosos e políticos" e faz da "insignificância do seu conteúdo" a coisa mais importante que acontece a milhões de seres humanos, e "a única que dá um sentido a suas vidas vazias".[1]

Além de ser possivelmente o campeão mundial do antifutebolismo, o livro de Sebreli é um exemplo acabado, e revelador enquanto tal, da ideia do futebol como "ópio do povo", com a qual

1. Juan José Sebreli, *La era del fútbol*. Buenos Aires: Sudamericana, 1998, p. 307.

Marx criticou o papel da religião. Contudo, se, na conhecida passagem da *Introdução à crítica da filosofia do direito de Hegel*, o filósofo materialista pensou a religião sob a forma ricamente contraditória do "espírito de um mundo sem espírito", o futebol aparece a Sebreli, mais propriamente, como a consumação do *não-espírito de um mundo sem espírito*. A denúncia de um quadro universal em que "vidas vazias" são ocupadas pelo "conteúdo insignificante" do jogo está ligada, pode-se dizer, ao fato de que cristianismo, islamismo e socialismo se propõem a salvar a humanidade, lançando-a a um outro tempo, ou além do tempo, enquanto o futebol, que não se propõe a nada senão à ocupação do tempo, acaba por ocupar o seu lugar de modo intranscendente.

Eric Hobsbawm definiu o futebol como "a religião leiga da classe operária", tendo em mente a maneira intensa pela qual a massa da população trabalhadora se envolveu nas batalhas simbólicas dos campos de futebol durante a expansão das cidades industriais. A definição do historiador inglês supunha que o proletariado urbano imprimiu sentidos ao jogo, de maneira ativa, no momento de sua emergência histórica: criado e reservado como privilégio pela elite, o futebol foi tomado para si pela classe trabalhadora. Mas isso seria apenas uma espécie de primeiro tempo da partida histórica. Aplicada por Sebreli ao final do século XX, a questão ganha uma escala universal devastadora e invertida: tudo sucumbe à despolitização e à desqualificação dos conteúdos culturais, substituídos, no mundo do espetáculo massificado e mercantilizado, pelo vazio do mais difundido dos jogos de bola. Assim, o futebol, que já serviu ao populismo, ao fascismo e ao totalitarismo, serviria agora ao totalitarismo do poder econômico, que lhe dá o seu rematado alcance mundial, e presta-se a promover a aceitação conformista do trabalho alienado, a mentalidade do puro rendimento, a competição brutal, a agressão, o sexismo, o fanatismo, o bairrismo, o ativismo irracional das torcidas, o desprezo pela inteligência e pelo indivíduo, o culto dos ídolos, a massificação, o autoritarismo, a fusão mística nos coletivismos tribais, a supressão do espírito crítico e do pensamento independente.[2]

Não há dúvida de que os itens dessa longa lista estão associados, muitas vezes profundamente, às práticas futebolísticas. Mas importa saber *como*, e, antes de mais nada, esclarecer se a sua associação com o futebol é *necessária*. A rigor, a lista de Sebreli é uma relação de contingências: nenhuma delas define o futebol enquanto tal, e é possível dizer que ele só se realiza plenamente quando não está dominado por elas. A possibilidade de estarem em jogo (o fanatismo, o autoritarismo, o sexismo, a agressão, a manipulação capitalista), de forçarem o jogo, de serem catalisados, promovidos ou despertados pelo jogo, *ao mesmo tempo em que negados pelo jogo*, é que permite ao futebol ser um campo de conflitos simbólicos, de expressão transcultural e mundial, mais do que o deserto do espírito em que a humanidade dócil se entrega à manipulação do totalitarismo da vez.

Paradoxalmente, o futebol vem a ser a mais reconhecível e intercambiável das atividades supérfluas, e, por mais interesses econômicos que estejam envolvidos, expande-se historicamente por um fundo de motivações gratuitas — e, sintomaticamente, poucas vezes sondadas como tal. É muito significativo que, ao longo das trezentas páginas do livro de Sebreli, em que se trata de violência e futebol, política e futebol, dinheiro e futebol, sexo e futebol, magia e futebol, meios de comunicação e futebol, personalidade autoritária e futebol, civilização e futebol, não se encontre uma única linha sobre *futebol* (a não ser na passagem em que procura demonstrar, injustamente, que Maradona *não é* um dos maiores futebolistas de todos os tempos).

2. Ver Sebreli, op. cit., p. 316.

É só essa ausência sintomática do futebol que permite falar, com tanta certeza, da insignificância do conteúdo do jogo, quando seria preciso entender que, nele, como nas artes e na música, o conteúdo está ali como se não estivesse: na ausência de significado, mas fazendo *sentido* e pondo em cena conteúdos conflitivos e catárticos que o transformam nesse vespeiro universal de congraçamento e violência. É pelo fato de lidar de maneira não verbal com o núcleo de violência que constitui as sociedades, a um tempo elaborando-o e expondo-se ao risco de trazê-lo à tona, que o futebol pôde se tornar o vínculo intrigante que atravessa todo tipo de fronteiras.

"O que fazem vinte e dois marmanjos de calças curtas correndo atrás de uma bola?": a pergunta clássica é, de fato, uma amostra do quanto o jogo pode ser visto como uma atividade perfeitamente estúpida por quem o olha completamente de fora, como uma dança compulsiva e sem música. A ela responderia Sebreli: prestam-se a produzir o esquecimento da exploração coletiva, a fomentar a ganância competitiva e a moldar a personalidade autoritária. Mas a afirmação da consciência crítica, quando supostamente imune aos efeitos do inconsciente, e acima da alienação da massa, tem dificuldade de entender que, mais do que o campo deserto da vida vazia, o futebol é um campo de jogo em que se confronta *o vazio da vida*, isto é, a necessidade premente de procurar-lhe sentido. *Procurar*, aqui, na acepção ativa que inclui também *encontrar*, *emprestar* e *inventar* sentido — ali onde ele falta como dado, mas sobra como disposição a fazê-lo acontecer. Como na dança e na música, o jogo é um perseguidor e um *procurador* do sentido que falta — um representante do que não está, sem que, com isso, se pretenda dá-lo como presente. Essa "produção de presença", evidentemente não intencionada e não formulada nesses termos, se dá numa temporalidade própria, em ato, com meios elementares e concretos, e se repõe porque não se esgota, na sua instantaneidade, na sua imediatez e na indeterminação aberta de seus conteúdos.[3]

Não se pretende negar aqui o lugar perfeitamente legítimo dos indiferentes ao futebol. Mas, para quem o imaginário da história é o avanço da consciência plena rumo a um horizonte salvífico, o jogo parece regredir sempre, num ciclo irritante, ao ponto de partida. Para aqueles outros que, imbuídos de uma teoria crítica geral, não veem sinais de vida na catástrofe do mundo, o jogo é destituído de graça, além de participar em bloco do processo de dominação. Para quem a vida se alimenta, no entanto, na sua multiplicidade aberta, de uma margem irrecusável de desejo e acaso — em uma palavra, de jogo —, o futebol pode ser objeto simultâneo de paixão e desafio intelectual. Essa disposição não é muito diferente daquela que é pedida pela arte — que supõe certa dose de aceitação da violência simbólica e da gratuidade. Dito isso, seria preciso entender que a consciência histórica, a inteligência crítica e a vontade política, por um lado, e o tempo do jogo, por outro, são dimensões incomensuráveis que não se transferem e não se reduzem, assim como não se anulam e não se excluem.

O futebol pode ser visto como um sistema simbólico que traciona o imaginário colocando-o aparentemente à beira de um precipício: o real da perda. Está em questão, assim, a estrutura dialética e diferencial do sujeito, amplificada para as massas. Em termos simples: é preciso que o torcedor aceite a condição de que estamos sujeitos a ganhar (assumindo temporariamente uma onipotência imaginária) e a perder (recebendo uma cota de frustra-

---

3. A aplicação da ideia de "produção de presença", sem representação de sentido, ao esporte em geral e ao futebol em particular se deve a Hans Ulrich Gumbrecht. Faço dela um uso modificado, conforme debate publicado em Willi Bolle (org.), Hans Ulrich Gumbrecht, Flávio Aguiar, Antonio Medina, José Miguel Wisnik, op. cit., pp. 67-104. Ver também Hans Ulrich Gumbrecht, *Production of presence: what meaning cannot convey*. Stanford: Stanford University Press, 2004.

ção e de real), ambas relativas e devolvidas ao reinício do jogo. Esse esquema é genérico o bastante para não representar nenhum conteúdo previamente determinado, deixando-se investir por conotações ora mais difusas ora mais direcionadas, em que se engancham modos de relação entre indivíduos e grupos. Em casos localizados, recrudesce abertamente em suporte de conflitos raciais, religiosos, políticos, sexuais. Um largo exemplário disso é o livro de Franklin Foer, *Como o futebol explica o mundo* (mas, de novo, explicando o futebol sem falar *do futebol*), em que se mostra o quanto guerras passadas e latentes encontram no futebol um meio de repetição figurada de seus achaques, que se cristalizam em times e rivalidades. É o caso da guerra entre protestantes e católicos na Escócia, tipificada e reencenada no conflito entre Rangers e Celtic, dos *hooligans* sérvios do Estrela Vermelha contra croatas, do franquismo histórico do Real Madrid contra a resistência catalã do Barcelona.[4]

O livro dá elementos para perceber, também, que o futebol está longe de se resumir a um teatro alegórico em que os times encarnam etnias, partidos políticos e ideologias em choque. Sequelas dos conflitos bélicos, trazidas para o futebol, não são tomadas necessariamente ao pé da letra. Os torcedores do Tottenham, por exemplo, um time sediado na zona norte de Londres, chamados truculentamente de judeus por seus adversários ("yids", uma expressão de inequívoco precedente fascista na Inglaterra), assumem a partir de certo momento a alcunha, fazendo do suposto estigma o próprio antídoto e a sua marca de identidade ostensiva (algo similar ocorre com a equipe do Ajax da Holanda). Adotando o xingamento, revertem o caráter pretensamente negativo da expressão, imprimindo-lhe uma conotação orgulhosa-

---

4. Franklin Foer, *Como o futebol explica o mundo*. Tradução de Carlos Alberto Medeiros. Rio de Janeiro: Jorge Zahar, 2005.

mente provocativa. É significativo, no caso específico do Tottenham, que a alcunha não descreva a população envolvida, isto é, nem torcedores nem jogadores, tampouco se refira particularmente à história do clube, a não ser como uma vaga referência à antiga presença de judeus hassídicos, vestidos tipicamente de preto, "pré-modernos e não assimilados", como moradores nas redondezas da sede do clube. Assim, o apelido originalmente faz parte de uma caçada tipificadora com a qual se estigmatiza o outro, imobilizando-o agressivamente num estereótipo por empréstimo. Aqui, pode-se dizer que a cifra *judeu* é tomada como moeda corrente no imaginário da estigmatização, e recambiada em valor positivo por aqueles que são objeto desta. Submetida à lógica que cerca o jogo, sujeita-se ao princípio da reversibilidade, onde circula de modo suscetível a mudar de sentido e a diluir sua unilateralidade numa troca ritual de provocações. Assim, ela se torna uma senha ambivalente, teatralmente truculenta e lúdica, de conflitos e rivalidades postos em jogo, cuja literalidade tem de ser tomada com reserva, na sua insuficiência. É certo que essa ambivalência gira em torno de um substrato de violência e preconceito, que ela ao mesmo tempo atualiza e relativiza.

O sociólogo José de Souza Martins refere-se, por outro lado, ao caso de moradores do bairro de São João Clímaco e da favela de Heliópolis, em São Paulo, que passaram a realizar periodicamente, a partir dos anos 70, jogos de futebol em que brancos e negros se enfrentavam em times opostos (o acontecimento foi registrado por Wagner Morales no filme *Preto contra branco*, de 2004). Durante a partida, esses trabalhadores, que cresceram juntos e dividiram a mesma condição social, e entre os quais se dão normalmente casamentos inter-raciais, escancaram preconceitos e alusões reciprocamente depreciativas. Apesar da "virulência dos estereótipos negativos", no entanto, o jogo termina em "risadas, abraços e afagos" entre as partes, culminando no boteco ou no churrasco comunitário em que "os desacertos da partida" e "os xingamentos racistas" são objeto de comentários humorados e festivos.[5] Muitos dentre eles são mestiços, nem brancos nem negros, que se veem na situação de escolher arbitrariamente o seu time, o que por si só relativiza o conflito ritualizado no jogo. Rancores e dissensões raciais latentes são canalizados, de todo modo, para a moldura da disputa, fazendo que os laços comuns prevaleçam sobre o substrato estigmatizante dos preconceitos difusos ou localizados. Se acreditarmos, inclusive, com base no exemplo anterior, que os conflitos ritualizados não são literais, podemos supor que esses brancos e negros pobres fingem, no jogo de futebol, *os preconceitos que deveras sofrem*, partilhando-os e purgando-os reciprocamente. Com aquela fé cênica de que o jogo é capaz, o futebol lhes dá a oportunidade de simular algo que de fato experimentam na vida real, mas aqui como atores de um rito em que a oposição é posta para ser desativada.

Em todos esses casos, os jogos de bola catalisam violências acumuladas e potenciais, chamando-as sobre si, ora exacerbando-as, ora diluindo-as. O núcleo duro do conflito prevalece nos exemplos mais extremos de Foer, enquanto vinga uma área mole de atrito e acomodação reparadora no exemplo de José de Souza Martins (pelo qual passam as complexidades ambivalentes da questão racial no Brasil). A combinação de violência com reciprocidade festiva, em que a ritualização dos choques contribui para o fortalecimento dos laços comunitários, faz parte habitual, por estranho que pareça e como veremos adiante, da história imemorial dos jogos de bola.

Martins afirma, ainda, que esses "conflitos ritualizados, socialmente confinados e repetitivos, fora do eixo de referência social da classe", fazem do futebol uma "cerimônia que exorciza o conflito

---

5. José de Souza Martins, "Pátriamada", *Valor Econômico, Caderno Eu & Fim de Semana*, 7 jul. 2006.

principal, o conflito da ruptura estrutural, desviando-o para formas de conflito rotineiro e reparatório, de reconstituição cíclica do tecido social rompido". Invertendo a colocação sem desqualificá-la, pode-se dizer que o futebol submete a oposição de classes a uma outra lógica que a sociologia tem dificuldade em captar.

É notável, senão óbvio, que os times brasileiros não sejam portadores obrigatórios de conteúdos: times acentuadamente populares, como o Corinthians e o Flamengo, trazem decerto essa marca na composição social da torcida e no *ethos* que os acompanha, mas isso não os impede de incorporar contingentes de outros estratos sociais; as torcidas de times originariamente de elite, como o São Paulo e o Fluminense, incorporam largamente estratos populares. O Palmeiras, clube tradicional de imigrantes italianos que remonta ao Palestra Itália original, tem uma torcida que extrapola esse perfil, e que tomou para si, como senha de orgulho, o xingamento de que era vítima, fazendo da designação de *porco* (depreciativa do imigrante, ao que parece) o seu totem. Em revanche, chama corintianos de *favelados*. Essa troca de estigmatizações pode degenerar em conflitos reais entre facções da torcida que, mais que o jogo, querem conflito, mas pode fazer parte, também, de um grande psicossociodrama ritualizado, cujo movimento principal consiste em lançar pecha sobre o outro e no qual os estigmas recíprocos são evacuados cataticamente.

Pode-se associar genericamente o São Paulo Futebol Clube à burguesia paulista, o Palmeiras à classe média, o Corinthians às classes populares e parte da nova torcida santista a jovens pobres e semidelinquentes. Mas essa tipificação, embora tenha fundamento na história desses clubes, resultaria numa redução grotesca, se tomada à letra como descrição de um mundo futebolístico paralelo ao espectro social. A adesão aos clubes derrama amplamente dos repartimentos sociais, vai sendo apropriada pelas gerações ao sabor das vitórias e derrotas sazonais, decantando-se em parcelas de torcida com perfil etário sintomático, que registram a memória de épocas vitoriosas em que se deu a identificação infantil com o clube. Forma-se, assim, um espectro de torcidas que guardam estatisticamente na sua composição o espectro da história dos campeonatos, e que tomam para si a identificação com traços éticos acumulados e associados aos times: uma certa fleugma — para não dizer sentimento de superioridade de classe — são-paulina; a apaixonada entrega lutadora corintiana, fortemente gregária; a eterna busca da revivescência da criatividade santista. Torcedores agrupados podem também hostilizar membros de sua própria torcida com base num crivo de classe (são-paulinos pobres se dividindo entre agredir ou não um são-paulino "boy").

A divisão da população de uma cidade em times rivais, claramente dualizada em algumas cidades, como acontece com Grêmio e Internacional em Porto Alegre, Atlético e Cruzeiro em Belo Horizonte, e Bahia e Vitória em Salvador, obedece, para além dos perfis sociológicos, a uma necessidade antropológica: a de se dividir em "clãs totêmicos" mesmo no mundo moderno, e disputar ritualmente, num mercado de trocas agonísticas, o primado lúdico-guerreiro, como se não fosse possível ao grupo social existir sem suscitar por dentro a existência do outro — *o rival cuja afirmação me nega me afirmando.*

Em todos os casos, a base é uma só: ganhar remete ao imaginário (a sensação plena e fugaz da completude), perder remete ao real (à experiência de um corte que devolve ao sentimento da falta), e empatar, ou voltar ao zero a zero do reinício, é o pressuposto simbólico do jogo, que o movimenta e o faz recomeçar. Quando vigora dentro dessas condições, o futebol é um instrumento de elaboração de diferenças, um campo festivo e polêmico de diálogo não verbal, projetado no terreno da disputa lúdica, que atualiza a necessidade de que haja um outro para que eu seja, de que um outro me afirme ao me negar.

Enquanto psicologia de massas, o futebol se inclui, em princípio, entre aquelas formações de *hipnose compartilhada* em que o sujeito se identifica cegamente, ao lado de outros que compartilham a sua identificação, com um objeto no qual reconhece um *ideal-de-eu* (no caso, o clube como ídolo, e os ídolos do clube a seu serviço).[6] Pasolini fala do torcedor fanático como alguém que tem a parte principal do cérebro "destacada do resto, e que não é capaz, sob o efeito dessa iluminação carismática, senão de um único pensamento, fixo, imutável".[7] Ao contrário do torcedor mais aberto, segundo ele capaz de temperar esse estado com certa ironia, ceticismo e distanciamento, o torcedor mentalmente estreito, provinciano, autoritário, é tomado completamente pela sua fixação. No futebol, no entanto, o *ideal-de-eu* hipnótico está posto a prêmio e sujeito permanentemente a uma *queda no real*. Isso diferencia o jogo das formações coletivas de natureza fascista, que estão aí, justamente, para não admitir a possibilidade dessa reversão. Hitler expôs-se a ela, ao pretender fazer das Olimpíadas de 1936 um desfile inexpugnável da superioridade ariana; a prisão, em 1942, de todos os jogadores do combinado ucraniano FC Start (que era formado por jogadores do Dínamo e do Lokomotiv de Kiev, e que se tornou um símbolo de união nacional durante a Segunda Guerra), completada pela execução de quatro entre eles, por se recusarem a perder para um time de oficiais da força aérea alemã, é uma demonstração extrema e sinistra disso.[8] Em condições normais, a

---

6. Ver Sigmund Freud, "Psicologia de las masas y analisis del 'yo'" (1921). In *Obras completas*. v. 3. Tradução de Luis Lopez-Ballesteros y de Torres. Madri: Biblioteca Nueva, 1973, pp. 2563-610. Ao final do texto, Freud monta um modelo revelador de relações sistemáticas entre a formação coletiva, a hipnose, o enamoramento e a neurose.
7. Pier Paolo Pasolini, op. cit., p. 71.
8. Ver Andy Dougan, *Futebol & guerra: resistência, triunfo e tragédia do Dínamo na Kiev ocupada pelos nazistas*. Tradução de Maria Inês Duque Estrada. Rio de Janeiro: Jorge Zahar, 2004.

"hipnose" pelo jogo deixa o sujeito entre a realização momentânea da sua paixão, na vitória, e o convite a revisitar a sua neurose a cada derrota mais profunda. O que implica, no mínimo, um processo pessoal que se movimenta e se desloca, que se vê obrigado a suportar golpes na idealização — se não for emancipador pelo tanto que contém de possível aprendizado sobre a ordem geral das coisas.

Além disso, a hipnose de massas é um nível e um modo da relação com o futebol, mas não o único, nem o mais importante: o desenho do jogo, suas variações narrativas, os instantes de beleza plástica e de inteligência, a própria rotina e o tédio convidam o espectador esclarecido a ir além da hipnose identificatória, a sair do papel restrito do torcedor clubístico ou nacionalista, e a render-se à reversibilidade e à alternância, que consistem no seu recado mais fundo. Razão pela qual os Fla-Flus podem ser tão estimulantes e interessantes no futebol (onde o próprio jogo se encarrega de reverter de alguma forma a paralisia dos opostos) e tão nefastos na vida intelectual, onde imobilizam e esterilizam o pensamento.

Ao tocar na ferida constitutiva do sujeito, no entanto, fazendo-o provar o gosto da contingência e da falibilidade, tomado nesse caso, e em grupo, como insuportável, o futebol é também o catalisador da violência prévia, fundamental e massiva ao *outro* (que se dá no caso das gangues que agem como torcidas organizadas, e que se entrebuscam para batalhas campais à margem do jogo — ou que atacam, no limite, os símbolos do próprio time e seus jogadores, quando frustram a identificação). Desaparecem as mediações simbólicas em que se entretecem os opostos, prevalece a descarga imaginária e real na base do tudo ou nada. O jogo de futebol oferece, nesse caso, muito menos do que um código lúdico-simbólico, a figura espelhada e mortal desse outro, representado no rival. A lógica que comanda essa posição não é a da *necessidade de um outro que me afirme ao me negar,* mas a da *necessidade de negar radicalmente o outro cuja simples existência me nega.* Fracassa o diálogo conflitual tendo como base um código compartilhado, instauram-se a tendência ao choque real da violência física e o regime em que só a simbiose com os aliados devolve a frágil imagem inteiriça que o outro estraçalha. O destino dessa forma extremada da hipnose coletiva é o confronto, a pretexto do jogo, com adeptos de outros emblemas, numa luta de morte simulada ou real em que o ataque à figura do inimigo é um atentado à própria precariedade da autoimagem. Não é difícil reconhecer aí uma espécie de maquete viva de um estado de coisas que o mundo nos apresenta de muitas formas, em muitos níveis, e em muitas áreas da existência.

Ao tentar isolar, com muita dificuldade, as causas do fenômeno, os estudos sociológicos se deparam com o fato de que os grupos violentos que parasitam o jogo podem ser de jovens anômicos, não incluídos no processo de simbolização social, de produção e de consumo, mas podem ser também de neoconsumidores igualmente anômicos, em busca do gozo niilista de uma espécie de esporte radical de massas. Nesse caso, a violência tanto indicaria a desigualdade social, dando sinais da exclusão daqueles que estão distantes dos benefícios sociais, quanto a corrosão da simbolização num ambiente de consumismo generalizado, de saturação do imaginário e de vale-tudo, em que a violência salta como "ato gratuito".[9]

Pode-se dizer que, no Brasil, a violência entre torcidas é talvez algo como um esporte radical de pobres, entre pobres, aterrorizando os ricos — pobres para os quais a inclusão numa torcida e seus emblemas, em batalha campal com a torcida outra, faz mais sentido do que os torneios simbólicos do jogo. Uma massa juvenil

---

9. Ver Richard Giulianotti, "Culturas do espectador: paixão pelo jogo na Europa e na América Latina", capítulo 3 de *Sociologia do futebol: dimensões históricas e socioculturais do esporte das multidões*. Tradução de Wanda Nogueira Caldeira Brant e Marcelo Nunes. São Paulo: Nova Alexandria, 2002, pp. 62-92. Em especial, p. 78.

para os quais não falam tanto os símbolos sociais compartilhados a aderir, mas imagens de reconhecimento coletivo que se erguem para se contrapor à existência do outro, numa relação de reciprocidade ao avesso. O crescimento dessa fratura é o índice de algo difícil de nomear. Ela envolve o esgarçamento de símbolos de reconhecimento familiar, de inclusão escolar, de perspectivas de emprego, de ascensão, de gratificação social etc. Mas, mais que isso, põe em jogo aquele valor de difícil determinação que dá um sentido mediado para a existência, e que supõe as identificações socialmente construídas. O futebol tanto contém a via de elaboração dessas identificações quanto dá sinais da sua falência, sinalizando a falha no princípio de sustentação das forças tensas que estão precariamente articuladas e mobilizadas por ele. Nele se joga um outro jogo surdo em que está cifrado, sem ser representado, o destino da vida social.

Hobsbawm fala de uma difusa e extensa erosão do valor simbólico do Estado e do reconhecimento da representatividade da lei, que possivelmente contribuem para uma espécie de aquecimento global da violência no mundo, e, com ela, da violência em torno do futebol. Mas, curiosamente, dá como exemplo de lei amplamente reconhecida, capaz de figurar em algum nível como contraponto a essa erosão, justamente a lei do futebol.[10] Assim, diferentemente daquela ideia de que, por ser alienante, o futebol impede a emancipação da vida social, pode-se arriscar a hipótese de que *ele se tornou, no mundo contemporâneo, o índice oscilante e problemático da própria condição de possibilidade da vida civilizada.*

Na verdade, o futebol só tem a força que tem porque abriga esse núcleo ambivalente: abriga a briga, e, ao fazê-lo, transforma em outra coisa o fundamento primário, arcaico e irracional da vio-

---

10. Eric Hobsbawm, "A ordem pública em uma era de violência". In op. cit., pp. 138-51. Ver, em especial, p. 144.

lência. Ambiguamente, a violência não lhe é estranha, e quando vem à tona, vem, de certa forma, de dentro daquele núcleo mais íntimo que ele elabora e transcende. O diagnóstico de Sebreli passa por fora da trama contraditória do jogo e consagra a segunda alternativa, a da negação tendencial ou radical do outro (a agressão, o ativismo irracional das torcidas, a supressão do espírito crítico), como sendo *todo* o futebol.

Daí que essa longa denegação, em que se fala de tudo que cerca o futebol sem nunca falar do futebol, esteja possivelmente escondendo algo que lhe é insuportável, isto é, aquilo que, no jogo, retorna sempre porque nunca se esgota, aquilo que tem e não tem sentido, que é sério e brincadeira, e que não se reduz à pureza das ações morais porque põe em ação um conjunto de realidades mais elementar e mais amplo do que elas.

É importante considerar, a título de contextualização, que o peso traumático da Copa do Mundo de 1978, realizada na Argentina durante a ditadura militar, a mistura de delírio patriótico e repressão sinistra que se replicou depois, de outro modo, no episódio da guerra das Malvinas, contribui certamente para a visão sem brechas de um futebol sombrio, que se depreende do livro de Sebreli. Se há, no imaginário argentino, uma certa gangorra maníaco-depressiva entre o entusiasmo coletivo e a sua correspondente ressaca negadora, *La era del fútbol* é a representação consumada do segundo lado. Com aquela propensão a submeter os assuntos a uma gravidade sem sobra ou tolerância para a gratuidade. Mas contribui também para a sua visão geral a disposição filosófica que ele representa tão cabalmente, e que supõe que a psicologia de massas se esgota num caso de sociologia, determinado, em última instância, pela manipulação econômica, atropelando a diferenciação da cultura. Fala aqui uma crítica cultural de intenções frankfurtianas, mas da qual se tirasse toda sensibilidade para a história social e para a dimensão estética, e da qual só se extraísse o resultado bruto da negatividade.

Indo, então, ao resultado bruto da negatividade, o que o livro de Sebreli sinaliza, mais como sintoma do que como reflexão explícita, é o sentimento que nos ronda, e ao qual a Copa de 2006 deu forma, de que aquilo que chamamos de futebol vem mudando a ponto de vir a não poder mais ser, e de que, presa das contingências que o cercam e o tomam, entra num processo de mutação e numa rota virtual de inviabilidade. O que interessa nessa questão, a meu ver, é, por um lado, a sua inconclusividade atual — o que ela tem de aberta —, e, por outro, as enormes consequências culturais, filosóficas e políticas que ela põe, envolvidas na discussão aparentemente fútil e trivial de um mero jogo que ganhou importância excessiva aos olhos de seus críticos, ao mesmo tempo em que foi se tornando um índice inegável do mundo contemporâneo.

O fato é que qualquer discussão a esse respeito gira no vazio se não tentar entrar no cerne da pergunta mais difícil e elementar: se tantos *interesses*, de todos os tipos possíveis, giram em torno do futebol, o que é que está no meio desse giro? O que tanto interessa no futebol?

Para enfrentar essa questão é preciso, como se diz em linguagem futebolística, baixar a bola.

BOLA E CAMPO

O poder de irradiação do futebol é impensável sem uma fenomenologia da bola: esse objeto distinto de todos os outros — sem quinas, pontas, dorso ou face, igual a si mesmo em todas as direções de sua superfície —, que rola e quica como se animado por uma força interna, projetável e abraçável como nenhum. *A bola é redonda* — não há como recuar diante da mais rotunda das obviedades. Ao contrário, é preciso redescobrir esse fato espantoso, que a distingue de todo o resto: "a esfera é [...] a forma primordial, [...] a menos 'especificada' de todas, semelhante a ela mesma em todas as direções, de sorte que, num movimento de rotação qualquer em torno do seu centro, todas as suas posições sucessivas podem ser sempre rigorosamente superpostas umas às outras".[11] Mas essa forma universal ganha uma concretude rasante quando convertida em objeto de jogo, feita de gomos de couro, bexiga ou borracha, cheia de forragem ou de ar, imitada num coco, numa laranja ou numa bola de meia. Assim, ela é ao mesmo tempo geométrica e visceral, telúrica e aérea, pedestre e celeste, platônica e aristotélica, obra de engenharia e de bricolagem: perfeita em si mesma e sujeita a todas as apropriações ("pura ou degradada até a última baixeza", como no verso de Manuel Bandeira sobre a *mulher-estrela-da-manhã*, passando, como se inatingível, pelas mãos e pelos pés de todos).

Pode-se reconhecer nesses atributos (que a aproximam da mulher-mãe e da virgem-puta, infinitamente invocada nos estádios e nas várzeas) as raízes do fascínio tantas vezes compulsivo que ela provoca, visível nos gestos da criança e nas multidões de adultos. A criança, aliás, entende perfeitamente a bola muito antes de entender as palavras. Trata-se de dominar esse objeto perfeito por definição (acabado em si mesmo como nenhum outro) e escapadiço por natureza (imediatamente móvel, quando tocado). A bola magnetiza a atenção por meio de uma completude vivaz, que não deixa de ser uma extensão do corpo, ao qual adere e do qual se desprega, como um ioiô que envolve o sujeito nas suas linhas imaginárias. Ao mesmo tempo, ela liga o eu e o outro em laços instáveis e atrativos. A sua presença hipnotiza e coreografa o

---

11. René Guénon, "De la sphére au cube". *Le règne de la quantité et les signes des temps*. Paris: Gallimard, 1945 [1970], p. 186.

grupo, que, à volta dela, dança um sociograma caleidoscópico, um psicodrama irresistível.

É possível enxergar tudo isso nas tantas fotos que surpreendem grupos de crianças e de adultos, em todas as partes do mundo, imantados por ela, disputando-a sobre areia, lama, grama, charcos, desertos, paralelepípedos, beiras, linhas do mar, em meio a parques, pátios, usinas, estacionamentos, vielas, estações petrolíferas, zonas de guerra, mosteiros, campos de refugiados. Tomo como exemplo o acervo fotográfico da agência Magnum, cujos fotógrafos, sem nunca terem saído para uma reportagem sobre futebol, em décadas, encontraram-no em toda parte e em todo tipo de situação, excepcionais ou cotidianas.[12] Seja onde for, desenhando o traçado invisível que eletriza o grupo e o repuxa para um ponto de divergência que é também de convergência.

Assim, a bola não é só um objeto do desejo, mas o meio que dá a este um foco, como se pudesse torná-lo visível. A atração pelos jogos de bola é quase sempre uma marca de infância: há nesse movimento algo de uma fixação infantil, de uma ligação que advém, em geral, de sua participação precoce no processo identificatório dos sujeitos. Mas não se trata de uma fixação necessariamente regressiva. Pode-se dizer que funciona como um fio que liga a infância e a vida adulta sem que um corte inevitável as separe. Tal reserva tem o poder de reunir os homens numa atmosfera mista de cumplicidade e disputa, sempre reversíveis na medida em que o adversário de agora pode ser o parceiro do jogo seguinte. Constitui-se nisso uma cultura da competição, que a civiliza e lhe dá uma forma reconhecível — de cuja falta as mulheres muitas vezes se ressentem. Pode-se dizer também que é uma cultura difusamente homossexual, como todas aquelas, aliás, que operam num nicho libidinal masculino separado das mulheres. Mas essa curiosa dis-

---

12. *Magnum Soccer*. Londres/Nova York: Phaidon, 2002.

puta para ver quem mete mais gols no outro, acompanhada da suruba figurada das comemorações, explode bandeirosamente, de fato, em homossexualidade mal resolvida justamente quando se expressa em surtos homofóbicos. Já se disse que, enquanto namoradas e esposas muitas vezes rivalizam com as atenções do homem para com o futebol, a mãe coloca-se numa posição significativamente cúmplice, pois sabe, íntima e intuitivamente, que a ligação dos filhos com a bola — primária, ancestral, nostálgica da esfericidade perdida — é, de algum modo, uma ligação com ela.

Para passar adiante da pura promiscuidade lúdico-infantil com a bola, em que o que mais importa é correr gratuitamente atrás e em volta dela, os jogos se veem obrigados a criar um espaço compatível para a disputa consequente e a contagem dos resultados, dando-lhe direcionalidade. Poderíamos dizer, correndo o risco do esquematismo: trata-se de traduzir e converter a ligação com a mãe numa identificação com o modelo paterno. Essa conversão só pode se dar, então, através da dialética da esfera com o plano, isto é, da bola com o campo — em última análise, do círculo com o quadrado. O quadrilátero é o território da objetivação dos combates e de sua determinação quantificadora; a bola é o meio disparador dos movimentos desejados e imprevisíveis, rastreando o campo e repuxando--o virtualmente, em seu movimento. Chico Buarque formulou essa dialética num artigo iluminador em que reconhece os "donos do campo" e os "donos da bola" nos modos predominantes de se jogar futebol em países ricos e em países pobres, com ênfase na ocupação do quadrilátero e na objetivação da disputa, de um lado, ou no domínio gratuito da bola e sua elevação a brinquedo, de outro (ver, adiante, o item "Donos do campo e donos da bola", nesta seção).[13]

---

13. Chico Buarque, "O moleque e a bola", em Eduardo Coelho (org.), *Donos da bola*. Rio de Janeiro: Língua Geral, 2006, pp. 54-6. Publicado originalmente em *O Globo* e *O Estado de S.Paulo*, em 21 jun. 1998.

A palavra *campo* designa um terreno extenso e não acidentado, e, para além de sua acepção agrícola, o espaço capaz de tornar-se o teatro de um jogo de forças, sugerido pela palavra alemã *Kampf*, da mesma raiz, significando luta, e pela palavra *campeão*, o lutador. O campo está a um passo da arena de guerra. Mas uma arena que se presta mais à visibilização do combate, isto é, à sua espetacularização e sua simbolização, do que à sua realização literal, quando ele não se destina expressamente a fins agressivos e passa a decidir, num tira-teima ritual com o outro, sob o olhar de outros, quem detém, por um momento ritualizado, o domínio de uma modalidade.

Se o campo convida para o conflito potencial, a bola o desvia e o repõe em outros termos: não se ataca, em princípio, o corpo do inimigo, mas se desencadeia a disputa por um objeto interposto. Hilário Franco Júnior cita Desmond Morris, que viu no futebol um sucedâneo da caça de sobrevivência dos povos primitivos, da caça sangrenta das arenas antigas e da caça esportiva inventada pelos ingleses. Trata-se de uma guerra modificada em que "não se atacam os adversários", mas a presa disputada igualmente pelos dois grupos. Nessa "caçada recíproca", cada bando tenta ao mesmo tempo "impedir a morte simbólica de sua presa e matar a presa do outro bando".[14] Os jogos eufemizam ou sublimam, assim, as violências projetadas no campo da batalha, e magnetizam o espaço pela presença da bola em disputa, fazendo dele um campo de forças eletrizado pelas linhas virtuais dos seus traçados.

CAPOTÃO E CAPITAL

O simbolismo agonístico das práticas com bola, surgido nas mais remotas civilizações agrárias, aparece comumente ligado a

---

14. Hilário Franco Júnior, *A dança dos deuses: futebol, sociedade e cultura*. São Paulo: Companhia das Letras, 2007, p. 195.

ritos em que os movimentos da esfera são tidos como dotados da propriedade de reger o sol e a lua, dar-lhes forças, impedir ou produzir cataclismas, propiciar fartura. Em contextos arcaicos, a bola tem o condão da "magia simpática", fundado na sua semelhança com as luminárias celestes. Achados arqueológicos, indícios iconográficos e resíduos etimológicos apontam para essa conjugação de bola e movimentos astrais num arco amplo o bastante para ir do Oriente ao Ocidente, de chineses, japoneses, egípcios e babilônios a gauleses e bretões (nada se comparando, no entanto, à dimensão que os jogos de bola ganharam nas sociedades do México pré-hispânico — assunto ao qual voltaremos, em "Jogo e rito").

Diferentemente da maior parte das práticas lúdicas e rituais pré-modernas, o futebol inglês consuma o processo de apagamento da sacralidade da bola (inseparável do *desencantamento* geral do mundo moderno), em que ficam neutralizadas as suas implicações mágicas, telúricas e cosmológicas, num campo autônomo e aparentemente isento de sortilégios míticos. O jogo, que se inclui então no complexo sistema esportivo criado pelos ingleses na segunda metade do século XIX, obedece a uma gramática esquadrinhada em campo pelas suas regras contábeis, que se esgotam, em princípio, pela determinação do vencedor numérico. É verdade que o fundamento finalista e pragmático da busca dos resultados é pouco para dar conta das forças profundas que ele mobiliza, e que a violência, escancarada nos ritos sacrificiais e nas festividades truculentas do mundo medieval, não se ausenta do futebol moderno, tendo nele um lugar crucial, nem sempre visível, às vezes visível demais.

Se acompanhamos as transformações da bola desde que surgiu o futebol britânico, veremos que ela carrega também a sua *mitologia* própria, num sentido próximo das *Mitologias* de Roland Barthes, que investigavam com inconfundível humor semiológico o imaginário dos meios de massa no pós-guerra, isto é, a *mitologia* burguesa. É o que faz a seu modo o escritor espanhol Vicente Verdú, no fascinante *El fútbol: mitos, ritos e símbolos*, de 1980.[15]

Verdú anota a passagem da velha bola de capotão, que reinou até os anos 50, leguminosa e visceral, feita de couro explícito (cujo cheiro recendia), encordoada e eventualmente irregular, com seu pulmão de bexiga às vezes saltando por entre os gomos, quando desgastada e laboriosamente engraxada com sebo, para a bola branca, hermética, sintática e sintética, que "se diz a si mesma de dentro de um centro autista e pontual", impermeável, concluída, laboratorial, que se introduz nos anos 60 (para jogos noturnos), e se generaliza nos 70.[16] Na primeira, advertia-se ainda "a natureza agropecuária do futebol", remissiva de certa maneira às práticas imemoriais do *calcio* e do *soule*: "era um produto hortícola e fortemente sexuado, com rosto e biologia telúrica, rebelde a ser tratado indistintamente a partir de qualquer ponto", dada a sua relativa irregularidade. "Grávida" no aspecto, reclamando a dignidade existencial dos seres viscerados, "a bola tinha argumentos ancestrais" e uma personalidade originária, "impossível de renegar". Seu universo era o da nutrição, circulando como "o *capotão* transeunte entre as viandas saturnais" dos jogos turbulentos do medievo, ao contrário da bola nova, lunar e anoréxica, "inscrita nas leis da geometria", que abandona as quenturas da solaridade tradicional pelo halo noturno da luz de mercúrio e "o resplendor do gelo".[17]

"Lobotomizada" das diferenças e dos acidentes que naturalizavam a sua superfície, a bola é neutralizada, "expurgada de todo órgão e de toda culpa", fora do alcance de qualquer acusação. Depois de um chute errado, diz Verdú, o jogador não olha mais

---

15. Vicente Verdú, *El fútbol: mitos, ritos y símbolos*. Madri: Alianza Editorial, 1980.
16. Verdú, op. cit., p. 44.
17. Idem, ibidem, p. 45.

para ela, mas, em vez disso, confere o bico da chuteira, "apalpa a canela ou o joelho", numa procura vã de justificação.[18] Assim, também, a esfera branca e neutra, com sua fria sexualidade de espelho, deixou de convidar para aquele ato de franca entrega amorosa com que os goleiros a agarravam impetuosamente, rolando com a pelota pelo chão enlameado, no que se compraziam tantas vezes, e pede agora gestos técnicos, distanciados, eficazes, recusando o abraço indisfarçado em troca da defesa em *dois tempos*.

Verdú vai tecendo variações hilariantes sobre essa antítese, que as últimas décadas só acentuaram. O tom da sua interpretação não é o do saudosista que reclamasse um retorno aos velhos bons tempos do "futebol de verdade" (nostalgia crônica e encruada que ele satiriza), nem se afina com o coro dos "inimigos mortais" e dos "inimigos morais" do futebol, contra os quais seu livro se dirige. Em vez disso, faz uma anatomia trágica e sem volta da bola em mutação, tocada para frente em direção a uma suposta "morte do futebol" que vem a ser, no fim das contas, mais um sintoma vivo do estado do mundo contemporâneo do que uma "morte do futebol" propriamente dita.

A passagem do capotão solar e telúrico das priscas eras e dos inícios do futebol moderno para a bola lunar e descorporeizada dos anos 70 aprofunda-se com a mutação permanente do seu design, nos anos 90, radicalizada nesse início do século XXI. O fenômeno foi esboçado na bola-dado das Copas de 70 e de 74, configurada em hexágonos pretos e brancos que fraturavam visualmente a esfericidade e a fluidez do movimento, como se sugerissem que a bola incubava um cubo. Esse experimento, de inspiração na *op art*, continuado e como que corrigido na bola Tango da Copa de 1978, na Argentina, com seus triângulos vazados e levemente arredondados, indica que a bola tornava-se a partir de então um campo

---

18. Idem, ibidem, p. 49.

aberto à manipulação visual — não o objeto opaco pela sua resistência, mas a tela, ela mesma, de um espetáculo ótico. De lá para cá, e cada vez mais, a sempre atualizada bola da moda, autêntica *bola da vez*, publicitária de si mesma, inseparável do marketing da marca, muda de perfil a cada torneio, cambiável, inteiriça, sem fendas, sem *furo* (no sentido psicanalítico), mais leve e mais rápida, quase fosforescente, como pérola para milhões, portadora de motivos temáticos, como os de inspiração oriental da Copa do Japão e Coreia, ou de motivos geométricos mais abstratos de forças expansivas e pressionadas, como na Copa da Alemanha em 2006.[19] Não é difícil ver aí uma metonímia do desarraigamento dos objetos e dos valores, não lastreados na substância, mas exibindo as marcas da volatilidade dos significantes mercáveis — falando implicitamente o *discurso* capitalista.

Dito em outros termos, o capotão primordial, embora *solar* nos seus fundamentos míticos e rituais remotos, exibia uma terrenalidade *saturnina*, ao expor seus limites concretos, seu peso encharcável, sua materialidade, seu corpo sexuado, sua contiguidade com o universo agropecuário pré-industrial, tudo equacionado industrialmente num primeiro estágio de "acumulação primitiva" do futebol moderno (que remonta, segundo Verdú, a Williams Gilbert e aos curtidores de Yorkshire, que dominaram, em 1851, a técnica da necessária redondez da bola de couro inflada de ar).[20] No Brasil dos anos 50, o "folclórico" técnico Gentil Cardoso lembrava sempre aos jogadores que tinham o cacoete de querer jogar demais pelo alto que a bola é de couro, o couro vem da

---

19. De 1982 a 1998, a bola das Copas varia sobre o mesmo motivo dos triângulos vazados e arredondados de 1978, mas introduzindo discretos elementos astecas, no México em 1986, e etruscos, na Itália em 1990. Em 1998, na França, introduziram-se cores, com alusão leve ao *bleu-blanc-rouge*. A partir de 1986, a bola não é mais de couro, mas de material inteiramente sintético.
20. Verdú, op. cit., p. 48.

vaca, a vaca come grama, que nasce da terra — e resumia: "põe no chão, que ela gosta". Ao dizer isso, sinalizava em tom anedótico, e certamente sem querer, o caráter totêmico da velha bola, nascida do sacrifício animal. No outro extremo dessa remota origem biológica e ritual, a bola torna-se *mercurial*, apaga suas origens viscerais e sacrificiais, a remissão a qualquer dor, para tornar-se visível, televisiva, veloz, vendável, tecnológica, imagética e eficiente. Participa, por assim dizer, de um curioso isomorfismo com o formato e a "pele" inflável dos novos estádios, cujo exemplo maior é o Allianz Arena de Munique.

Juntando as duas pontas do livro de Vicente Verdú, podemos dizer que a história antropológica da bola se combina, para ele, com a história social e econômica do futebol. Verdú apresenta, a propósito, a mais convincente interpretação do futebol como *mímese*, isto é, como representação do jogo social, justamente porque não o concebe a partir de um esquema de correspondências termo a termo, mas como um teatro tragicômico que engendra suas formas *em contraponto* com a história social. Ou seja, Verdú não cai no equívoco de pensar o futebol diretamente como "metáfora" — ou espelho — da sociedade, mas reconhece com agudeza o seu caráter metonímico, de índice interno do processo social. Assim, elementos indicativos de mudanças históricas vão entrando no jogo, conotando-o, e remetendo, pontualmente, mas também difusamente, ao todo em que ele se inclui.

O primeiro arranque do futebol — das formas mais toscas de seus primórdios até 1900 — seria movido por um princípio produtivo fundado na extorsão de energia e na exploração das massas físicas, tecnologicamente correlato à máquina a vapor, desenvolvido em ambiente industrial embora ligado a motivações de fundo agrário, que deixam marcas decisivas na codificação do jogo e que contribuem decisivamente para a sua diferença em relação a outros esportes modernos. Em termos primariamente táticos, é a fase do ataque elementar baseado no chutão para a frente e na tentativa de conduzir individualmente a pelota até onde possível, na base de dribles — ou, mais propriamente, aos trancos e barrancos. A bola correspondente é o velho capotão de couro, que ganha então acabamento industrial sem perder a antiga visceralidade.

Um segundo momento, que cobre toda a primeira metade do século e um pouco mais, até a década de 70, seria o de um "capitalismo desenvolvido de produção", em que a ênfase recai não sobre os choques de massas físicas alavancando energia, mas sobre a combinação de peças funcionais, onde os times, com táticas coletivistas, passam a funcionar como máquinas engrenadas, em estádios-fábrica. A Inglaterra, inventora do jogo, foi também pioneira dessa modernização, e ganhou a dianteira, durante décadas, do futebol já internacionalizado. O WM, o "ferrolho suíço", o *catenaccio*, o 4-2-4, o 4-3-3, são variantes dessa empreitada funcionalista, assimiladas por formações regulares como a italiana, ou brilhantemente coletivas e individualistas, como a dos húngaros de 54 e dos brasileiros de 58. Por mais que variem, no entanto, vigoram sempre dispositivos de marcação homem a homem, à maneira dos dispositivos elétricos baseados no par negativo-positivo. A bola correspondente é a industrial de couro explícito, evoluindo para a branca, menos material e mais funcional.

Num terceiro momento, em processo, o capitalismo desenvolvido de consumo, no futebol, está conotado não mais pelos entornos da fábrica (e, no Brasil, pelas várzeas que lhe correspondem e complementam), mas pela atividade produtiva ligada ao setor de serviços, envolvendo o lazer urbano no centro do complexo mercadológico que conhecemos, com interesses que mobilizam publicidade onipresente, tevê aberta e a cabo, *pay-per-view* e estádios-feira de exposição apontando para os estádios-shopping.

Richard Giulianotti apresenta um esquema semelhante ao de Verdú, embora genérico e muito menos sugestivo, chamando as três fases do futebol e suas atmosferas simbólicas praticamente correspondentes de "pré-moderna", "moderna" e "pós-moderna".[21] Iniciada sintomaticamente, no plano tático, pelo advento do "carrossel" holandês, a era "pós-moderna" é a da ocupação total dos espaços do campo, com a assunção obrigada da figura do técnico, a polivalência dos jogadores no gramado (mais eletrônica que elétrica) e sua errância desarraigada e permanente entre clubes, parte de um verdadeiro jogo paralelo de contratações milionárias. Análoga ao movimento incessante de jogadores e treinadores, que não param mais nos clubes, a bola é a tela que exibe seus movimentos de rotação e seus efeitos paraorbitais, quando vista em replays ralentados rodando no ar os motivos gráficos que a compõem, o balé que "realiza no nada", como a própria Terra mercurializada e solta. (Basta ir ao campo, no entanto, e ver o jogo bem de perto, de preferência do alambrado, para sentir de alguma maneira aquilo a que a televisão nos desacostuma: o peso e a opacidade imemorial do capotão, a sempre mesma pelota — uma bola que é uma bola que é uma bola.)

RITO E JOGO

Em *O pensamento selvagem*, Claude Lévi-Strauss cita o caso surpreendente de indígenas da Nova Guiné que, tendo aprendido com ocidentais a jogar futebol, não o faziam para vencer mas para empatar, mesmo que às custas de jogar "tantas partidas quantas [...] necessárias, para que se equilibr[ass]em exatamente as perdidas e ganhas" pelos dois lados.[22] Nos termos do antropólogo, esses indígenas submetiam o jogo a uma outra lógica — a *lógica do rito* —,

21. Ver Giulianotti, op. cit., pp. 42-61.
22. Claude Lévi-Strauss, *O pensamento selvagem*. Tradução de Tânia Pellegrini. Campinas: Papirus, 1989, p. 46.

jogando uma espécie de "partida privilegiada" que visa a produzir não a desigualdade, mas o equilíbrio entre os campos antagonistas.[23] O exemplo diz de modo eloquente o quanto as práticas pré-modernas se distanciam disto que entendemos modernamente por jogo. E que, em sua inocência terrível, elas expõem de modo muito mais aberto o fato de que os destinos da bola conjuram e exconjuram a violência e a morte.

Lévi-Strauss compara o futebol ritualizado dos nativos da Nova Guiné aos ritos funerários dos índios fox, que visavam a propiciar a partida dos mortos sem despertar nestes o desejo de vingança, motivado pela "amargura e [...] saudades" de não estarem mais entre os vivos. Tais ritos, "indispensáveis para convencer a alma do morto a partir definitivamente para o além, onde assumirá o papel de espírito protetor, são normalmente acompanhados de competições esportivas, de jogos de destreza ou azar, entre dois campos constituídos de acordo com uma divisão [...] em duas metades [...]; o jogo opõe vivos e mortos, como se antes de se desembaraçarem definitivamente dele os vivos oferecessem ao defunto o consolo de uma última partida". Nessa *partida das partidas,* o time do "morto" deverá vencer sempre: "prescrevendo [...] o triunfo da equipe dos mortos, dá-se a estes [...] a ilusão de que são os verdadeiros vivos e que seus adversários estão mortos", já que "ganhar um jogo é 'matar' o adversário". Trata-se, então, de aplacar a ameaça contida na morte através da inversão do placar sagrado:

---

23. José de Souza Martins refere-se aos índios xerente, no Brasil Central, que assimilaram o futebol jogando com um time só, em que "todos corriam atrás da bola, disputando-a entre si e perseguindo-a para chutá-la no gol. [...] São sociedades simples, organizadas em bases comunitárias e de cooperação. [...] O futebol foi por eles assimilado como a representação ritual de uma caçada [...]". Em "Pátria-mada", *Valor Econômico, Caderno Eu & Fim de Semana,* 7 jul. 2006. Giulianotti dá notícia de que esquimós veriam o fenômeno da aurora boreal como "uma partida de futebol entre os espíritos da morte". Op. cit., p. 37.

os mortos são vivos e os vivos são mortos. Ou melhor: os mortos prevalecem sobre os vivos (dado que estes não têm escolha sobre a morte) e os vivos prevalecem sobre os mortos (pelo simples fato de estarem vivos) — com o que a luta duplamente desigual dá em empate. É o caso também de um outro rito dos mesmos povos algonquim "onde os neófitos se fazem matar simbolicamente pelos mortos, *representados* pelos iniciados, a fim de obter uma suplementação da vida real ao preço de uma morte simulada".

Lévi-Strauss vê nessa ordem de exemplos a possibilidade de estabelecer o contraste entre o jogo e o rito, que nos interessa aqui: no futebol moderno parte-se da igualdade para a diferença, do zero a zero para a vitória e a derrota (o jogo é subordinado ao princípio da concorrência universal, e quer fazer valer, dentro de regras reciprocamente aceitas entre humanos, a afirmação do mais forte); no rito parte-se da desigualdade para a igualdade, do desequilíbrio entre o profano e o sagrado, os mortos e os vivos, o sol e a escuridão, para a suspensão simbólica da inferioridade terrível do humano diante da natureza e da morte.

Entende-se que o jogo prospere nas modernas sociedades industriais: os times opostos estão subordinados a regras comuns aos dois lados, que pairam sobre eles como uma lei que os iguala, e concorrerão entre si a uma diferença de status que vai depender dos acasos e dos talentos investidos em campo. Trata-se de um contrato de equivalência sobre bases abstratas visando à concorrência e à acumulação, ao contrário do pacto ritual visando à supressão "metafísica" da concorrência, que se faz, no limite, através da violência sacrificial.

Neste ponto, não podemos seguir sem abordar o caso complexo das sociedades do México pré-hispânico (astecas, maias, toltecas, zapotecas, totonacas), nas quais as práticas rituais com bola se investiram de uma importância só comparável, com todas as diferenças, à importância que elas ganharam para a atual sociedade de massas. Quadras de *tlachtli* (a palavra em língua náuatle que designa o jogo-rito, significando algo como "o que se dá a ver", similar à etimologia da palavra teatro — *theatron*, aparato de tornar visível) estão presentes em praticamente todos os sítios arqueológicos da região, constituindo-se numa "das principais formas arquitetônicas ao lado das pirâmides",[24] e ocupando nesses núcleos um lugar de grande relevância simbólica. O jogo de bola ocupa também um lugar central na narrativa mítica do *Popol Vuh*, o livro maia que conta as vicissitudes da origem do mundo e da constituição do homem humano — "o homem de milho".

Na sua modalidade mais conhecida, o jogo ocupava um espaço com o formato característico de um H alongado na linha central, e era jogado com uma bola de borracha compacta que os jogadores golpeavam com ancas e nádegas, antebraços e joelhos. Diferentemente de todos os jogos que conhecemos, evitava-se o uso dos pés e das mãos, sendo a bola malabaristicamente passada, em situações excepcionais, através de duas argolas talhadas em pedra e respectivamente presas, ao alto, como cestas de basquete viradas na vertical, nos muros laterais da região central do campo. A violência do embate, do peso e do choque da pelota, disputada ao rés do chão, é indicada pelas imagens de jogadores protegidos por joelheiras, cinturões, aventais, luvas de couro, e "até mesmo [...] barbotes e meias-máscaras" escondendo as faces.[25]

A bola é designada pela palavra-símbolo *ollin*, que abrange, num amplo arco de sentidos, *borracha, esfera, movimento, movimento do sol, movimento do céu, terremoto, cataclisma* e *ruptura*.[26] Ou seja, a bola articula a experiência de um mundo cataclísmico

---

24. Walter Krickeberg, *Las antiguas culturas mexicanas*. México: Fondo de Cultura Económica, 1961, p. 113.
25. Jacques Soustelle, *A vida cotidiana dos astecas nas vésperas da conquista espanhola*. Tradução de Luci Andrade Rocha. Belo Horizonte: Itatiaia, 1962, p. 210.
26. Ver Christian Duverger, *L'esprit du jeu chez les aztèques*. Paris-La Haye: Mouton, 1978, pp. 89-95.

em que a terra e o céu, com seus terremotos e seus deslocamentos fatídicos, possuem algo das qualidades elásticas, dinâmicas e imprevisíveis da borracha. Há índices inumeráveis, que não cabem aqui, de que o jogo-rito visava a orquestrar de algum modo os poderes catastróficos do acaso com uma equilibração ritual das potências celestes e subterrâneas.

Gordon Brotherson chama a atenção para o fato de que as populações do México pré-hispânico, ao produzirem borracha, desenvolveram uma inédita intimidade com os conteúdos plásticos e imponderáveis do mundo, entendido como um jogo de forças que envolve o céu e a terra. Essa observação ilumina a vida material e suas implicações simbólicas: "sem a borracha, produto exclusivo do Quarto Mundo, não teria podido surgir o tipo de jogo de bola mesoamericano, nem tampouco a filosofia que a partir dele se desenvolveu".[27] Esse fato confere ao jogo-rito asteca e ao das culturas correlatas e precedentes uma autonomia e uma espetacularidade precisas, das quais as edificações, com sua inegável importância arquitetônica, são certamente um índice. Segundo Brotherston, "o campo de jogo de bola representa um primeiro emblema da construção urbana e do comportamento humano no interior dela: sobre suas metades e quartas partes, fixa de modo característico as condições dos partidos políticos contrários, do tributo trimestral e da fortuna". Além de simbolizarem o jogo social, os "estádios-templos" sinalizam uma relação com a bola que se constrói, também ela, através da arquitetura complexa da partida, à qual a borracha conferiu certamente "uma precisão elástica" e uma autonomia lúdica raras em outras culturas até a metade do século XIX.

27. Gordon Brotherston, "Popol Vuh: Contexto e princípios de leitura", em Gordon Brotherston e Sérgio Medeiros (org.). *Popol Vuh*. São Paulo: Iluminuras, 2007, p. 32.

Por isso mesmo, válidas como *theatron*, como *tlachtli*, como espetáculo, como "algo que se dá a ver".

Figuras entalhadas em sítios arqueológicos de jogos de bola, como Cozumalhuapa, Chichén e Tajín, sugerem intrigantemente uma lógica lúdico-ritual associada a "ideias de decapitação, que fazem da cabeça uma bola substituta, e do sangue do corpo, alimento para o crescimento das plantas".[28] São índices enigmáticos e lacunares, sugerindo uma associação do jogo-rito solar com violência sacrificial, em que o campo seria um duplo do mundo, a bola um astro e a disputa uma ritualização agônica do equilíbrio cósmico. Nesse quadro, a vítima entraria como oferenda compensatória do desgaste do Sol. Muitas perguntas suspensas podem problematizar, no entanto, a imediatez literal dessa interpretação e a versão corrente de que se sacrificava um jogador eleito ao final de cada partida do *tlachtli* sagrado. Por exemplo: decapitação real ou astúcia iniciática, em que o neófito se deixa matar simbolicamente "pelos iniciados, a fim de obter uma suplementação da vida real ao preço da morte simulada" (como vimos há pouco)? Violência cruenta, em que uma vítima execrada (o perdedor no jogo) é consagrada e divinizada, através do sacrifício, tornando-se o veneno remédio que canaliza a destrutividade potencial do grupo? Ou uma versão incruenta desse ato de violência inaugural, figurado num rito sublimado?[29]

Ao que parece, não há como historiar precisamente o lugar do sacrifício na prática imemorial do *tlachtli* sagrado. Por um lado, os excessos sanguinários dos ritos astecas são bem conhecidos, e não

---

28. Idem, ibidem, p. 32.
29. A ambivalência da violência sacrificial é assunto amplamente tratado por René Girard em *A violência e o sagrado* (Tradução de Martha Conceição Gambini. São Paulo: Paz e Terra, 1990), sem abordar, no entanto, o caso do *tlachtli*. Uma visão divergente do mesmo tema pode se ler em Giorgio Agamben, *Homo sacer: o poder soberano e a vida nua I*. Tradução de Henrique Burigo. Belo Horizonte: UFMG, 2002.

dão lugar a maiores devaneios piedosos. Por outro, sabe-se que um tributo de cerca de 16 mil bolas de borracha era cobrado anualmente das povoações do Golfo, produtoras de goma, pelo centro despótico asteca, sinalizando a existência de uma prática largamente adotada e sugerindo "a imagem de um jogo [...] regular e talvez cotidianamente disputado".[30] Colocada num ponto enigmático entre o estado de exceção do sacrifício violento e a prática rotineira dos jogos, ou entre, poderíamos dizer, "a mais sórdida pelada" e as imponentes e terríveis finais de uma Copa sacrificial, a narrativa do *Popol Vuh* confere dimensões mais sutis aos motivos intrigantes dos entalhes existentes em Chichén e Tajín: os gêmeos míticos, que jogam bola contra as potências subterrâneas e infernais de Xibalba num episódio decisivo da epopeia, extraem sua vitória e sua sobrevida do próprio fato de saberem *morrer com astúcia*. Tendo perdido a cabeça decapitada já antes do jogo e substituindo-a por uma abóbora, antes de recuperá-la, o herói geminal engana seus oponentes, fazendo do seu déficit uma vantagem: *por já estar morto é que vive*. A cadeia simbólica *bola-cabeça-abóbora* une, com isso, os elementos do jogo e do sacrifício ao tema da fertilidade vegetal. O jogo-rito, pelo menos no modo como se pode lê-lo nessa narrativa de fundo xamanístico, é o instrumento de uma espécie de "virada" sobre a morte, em que esta é driblada. Assim, o *Popol Vuh* fala mais alto, ou mais fundo, do que as fabulações simplistas sobre a execução do jogador ao final da partida de *tlachtli*.

Em suma, as práticas com bola na Mesoamérica pré-hispânica, que se perdem na poeira dos séculos, oferecem um caso-limite, extremamente desafiador para a análise, de coalizão

---

30. Duverger, op. cit., p. 181. Uma tal cultura lúdica transparece também no uso do *tlachtli* como passatempo e diversão na corte de Montezuma II, indicando que a cultura do sacrifício e do jogo estavam longe de se confundir inteiramente, e que se jogava também por divertimento, por prazer e pelo gozo da disputa.

entre jogo e rito, só possível pela união da forma esférica com a matéria da borracha, que deu a essas práticas a um só tempo uma ludicidade única, um domínio emancipador do espaço e uma dimensão cósmica cercada das sombras da violência ritual. Nessas práticas, com tudo o que têm de opaco ao nosso entendimento, pode-se perceber uma associação inextricável entre os movimentos da bola, o acaso, a violência, a ordem social e a ordem cósmica.

Por tudo isso, é sempre vão equiparar o futebol moderno com modalidades pré-modernas de jogos com bola. Mesmo que tivessem, hipoteticamente, as mesmas regras, eles seriam jogados sempre, no limite, segundo outras lógicas. Retomando então os termos de Lévi-Strauss, e dando-lhes outras implicações: o futebol inventado pelos ingleses na segunda metade do século XIX separou o jogo do rito, como se quisesse chegar a uma versão quimicamente pura daquele, em que regras de igualdade competitiva garantiriam uma avaliação neutra das competências em disputa. Simula, assim, as próprias pré-condições da competição no mundo burguês-capitalista, depuradas como se se tratasse de um campo de provas científico, produzindo "fatos a partir de uma estrutura" dada. Deixa de contemplar expressamente, assim, todas aquelas outras forças que ele atiça e conclama, apesar de tudo: as pulsões de vida e morte, a consagração e derrisão de um "bode expiatório", o poder soberano que o instaura, a borda mítico-ritual que insiste e retorna nele, mais a instauração, de que falaremos adiante, de um mercado paralelo de identificações totêmicas investido em torcidas.

É essencial entender, também, que, ao dar forma lúdica ao mito da concorrência universal, o futebol criou o campo simbólico onde essa concorrência muda de sentido — tanto socialmente, já que apropriada por agentes que não teriam oportunidade no campo da competição econômica (operários ingleses ou brasileiros pobres, por exemplo), quanto simbolicamente, já que a concorrência se dá em código corporal e não verbal, irradiante de sentidos não determinados, desfrutando de um estatuto correspondente ao da autonomia da obra de arte.

Se o fenômeno histórico do futebol moderno tem como pré-condição as bases da modernidade e do capital, ele não se reduz completamente a elas, funcionando, em certo sentido, como um avesso compensatório (essa questão será retomada, de modo mais sistemático, no item "Futebol não tem lógica"). Enxergar o futebol através de evidências que lhe são, no essencial e às vezes por um fio, externas — o poder econômico, por um lado, a instrumentalização ideológica, por outro—, como se elas estivessem não só por trás e ao lado mas por dentro de tudo, é estar cego para aquilo sem o que, afinal, *todo o resto não importaria*. Trata-se, na verdade, de enxergar o lugar frágil e poderoso em que o futebol se dá, apesar de tudo, como avesso do jogo social. Pois ele é modernamente vizinho e parente da pura violência, que o ronda e o pressiona por fora e por dentro (mas sob a qual, no entanto, se desestruturaria); vive num mundo regido pelos imperativos do mercado ou pelas pressões da ideologia, seja política, seja publicitária, que cerca o campo e invade as camisas (sob o domínio das quais perderia, no entanto, a razão de ser). Entre essas forças aniquilantes, constitui-se no limite fino, mantendo um parentesco latente com o rito, que, ao ser sua inversão, não deixa de ser a sua outra face. Mas se superando, quando *acontece*, e graças à sua autonomia, enquanto esta existir, numa forma singular de arte.

SOULE

O *soule* é citação obrigatória quando se estuda a história do futebol. Trata-se de uma festa popular praticada em regiões da França ao longo dos séculos desde pelo menos meados da Idade

Média, análoga a outras modalidades registradas nas ilhas britânicas (como o *foeth-ball* e o *knappan*), e caracteriza-se como uma encarniçada disputa de bola — espécie de vale-tudo da pelota — empreendida por grupos inumeráveis de pessoas, contando-se às centenas, usando pés e mãos para todo tipo de choques, além de escaramuças e emboscadas lúdicas e agressivas, espalhando-se pelas bordas de povoados e cidades, entre campos, bosques e brejos, numa disputa sem margens definidas à qual nunca faltaram contusões graves, ferimentos, fraturas e, segundo relatos, não descartadas nem propriamente raras, mortes.

A bola, de uma concretude telúrica, feita de couro preenchido com grãos, farelo, palha, forragem, capim, ou ainda bexiga cheia de ar (fala-se também no uso, menos verossímil para nós, da bola de madeira), disputada com a mesma intensidade vivaz e desordenada com que cães disputam um osso,[31] dava nome ao jogo: *soule* — ao que indica uma hipótese etimológica, uma modificação do vocábulo celta *heule*, designando, ainda uma vez, o sol. Os adversários, em vez de equipes esportivas, guardavam mais o caráter totêmico de clãs em disputa: comunidades vizinhas, paróquias, cidade versus campo, casados contra solteiros, ou casadas contra solteiras. A refrega participa daquela festiva e ritualizada rivalidade popular que preside, por outro lado, "as batalhas nas pontes de Veneza ou Pisa ou as partidas de futebol em Florença", bem como os "esforços de diferentes paróquias, guildas ou bairros da cidade para apresentarem exibições melhores do que seus rivais", que acabavam por fazer muitas vezes das próprias procissões uma animada modalidade de disputa.[32]

---

31. Bouet, apud Christian Bromberger, *Le match de football*. Paris: Éditions de la Maison des Sciences de l'Homme, 1995, p. 277.
32. Peter Burke, *Cultura popular na Idade Moderna*. Tradução de Denise Bottmann. São Paulo: Companhia das Letras, 1989, p. 223.

O objetivo dessa forma de "caçada recíproca", muito mais crua que a do futebol, travada entre populações de aldeias vizinhas, consistiria em conduzir a bola para dentro do território do outro, até seu campanário, suponhamos (tratado, portanto, como uma espécie de gol), ou de subtrair a bola do domínio do outro grupo e trazê-la vitoriosamente até seu próprio território, entronizando-a em sua própria igreja (ou em algum outro ponto marcado do próprio território). Cronistas registram desde os séculos XI e XII a ocorrência dessas duas modalidades de disputa,[33] certamente complementares mas indicativas, também, de uma alternância prática entre o modelo guerreiro e o religioso. Porque, num caso, trata-se de atacar, conduzindo a bola agressivamente em direção ao território a ser conquistado; no outro, trata-se de resgatar o trunfo, entre escaramuças e emboscadas, reconduzindo-o para o território de origem como a restituição sacral de um bem (à maneira da demanda do Graal). Essas variações realizam, ao que tudo indica, uma mescla do princípio da intrusão em "país inimigo" (que, explorada na reversibilidade dos ataques e contra-ataques, dará a base dos jogos modernos) e o da confirmação autóctone do marco paroquial, constituído numa espécie de umbigo do mundo (afirmando, ainda que em condições esgarçadas, a consagração de um centro ritualístico).[34]

Praticado em dias festivos, em especial na Terça-Feira Gorda do Carnaval, a partir de um "bola ao alto" lançado por uma auto-

33. Ver Christian Pociello, *Le rugby*. Paris: Presses Universitaires de France, 1988, p. 47.
34. Se o futebol consagrou, na sua configuração interna, um dos lados reconhecíveis no *soule*, aquele que impõe ao destino da bola a conquista do território oposto, podemos observar, curiosamente, que quando se comemora a conquista de uma Copa do Mundo com a volta triunfal com a taça, percorrendo as ruas do próprio país, está se promovendo vagamente a reintrodução daquela outra faceta do *soule* que o jogo moderno apagou: o resgate de um dom disputado e a consagração festiva do próprio território como centro do mundo.

ridade depois da missa, suposta reminiscência de um culto celta, o *soule*, meio católico meio pagão, é comumente associado aos ritos de fertilidade, mediados pela bola ao mesmo tempo terrena e solar que, resgatada por um grupo do domínio do outro e trazida ao próprio território, teria o poder de consagrá-lo ou fertilizá-lo. (Na cerimônia ritual arcaica, mais especificamente, "a bola era identificada com a esfera solar: lançada para cima no começo de cada jogo, na ficção simbólica de fazê-la entrar em contato com o sol e, ao cair, disputá-la como um objeto sagrado".)[35] O pretexto para se bater, o impulso gozoso e violento do corpo a corpo, implicaria assim, aqui também, numa fabulação inerente: disputa de uma bola ligada, pela sua própria materialidade, ao campo, isto é, ao universo da produção de alimento — ao mesmo tempo batalha de sobrevivência pela fonte de nutrição e rito promotor de abundância, já que o campo (de jogo) é literalmente o campo (isto é, a vizinhança rural), mobilizada pela demanda dos benefícios do sol (indicados cifradamente no nome da bola). A recorrência de embates entre casados e solteiros sugere, ainda, a inserção do jogo no universo da familiaridade e a diferença de status entre os diretamente vinculados e os não diretamente vinculados à procriação.

Mas é preciso assinalar que essa batalha corporal por um objeto concreto e figural, cifrado e escapadiço, envolvendo sobrevivência e gozo, não se dá como metáfora nem como alegoria: o jogo enquanto tal promove o esquecimento do sentido (como num teatro que virasse animada e turbulenta música). Como diz Peter Burke a propósito das festas do carnaval popular europeu até o século XVI, no espírito das quais o *soule* se insere, "os sentidos cristãos foram sobrepostos aos pagãos, sem obliterá-los, e a resultante precisa ser lida como um palimpsesto". Os rituais emitem ao

---

35. Verdú, op. cit, p. 45.

mesmo tempo "mensagens sobre comida e sexo, religião e política",[36] mas de uma maneira flutuante e polissêmica, segundo a qual "uma salsicha podia simbolizar um falo; mas então um falo podia simbolizar algo mais, quer os contemporâneos tivessem consciência disso ou não". Uma bexiga de porco pode ser usada "para tocar música, jogar futebol e bater nas pessoas";[37] nas mãos de um bobo pode estar associada aos órgãos sexuais (enquanto bexiga), aludir ao próprio carnaval (graças ao porco, seu animal por excelência), e constituir-se numa alegoria moral da fatuidade (ligada ao próprio vazio).

Desse modo, o princípio geral da fertilidade, que não deixa de dar o tom ao *soule*, se dissolve e irradia em múltiplos sentidos não determináveis, confundindo-se todos na acirrada disputa, que fala por si só. O jogo é o lugar por onde passa o substrato de todas as práticas, sem se fazer a representação de uma *outra coisa* — sexo e fertilidade, carnaval e missa, guerra e gozo estão ali justamente porque deixam de sê-lo.

Precária distinção entre jogadores e torcida, num espaço espalhado e sem bordas definidas, ausência de juiz, luta encarniçada e oferenda votiva, fazendo-se em troca-disputa como ato de uma comunidade que se congrega e se divide: todas essas são marcas diferenciais do mundo pré-moderno, que distinguem, sem lugar a dúvida, o *soule* do futebol moderno. O campo de luta, a terra, rende preito, através da bola, a um valor unificador pelo alto, o círculo-sol. Sob este, prevalece o animado e truculento agarra-agarra e empurra-empurra, em que a conquista de espaço é inseparável dos choques corpo a corpo, que põem o *soule*, sob esse aspecto, mais na linhagem do rúgbi e do futebol americano, onde a bola bicuda não tem grande autonomia de movimento, do que

---

36. Burke, op. cit., p. 215.
37. Idem, ibidem, p. 211.

do *soccer*. Mas, evidentemente, sem a complexa malha de ocupação tática de um espaço delimitado, que anima a codificação do rúgbi e do futebol americano.

Os terrores da violência sacrificial se dissolveram, nessa tradição popular, numa mescla de festividade com embates físicos, proibidos pelos éditos reais e de autoridades civis, fomentados pelas efemérides religiosas, ocupando uma zona limítrofe entre a transgressão e a semi-institucionalidade. Os jogos de bola são uma atividade recreativa restauradora de equilíbrio nos dias santos e festivos, entre os quais se destaca a Terça-Feira de Carnestolendas. O seu caráter tradicional e pacífico admite, no entanto, uma margem de violência que lhes dá um caráter anárquico, desordenado, às vezes ilícito. O mundo popular pré-moderno, em que vigorou o *soule*, assim como os jogos correspondentes nas ilhas britânicas, não parece dividido ou preocupado, no entanto, em *resolver* essa antinomia, que não figura nele como problema. Trava-se, pois, uma mistura irresolvida de cristianismo e paganismo, de atmosfera religiosa e leiga, de ordem e desordem, em que as fricções carnavalescas entre comunidades vizinhas podem se converter em luta aberta, sem se confundir com uma ruptura de relações. Norbert Elias e Eric Dunning chamam a atenção para a dupla cara dessa cultura festiva, tal como se realizava na Inglaterra, vendo nela a "expressão de unidade e solidariedade íntimas e hostilidade igualmente íntima e intensa", sem que os participantes vissem "nada de contraditório e incompatível nessas flutuações".[38]

Parece-me que vigoram, aí, laços antiquíssimos e transculturais com um universo festivo em que atitudes de comunhão e ao mesmo tempo de luta são, segundo Vernant, "componentes sociais e psicológicos essenciais". É o caso das festividades gregas baseadas

---

38. Norbert Elias e Eric Dunning, *Deporte y ócio en el proceso de la civilización*. México/Madri/Buenos Aires: Fondo de Cultura Económica, 1992, p. 219.

em combates, às vezes cruentos, envolvendo tanto homens como mulheres, jovens e velhos. "Essas batalhas, que nem sempre são puramente fictícias — exigem às vezes que o sangue corra —, utilizam outras armas que as da guerra, mais frequentemente pedras e bastões". Conforme o contexto mítico-ritual em que se inserem, podem ter "uma função apotropaica e purificadora" (destinada a afastar malefícios), e "um valor de fecundidade". Mas, observa ainda Vernant, "em todos os casos e qualquer que seja a sua orientação, o rito possui uma virtude de integração e coesão sociais. É através de lutas e competições que o grupo faz a experiência da solidariedade como se, nele, *os vínculos sociais se atassem segundo as mesmas linhas desenhadas pelo jogo das rivalidades*" (o destaque é meu).[39]

Essas formas mistas de troca e violência não são estranhas ao princípio ambivalente que rege o rito do *potlatch*, estudado por Marcel Mauss no clássico "Ensaio sobre a dádiva", em que sociedades divididas em clãs, tribos ou frátrias, *à maneira de times*, trocam entre si riquezas móveis e imóveis, além de benesses múltiplas ("gentilezas, banquetes, ritos, serviços militares, mulheres, crianças, danças, festas"), às vezes sob a forma de jogos e através de doações voluntárias e recíprocas, mas, "no fundo rigorosamente obrigatórias, sob pena de guerra privada ou pública".[40] Nesse troca-troca rivalitário e demonstrativo, paradoxalmente desprendido e impositivo, porque de uma reciprocidade obrigada, festiva e disputada, as sociedades se organizam já na forma de um Fla-Flu entre clãs em que *dádiva é dívida*, vertendo e revertendo sob a forma de *prestações e contraprestações totais de tipo agonístico*, rigorosamente ritualizadas. Trata-se de *converter a rivalidade potencialmente violenta em*

---

39. Jean-Pierre Vernant, *Mito e sociedade na Grécia antiga*. Tradução de Myriam Campello. Rio de Janeiro: José Olympio, 1992, pp. 27-8.
40. Marcel Mauss, "Ensaio sobre a dádiva: forma e razão da troca nas sociedades arcaicas". In *Sociologia e antropologia*. v. 2. São Paulo: EPU/Edusp, 1974, p. 45.

dádiva ritual equilibradora, sem apagar completamente a violência latente, implicada no processo, e sempre pronta a retornar como parte dele. A propósito, Mauss observa a ambivalência da palavra *gift*, no conjunto das "línguas germânicas muito antigas", significando "por um lado dádiva, por outro veneno".[41]

Essa tradição imemorial, em que rivalidade e solidariedade são atadas no mesmo nó, à maneira de uma guerra que é vivida como jogo e um jogo que é vivido como guerra, foi desarmada no início da era moderna. O caráter festivo e encarniçado da disputa, os contatos e choques corporais atingindo, segundo Burke, raias de excitação e atrito incompatíveis tanto com a moral reformista quanto com a moral contrarreformista, assim como com os esboços da futura norma burguesa, e o Estado tomando para si o monopólio da violência e "o controle intensivo dos afetos e das pulsões",[42] tudo levará ao declínio do *soule*, junto com o universo cultural popular em que ele vicejou ao longo de séculos. Na verdade, trata-se do longo processo de uma virada lógica e simbólica em que se mudarão radicalmente as formas de sociabilidade e as correspondentes prioridades na ocupação do tempo.

As festas de artesãos e camponeses, cheias de revivescências pagãs e de licenciosidade aos olhos do clero reformista, privavam de uma extrovertida intimidade com o sagrado à qual não falta aquela familiaridade irreverente em que se combinam embriaguez, glutoneria e sensualidade carnavalizantes. As turbulências e excessos fazem ver o jogo de bola, por sua vez, como "jogo assassino", "espécie amistosa" (ou camuflada) de luta. Trava-se de fato, segundo Burke, uma luta aberta de reformadores devotos, "tanto na Estrasburgo, Munique e Milão católicas como na Londres, Amsterdã e Genebra protestantes", contra o lastro festivo da cul-

---

41. Idem, ibidem, p. 159.
42. Bromberger, op. cit., p. 277.

tura popular e sua ética difusa, menos afeita aos valores da "decência, diligência, gravidade, modéstia, ordem, prudência, razão, autocontrole, sobriedade e frugalidade" do que a uma certa "generosidade e espontaneidade e uma maior tolerância em relação à desordem".[43]

Essa luta praticamente se decidiu em meados do século XVII a favor dos reformadores. Numa primeira fase, a frente de combate é religiosa e corresponde à implantação daquele "ascetismo mundano", segundo a expressão de Max Weber. Segundo Burke, esse ascetismo abrange mais do que uma "ética protestante", já que se efetua também nos meios católicos, sendo "tentador" chamá-la, ainda, de "ética pequeno-burguesa" em potencial, "pois viria a se tornar típica dos comerciantes". Já no século XVIII, a reprovação religiosa aos excessos já mitigados da cultura popular ecoa na reprovação leiga, que substitui as razões teológicas e morais por questões estéticas e de "bom gosto". As manifestações de um teatro popular aparecem, por exemplo, diante delas, como o domínio do insulto e da bobagem contraposto ao das "coisas sérias".[44]

Abre-se, assim, um interregno em que os jogos de bola perdem (sem ganhar ainda uma nova forma) a sua antiga razão de ser, numa Europa em que se desenvolvem modalidades pré-burguesas e burguesas de representação, com sua separação característica entre palco e plateia, por exemplo, e na qual ganha novo lugar uma relativa, mas significativa, expansão da alta cultura escrita. Giulianotti chama a atenção para o fato, citando Hutchinson, de que "entre 1820 e 1860 surgiu um enorme vácuo no lazer popular. Passatempos bucólicos como adestramento de cachorros para atacar ursos, briga de galos e futebol 'primitivo' em aldeias praticamente desapareceram, enquanto o povo em geral ia para as cidades para

---

43. Burke, op. cit., pp. 236-7.
44. Idem, ibidem, p. 263.

trabalhar". Nesse quadro algo tedioso, "as novas classes trabalhadoras eram controladas pela ordem moralizadora de uma burguesia municipal inclinada a erradicar toda a intemperança e a diversão não civilizada".[45]

Só depois de 1860 é que a nova cultura esportiva se esboça, criando o campo em que a vida popular acabará por mergulhar de cabeça, "mais uma vez", demovendo privilégios aristocráticos e burgueses que afetaram as origens desses jogos modernos, por um lado, e cedendo à sua utilização programática no mundo das metrópoles e das massas, por outro. Ao longo desse processo, define-se na Inglaterra o conjunto de práticas em que se incluem não só o futebol e o rúgbi, mas a corrida de cavalos, o atletismo, o tênis, o remo, a luta livre e o boxe — regidos estes últimos, agora, por regras que controlam o tempo da luta, a equivalência de peso entre os oponentes e a violência dos golpes. Trata-se de uma completa recodificação das formas de disputa física envolvendo força, velocidade e domínio da bola — tendo ganho esta, então, a sua inédita autonomia. Os jogos e lutas passam por um processo de "esportivização", e seu vocabulário técnico, todo em inglês, está para os esportes como o da língua italiana está para a música.[46]

Não é despropositado falar de um retorno do reprimido, no qual as pulsões envolvidas nos jogos de bola ganham uma configuração inteiramente nova. Se a regulamentação geral da vida, com sua monotonia, exigiu passatempos esportivos por meio dos quais o novo regime de civilidade recebe uma injeção de *frisson* e de excitação, eles são protegidos desde dentro, e por princípio, do perigo de degenerarem em distúrbios e choques descontrolados. Os esportes atiçam o interesse pela vitória, ao mesmo tempo em que prolongam o prazer da disputa e o regulam por uma nova ética

---

45. Giulianotti, op. cit., p. 20.
46. Ver Elias e Dunning, op. cit., pp. 157-8.

desportiva. As refregas descontroladas tornam-se objeto de uma representação lúdica, que colocará o esporte no lugar de um espetáculo regido por regras internas e oferecido ao gozo das plateias. Práticas tradicionais e assumidamente violentas são convertidas agora na representação de um ato a ser desfrutado pela sua capacidade de atingir clímax e relaxamento, de estender artificialmente a tensão da disputa até atingir seu desenlace catártico, e de se oferecer, assim, a uma espécie de contemplação estetizada. Norbert Elias e Eric Dunning veem na esportivização da caça à raposa o núcleo exemplar e precoce do processo total pelo qual foram criados os esportes modernos. A morte do animal já não se destina, como na caça propriamente dita, a tomá-lo como alimento, muito menos é a ocasião de uma oferenda sacrificial. O que importa, em vez disso, é criar as condições de uma perseguição simulada em que o equilíbrio de forças e a postergação do clímax dão a esses o seu maior rendimento catártico possível. Garantir a justa medida de tensão agradável e emoção prazenteira pela batalha fingida, sem produzir danos (a não ser à raposa), é o cerne dessa forma de "figuração".

Estamos longe, evidentemente, do rito assumido, do sacrifício ou da troca recíproca projetada como função reguladora da violência e compartilhada como festa e luta, em que o jogo é ofertado ao todo. Agora, o monopólio da violência pelo Estado, atado à Lei, rege a concorrência e tem como horizonte controlar todas as dimensões da expressão vital — o todo rege o jogo. O custo da violência constitutiva da vida social, com sua trama de inclusões e exclusões, ganha outro aspecto, em que a sua ritualização se recalca, se sublima, mas também retorna a ponto de desvelar seu núcleo mais profundo. O jogo de bola, talvez mais do que qualquer outra coisa, mantém contato com essa história oculta.

É quase um lugar-comum antropológico dizer-se que o futebol é um "fato social total", lançando-se mão da expressão de Marcel Mauss. Mas o que não se diz, então, seguindo a mesma trilha, é que ele se constitui numa espécie de avatar desse "fato social total" que é o *rito da dádiva-dívida*, através do qual se dá a troca de dons entre grupos opostos, cuja retribuição obrigatória toma a forma ambivalente de prestação agonística, de luta e festa em que os contrários se presenteiam e agridem, se disputam e complementam numa espécie de *repuxo de Fla-Flus*.[47]

Tudo isso, no entanto, num tempo em que a reciprocidade ritual arcaica, revirada em concorrência contratualizada, deixou de ser a lei expressa que concerta a violência social e passou a um plano oculto, ou recessivo. No império das trocas reguladas ou desreguladas do mercado, sobram os times, as torcidas, as rivalidades agressivas e festivas que não conseguem se explicar simplesmente por uma oposição de classes sociais e ideologias, mas que marcam uma efetuação daquela alteridade hostil e festiva como constitutiva das identidades grupais e individuais.

O CONSENSO INGLÊS

Pode-se ver a invenção inglesa como uma reversão modernizante dos antigos jogos semirrituais e populares em que se disputavam bola e território com os pés e com as mãos — embora a linha de continuidade não seja nítida, nem propriamente necessária como critério. Pociello considera o processo que implicou na criação do futebol e do rúgbi — numa encruzilhada de grandes consequências — como uma manobra técnica e social de *"antissoule"*. Porque ele resultou da "assimilação", "transformação" e "ajusta-

---

47. Faço aqui referência indireta ao poema "Q. 508", de Armando Freitas Filho, em que se diz "o repetido fla flu/ dos repuxos e obeliscos", contido em *De cor*. Rio de Janeiro: Nova Fronteira, 1988, p. 58.

mento" daquilo que terá sobrado dos jogos populares, na Inglaterra vitoriana, pela rapaziada dos *colleges* em que a aristocracia e a burguesia formavam suas elites — ajustamento consolidado em clubes de ex-estudantes, e que aplacava e regularizava a turbulência, a informalidade e a aspereza crua daqueles jogos.

Mas a medida dessa conversão à ordem tem de ser avaliada com um certo jogo de cintura. Em primeiro lugar, trata-se da irrupção, diz Pociello, "de formas esportivas originais e juvenis, turbulentas e provocantes diante dos lazeres tradicionais em voga na aristocracia britânica (caça, equitação, críquete...)". Por outro lado, distingue-se de práticas populares resistentes, como combates de animais e lutas que guardam traços das antigas turbulências seculares, com suas rinhas de galos, cachorros e lutadores "profissionais".[48]

O futebol configurou um novo lugar, distinto tanto das práticas aristocráticas que desdenhavam o contato físico entre adversários ou o contato direto com a bola (manipulada com bastão no caso do críquete), quanto das práticas populares que cultuavam o embate engalfinhado entre oponentes animais ou humanos. A codificação do jogo de bola, admitindo um corpo a corpo regulado que avança sobre o domínio do gosto aristocrático e mantém certa distância das disputas físicas diretas e dos estertores das rinhas plebeias, configura um espaço inédito de presentificação da norma burguesa que se tornará também, graças a certas peculiaridades às quais será preciso retornar logo mais, a língua geral esportiva do século XX.

A incubação do futebol, ou a sua gestação ao longo de décadas, deu-se justamente durante aquele vazio lúdico-festivo que resultou da desativação da cultura popular tradicional — no caso, os anos de 1820-60. Ao contrário dos veteranos de Rugby e de Eton,

---

48. Pociello, op. cit., pp. 48-9.

"favoráveis a um jogo com pontapés nas canelas e que permitisse o uso das mãos",[49] os de Harrow, seguidos depois pelos de Cambridge e de outras escolas, eram partidários de um "jogo do drible" praticado basicamente com os pés, cuja codificação tem como marcos uma primeira versão de suas regras assentada em 1863, a fundação de uma associação, a Football Association (graças à qual o futebol mantém o nome, nos países de língua inglesa, de *soccer*, que o distingue do futebol americano), e a versão final das regras, livre de inconsistências remanescentes, em 1877. Nos dois casos, os jogos de bola, sob iniciativa dos jovens futuros cavalheiros ingleses, em especial burgueses ricos ou em ascensão, adaptaram-se às condições físicas dos espaços disponíveis em cada escola, com regras próprias e locais sujeitas à discussão a cada vez que se promoviam encontros entre escolas diferentes. Assim, a invenção do futebol, como a do rúgbi, é o resultado de um trabalhoso consenso *à inglesa*, pragmaticamente estipulado a partir do uso, isto é, "de um longo processo de regulamentação desses jogos coletivos diversos; regulamentação imposta pelo hábito, logo contratado pelos alunos internos, de organizar encontros esportivos desafiando outros estabelecimentos".[50]

Esse tal consenso à inglesa seria impensável, num sentido mais profundo, sem o regime parlamentar e pluripartidário que vigorou na Inglaterra do século XVIII. Nesse regime, implantado ao final de um período de encarniçada guerra civil, o monopólio da força física e da imposição fiscal não ficou nas mãos de um só dos diversos estamentos ou setores rivais (nem do rei da corte, como na França e nos Estados aristocráticos). Exige-se uma permanente negociação e a garantia de que cada grupo que se reveze no poder não abuse dele. A restrição da violência, instaurada pelo modo

---

49. Giulianotti, op. cit., p. 18.
50. Pociello, op. cit., p. 50.

parlamentar de controlar e de trocar governos, corresponde, segundo Norbert Elias, aos modos esportivos de dar forma à representação do revezamento, de controlar as tensões, de extrair-lhes um saldo produtivo.[51]

Ao mesmo tempo, a instauração do futebol se dá através de um jogo de forças complexo e ambivalente, onde entra, como elemento literalmente novo, a rebeldia juvenil. Pociello é enfático na afirmação de que o processo é desencadeado e conduzido pelo ímpeto e pela paixão juvenis pela bola e pelo jogo, ao qual se opuseram resolutamente, a princípio, pedagogos e clérigos, que só tomaram o futebol como modelo de organização e de conduta depois de 1860, quando ele já estava praticamente constituído, normativizando então o seu rendimento escolar sob a égide do *mens sana in corpore sano*. E mais especificamente, diz Pociello, o desenvolvimento desses jogos afrontosos se dá nos colégios de elite menos ostensivamente abastados e tradicionalistas, "ali onde os filhos afortunados da burguesia em ascensão (em busca de novos modelos culturais e educativos) estão dispostos a [...] transgressões de valores dominantes e estabelecidos".[52] (Mal ou bem comparando, exatamente cem anos depois um outro fenômeno de juvenilidade britânica, dessa vez a partir da condição trabalhadora em uma grande cidade industrial — os Beatles —, faria uma revolução de costumes e daria à canção pop o seu acabamento e o seu conhecido alcance mundial; não deixa de ser interessante o difuso parentesco entre essas duas proezas da rebeldia juvenil inglesa em termos de cultura de massas — o duplo canto do cisne do império britânico —, ainda que socialmente distintas e irradiadas, como é evidente, em ritmos totalmente diferentes.)

Giulianotti dá notícia, num caso pelo menos, de uma adoção

---

51. Elias e Dunning, op. cit., pp. 209-12.
52. Pociello, op. cit., pp. 50-1.

e de uma ideologização pedagógica mais precoce: em 1828, Thomas Arnold, diretor de uma escola em Rugby, teria "revolucionado a educação moral dos jovens ricos" prognosticando as virtudes de "liderança, lealdade e disciplina" capazes de serem infundidas pelos jogos nos futuros responsáveis tanto pela ordem política e econômica quanto pela sustentação e expansão do império. Essa nova orientação contracena com as agitações anárquicas e as "revoltas incipientes com constantes motins", que movimentavam escolas públicas da Inglaterra no começo do século XIX.[53] Mais adiante, em 1864, num artigo em *The Field*, a educação esportiva é dada como apta a preparar a juventude para missões militares, futuros comandos de divisão, lideranças de cavalaria, esforços de batalhas e provações do campo, bem como para a aceitação das responsabilidades de governo da nação.[54] Nesse caso, os jogos estudantis são vistos não só como assimiláveis mas como dotados de um caráter francamente utilitário na preparação das elites militares e políticas, temperando futuros empreendedores e jovens líderes através dos esforços físicos e morais, das agruras heroicas das disputas, das conquistas e dos reveses.

Esses sinais nos indicam que os jogos, na sua origem, estavam cumprindo mais uma vez aquele papel ambíguo que os situa no gume entre o desvio e a norma, a contestação e modelização dos comportamentos, a rebeldia e a integração, em suma, o lugar em que a violência latente se apresenta e ao mesmo tempo se regula — antiga função assumida pelos ritos, envolvendo agora uma movimentada barafunda de estudantes, pedagogos e *gentlemen*.

Se comparado às antigas práticas, o jogo foi codificado de maneira a aparar-lhe as arestas, tornando-o controlável e contabi-

---

53. Giulianotti, op. cit., p. 18.
54. Ver Bill Murray, *Uma história do futebol*. Tradução de Carlos Szlak. São Paulo: Hedra, 2000, p. 24.

lizável, arbitrado por um sistema de regras e "sublimado" na sua violência. Em vez de um número incontável e desigual de jogadores, temos onze de cada lado; em vez de campos, brejos, pântanos e aldeias, um campo retangular e à parte do mundo comum, cercado de plateia; em vez de participantes feridos e ocasionalmente mortos na refrega, esportistas protegidos por regras que regulamentam idealmente o corpo a corpo; em vez de uma festa cheia de desperdício até o esgotamento das energias, um tempo regulamentar a ser esgotado. Essa modernização fez do futebol um espetáculo, uma sinfonização romanesca dos turbulentos jogos antigos, cuja constituição pode ser comparada à passagem do modal ao tonal, em música: reduzem-se os elementos segundo um princípio de economia puramente funcional (os inumeráveis participantes do *soule* restringem-se aos exatos 10+1 jogadores de cada lado), filtram-se os *ruídos* (isto é, as contundências, os choques desregulados, os embates físicos), cria-se um espaço protegido e especializado de ação (o campo delimitado e autônomo, comparável ao espaço fechado da sala de concerto), e instauram-se os movimentos cadenciais de ataque e defesa, de tensão e repouso, de "tônica e dominante", como um discurso contínuo e fluente, sujeito às modulações da posse de bola por um time ou por outro.[55]

O futebol moderno realiza assim uma verdadeira *quadratura do circo* em relação às antigas práticas meio lúdicas, meio religiosas, meio violentas e sociabilizadoras. Aliás, passar das analogias totalizantes e mandálicas do círculo ao domínio reticulável do quadrado, da universalidade da esfera ao primado racionalizante do cubo, do rito ao jogo, é uma das operações molares da modernização. "Circo", aqui, além de ser o ambiente concreto e algo carnavalesco das festas populares, é o círculo ritual que cede domi-

---

55. Sobre as características do sistema tonal, ver José Miguel Wisnik, *O som e o sentido: uma outra história das músicas*. São Paulo: Companhia das Letras, 1989.

nância, no futebol moderno, ao quadrilátero quantificador, dentro do qual a bola passa a ser o objeto e o meio de operações formalizadas e contábeis.

Nos ritos pré-modernos, a dialética da esfera e do quadrilátero, que caracteriza os jogos de bola em geral, dava precedência simbólica ao círculo como figura da totalidade em equilíbrio, através da associação da bola com o sol e do campo com o eixo do céu e da terra. É o que acontece difusa ou expressamente no *tlachtli* (enquanto tributo ao Sol, tendo, no centro do campo, um ponto simbólico de comunicação com dimensões subterrâneas); no *kemari* japonês (a bola não deve cair girando entre quatro árvores estrategicamente colocadas em relação aos pontos cardeais e referidos ao movimento celeste); e no *soule*, com sua profusa associação com as figurações da fertilidade. A tourada, que podemos tomar aqui como exemplo lancinante de rito arcaico resistindo no mundo moderno, é inconcebível sem a sua arena circular exposta necessariamente à luz diurna, como o território solar de um conflito "cósmico" que tem o seu *momentum* na interação complementar dos opostos — o touro e o toureiro, a luz e a escuridão, o controle e o instinto. Já o futebol se desenvolve dentro da forma, caracterizadamente terrena, do quadrilátero em balança, onde os grupos opostos, mas equiparados, disputam o primado que favorecerá ou um ou outro.[56] Nele, a luz do sol se distribuiu igualitariamente nas cores do todos os times, e a cor negra em estado puro, que não vai para nenhum destes, transferiu-se para a instância idealmente neutra do juiz, que está dentro do jogo estando fora

---

56. Os antecedentes antigos desse formato podem ser mais bem reconhecidos, ao que parece, no *epyskiros* grego e no *harpastum* romano, sucedâneos com bola da modalidade guerreira de invasão de território inimigo. Os exércitos romanos teriam levado essa prática à Gália e à Bretanha, onde se diz, no entanto, para maior indeterminação da busca de origens, já existir um jogo imemorial.

dele. O círculo celeste e terrestre persiste ainda no centro do campo, no círculo central, nas meias-luas e na forma dos estádios, que abriga os jogos, mas não preside mais o jogo, a não ser através da sua eterna incógnita — a bola.

A passagem do primado do círculo ao do quadrilátero não se confunde com um mero caso de substituição geométrica de uma figura por outra, mas corresponde a um processo de desencantamento cosmológico e de reversão simbólica, que visa em última análise ao controle exaustivo de todos os territórios. O círculo, como um tributo à transcendência, remete a um mundo em que o controle tinha base analógica, equiparando os transes terrenos aos do céu e estabelecendo entre eles uma dependência férrea, a ser paga com sangue. O quadrado, que é um investimento na imanência, prepara o terreno para o mundo em que o controle será digital, pretendendo varrer e esgotar todas as instâncias materiais, céus e terras, por um preço a ser cobrado no final das contas — em alguma moeda a saber.

O "circo" é também o círculo impuro, incompleto, festivo e turbulento, da *dádiva-dívida* a se perder na noite dos tempos — em que a perfeição geométrica e as construções simbólicas são corroídas pela positividade da vida real. O futebol é a *quadratura do circo*: a passagem necessariamente incompleta de um mundo ao outro, com aquela sobra irredutível e não racionalizável (um valor π antropológico) que não se esgota na quantificação dos resultados numéricos, na lógica moderna do jogo, e cujos conteúdos não se deixam nomear. O futebol pôs em jogo, claro que sem premeditar o efeito, uma zona liminar de tempos culturais que acabou fazendo dele um laboratório demonstrativo das culturas e um ponto de interrogação sobre o destino da civilização.

Pelas singularidades da sua formação, e diferentemente do rúgbi, o seu destino era maior do que o do lazer educativo destinado a forjar a têmpera dos luminares do império britânico. Sua vocação recôndita e não consciente era a de se tornar o palco entremeado das disposições, dos imaginários corpóreos e das gestualidades inerentes aos grupos sociais mais diversos, de fazer pontes entre culturas e de constituir-se numa não premeditada e informal espécie de antropologia prática. Recolocando, de maneira balanceada e cifrada, sujeita ao teste da realidade e às vicissitudes da história, a questão originária da violência.

A LAMA E A GRAMA

Passo a comentar algumas das singularidades que caracterizam o futebol e que o fazem se desenrolar num campo diferenciado de determinação e indeterminação. Antes de mais nada, o futebol imprime aos jogos pré-modernos a norma burguesa, mas mantendo uma margem significativa de ruralidade, uma dimensão telúrica indispensável para o entendimento de sua apropriação por outras culturas, de seu progressivo interesse policlassista e multiétnico, e de sua vocação transcontinental. Ao contrário do basquete, do vôlei, do hóquei ou do futsal, jogos posteriores de espírito definitivamente citadino, praticados sobre terrenos pavimentados e geralmente cobertos, o futebol se joga ao ar livre, sobre a terra e sobre a grama, num espaço generoso e exposto à natureza, proliferando não só na Europa mas nas periferias do mundo, nos clubes como nas várzeas.

Isso não acontece por acaso. Uma relação peculiar entre o mundo da cidade e do campo é marca notável da experiência inglesa, como atesta justamente o grande clássico dos estudos culturais, o livro *O campo e a cidade*, de Raymond Williams, não só pelo conteúdo das suas reflexões como já pela sintomática identificação do seu objeto: a persistência profunda de traços rurais na vida daquela sociedade que, contraditoriamente, industrializou-se antes que todas. Em primeiro lugar, "uma das transformações decisivas nas relações entre campo e cidade ocorreu na Inglaterra muito cedo, e num grau tão acentuado que, sob certos aspectos, não encontra paralelo", diz inicialmente Williams. "A Revolução Industrial não transformou só a cidade e o campo: ela baseou-se num capitalismo agrário altamente desenvolvido, tendo ocorrido muito cedo o desaparecimento do campesinato tradicional". Acrescente-se o fato de que, na fase imperialista de sua história, "a natureza da economia rural, na Grã-Bretanha e em suas colônias, foi, mais uma vez, transformada muito cedo: a importância da agricultura doméstica tornou-se quase nula, com apenas 4% dos homens economicamente ativos trabalhando na agricultura — isto numa sociedade que, em toda a longa história das comunidades humanas, já havia se tornado a primeira de população predominantemente urbana".[57]

A questão, no entanto, é que uma tal transformação socioeconômica, que apontaria em princípio para uma correspondente transformação e desaparição, em grandes proporções, dos traços da vida rural, não é acompanhada unidirecionalmente pela cultura: "o fato fundamental é que, com todas essas experiências transformadoras, as atitudes inglesas em relação ao campo e às concepções da vida rural persistiram com um poder extraordinário, de modo que, mesmo depois de a sociedade tornar-se predominantemente urbana, a literatura, durante uma geração, continuou basicamente rural; e mesmo no século XX, numa terra urbana e industrializada, é extraordinário como ainda persistem formas de antigas ideias e experiências". Em resumo, "tudo isto dá à experiência e à interpretação inglesas do campo e da cidade uma importância permanente [...]".[58]

---

57. Raymond Williams, *O campo e a cidade*. Tradução de Paulo Henriques Britto. São Paulo: Companhia das Letras, 1989, p. 12.
58. Idem, ibidem, pp. 12-3.

Pociello observa, a propósito, que a vida cultural francesa é dominada por um "modelo de excelência representado pelo homem urbano", ligado a uma cultura nobiliária herdada da sociedade curial e das disposições próprias à *civilidade*. Já o contexto inglês, que se presta a essa sintomática "institucionalização dos jogos rústicos e a uma certa 'ruralização' dos jogos 'seletos'" (o golfe, o tênis sobre a grama indefectível), traz a marca da tradição política que confere privilégios e poderes à nobreza da terra, consolida a figura do *gentleman-farmer*, e está às voltas com a necessidade de estabelecer "relações de pacificação paternalistas" com um "campesinato turbulento", aceitando "organizar e, inclusive, partilhar seus jogos".[59] Nesse quadro em que o campesinato tradicional, diminuído e restringido por um lado, parece não perder espaço sem exercer pressão, por outro, o fato significativo continua a ser o de que a industrialização nem de longe extinguiu na Inglaterra, segundo esses índices culturais, a viva dinâmica entre a cidade e o campo.

Assim, quando os herdeiros da burguesia inglesa em ascensão, enriquecida pelo comércio e pela indústria, criam o futebol e o rúgbi, estão correspondendo, de maneira involuntária ou inconsciente, aos padrões ativos, combativos, empreendedores e anti-intelectualistas da classe que aspira, através de seus pais, ao privilégio do poder, que deseja adquirir terras, retomar a herança cultural e promover novos modelos educativos ligados a padrões viris, à identidade grupal e à iniciativa individual audaciosa. Mais que isso, estão fazendo, talvez, aquilo que os filhos muitas vezes fazem quando avançam sinais: dando forma inesperada, lúdica e pragmática, concreta e deslocada, ao desejo dos pais, tudo isso com a imaginação banhada espontaneamente naquela impregnação secular do mundo do campo na vida inglesa.

---

59. Pociello, op. cit., p. 51.

Assim também, e por isso mesmo, cada passo na criação do código futebolístico, que não deixa de ser um degrau a mais na direção geral da codificação e da eufemização da violência, contempla, em contrapartida, um dado de realidade telúrica, de atrito físico, de incorporação tácita ou assumida do acaso, em suma, de ingredientes rústicos e "naturais" que distinguem o futebol entre a maioria dos esportes modernos.

Por um lado se estabelece uma moldura-padrão para o jogo, o campo plano, delimitado e medido, isolado do mundo num espaço autônomo, contido no interior das "quatro linhas". Um tal espaço define-se por princípio como especificamente lúdico e secularizado, isto é, idealmente independente de qualquer injunção religiosa. Todo esse esforço "weberiano", diríamos, de autonomização da esfera lúdica, de dessacralização do mundo e de neutralização do campo de jogo, completamente diferente do território híbrido e sem margens do *soule*, não elimina, no entanto, pelo próprio fato de se jogar necessariamente a céu aberto e sobre um chão de terra idealmente gramado, os acidentes do terreno e a força cósmica das intempéries, as lamas inenarráveis em que chafurdam por vezes ataques e defesas, as poças imponderáveis em que a bola subitamente estaciona, sem falar no indefectível "morrinho artilheiro", fazendo gols por conta própria. As técnicas de drenagem, incorporadas aos grandes estádios, atenuaram muito a dramaticidade patética ou a comicidade desses cenários, sem anulá-los completamente. Porque as hipóteses de um estádio de futebol coberto, ou do jogo sobre carpete, não passavam, felizmente até aqui, de devaneios tecnológicos de neófitos norte-americanos, quando não de japoneses, fundamentalmente equivocados quanto ao espírito do jogo.

Desenvolvendo uma linguagem dos pés, do hemisfério corporal menos especificado e, em princípio, cego para os controles sutis e a precisão objetiva mais acurada, e reduzindo as mãos à intervenção de última instância, possível só ao goleiro, o futebol reverte o hábito corporal e instaura uma espécie de "mundo às avessas" em que a posse da bola é muito mais frágil e transitória do que nos esportes manuais. O que contribui para a amplitude possível da sua gama de acontecimentos: a extensão do campo cheio de surpresas em que a bola, para percorrer a distância entre um gol e outro, tem de fazer uma verdadeira viagem, sujeita a toda sorte de peripécias, idas e vindas, marchas e contramarchas, cheia de alternâncias e lembrando mais os movimentos no meio rural do que o ritmo dos choques diretos no meio urbano. A vertiginosa eletricidade e imediatez desses últimos parece mais afinada, por sua vez, com o ritmo de alternância serializada e de contabilização sem trégua do basquete e do vôlei, disputados sobre terreno pavimentado e com o domínio da bola sob o controle das mãos.

O tênis em parte (mas não na Inglaterra), o vôlei, o handebol e o futsal incluem-se, segundo Verdú, entre aqueles esportes que "foram transportados da intempérie para a proteção do ginásio como uma réplica da produção industrial que cobre o mundo agropecuário (viveiros, estábulos, granjas)".[60] O basquete, por sua vez, bem ao contrário dos esportes de longa decantação e cujas origens se perdem "na noite das civilizações agrárias", foi diretamente produzido como um pacote moderno e dado já como "mercadoria firmada e acabada" pelo seu inventor, o ex-seminarista e professor de educação física James Naismith, sob encomenda do colégio Springfield de Massachusetts, em 1891. Avaliando as coerções da paisagem urbana, Naismith delimitou uma quadra de proporções restritas "onde os jogadores evoluem com maior rapidez e proximidade física". Ainda segundo Verdú, o jogo de bola ao cesto, quando revalidado oficialmente em 1934 sob as luzes do Madison

---

60. Verdú, op. cit., p. 120.

Square Garden, replicava o panorama de Manhattan através de um "culto à altura" que dimensionava falicamente, em sua verticalidade comparável à dos arranha-céus, o "gigantismo monumental" da prosperidade norte-americana.[61]

(Um amigo observou que, ao praticar exercícios físicos numa academia, sente-se embalado quando passam jogos de basquete e vôlei no telão, num efeito de sintomática sinergia com a repetição mecânica da ginástica; o futebol, ao contrário, embora seja seu esporte preferido, instaura um ritmo irregular, acidentado, diríamos narrativamente inconstante, e de consequências algo dispersivas para o ambiente monotemático da malhação.)

O FINO E O GROSSO

A invenção do futebol regulamentou os modos de posse e conquista da bola e do território, estabelecendo limites "civilizados" de ação sobre o corpo do adversário que respeitam metodicamente a sua integridade física e eliminam idealmente qualquer instrumento adicional de contundência dentro do campo. Para se ter uma ideia, na prática do *soule*, "nos séculos XIII e XIV, era comum os jogadores carregarem punhais, que causavam ferimentos sérios, tanto acidental quanto intencionalmente. [...] Pontapés na canela, socos e lutas diversas eram comuns entre jogadores rivais para vingar agravos antigos; ossos quebrados, ferimentos graves e mortes eram consequências esperadas".[62] No futebol moderno as equipes entremeadas, mesmo que sujeitas permanentemente ao contato e ao choque físico, visam à finalidade da produção concreta de gols e sua contabilização abstrata em pontos ganhos e per-

---

61. Idem, ibidem, pp. 117-8.
62. Giulianotti, op. cit., p. 17.

didos a partir de uma prévia isenção de qualquer ataque corporal. E de fato, o tradicional *fair play* entre pares nos meios futebolísticos mais aristocráticos levava a crer, nos primeiros tempos da normalização do futebol entre cidadãos adultos, que choques intencionais seriam procedimentos de mau gosto, dificilmente críveis, a ponto de os membros do elitizado Corinthians Football Club se negarem "a acreditar que cavalheiros cometeriam faltas", opondo-se com isso à instituição dos pênaltis.[63]

Não obstante, a prática do futebol é inseparável do corpo a corpo, desde o jogo de ombros (modalidade legal de contato físico com que se disputa a aproximação à bola, na corrida), as divididas (com a chegada simultânea dos pés adversários na bola, num teste recíproco de força, esperteza, truculência ou maldade), os agarrões, puxões e empurrões (camuflados ou evidentes, ilegais mas muitas vezes indiscerníveis ou reciprocamente assimilados), os *carrinhos* (ora elegantes construções de engenharia e perícia, visando a bola, ora monumentos de truculência ou de ação verdadeiramente criminosa), até as botinadas acidentais e as declaradas, que convertem finalmente as travas da chuteira em arma.

Pode-se dizer que, nos últimos tempos, os acidentes do terreno se atenuaram em grande medida nos campos profissionais, enquanto a disputa física, o corpo a corpo intensivo e o assédio permanente entre adversários recrudesceram, turbinados pelo preparo físico, pelo pressuposto da ocupação total dos espaços e pela universalização macro e microcósmica da concorrência. Mas o ponto principal que interessa aqui é que o futebol, admitindo na base essa gama ambígua de contatos e choques, regulados e incontroláveis, da bola com o campo e de jogadores com jogadores, supondo acaso, perícia, imponderabilidade, elegância, arte, astú-

---

63. Idem, ibidem, p. 19.

cia, insídia e violência, põe em cena o teatro humano em todo o seu espectro, da finura à grossura extremas.

A margem de narrativas e fabulações que resulta de tudo isso é enorme, independentemente da representação de qualquer coisa que não seja inerente às próprias circunstâncias da disputa. O mais simples toque, por exemplo, pode transpirar ingenuidade ou inteligência, ímpeto desbragado ou quintessenciada maturidade, fulguração ou obtusidade. A bola pode parecer um caroço de abacate ou um calombo, conforme o modo como é tocada, em certos momentos, ou uma esfera etérea que se arredonda quanto mais se desloca, em outros. Pairando sobre tudo, ainda, aquela nuvem trágica e extasiante que faz de cada jogador, jogo e time a sucessiva encarnação única e insubstituível de uma necessidade, o retorno implacável e a manifestação de um arquétipo, ao mesmo tempo em que a revelação de um destino que se decide em ato, acontecimento singular e irrepetível, ali, num tempo impalpável que se esvai entre os dedos.

Junto com a bola, o futebol faz rolar a Roda da Fortuna, a roleta que lança os jogadores num campo de provação que circula entre a promessa, a mediania, o carisma, o prodígio, o mito, a decadência, o malogro, a desgraça e o renascimento das cinzas. A trilogia de documentários em vídeo *Futebol*, de Arthur Fontes e João Moreira Salles, surpreende três momentos distintos desse giro: os garotos que tentam a sorte num time profissional, os jogadores já profissionais cujo destino e cuja dimensão é ainda uma incógnita, e o ex-craque, no caso Paulo César Caju, que vive das sobras de um passado glorioso mas ambíguo, em que a celebridade futebolística é cercada de negaceios entre a inclusão e a exclusão, a celebridade e o preconceito (o episódio é uma obra-prima sobre a cultura da malandragem em ato). Entre os o depoimentos, o do ex-goleiro Pompeia (destaque do América campeão do Rio de Janeiro em 1960) é quase uma alegoria do tempo, da vida e da morte no futebol: esquelético, escalavrado pelos anos e pela bebida, segura uma bola que ganha, em suas mãos ossudas, algo do aspecto ruinoso do crânio nas mãos do coveiro de *Hamlet*.

No filme *Boleiros*, de Ugo Giorgetti, por sua vez, numa cena bela e patética, o ex-jogador, interpretado por Flávio Migliaccio, não consegue reconhecer-se em suas próprias imagens passadas, que lhe parecem irremediavelmente as de um outro. Durante os letreiros finais, a voz de um Osmar Santos inesquecível e impossível (o grande locutor que perdeu a fala como sequela de um acidente) narra uma inventada, intensa e disputada partida em que trocam passes, num emocionante campo de sonhos, craques de épocas desencontradas (expondo-se de surpresa a trama invisível do tempo que costura cada minuto das vidas inteiras postas em jogo).

"A mais sórdida pelada é de uma complexidade shakespeariana", diz o dito de Nelson Rodrigues. O futebol torna visível, de uma maneira que lhe é congenial, a entremeada matéria (de que somos feitos) de estilos altos e baixos, reversíveis, contíguos, misturados. É claro que isso se estampa em todos os esportes, do boxe ao basquete e ao tênis, onde força bruta e sintonia fina, vontade, fatalidade, preparo e despreparo, triunfo e desamparo, de algum modo e em alguma medida se manifestam, se alternam e se confrontam. Mas a sua estrutura coletiva, aberta e híbrida, incorporando originariamente elementos modernos e pré-modernos, citadinos e "rurais", estritamente concorrenciais e ao mesmo tempo livres, expõe essas variações num leque simultâneo e contrastivo, polifônico e paródico, que faz do futebol, mais do que nenhum outro esporte, uma movimentada batalha dos gêneros narrativos, e um teatro inédito para o desfile polêmico e não verbal das gestualidades, das disposições mentais, das potencialidades criativas. A luta franca — e épica — pelo resultado vitorioso (o volante voluntarioso, o centroavante rompedor), a intensificação dramática do conflito em circunstâncias terminais (quando o tempo se revela o maior adversário), a lírica estilização individual do jogo independentemente da busca do resultado (singularidade do toque e da arquitetura da jogada como busca de beleza, promessa de felicidade, e — por que não? — nostalgia e solidão), a tragédia da morte simbólica de grandes proporções (a derrota na final da Copa de 1950), a volta paródica do discurso do outro contra ele mesmo (Garrincha transformando os movimentos do zagueiro numa pantomima inútil), tudo isso se deve, na base, ao caráter compósito que o futebol assumiu, real ou virtualmente, na sua origem inglesa.

O JUIZ

Um outro ponto da novidade do futebol, a seu modo coerente com os anteriores, é a implantação da arbitragem a partir de 1881, com a presença em campo de um juiz atuando de "viva voz", incrementada em 1888 com o uso, desde então consagrado, do apito.[64] Com exceção ao que parece do *calcio* florentino, onde existiria a figura do árbitro,[65] os demais jogos de bola, profusamente disputados num tempo livre e completamente alheio à ordem produtiva, tendo como limite o próprio esgotamento das forças físicas e do prazer, não imaginariam essa onipresença de um representante supostamente onisciente da lei, pairando sobre o jogo como um terceiro, incluído no campo e excluído da disputa, regulando as ações e o tempo. O juiz está ali para fazer o corte. Sua figura vestida originalmente em negro, ao contrário do colorido dos times disputantes, não deixa de ser a volta do sacerdote em efígie, num

---

64. Verdú, op. cit., p. 55.
65. Uma modalidade de *calcio* — jogo de bola com uso dos pés, praticado no quadrilátero da praça pública — é codificada no século XVI, em Florença, tendo 27 jogadores em cada grupo, em um torneio disputado por quatro "times" tradicionais simbolizando quatro zonas da cidade, associados às respectivas igrejas: Santa Croce, Santa Maria Novella, Santo Spirito e San Giovanni.

mundo em que a violência da disputa rivalitária não se resolve assumidamente pela dádiva obrigada da imolação ritual, mas é controlada e sublimada para legitimar o vencedor após confronto técnico de performances.

O juiz de futebol faz cortes a cada momento, trilando o apito que marca a lei introjetada, destinada a produzir equanimidade a partir de um crivo abstrato que vem do alto (tal simbolização está sugerida na etimologia da palavra *decisão* — crivo cortante que cai de cima). Quando não se resolve convincentemente em campo, nos termos do jogo de forças interno ao jogo de futebol, a violência revira e sobra muitas vezes para ele próprio, o juiz, convertido ao papel da vítima expiatória — essa grande ausente que ronda permanentemente, "querendo" se encarnar. Mas o gesto conclusivo do árbitro, por sua vez, quando aponta enfaticamente para o centro do campo, com a mão direita espalmada em riste e ainda munida do apito, com os joelhos levemente arqueados e a expressão implacável, finalizando a partida e decidindo inapelavelmente a sorte de vencidos e vencedores, não deixa de evocar, num arroubo, a nostalgia do corte sacrificial, ou pelo menos do lugar daquele que o decreta.

A presença do árbitro dá, de fato, forma acabada ao processo de sublimação ou eufemização da violência física nos jogos, ligada ao monopólio desta pelo Estado, que supõe por sua vez a introjeção ideal da lei por todos os integrantes da ordem social, e sua sujeição virtual a uma nova espécie de sacrifício leigo. Na figura do juiz de futebol essa introjeção, normalmente difusa e invisível, salta para fora, no entanto, como um boneco de mola, ganha corpo e passa a atuar a olhos vistos, a pontuar a cada passo a realidade como um todo e circunscrevê-la no seu espectro, *contendo* o jogo, no duplo sentido da palavra, na sua esfera de poder. Não é à toa que o juiz se expõe aos apupos prévios, vingativos e catárticos, da massa: ele encarna, de forma demasiado tangível, o custo limitador e congenitamente frustrante da realidade.

A chegada do árbitro está indissociavelmente ligada, segundo Verdú, a um mundo regido pela contenção e pelo lucro, em que o universo natural "fica cotado e ordenado para a produção [...]" e em que "a morte 'natural' e descontrolada se suprime simbolicamente como fator improdutivo". O raciocínio conduz para o que podemos chamar de uma outra forma de sacrifício: "na parcela restringida e regulamentada do campo de futebol o árbitro é o princípio ativo da morte artificial, morte produtiva na geração e renovação do jogo".[66] Em outras palavras, o juiz é aquele que mata o embate enquanto desperdício violento, inútil e sem peias, para que o jogo viva como produção técnica e estética de jogadas e de gols. Ele é o agente que, "*negando* o jogo, o realiza e acende como o melhor combustível".[67] Instaura (sempre até certo ponto, bem entendido) a contenção das peripécias soltas, rebeldes, imediatistas, arbitrárias e aleatórias dos impulsos primários, isto é, do "princípio de prazer", pelo finalismo consequente, justo e justificado do "princípio de realidade".

Mas o princípio de realidade não é simplesmente o que dá limite à imediatez do prazer através das mediações do jogo, mas o que dá realidade à realidade do jogo. Diz Verdú: "para saber *em realidade* se foi gol não basta observar se a bola ultrapassou a linha da meta, é preciso olhar o árbitro" (a televisão capta bem esse relance em que o jogador, já inebriado pelo gol recém-feito, olha ainda por um instante para o árbitro e sua sombra, o bandeirinha, antes de partir para a definitiva comemoração). "Para saber *realmente* se a partida terminou não basta olhar o relógio, é preciso contemplar o árbitro." Pois é ele que "traz o tempo consigo", para além de todos os relógios, à maneira oculta e insondável "de uma vesícula onisciente".[68]

66. Verdú, op. cit., p. 51.
67. Idem, ibidem, p. 62.
68. Idem, ibidem, p. 52.

Mais uma vez, no entanto, o esquadrinhamento do jogo pelo olhar da lei, assim como a neutralização dos acidentes do campo e o controle dos choques físicos, não se dá completamente, e deixa margem a ambiguidades fecundas, pois mantém o futebol na condição de obra aberta cujos sentidos se rebatem e multiplicam. Pois as próprias condições de um campo extenso e inabarcável, a velocidade da bola e da jogada, o ângulo necessariamente restrito e a impossibilidade de ver tudo, só confirmada e reforçada pela recusa oficial a usar os meios tecnológicos para dirimir dúvidas, mantém o jogo numa interpretabilidade muitas vezes polêmica e litigiosa, especialmente no que diz respeito à indecidibilidade crônica entre o momento do passe e a posição do atacante no caso da aplicação da lei de impedimento. De um ponto de vista literário, o juiz de futebol é um *narrador intrusivo em primeira pessoa* que está estruturalmente obrigado a se passar por um *narrador onisciente em terceira pessoa* (como se fosse possível chegar a isso com o auxílio de dois bandeirinhas).

Assim, nenhum jogo arbitrado é tão sujeito à interpretação quanto o futebol. Que critério unívoco seria capaz de decidir de uma vez por todas, por exemplo, se uma jogada é ou não é "caso para cartão"? E nesse caso, amarelo ou vermelho? "Mão na bola" ou "bola na mão": o árbitro é um hermeneuta que deve dirimir judiciosamente, em tempo real, a nebulosa questão da intencionalidade (houve ou não houve, não propriamente o fato objetivo, mas a sombra quase religiosa de uma culpa?). Assim também a pergunta sobre se houve ou não "a intenção de atingir o adversário", com a agravante de que este pode ter sido atingido sem ter havido intenção, e pode não ter sido atingido e mesmo assim ter havido intenção. Sem sair do labirinto obscuro da psicologia instantânea, passamos para o labirinto lógico: choque intencional (é falta), choque não intencional (não é falta), não-choque intencional (é falta — "jogo perigoso"), não-choque não intencional (não há falta, o jogo prossegue). Pode haver, também, infração por choque não intencional, mas, ainda assim, "imprudente". Não bastasse tudo isso, os jogadores, que já assimilaram na prática essa complicada dialética, aprenderam a abordar o adversário (principalmente na grande área) com os braços levantados, dando sinais para o árbitro, sistematicamente equívocos, de isenção e "ausência de intenção" (no caso, suspeitíssima demonstração de "intenção de não-intenção").

O vôlei, por exemplo, não conhece nada parecido: a questão é saber objetivamente, em espaço muito mais curto e em terreno absolutamente regular, sem choque corporal direto, se o jogador tocou ou não tocou na rede (e nunca se "houve ou não intenção"), se a bola caiu dentro ou fora da quadra, se tocou ou não tocou na linha, se tocou ou não tocou no bloqueio. No máximo, se houve ou não "dois toques" e se a bola foi "carregada" — mas convenhamos que a margem de interpretação aqui é incomparavelmente mais restrita.

O basquete não conhece, por exemplo, a discussão sobre se a bola entrou ou não entrou na cesta (tantas vezes crucial no futebol, quando não se sabe se a bola cruzou completamente a linha do gol). Aspectos importantes como a regulagem do corpo a corpo e das passadas são suscetíveis de interpretação, mas dificilmente põem em questão o resultado do jogo. O tempo é rigorosamente cronometrado, visível, e não vigora, portanto, naquela já citada "vesícula onisciente" do árbitro, a única entidade capaz de determinar, por exemplo, os imponderáveis "acréscimos" ao final de uma partida de futebol.

Desde algum tempo as transmissões televisivas das partidas incorporaram, ao lado da figura do narrador e do comentarista esportivo, que se manifesta sobre aspectos técnicos e táticos, a modalidade do ex-juiz-comentarista, espécie de exegeta que se investe da posição inequívoca de árbitro do árbitro. Trava-se então uma verdadeira batalha, muitas vezes inglória, entre as afirmações quase sempre categóricas do comentarista-juiz, reivindicando a transparência da lei, e a complexidade daquilo que se vê tantas vezes na imagem, ainda assim indecidível, mesmo depois de vista sob vários ângulos, por várias câmeras, em várias velocidades. O próprio recurso ao "tira-teima" por computador, quando a questão em jogo é analisável por computador — pois nem sempre o é — deixa exposto o fato de que a decisão — o corte — se faz dentro de uma margem de aposta que supõe necessariamente a curva probabilística do visível e do não-visível, sem falar, evidentemente, das insondáveis intenções e não-intenções do árbitro, açuladas por sua vez pela parcialidade gritante das plateias.

Um episódio: durante a Copa de 1998, na França, a Rede Globo promovia, após os jogos, os tradicionais debates entre comentaristas, jogadores-comentaristas, juízes-comentaristas e personalidades variadas. Numa delas, votava-se sobre a existência ou não de um pênalti no caso de uma falta cobrada contra o Brasil em que Dunga, na barreira, teria posto a mão na bola dentro da área, aproveitando-se da velocidade desta, em lance só perceptível, com algum custo, na repetição em câmara lenta. Os ex-jogadores em geral votavam pelo pênalti, disputando entre si a condição de analistas não ambíguos, capazes de "não ficar no muro" (mesmo que a univocidade de uma interpretação inequívoca ficasse mais uma vez prejudicada pela própria multiplicidade das interpretações). Gilberto Gil, presente, postulou então a ideia, no mínimo insólita naquele contexto, de que a objetividade no futebol é relativa à percepção possível dos fenômenos, inseparável da sua realização no tempo e nas condições da partida, e que, portanto, uma infração não existe "objetivamente", na realidade ou na máquina que a registra, mas somente na fração de tempo em que ela é passível de ser captada em jogo. Em outras palavras, o fenômeno observado inclui necessariamente, poderíamos dizer, o observador, e a definição do choque entre a mão de um jogador postado na barreira e a bola em alta velocidade, referida à probabilidade de uma intenção, passaria a ser tão complexa como a definição da posição de um elétron e sua caracterização como partícula e onda.

O argumento do autor de *Quanta*, que parece não ter sido acompanhado pelo seleto e positivista grupo de craques, reedita, em novas bases, aquele princípio rodriguiano de que "o videoteipe é burro": o jogo acontece mesmo é em sua dimensão irrepetível, quando o que se sabe é inseparável do que não se sabe (uma prática oficial preserva até aqui essa não-ciência do jogo, vetando a monitoração da arbitragem pelo videoteipe). Por outro lado, uma tal perspectiva, não idealista e não positivista, introduz a possibilidade de pensar a experiência do futebol como uma versão concreta da nova ciência que não atribui a um sujeito estável a tarefa de decifrar uma natureza pronta e inequívoca, pensando-a em vez disso em termos de incerteza, indeterminação e caos.

Se futebol "é bola na rede", isto é, produção litigiosamente buscada de um consenso, de um resultado inequívoco, da prova irrefutável de uma superioridade e de uma competência que possa ser alegada sem sombra, ele se estrutura, por outro lado, sobre o substrato dialógico da cultura, sobre o traço reversível da alteridade e sobre o traçado enigmático das coisas, ali onde cada acontecimento dá e pede uma interpretação não acabada, exigindo envolvimento e isenção, por menos que o torcedor, parcial por excelência, seja capaz de suportar essas exigências que, no entanto, o fascinam. Aliás, estar cego para aquilo que ao mesmo tempo nos trai e nos atrai está na base, como sabemos, da própria estrutura psíquica.

O TEMPO

Sendo assim, o futebol produz um tipo de atração de natureza indiscutivelmente diferente daquela produzida pelo basquete, pelo vôlei ou pelo futebol americano. No caso do vôlei, é como se o embate se desse o tempo todo na superfície de um espelho, virada e revirada até que se produza o saldo da diferença. A bola, sacada e cortada, passada e levantada, parece estar repuxada pelo fio invisível de uma corda tesa, em que as variações de ritmo são sutis e decisivas, mas visando intensiva e continuadamente o efeito de uma fulminância. O vôlei e o basquete ostentam, assim, a condição de um mundo em que a competição e a competência estão concentradas em cada segundo, sem trégua, e no qual os acontecimentos são comprimidos de modo a quase serem, no limite, esgotados pelos números.

No basquete, a cada ataque chega o momento em que o prazo vai se esgotando, na contagem regressiva dos dez segundos finais, e trata-se explicitamente, então, de agir imediatamente ou de ceder a iniciativa a outro que toma o seu lugar. A ação transcorre na linha progressiva e cruzada entre a marcha da contagem e o escoamento do tempo: a potência está na competência para tirar a diferença a cada passo, e, em casos acirrados, na fração do último segundo.

No futebol, ao contrário, as sobras, a "valorização" da posse de bola, o tempo produtivo e o tempo improdutivo, a catimba, o desperdício e a poupança, os "olés", a impossibilidade de contabilização numérica ou gradual exaustiva, tudo faz parte do jogo. Em certos momentos, quando, por exemplo, uma bola cruza toda a extensão do gol desguarnecido depois de um toque precioso e preciso, ou quando um súbito "chapéu" coroa inesperadamente um jogador que esboça uma reação já inútil no momento breve, o tempo se distende, como se durasse eternamente por um instante. O placar descreve e não descreve a partida, é "justo" e "injusto". Ao contrário das artes em geral, a competência pode ser contabilizada porque se traduz em gols. Mas ao contrário dos outros esportes, a contabilização não dá conta do acontecimento.

Acrescentem-se as necessárias ressalvas de sempre, e fique claro que os resultados numéricos não podem ser generalizados como aleatórios e indiferentes, puramente relativísticos e lotéricos, mesmo que se diga que "futebol não tem lógica" (na verdade porque sua lógica inclui o acaso exposto e o paradoxo). Eles compõem um retrato, mesmo que aproximativo, e que consiste afinal numa versão, entre as que seriam possíveis, dos acontecimentos. Considerados de uma maneira genérica, eles descrevem — nem que seja estatisticamente — os fatos, incluindo muitas vezes aquela margem dúbia entre "o que poderia ter sido e não foi", e que tem também de ser vencida, além do adversário, antes de selados inapelavelmente pelo sacrifício final — o gume duplo que separa vencidos e vencedores, dando a uns uma cota de corte no desejo e a outros a imantação mítica, mas provisória, da investidura num status superior, que se quer total. O apito final, como a morte, sela o sentido do acontecimento, mas sem sossegar necessariamente as virtualidades que o jogo desencadeia, as promessas que ele quase realizou, a multidão de alternativas que ele desenha.

Nuno Ramos identificou a presença do *magma erótico do jogo*, o substrato contínuo que ruge nele como um mar revolto, e o impacto descontínuo do placar que se abate como *a dimensão do sagrado*, o corte que cai do alto, com tudo que envolve de decisão, fado, acaso, sorte, azar — palavras quase sinônimas e quase antônimas. "[...] A oposição entre jogo e placar poderia ser entendida como oposição entre o erotismo e o sagrado — algo de fato é perpetuado, pela morte, no placar (o termo placar final já tem algo de lápide). Ao acúmulo erótico, em aberto e contínuo, próprio das jogadas, opõe-se o sagrado do placar, com seus correlatos de temor, permanência, tabu, catástrofe."[69]

No futebol, essa disparidade fusional entre o *erótico* e o *sagrado* advém da congruência precária e incompleta entre o placar e o jogo, entre a natureza dos acontecimentos e as pobres "esta-

---

69. Nuno Ramos, op. cit., p. 248.

tísticas": o futebol, como vemos, não é montado sobre uma estrutura compacta de avaliação numérica, em tempo cerrado, de competências em confronto direto e espelhado (como acontece, diferentemente, no futebol americano, no beisebol, no tênis, no vôlei e no próprio basquete). Como no boxe, o ritmo do jogo muda como o clima, pode-se buscar ou adiar o confronto, estudar o adversário, fingir-se de morto e dar o bote, avançar ou recuar, sendo que, no caso, isso não depende só de dois agentes, mas dos imponderáveis de dois times em complexa interação. A posse de bola é tomada, perdida e recuperada um incontável número de vezes, enquanto cruza o campo de um lado a outro. O jogo pode ser picado e repicado pelos acontecimentos contínuos e desenfreados, cair em banho-maria, precipitar-se subitamente, martelar inexoravelmente e sofrer reversões as mais inesperadas, porque o gol acaba sendo, afinal, um acontecimento imponderável em meio a muitos outros. Tantas vezes, abate-se como um nocaute que surpreende à traição uma equipe que vinha de martelar incessantemente a posição adversária. A contabilização não é aderente à estrutura do jogo através de uma lógica cumulativa e gradual. O instante traumático e a catástrofe súbita estão no horizonte do provável, se uma superioridade numérica inequívoca não vier a dissipá-la. É que o gol, ou seja, "o objetivo maior", diz Nuno Ramos, "é de certa forma elidido pela [...] própria estrutura" do jogo, "permitindo que um número enorme de possibilidades — e de leituras e opiniões posteriores — surja e não descanse jamais".[70]

É claro, quero insistir, que essas vicissitudes existem também nos outros esportes, mas de maneira mais concentrada, sintética e sem sobras, enquanto o futebol, por admitir abertamente o tempo produtivo e o improdutivo, as idas e as vindas, os avanços e os recuos de bola, as margens de variações dadas pelas próprias peri-

---

70. Idem, ibidem, p. 250.

pécias da longa viagem, às vezes abreviada, até o gol adversário, incluindo os acidentes do percurso e as margens excedentes do acaso, além da fragilidade maior do controle da bola pelos pés, abre-se num leque teatral de possibilidades narrativas que inclui todos os gêneros literários, da epopeia ao dramalhão, da tragédia à farsa, do protocolo ao lirismo.

PROSA E POESIA

Até aqui viemos alinhavando elementos de natureza diversa que distinguem o futebol dos demais jogos de bola: seus componentes de indeterminação, sua abertura estrutural à interpretação, à contingência e ao acaso, sua margem de acontecimento incontabilizável, sua combinação de finalismo com gratuidade, suas "barrigas" sem acontecimento e suas curvas orgásticas,[71] tudo isso apontando para uma narratividade diversificada que pode se traduzir em gêneros e estilos. O texto de Pasolini, ao qual já nos referimos desde o início, dá a essa diversidade uma formulação mais sistemática.

Como já vimos, não muito tempo depois da Copa de 1970, o cineasta e poeta escrevia um artigo no qual interpretava o futebol por meio da literatura, como um "discurso" dramático que podia ser jogado, segundo ele, em prosa realista, como — digamos — a dos alemães e ingleses; em prosa algo estetizante, como a dos próprios italianos; e em poesia, como a dos brasileiros. Futebol em prosa significava, para ele, jogo coletivamente articulado, buscando o resultado por meio da sucessão linear e determinada de passes triangulados. Estaria na base do gênero

---

71. Ver, a propósito, o livro de Claudio Mello Wagner, *Futebol e orgasmo: Ensaio sobre orgonomia e futebol*. São Paulo: Summus, 1998.

uma ênfase defensiva, como a do *catenaccio* — o "ferrolho" — italiano, ou, no mínimo, um consolidado senso de responsabilidade tática, associado à "execução racionalizada do código". Essa tendência, praticamente generalizada no futebol exclusivamente branco da Europa ocidental, levava a desprezar o impulso ao drible em nome da "prosa coletiva", tendo como único arroubo o momento do contra-ataque. O gol despontaria idealmente como a "conclusão" de um raciocínio visível, derivado da organização coletiva, e, no limite, como o silogismo geométrico com o qual podemos resumir a jogada característica dos ingleses: bola erguida na área é cabeçada do atacante; cabeçada do atacante é gol; logo (ou *ergo*), bola erguida na área é gol. Em outras palavras, o gol tenderia a aparecer, dentro dessa cultura futebolística, como a consequência pragmática de ações dominadas muitas vezes por uma causalidade previsível e, ainda assim, efetiva.

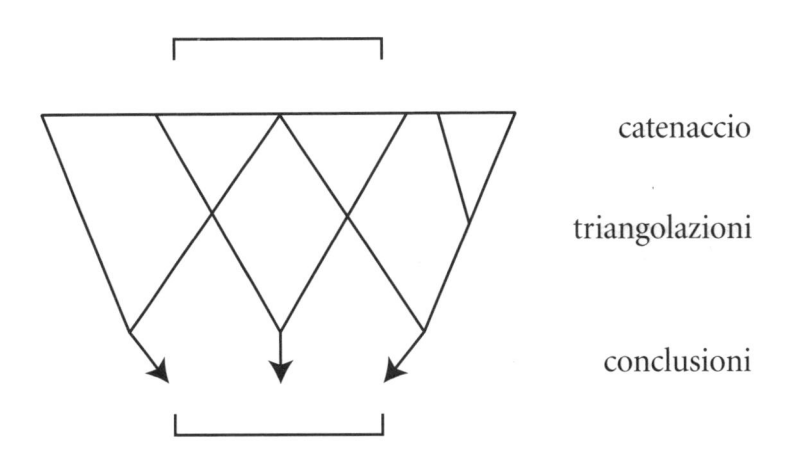

catenaccio

triangolazioni

conclusioni

Já o futebol poético suporia dribles e toques de efeito, ao mesmo tempo gratuitos e eficazes, capazes de criar espaços inesperados por caminhos não lineares, podendo o gol ser "inventado por qualquer um e de qualquer posição". Pasolini refere-se mesmo à "capacidade monstruosa" de driblar dos brasileiros, "os melhores fazedores de gols" do mundo. Sem disfarçar o seu entusiasmo de artista pelo futebol-arte, ressalva que a distinção entre futebol-prosa e futebol-poesia é especificamente técnica — semiológica —, e não valorativa, podendo cada um dos modos atingir ou não sua plenitude, impondo-se ao outro. Mas, no modelo poético — dominante, segundo ele, no futebol sul-americano —, o gol resultaria não de triangulações metodicamente concatenadas ou de cruzamentos com causa e efeito, mas de irrupções individualistas e de aproximações em ondas concêntricas, *de cruzamentos paradoxais das causas com os efeitos*, poderíamos dizer, cujo desenho intrincado dificilmente se deixaria reduzir a uma fórmula.

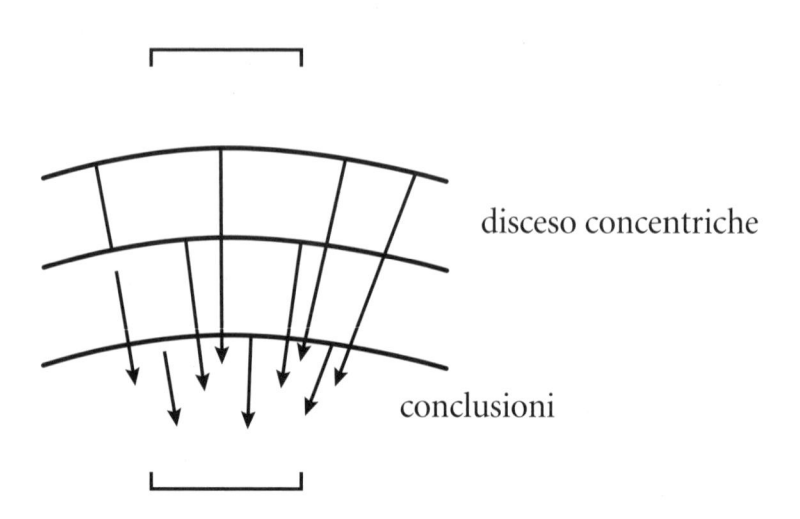

disceso concentriche

conclusioni

Como se vê, trata-se de uma concepção de poesia nada nebulosa e sentimental, mas de um princípio discursivo baseado, pode-se dizer, na não-linearidade das formas elípticas (assunto a ser retomado na parte deste livro dedicada ao futebol brasileiro).

De qualquer modo, dizia Pasolini, o delírio do gol é puramente poético, chegue-se a ele por uma via ou por outra, e, como tal, é o momento e o lugar em que a diferença entre prosa e poesia se desfaz, já que "todo gol é sempre uma invenção, é sempre uma subversão do código: todo gol é inexorabilidade, fulguração, estupor, irreversibilidade".

Tratava-se de um artigo curto e inspirador, humoradamente influenciado pela voga da semiologia, que o jornal italiano *Il Giorno* apresentava como "*un curioso saggio di filologia sportiva*" [um curioso ensaio de filologia esportiva], em 3 de janeiro de 1971. Vale ressaltar que Pasolini estava aplicando ao futebol uma categoria com a qual ele mesmo identificava o seu próprio cinema, àquela altura — como "cinema de poesia". Na verdade, o cineasta-poeta tocava, com o artigo, no núcleo plural do futebol, em seu variado potencial estilístico, em sua capacidade de pôr em cena o embate de diferentes lógicas e disposições culturais. Tudo isso permitindo ver — o que é raro — o futebol pelo lado de dentro.

A comparação com a literatura, no caso, não é simples e unívoca, mas duplamente irônica. Por um lado, conhece-se bem a imensa diferença e a defasagem entre a cultura literária alta e a cultura tida por puramente física de um esporte de massas (ninguém está aqui para negá-lo). Mas, por outro, essa diferença é relativizável, de um certo ângulo, dada a gama de sutileza e inteligência que entram no futebol, expressando-se *contra* a força física e *por meio dela*, através de uma profusão de elementos que se aproximam da literatura como *matéria* e como *forma*. É com certa graça picante que Pasolini diz que Corso joga um futebol de poeta "maldito", algo extravagante, mas que Rivera joga em prosa poética de *elzeviro*

117

(gênero de crônica jornalística com pretensões literárias), que Mazzola é um prosador ameno que poderia escrever no *Corriere della Sera*, mas que, aqui e ali, respinga a sua prosa com "dois versos fulgurantes".

Pode-se depreender desse esquema a ideia, um pouco modificada, de que o futebol é, por um lado, um "discurso" polêmico e não verbal, em prosa realista, que quer desembocar na poesia do gol. A prosa é consequente, linear, pragmática, atenta à contenção e à evitação dos sucessos adversários, e corresponde àquilo que chamaríamos de "princípio de realidade" — enfrentamento responsável dos obstáculos de modo a atingir o objetivo, obedecendo na medida do possível a um plano predeterminado. Mas o objetivo a ser atingido é desbordante, desviante, erotizado, consumando-se através da queda fulgurante e irreversível de um tabu, sacramentada pelo placar. Retomando a sugestão de Nuno Ramos, podemos dizer que o gol é esse instante ambivalente em que se encontram e se separam o excesso *erótico* e o crivo descontínuo do *sagrado*. Mas quando a poesia, explosivamente concentrada no momento do gol, não se satisfaz com isso e contamina a partida, alastrando-se pelas suas dobras, fulgurando em momentos pontuais de excesso, de surpresa e de gratuidade produtiva e improdutiva, como que a querer potencializar o que há de erótico no jogo e a ponto de se transformar na marca de um estilo, temos o que Pasolini chama de futebol jogado "fundamentalmente em poesia".

Mais ainda, há o arranque "sublime" (a expressão é de Pasolini, no rigor da teoria estética) do gol extrapolante e inacreditável, um sonho quase impossível, compartilhado por todo jogador e todo espectador, de partir com a bola do meio-campo e driblar a defesa adversária inteira. Segundo o poeta-cineasta e ensaísta, tal desejo é puro sonho "que não acontece jamais" e que ele só teria visto realizado, em estado bruto e "perfeitamente onírico", no filme *Magos da bola* (*I due maghi del pallone*, 1971, Mariano Laurenti), de Franco Franchi. Devemos lembrar, a propósito, o gol de Maradona contra a Inglaterra, tempos depois, na Copa de 1986, no México, no qual essa loucura se realiza, num instante infinito pela própria impressão que nos cria — dada a fluência estonteante da sequência de dribles — de que o craque passaria interminavelmente por uma série sem fim de oponentes, se ela houvesse. Na verdade, a sequência avassaladora parece estar toda contida já no movimento inicial da tomada de posse da bola por Maradona, ainda aquém do meio de campo: num giro sobre si mesma — efeito *spin* — ela instaura o estado alterado que faz do caminho do gol a rota implacável de uma espécie de aceleração de partículas. Acontecimentos extrapolantes dessa ordem — do "sublime", de uma dimensão pânica — estariam ainda no "gol de placa" de Pelé no Maracanã, contra o Fluminense, ou no gol do mesmo Pelé contra o Juventus, no estádio da rua Javari, em São Paulo, depois de aplicar chapéus em toda a defesa, inclusive no goleiro — ambos os gols sem registro em vídeo (reconstituídos de maneira tosca, por computador, no filme *Pelé eterno*, mas vivamente narrado, o segundo deles, pelos companheiros do Santos e pelos defensores do Juventus envolvidos no lance). Vale registrar que, na Copa de 1994, um obscuro jogador da Arábia Saudita, chamado Saeed Al-Owairan, driblou meio time da Bélgica e realizou o feito. Ronaldo, jogando pelo Barcelona em 1996, fez em Santiago de Compostela um gol que ficou conhecido como "O caminho de Santiago", como se realizasse a longa peregrinação em campo, vencendo toda a defesa adversária. E o jovem argentino Lionel Messi, jogando pelo mesmo Barcelona contra o Getafe, em abril de 2007, fez um desnorteante gol em que replica, quase passo a passo, e *ipsis litteris*, o gol impossível de Maradona.

É claro que o esquema de Pasolini, tão simples quanto estimulante pelas perspectivas que abre, só foi possível por causa do momento áureo da "alta modernidade" desse esporte, representado pela final Brasil *vs*. Itália na Copa de 1970, onde "a prosa estetizante italiana foi batida pela poesia brasileira". Naquele momento, o possível contraponto entre prosa e poesia no futebol ganhava de fato uma clareza inusual, que permitia mapear as correntes sem forçar a mão, ao mesmo tempo em que propunha um modelo que não deixa de, dialetizado, ter uma validade explicativa de alcance geral. Lembremos que na Copa de 1982, na Espanha, seria a vez de a poesia brasileira, renascendo novamente para o seu fulgor, ser batida traumaticamente pela prosa, a princípio desacreditada e nem tão estetizante, mas afinal sólida e consistente, da Itália.

De tudo isso, resulta uma contribuição decisiva para o entendimento do futebol, a ser desenvolvida adiante — em especial naquilo que ela acrescenta ao entendimento da formação do futebol brasileiro. Por ora, vale dizer que o jogo de futebol é a arena de um "diálogo" polêmico e plural, corporal, não verbal, onde valem prosa e poesia, leveza e força, argumento e parábola, silogismo e elipse. Batalha dos gêneros pela posse do significante e pelo seu transpasse em gol.

FUTEBOL NÃO TEM LÓGICA

À repetida afirmação de que "o futebol não tem lógica", Luiz Sérgio Coelho de Sampaio rebate, num artigo estimulante e até aqui inédito ("Lógicas do futebol"), que o futebol não tem lógica porque *tem lógicas* que se cruzam e se disputam, se alternam, se complementam. A afirmação recorrente da falta de lógica futebolística, ligada à grande margem de imprevisibilidade estrutural do jogo, é distorcida alegremente num engenhoso esquema de lógicas articuladas, do qual a imprevisibilidade faz parte. Segundo Sampaio, as lógicas básicas envolvidas no futebol são — não se espantem — exatamente quatro.

Em primeiro lugar, a "lógica clássica", aristotélica, baseada no "princípio do terceiro excluído", subjacente às regras do Football Association. Se o "princípio do terceiro excluído" consiste em sustentar que *uma coisa é A ou não-A*, e que *não existe uma terceira*, o código futebolístico, resumido num conjunto de dezessete regras, pretende dirimir toda e qualquer dúvida sobre as inumeráveis situações particulares do jogo enquadrando-as, uma por uma, na desejada moldura de suas distinções esgotantes e inequívocas. Se lhe fosse dado falar, essa "lógica" repetiria o famoso bordão que Arnaldo César Coelho levou ao limite: *a regra é clara*. Porque, se não fosse assim, ela solaparia o seu próprio fundamento, segundo o qual, afinal, *uma coisa é A ou não-A* — é infração ou não é, é gol ou não é.

Se uma infração não pode, desse ponto de vista, *ser e não ser*, ela precisa passar pelo crivo da decisão de um sujeito, de uma consciência que a atualiza em campo e que empresta uma identidade ao conjunto abstrato e puramente relacional das regras. Para Sampaio, trata-se de uma segunda lógica, acoplada à primeira, e que atuaria à maneira da "lógica transcendental": o árbitro de futebol, atuando como uma consciência de sobrevoo, que paira acima dos acontecimentos estando dentro e fora deles, daria uma inesperada presentificação futebolística ao *cogito* cartesiano ou ao sujeito kantiano, contendo supostamente o jogo no âmbito de sua consciência transcendental. Sem descontar o efeito de bizarria da comparação, ela focaliza de forma pertinente o fato de que o jogo não pode se sustentar sem a combinação do seu aparato regulamentar com a posição transcendental do juiz, mesmo que essa combinação seja incapaz de conter as suas facetas imponderáveis e traiçoeiras, que escapam por todos os lados.

Mas o mais curioso é que até aí temos somente as precondições do futebol, e não o jogo propriamente dito. Porque regras e juiz devem parecer invisíveis sob o que interessa: a disputa entre "dois times determinados a quebrar um a determinação do outro", lutando, num espaço entremeado, pela afirmação de uma vitória provisória e sempre negável na sequência. Essa posição contraditória — *em que um está para o outro como aquele cuja afirmação o nega, afirmando-o* — faz reconhecer, em campo, o estatuto da "lógica dialética".

Essas três lógicas, "clássica", "transcendental" e "dialética", passam, ainda, pela prova da "lógica da diferença", dada pela presença irredutível do acaso no jogo, pela intervenção de "fatores aleatórios, de ordem física, emocional e cultural". Em última instância, por tudo que há nele de imprevisível, de paradoxal, de indecidível e de não-senso, que Nelson Rodrigues tipificou através das figuras do Gravatinha e do Sobrenatural de Almeida — que encontram especialmente no futebol, como já foi dito, um campo fértil para suas peripécias. Nelson sintetizava a presença do acaso no jogo de futebol em dois personagens: de um lado, o Sobrenatural de Almeida, "contumaz na ajuda ao seu time, o Fluminense, realizando pequenas intervenções providenciais como deslocar levemente um travessão para que um pênalti indefensável batido pelo adversário se perdesse ou que uma bola descrevesse uma curva, que a mecânica não subscreveria, para entrar indefensável na meta adversária no derradeiro instante de jogo"; de outro lado o inimigo Gravatinha, "que só comparecia a campo para infernizar a vida do seu Fluminense", fazendo "os mesmos tipos de intervenções que aquelas do Almeida, mas sempre no sentido de beneficiar o adversário". Para Sampaio "é evidente que eles personalizam fatores aleatórios, [...] sob a égide da lógica da diferença".[72]

---

72. Luiz Sérgio Coelho de Sampaio, "Lógicas do futebol" (artigo inédito). Para conhecimento do modelo teórico em que se apoia o artigo, ver, do mesmo autor, *Lógica ressuscitada: Sete ensaios*, Rio de Janeiro: UERJ, 2000; *Lógica da diferença*, Rio de Janeiro: UERJ, 2001; *Filosofia da cultura — Brasil: luxo ou originalidade*, Rio de Janeiro: Editora Ágora da Ilha, 2002.

O modelo de Sampaio — cujo esquematismo deve ser lido com o necessário "grão de sal", de maneira a que não se desperdice a sua original contribuição —, aponta ainda para o fato revelador de que o jogo de futebol, nele mesmo, inverte a primazia das lógicas, tal como elas se posicionam no mundo moderno: as lógicas implícitas no regulamento e no juiz, lógicas da ciência positiva e do sujeito que regula os objetos pairando sobre eles — lógicas dominantes no mundo da tecnologia e da empresa, e supostamente resolutivas (Sampaio as chama de lógicas "masculinas") —, ocupam em princípio o segundo plano do espetáculo, caudatárias que são das marchas e contramarchas dialéticas da disputa permanentemente reversível entre o mesmo e o outro, e das surpresas sempre deslocantes e inabolíveis do acaso e da criação imprevista (Sampaio as chama de lógicas "femininas"). Assim, o futebol espelharia a ordem das coisas invertendo-a, revertendo suas prioridades e dando margem à emergência de pulsões normalmente recalcadas, como faz a seu modo o carnaval, com seu violento empuxo catártico.

Mas com uma distinção importante, para a qual adverte o autor: o carnaval, compreendido na sua força originária, inverte a ordem das prioridades investidas no tempo do labor produtivo, ritualizando uma subversão consentida das lógicas dominantes pela "lógica da diferença" e, assim, só pode durar alguns dias de exceção. Diferentemente, o futebol engloba as quatro lógicas num sistema articulado de prioridades invertidas. Dado o seu caráter sistemático, pode ser repetido ao longo do ano todo, em quase todos os dias. Nas suas formas primevas e medievais, impulsivas e desregradas, os jogos de bola aconteciam, como vimos, num tempo de exceção e de descarga do tempo do trabalho, com destaque para a Terça-Feira de Carnestolendas, onde se confundiam com a cultura popular do carnaval. Quando da sua implantação inglesa, já codificado, passa a ser a festa dos domingos, dos meios de semana, e, com o acirramento da sociedade de massa, a ocupar um tempo aparentemente onipresente e incansável. A saturação do tempo cotidiano pelo futebol é o índice de um processo maior. Ele acompanha, pode-se acrescentar, a passagem da dominância do *trabalho* à do *labor*, nos termos formulados por Hannah Arendt em *A condição humana*: o trabalho reverte na produção de obras duráveis que contrastam com a mortalidade da nossa condição, e tem no descanso um momento de suspensão desperdiçante; o labor é uma atividade que se consome ao se reproduzir, e que se confunde com o próprio ritmo incessante da vida orgânica.[73] Se o trabalho alterna com o descanso, o labor não conhece descanso, que nele toma a forma específica do lazer. O lazer não é uma suspensão do tempo do trabalho, mas a recarga cotidiana que dá suportabilidade ao labor sem obra, fazendo-se seu duplo. A repetição compulsória do futebol participa do processo pelo qual algo de insuportável no mundo (o labor sem obra), a ser mitigado dia a dia sob a forma de mercadoria continuamente reposta, repõe de forma viciosa, com sua avalanche *ad infinitum* e *ad nauseam*, o insuportável no mundo.

É dessa forma que a lógica empresarial tecnocientífica e multinacional intervém sobre a "lógica dialética" e a "lógica da diferença", que comandariam o jogo propriamente dito dentro do campo: contendo-o exaustivamente no círculo estreitante de seu aparato técnico-científico e mercadológico-publicitário, levado pelo tempo implacavelmente cerrado dos seus calendários, e alimentando-se da energia dos jogos, a ponto de exauri-la.

---

73. Ver Hannah Arendt, *A condição humana*. Tradução de Roberto Raposo. 10. ed. Rio de Janeiro: Forense Universitária, 2001.

A OTIMIZAÇÃO DO RENDIMENTO

Já acumulamos elementos suficientes para sustentar que o futebol, com seu mais de século de história, revela-se um campo dialógico e conflitual em que se embatem diferentes princípios, ou ordens de valor, além de times — com o que retomamos a nosso modo o esquema de Sampaio. Começo a comentá-los por um desses princípios, que não é o mais evidente nem o mais importante, mas que foi se investindo de poder crescente nas últimas décadas: o da otimização do rendimento e da administração planejada da eficiência, que se realizaria através da objetividade estrita e da ocupação racional do espaço, com aplicação máxima da força física direcionada. Esse viés está contido potencialmente nos primórdios do jogo, na disposição competitiva e no espírito das próprias regras, mas veio se desvelando de forma empírica e redobrou-se nos anos 70 ao ganhar uma dimensão muito mais técnico-científica, ligada à fetichização dos esquemas táticos abstratos, prevalecendo sobre o jogo concreto e aberto ao imprevisível. Pretende-se uma espécie de *engenharia* futebolística. Atualiza a vocação cientificizante latente nos primórdios, consubstanciada numa das dimensões do jogo, a da codificação que funda o futebol moderno contra as pugnas arcaicas e seu dispêndio improdutivo de energia. E, assim, visa a controlá-lo através de tabelas estatísticas, diagramas táticos, jogadas ensaiadas fora do contexto do jogo, ênfase defensiva, dietética específica etc. No fundo, é uma revanche do *projeto*, ou do *programa*, contra o *acaso* inerente ao jogo.

Aplicada intensivamente aos esportes atléticos que se baseiam na disputa pela fração de segundo de um recorde, essa atitude quantificante tem no futebol o seu desafio máximo, seu Cabo das Tormentas. Porque, ao mesmo tempo em que o submete ao princípio geral do planejamento que preside a todas as ordens da concorrência intensiva, ela se vê obrigada, ou tentada por impulso inconfessável, a neutralizar algumas daquelas coisas que distinguem o futebol entre todos os esportes: a contingência e a acirrada alternância da posse de bola (pretendendo retê-la indeterminadamente contra o perigo de jogo), e a impossibilidade de reduzi-lo a um programa prévio.

Como sabemos, foi Cláudio Coutinho quem simbolizou a introdução dessa mentalidade no Brasil, com seus postulados e seu vocabulário, em meados da década de 70. Ela estava já embutida na comissão técnica da seleção que disputou a Copa de 1970, e na qual se introduziu um inédito patamar de preparação física, além da novidade dos treinamentos específicos para defesa. Carlos Alberto Parreira vem da mesma cepa e acaba por constituir-se, ao longo desses tempos, na sua versão exemplar e quase quimicamente pura. Como o capitão Cláudio Coutinho, integrava a comissão técnica de 70, e seu histórico não vem, sintomaticamente, da cultura do futebol propriamente dita, mas da educação física. Sua inegável capacidade de articulação, seu conhecimento técnico e seu obstinado equilíbrio, aparentemente imperturbável nas situações mais adversas, é inseparável de uma concepção de futebol que deseja, consciente ou inconscientemente, submeter o quanto possível tudo o que haja no futebol de *dialética* e de *diferença*.

Do ponto de vista estilístico, retomando a sugestão de Pasolini, o princípio da otimização do rendimento espelha-se num futebol em prosa. Não a prosa realista da disputa em si, mas a prosa com certo ideal de abstração da ciência, a prosa da demonstração de um problema matemático — na prática, a prosa acadêmica, que parece retornar inapelavelmente no estilo de Parreira. Alguns meses antes da Copa do Mundo de 2006, Tostão dizia que o treinador, mesmo tendo nas mãos um grupo mágico de inventores (Ronaldinho Gaúcho, Ronaldo, Kaká, Robinho, Adriano), gostaria, no fundo, de estar dirigindo algum time mediano e obediente.

Vale a pena lembrar as palavras do grande crítico-jogador, que, embora confiante nalguma transformação de estilo do técnico da seleção brasileira, então imposta pelos fatos, acabava por psicanalizar a sua ideia fixa, percebida como desejo oculto e contrário às decisões aparentes (assunto crucial para o próximo capítulo): "A escalação do quarteto ofensivo foi imposta pela qualidade dos atletas. Isso mostra que Parreira evoluiu, que prefere o craque ao esquema tático e que tem bom senso, virtude cada vez mais rara. Parreira disse que a escalação dos quatro jogadores mais adiantados é o limite da ousadia. Diante do espelho, ele deve indagar: 'Ainda não acredito no que você fez'. Mas no fundo da alma, onde estão os mais estranhos e verdadeiros desejos, Parreira deve sonhar em ser treinador da seleção inglesa, com um time mais equilibrado, com os atletas ocupando sempre a mesma posição e repetindo as mesmas jogadas ensaiadas".[74]

Se esses são os traços gerais do princípio da otimização do rendimento quando diretamente envolvidos no campo de jogo, sua base de realização e expansão em torno do futebol é a empresa, que veio se fazendo mais e mais visível na semiosfera ostensiva do jogo, através da disputa do espaço futebolístico pelas suas logomarcas (ao mesmo tempo em que se mistura com a tradição "amadorística" e informal da maioria dos clubes, de cunho clientelístico, ligada de *n* formas obscuras ao tráfico de interesses). Mas, no conjunto, o futebol, visto sob a ótica global desse princípio, pode ser definido como uma codificação racionalizada que põe em jogo forças equivalentes submetidas à concorrência, investido de planejamento tecnocientífico, incluindo-se num sistema de mercantilização sobreposta em que a sua imagem serve de suporte e isca para logomarcas que servem de suporte e isca para narrativas publicitárias e produtos, que servem de suporte e isca para o jogo,

---

74. Tostão, "No fundo da alma", *Folha de S.Paulo*, 26 mar. 2006.

que serve de suporte e isca para logomarcas etc. Mais do que mera estratégia de vendas, trata-se da instauração de um *regime circular do imaginário* que se realimenta incessantemente na sua função de *fisgar*.[75] A Copa de 2006 foi uma ocasião para a elevação desse princípio ao paroxismo. As condições brasileiras dele serão retomadas adiante. Não ver isso — que já não é pouco — é tão ocultador, no entanto, quanto *só ver isso* no futebol.

O TÉCNICO

A presença do árbitro, uma subjetividade supostamente onisciente que atua do alto, de dentro e de fora do jogo, imprimindo-lhe um princípio identitário, já foi suficientemente comentada. Uma pelada de praia, um jogo infantil ou despretensioso, cujas pulsões se esgotem em si mesmas, dispensam a figura. No entanto, basta uma empostação totalizadora ou qualquer desejo de inclusão e pertinência, ainda que imaginária, numa rede maior que se traduza em torneios, campeonatos e federações, inserindo o jogo no circuito universal das competições, mesmo em contexto varzeano, e eis que se exige a figura mediadora da razão transcendental e demiúrgica do juiz. Assim como o princípio da eficiência contabilizável se baseia na ordem empresarial, o princípio identitário da subjetividade absoluta que atua do alto se baseia no ordenamento da lei, e pede a organização institucional, corporativa, dos órgãos federados convergindo na FIFA. Esta detém o halo soberano

---

75. O marketing de "relacionamento", menos visível que o publicitário, mas focado em nichos específicos de consumidores como os de um cartão de crédito, por exemplo, premia clientes fiéis ou vendedores eficientes com viagens para assistir a jogos ou visitas privilegiadas a equipes ou jogadores. O desejo suscitado pelo futebol age, nesse caso, como o potencializador quase invisível do consumo, afetando aquela rede específica.

das instituições universais que zelam por um espólio simbólico, como a ONU e a Igreja, administrando e ponderando interesses acima deles — ou como se.

A relação entre esses dois princípios, que se constituem em precondições do futebol, ganhou uma representação nova no campo de jogo e à beira dele. É que a intensificação da concepção técnico-científica do futebol fez crescer a figura de um gênero de treinador cuja autoridade expandida disputa agora com o juiz, como se isso fosse possível, o lugar do sujeito transcendental, desde seu emergente palco pontilhado à beira do campo. Dali, contesta o árbitro e dirige invectivas que volta e meia podem resultar em sua expulsão. Essa zona de fricção temperamental indicia em ponto pequeno, e personalizado, o encavalamento das duas "lógicas" que subjazem ao jogo; fora do campo, ela tem seu correspondente na zona de fricção, de conflitos e de ajustes entre os interesses do capital e as instâncias da lei.

É significativo constatar que o lugar simbólico do treinador mudou de forma decisiva, junto com a intensificação generalizada do princípio do planejamento. Vale a pena uma digressão e um pequeno histórico. Os feitos mitológicos do futebol brasileiro, se vistos em perspectiva, passaram-se sob a égide do técnico discreto, apagado ou aparentemente irrelevante. Vicente Feola, que dirigiu a seleção campeã em 58 e do qual se dizia, mais sintomática do que veridicamente, que cochilava no banco durante a partida, bem como Lula, que dirigiu o Santos Futebol Clube durante muitos dos anos mais gloriosos, não eram objeto de atenção da imprensa, e permaneciam praticamente invisíveis durante a partida. Da mesma forma, com tudo o que se martela até hoje sobre o trauma de 1950, nunca se elegeu frontalmente o técnico Flávio Costa como o culpado da derrota (aliás, o seu nome não vem necessariamente associado àquela seleção). Já nos mundiais mais recentes as seleções brasileiras, e seus respectivos destinos, são inseparáveis de seus técnicos: falamos da seleção de Zagallo, de Telê, de Lazaroni, de Parreira ou do Felipão.

Vale lembrar que, até a Copa de 1970, não eram permitidas substituições durante a partida, instrumento característico de afirmação do técnico, com seu poder de intervenção visível sobre o ritmo do jogo. Num mundo onde os papéis estavam muito mais demarcados do que hoje, a ocupação dos lugares em campo também era mais tácita do que tática: exagerando um pouco, pode-se dizer que o ponta ia para a ponta, o centroavante para a área adversária, o armador armava, o beque ficava atrás, e o goleiro não saía do gol. O técnico era concebido, pelo menos para o olhar difuso do público, como aquele que, antes do jogo, distribuía camisas e exortava os jogadores à vitória; que dava bronca no vestiário, se preciso, durante o intervalo; e que vigiava os boêmios beberrões e os farristas sempre que possível, em especial, evidentemente, durante os períodos de concentração. Sob esse esquema estável, o coletivismo era óbvio, quando eficaz, nas culturas que lhe são afins, e o individualismo era uma diferença a depender mais das singularidades e do acaso que das ações do treinador.

A progressiva ascensão e vedetização do técnico, sua emergência protagonística na cena do jogo e fora dele, nas últimas décadas, descreve exatamente a subida do princípio racionalizador para um lugar que se quer dominante e total. O que é um índice, certamente, da pressão pela tomada do campo do jogo por um princípio planejador externo, compatível com o controle de produção e a tecnologia mercadológica. Cabe ao técnico fazer uma leitura crítica, "em tempo real", do andamento da partida, e intervir sobre as forças em jogo. Entre essas, o talento individual, tradicionalmente capaz dos golpes verticais de graça e redenção, tornou-se uma variável a mais, suscetível de ser administrada e submetida à lógica empresarial do "custo-benefício". Como em todas as áreas da vida globalizada, planejamento e racionalização vieram para o primeiro plano (junto com os interesses, as logomarcas, o marketing, o merchandising etc.).

Mais (ou menos) que isso, no entanto, do ponto de vista do espetáculo televisivo, o que a figura atual do técnico encena e dá ao futebol é um rosto, a imagem sintética de um (super)eu capaz de se contrapor às instâncias fragmentárias, plurais e polimorfas do jogo espalhado pelo campo. Nas suas reações mínimas assistimos compulsoriamente pela televisão, muitas vezes à revelia da partida, o festival de tiques, ansiedades, reações comemorativas em câmera lenta, imprecações por um gol perdido, reclamações, prostrações, olhares já contaminados pelo brilho fugidio da derrota ou seu *manteamento* apoteótico pela equipe campeã, em suma, o resumo do drama por parte daquele que está fora do campo, como nós, ao mesmo tempo que dentro, como eles. Uma câmera em *delay* fixa o técnico e o exibe em replay a cada passo, para que gozemos o seu gozo e o seu fracasso soberanos, já que, pela sua própria constituição, o jogo não se deixa reduzir ao princípio do controle planejante e a uma identidade absoluta, que estão ali também expostos nas suas vicissitudes, e naquilo que têm de inconsistentes.

A "DIFERENÇA"

Os dois princípios comentados se contrapõem, justamente, ao princípio rebelde do imprevisível, que se expressa em tudo aquilo que o jogo tem de incontrolável, desde o seu destino mais geral até o mínimo "detalhe" definidor (a afirmação, tão invocada ultimamente pelos técnicos e pelos jogadores que imitam o seu discurso, de que o jogo "vai ser definido no detalhe", pode ser considerada um eufemismo para o fato de que, nas circunstâncias incertas de equilíbrio insolúvel, é o acaso quem vence). Mas além do poder incoercível do Fado, do acaso irrecorrível que se impõe ao próprio choque aleatório das massas físicas, incluindo a força bruta e a fraqueza psicológica, a fração de centímetro ou de segundo, mais a natureza traiçoeira do campo e da bola, tudo repuxando cegamente para um lado ou para outro (em benefício ou em prejuízo do Sobrenatural de Almeida e do Gravatinha), manifesta-se também no jogo de futebol o *acaso ativo* da imprevisibilidade produzida, da criação inesperada, que se expressa em dribles, volutas, volteios, firulas, folhas-secas, corta-luzes, chapéus e passes inesperados no vazio. Pode-se dizer que, nesse caso, mais do que efetuar o real e o possível, em que o jogo subsiste e insiste, a lógica da diferença produz o virtual e o atual, em que o jogo subitamente *existe* e *acontece*.

O princípio da imprevisibilidade conjuga-se originariamente com os componentes malandros, infantis e polimorfos que têm no futebol um campo de expressão criativa, em tensão com os dois princípios anteriores (não é à toa a frequência com que se dá a tensão surda ou declarada entre o técnico vedetizado e o craque, ou, mais sutilmente, a luta cega entre uma mentalidade tático-coletivista programática e a potencialidade criativa do talento surpreendente, castrada e diminuída com indisfarçável prazer pelo planejador previsível). Romário se notabilizou por protagonizar esse lugar, pondo-o em conflito com Zagallo, Parreira e Luiz Felipe Scolari. Muitos exemplos dessa espécie de incompatibilidade estrutural entre a previsibilidade desejada do programa, o lugar de poder do técnico e a imprevisibilidade do craque, dentro e fora do campo, poderiam ser lembrados, embora não caibam aqui. A imprevisibilidade criadora que põe em jogo a "lógica da diferença" não é obra de engenharia mas de *bricolagem*, de adaptação e de invenção poética. Subverte os esquemas do princípio de realidade pelos do prazer, e pode comparecer como um suplemento valioso de genialidade ou de inconsequência.

Seu emblema puro, supremo e arquetípico é, naturalmente,

Garrincha, em quem vimos e vingamos, para sempre, a prova de que a diferença não se opõe ao rendimento. Romário foi o outro avatar desse princípio, atualizando-o com uma eficácia longeva e inequívoca. (Denílson pode ser lembrado como um jogador aquém das expectativas que despertou, ao prender-se aos limites dessa lógica sem ter se mostrado capaz de ultrapassá-la; Robinho, extraordinária encarnação precoce do paradigma, passa pelo teste, nunca inteiramente concluído, de se saber que dimensão ocupará diante das provas do futebol real.) O princípio do imprevisível se expressa em acontecimentos pontuais, em jogadas de efeito; pode ser visto também no jogo total se olhado como desenho puro, como traçado de linhas intensivas e invisíveis que rasuram o campo todo, como um permanente lance de dados jogado à sorte e ao azar. O gênio da imprevisibilidade às vezes parece morto e renasce com frescor: seu lugar é o eterno retorno. Como já vimos, aí está a fonte daquilo que o futebol pode ter de poesia. O fundamento material e imaterial desse terceiro princípio, em vez da empresa e a instituição universal da lei, é a cultura popular do jogo, incluindo o papel mundialmente reconhecido que o Brasil teve no desvelamento da "lógica da diferença" no futebol. Esse assunto será amplamente retomado no próximo capítulo: "A elipse: o futebol brasileiro".

A MATURIDADE VIRIL

Finalmente, mas podíamos ter dito em primeiro lugar e antes de mais nada, temos o futebol como princípio discursivo ligado ao confronto dialético do um com o outro, como construção do sentido e suas vicissitudes. É aí que mora, certamente, o cerne do jogo enquanto tal: a maturidade viril, a transposição disputada e recíproca das dificuldades visando um fim, e suas mediações necessárias, representadas pelos elementos de armação e articulação prática, inseparáveis dos recursos de contenção e defesa. Essa "lógica dialética" não se confunde com a técnico-científica, que pensa por esquemas abstratos. Sua figura por excelência é a do meio-campista com visão de jogo e capacidade de liderança, equacionando as necessidades de ataque e defesa, e magnetizando o time em nome da superação das dificuldades e do enfrentamento dos obstáculos pontuais sem perder de vista objetivos maiores. Junto com ele, o treinador capaz de reinventar o jogo a partir dos jogadores que tem em mãos, de potencializar-lhes e descobrir-lhes as qualidades, desentranhando um programa tático das condições concretas, em vez de submetê-las a fórmulas estáticas. Telê Santana tornou-se, com justiça, o exemplo obrigatório desse paradigma.

Gumbrecht observa que as formas de jogar capazes de criar tradições, como o *catenaccio* italiano e o "futebol total" holandês, resultam "de uma cooperação bem-sucedida entre excelentes jogadores e a percepção planejadora de técnicos flexíveis". É o caso, segundo ele, da Inter de Milão dirigida por Helenio Herrera, que combinou a tradição defensiva do "ferrolho suíço" com variantes de ataque, "graças às capacidades psíquicas e físicas do defensor Facchetti, capaz de assumir simultaneamente o papel de defensor e de ponta". Assim também, "a base do novo estilo holandês foi, pouco tempo depois, a ideia do técnico do Ajax, Rinus Michels, de minimizar o espaço para o ataque do adversário, mediante uma corrente de quatro jogadores que avançam e retrocedem, segundo o caso, maximizando [...] o espaço para o próprio ataque. A implementação dessa ideia foi possível, sobretudo, graças às condições técnicas e às qualidades de liderança do capitão Johann Cruyjff".[76]

---

76. Hans Ulrich Gumbrecht, "Comunidades imaginadas", *Folha de S.Paulo, Mais!*, 4 jun. 2007, p. 5.

A "lógica dialética", no futebol, pede a prosa consistente que eleva o tecido do jogo para além do discurso trivial, apático ou protocolar. Como já foi dito, a prosa do futebol não exclui necessariamente a poesia, que, ao contrário, precisa daquela para se realizar. Quando isso acontece (como no quarto gol da seleção brasileira na final contra a Itália, na Copa de 1970, em que a bola vem bailando desde a própria defesa numa sucessão de passes e dribles, gratuitos e eficazes, de Clodoaldo até o passe de Pelé no vazio para o chute inapelável de Carlos Alberto, depois da bola levemente levantada ao acaso pelo próprio "Sobrenatural de Almeida" — em forma de "morrinho"), atingimos aquele ponto só formulável em termos como os de Fernando Pessoa, ao fazer o elogio da capacidade superior que a prosa plena teria, de conter em seu corpo a própria poesia e todas as artes: "Há prosa que dança, que canta, que se declama a si mesma. Há ritmos verbais que são bailados, em que a ideia se desnuda sinuosamente, numa sensualidade translúcida e perfeita".[77]

As lógicas do futebol — que "não tem lógica" — se integram assim numa *dialógica* dos vários princípios que expandem seus sentidos em múltiplas dimensões simultâneas. Às vezes abertamente conflitantes, como no confronto clássico do futebol sul-americano com o europeu, ou do confronto emblemático entre Brasil e Alemanha, para não falar do confronto crucial de Brasil com Argentina, quando se disputam escolas ao mesmo tempo opostas e simétricas (devolvendo ao jogo algo da geometria equilibrista do rito). Às vezes vividas como conflito interno e sintomático da cultura, quando uma equipe-nação se dilacera em encruzilhadas, como o Brasil, em certos momentos, entre o "futebol-arte" e o "futebol-força", entre a vocação nativa e a adoção do modelo modernizador externo, entre o potencial criativo e a mentalidade

---

77. Fernando Pessoa, *Livro do desassossego*. São Paulo: Companhia das Letras, 1999, p. 228.

reativa, entre o sentimento irremediável do valor e o do desvalor, entre o "bode exultório" e o "bode expiatório". E às vezes euforizantemente conjugadas, quando, nos momentos mais felizes do futebol, parecem transcender as separações que as distinguem, como na seleção húngara de 54, no Real Madrid e no Santos na primeira metade dos anos 60, na seleção brasileira de 58 e 70, na holandesa de 74, além de tantos outros momentos menos duradouros e emblemáticos de tantas outras equipes ao longo desses tempos. Nesses casos, temos a conjunção da prosa com a poesia, da "lógica dialética" com a "lógica da diferença", tendo as outras duas a seu serviço, conjunção esta que se constitui na realização máxima do futebol.

O GOLEIRO

Nos onze jogadores em campo, ora mais tutelados ora mais rebeldes ao comando do pai, desenha-se segundo Verdú uma árvore familiar agropastoril que o futebol moderno e "total" não apagou completamente. No ataque estaria a função masculina por excelência do caçador, nas figuras ímpares dos pontas culminando no centroavante. Na defesa, as funções mais "femininas" do cultivo e da esfera doméstica, a chamada "cozinha", que culmina no goleiro. De Castilho, que tinha fama de sortudo, dizia-se que "tinha aberto a leiteria", menção difusa a um signo materno, e a própria expressão "frango", que designa o gol resultante de uma tentativa desastrada de defesa do goleiro perseguindo uma bola inofensiva e irrequieta como um galináceo, participa do universo do quintal e da casa. O goleiro estaria, assim, ligado ao paradigma do feminino, por seu vínculo inalienável com o espaço-tabu do gol, "órgão feminino", pelo uso precípuo das mãos e por seu confronto com o aríete do atacante, no qual se pede dele "a inquebrantável firmeza de uma mãe virtuosa" que faça que "seu marco permaneça virgem e que por mais tempo que o inimigo acosse seu domínio seja estéril".[78] Walter Benjamin lembra uma tipologia segundo a qual os jogos de perseguição corresponderiam aos de gato e rato (pode-se dizer que o rúgbi e o futebol americano se encaixam nesse tipo), o goleiro de futebol "à fêmea que defende o seu ninho com filhotes", e a bola disputada em campo à "luta entre dois animais pela presa, pelo osso ou pelo objeto sexual".[79]

O goleiro é sabidamente um ser de exceção, e, nos momentos cruciais, um solitário. Como os indivíduos sagrados e malditos, ele pode o que os outros não podem (tocar a bola com as mãos) e não pode o que os outros podem (atravessar todo o campo e consumar o desejo maior do jogo, o gol). Se a impossibilidade dos outros é ditada, no entanto, pela regra do jogo, a do goleiro é imposta pelo peso de um tabu, que veio caindo sintomaticamente, como sabemos. De todo modo, ele não pode abandonar por completo o gol porque essa é a zona interditada por cuja virgindade ele é o responsável. A virgindade do gol é um tabu no sentido preciso da expressão (que tem sua origem na esfera mágico-religiosa): espaço consagrado simbolicamente, que não deve ser profanado. Tradicionalmente, o goleiro participava, mais que nenhum outro jogador, do destino terrível de todos aqueles que são a representação encarnada do tabu, e a própria metonímia da virgindade sagrada posta no limiar da profanação. No futebol, onde o tabu duplicado no espelho do zero a zero inicial quer ser violado pela confrontação dos contrários, o goleiro figurava como uma

78. Ver Verdú, op. cit., pp. 92-103.
79. Walter Benjamin, "Brinquedos e jogos". In *Reflexões sobre a criança, o brinquedo e a educação*. Tradução de Marcus Vinicius Mazzari. São Paulo: Duas Cidades/Editora 34, p. 100.

espécie de vestal posta a prêmio, virgem guardiã do fogo sagrado cujo poder participa todo o tempo da ameaça de imolação.

Se for feliz, o goleiro transforma-se de tabu em totem (para usar a expressão freudo-oswaldiana) e vira lenda. Se não for, é o favorito natural para bode expiatório, porque além de ser o único que pode, sozinho, pôr a perder uma partida, está mais próximo do que ninguém, entre os jogadores, da ambígua cópula de interdição e transgressão que alimenta o jogo. A propósito, fala-se justamente em "tabu" quando, apesar dos vaivéns da sorte e das contingências aleatórias, um time passa muito tempo sem vencer o outro, ou quando uma defesa não é vazada, restaurando uma espécie de virgindade ritual estranha à oscilação natural do jogo.

A eleição do goleiro Barbosa como bode expiatório do fracasso em 1950 parece indicar um estágio primário do nosso imaginário futebolístico, que pune no goleiro vazado a figura da virgem deflorada ou da mãe solteira, expulsa da casa de família. Depois disso vivemos muitas vitórias e derrotas que, se não temperaram a ansiedade e as dores coletivas, diversificaram ou dissolveram a figura sacral do culpado.

Mas o primeiro teve de ser o goleiro, posto simbolicamente naquela mesma posição sacrificial que ele ocupa durante a cobrança do pênalti onde, embora a própria impotência de sua condição o desculpabilize por um momento, encena-se a sua solidão arquetípica perante o castigo.

Os goleiros antigos (especialmente nos anos 50) pareciam-se às vezes com hieráticas viúvas vestidas de preto, com seus cachecóis ou bonés sutilmente aptos a proteger os penteados "contra a inclemência do sol" (cito Verdú). Grandes joelheiras, como que preparadas para encerar o chão, e o costume de se encostar numa das traves com a mão nas ancas ou os braços cruzados quando "terminado o labor ou faltasse trabalho" davam por sua vez o tom de aplicação caseira tradicional ao universo do goleiro, às vezes "aguerrido e temível como uma camponesa prolífica".

A liberação feminina parece ter marcado uma série de transformações na sua figura a partir da década de 70. A começar pelos trajes, que se coloriram e diversificaram, durante certa época, em tecidos e texturas as mais diversas, franqueando verdes, laranjas, amarelos, cor de abóbora com roxo, losangos e quadriculados que compõem a personalidade de cada protagonista. Essa fase de afirmação parece ter sido concluída: fim do luto que assinalava a vinculação sacrificial do goleiro ao tabu (e a sua impossibilidade de desprender-se do próprio arco) e festiva afirmação de um traço de liberdade que os jogadores da linha não têm: o de vestir-se como quiserem. O apelido de Raul Plassmann, goleiro do Cruzeiro que introduzia a novidade nos trajes, chamado pela torcida do Atlético Mineiro de "Wanderlea", mostra bem a intuição coletiva desses bastidores a que nos referimos. Leão, por sua vez, que adotou o verde-garrafa e foi o marco da mudança da postura técnica do goleiro, posava para fotos de publicidade à maneira de uma garota da *Playboy*. Alguns goleiros, especialmente europeus, passaram a levar a campo a toalha e uma espécie de frasqueira, ou *nécessaire*, que, colocadas num canto interno do gol, deram a esse um inusitado aspecto de toucador moderno e prático.

Junto com isso, a mudança do posicionamento: o goleiro não se posta mais sob o "arco" das traves, como se este fosse o umbral da casa (a palavra "arqueiro", tão usada pelos locutores dos anos 50 e 60, ficou anacrônica). Em vez disso, como uma mulher independente e descolada, sai jogando, espera o ataque além da meia-lua da área, e às vezes, acintosamente, quase no círculo central. O preço a pagar pode ser caro, como na desesperada corrida do goleiro da Tchecoslováquia na Copa de 1970, no quase-gol de Pelé por cobertura. Apesar dessa "advertência", as "mulheres" se tornaram cada vez mais ousadas e saídas, assumindo às vezes declaradamente o jogo com os pés, que seria prerrogativa dos homens de linha. Curiosamente, em países hispânicos onde o machismo parece ser mais estrutural, despontam goleiros mais atrevidos na saída da área, como o famigerado Higuita, que levou a Colômbia à desclassificação na Copa de 1990 por envolver-se com o camaronês Roger Milla num duelo na intermediária. Outro caso típico é o do mexicano Jorge Campos, goleiro baixinho que não abria mão de suas qualidades de armador e atacante com a bola nos pés, e cuja vestimenta parece fazer dele uma figura de videogame. O paraguaio Chilavert, por sua vez, que elevou o goleiro à posição de artilheiro exímio na cobrança de pênaltis e faltas, foi superado ainda por Rogério Ceni, que deu uma dimensão historicamente consumada à figura do goleiro capaz de sair jogando, de fazer passes e lançamentos longos e esmerados, e de tornar-se um cobrador requintado e contumaz de faltas com barreira, a ponto de figurar como artilheiro da equipe, muitas vezes com vantagem sobre os atacantes. Da mesma forma, ir para a área adversária em escanteios, para tentar a cabeçada no final de jogos dramáticos e praticamente perdidos, à beira da desclassificação, passou a ser quase uma praxe.

Mas uma transformação mais sutil está a meu ver na técnica e no gesto, na relação propriamente dita do goleiro com a bola e com o chão. Os goleiros tradicionais, como Gilmar, Castilho, Laércio e os Mangas (o do Santos e o do Botafogo), desfrutavam ao máximo a oportunidade de agarrar-se à bola, de "encaixá-la" ao peito e de espojar-se com ela ao chão, num festim telúrico. Assim como o atacante queria a bola no fundo das redes, o goleiro da era da nostalgia matriarcal esperava o instante de entrar em simbiose com ela, de formar com a bola um só corpo, num momento esperado e desfrutado pelos seus fãs como o próprio gol. Além disso, tendo Gilmar como exemplo máximo, gozavam a fusão com a bola em ponte aérea, o instante de levitação em que iam buscá-la traçando a trajetória exata que renderia o maior tempo possível para esse estado de suspensão, de fotografia viva.

Pode-se dizer, para confirmar a tese de Verdú, que nos goleiros dos anos 80 e 90, em geral, dissolveu-se esse traço ctônico que os ligava à lama e ao couro, assim como o narcisismo puramente artístico do salto. Para começar, os goleiros dispensaram as antigas joelheiras, que assinalavam seu compromisso preferencial com o chão, e adotaram luvas sintéticas que não usam propriamente para reter a bola junto ao peito, ou na ponte majestática, mas para dar socos, tapas e espalmadelas que jogam a bola longe, para o chão, sob o domínio dos pés, ou para escanteio. É uma atitude asséptica que evita qualquer contato mais erótico e prolongado, e que parece querer exorcizar ou neutralizar os perigos da bola — agora mais mercurial, leve e rápida —, com suas traições e perfídias, que o goleiro antigo abraçava num gesto cheio de intensidades passionais e maternais. O goleiro contemporâneo é, sob certo aspecto, "mulher" relativa ou aparentemente liberada do tabu virginal do gol; sob outro, ou talvez pelo mesmo, um representante introjetado do pai, o treinador do time, mais o treinador específico de goleiros, que clamam ambos, nos treinos e fora do campo, pelo apuro do gesto puramente técnico que neutraliza a bola, antes que amá-la declaradamente, e que passa a buscá-la não mais levado pelo devaneio do voo, mas pelos conceitos produtivos, topológicos e quantitativos de "colocação" e "impulsão".

O RÚGBI, O FUTEBOL AMERICANO E O *SOCCER*

Mesmo com o evidente perigo do esquematismo, as formulações apresentadas até aqui, em especial a das "lógicas" do futebol, têm como uma de suas vantagens a de nos permitir entender o quanto é fundante o contraste entre o futebol e o rúgbi, que nasceram juntos, como gêmeos não idênticos, nas escolas inglesas da segunda metade do século XIX. Por extensão, entende-se melhor o contraste entre o futebol mundial e o futebol norte-americano, que pode ser visto como uma espécie de *rúgbi recrudescido* (entre as modificações norte-americanas, o aparato de proteções corporais dos jogadores assume de maneira ostensiva o choque corporal, assim como a bola, uma vez posta em jogo, deve ser lançada sempre e obrigatoriamente para a frente, num campo intensivamente mensurado e num jogo picotado pelo sistema de escaramuças).

Retomando, devemos insistir que o futebol inglês e o rúgbi são, no campo da cultura de massas, o canto do cisne do império britânico. Essa invenção dupla se separa em duas correntes de destinos contrapostos: uma se constituiu, não sem razão, na base do futebol norte-americano que comporá o imaginário dominante do novo império; a outra se espalhou pelo mundo inteiro fazendo emergir e desvelar os perfis de outras culturas, criando o seu multifacetado império lúdico, cujo domínio é disputado pelo império econômico. Sintomaticamente, os destinos dessa dupla corrente encontram os seus pontos extremos nos Estados Unidos e no Brasil: o futebol americano injetou no rúgbi um máximo de rendimento programado mensurável; o futebol brasileiro extraiu do futebol inglês um máximo de gratuidade e "diferença".

Pode-se dizer que, no rúgbi e no futebol americano, trata-se de controlar e neutralizar ao máximo possível a "lógica dialética" e a "lógica da diferença": a primeira funciona, neles, em ações alternadas e dualistas, claramente contrapostas e separadas de ataque e defesa, sem o movimento contraditório e propriamente "dialético" das funções entremeadas; a segunda carece de espaços para ações gratuitamente lúdicas e "improdutivas". Em vez de desempenhar simultaneamente ações contínuas de ataque e defesa, jogadores e equipes se revezam em funções de ataque *ou* de defesa, jamais confundidas (como se a lógica do "terceiro excluído" regesse não só o espírito das regras, mas a própria estrutura do jogo: *uma coisa é A ou não-A*). Tudo isso em nome da efetuação de um programa prévio cuja realização em campo possa ser apreciada "como um matemático aprecia uma demonstração rigorosa".[80]

Há uma beleza própria nisso, além do evidente *frisson* da disputa cerrada: as massas e as linhas do enxame de zangões em choque, se batendo e procurando submeter fisicamente o adversário, fazem aparecer e prevalecer um programa coletivo sob o embate caótico e bruto das massas físicas, através de combinatórias complexas. Segundo Pociello, um repertório de movimentos rápidos e articulados, "coletivamente orquestrados", salta, num dado instante, como a "apercepção súbita" de encadeamentos precisos e "absolutamente necessários".[81] O "prazer estético e refinado", aí envolvido, é inseparável do efeito eufórico do desentranhamento de ordem (visado pelo time que está na posição de ataque) sob carga cerrada da entropia (pelo time que está na posição de defesa); pode-se dizer, também, que se busca o efeito do desentranhamento da forma, extraída da matéria maciça dos choques físicos, surgindo na "epifania" das belas jogadas, tal como analisada por Gumbrecht.

O ritmo desses jogos não é dado, assim, pela textura entremeada dos times em regime de "continuidade discursiva", como no futebol. Ao contrário da fluidez "existencial" deste, as ações, no rúgbi e no futebol americano, são sistematicamente interrompidas pelos sucessivos bloqueios da ação em progresso; nelas se opõem onticamente o "ser e o nada", o movimento e a parada, o ataque e a defesa,[82] com o efeito concomitante de sua avaliação territorial a cada passo. O campo — no futebol americano — não é o

---

80. Pociello, op. cit., p. 27.
81. Idem, ibidem.
82. Ver Hans Ulrich Gumbrecht, em Willi Bolle (org.), op. cit., em especial pp. 79-106.

quadrilátero dividido em duas metades e áreas grandes, mas uma *tabula* dividida em faixas territoriais inseparáveis de seu valor de ocupação progressiva, uma régua em permanente mensuração do jogo. Em vez das balizas de um gol que nascem do chão como uma tela contígua à escala do corpo humano, e que acolhem em suas redes erotizadas a força das bolas, tem-se um totem erguido na vertical para demarcar o prêmio de um mais-além — o chute a se perder nas alturas. As ações não são coletivas e individuais, dando margem à improvisação livre e belamente "inútil", mas ações massivamente concatenadas em que qualquer devaneio é imediatamente sufocado. O drible não pode negacear em vão, explorando o efeito gratuito e chistoso, mas deve costurar como um raio serpeante e sem tréguas em direção ao objetivo — sob cuja lei rendem-se exaustivamente todos os atos. Sem se desdobrar sob o regime da "continuidade existencial", podemos dizer que o futebol americano não "imita" eroticamente a vida, como o futebol o faz, mesmo sem representá-la; imita, talvez, a origem da vida, se a corrida dos espermatozoides ao óvulo fosse já, como num filme de Woody Allen, uma ação coordenada por parte de um grupo imbuído da tarefa de agir visando um objetivo comum, como uma corporação que avançasse por etapas. A ciência embutida nas regras e o olhar superior do juiz (que, nesse caso, não é chamado a comportar-se como um hermeneuta em ato, como no futebol, inclusive porque pode conferir os lances duvidosos por replay), são redobrados em campo pelo planejamento estratégico e pela sua compacta demonstração "científica".

Além do mais, o rúgbi e o futebol americano não são jogos "de circulação da bola", mas, ao contrário, jogos em que o essencial é o combate físico entre homens pelo domínio territorial. A bola não é circular, mas ovoide, bicuda como um míssil apto a ser lançado à distância, além de ser carregada aos trancos, sem deslizar pelo chão. Abrindo mão de sua esfericidade, ela não tem vida própria e se resume num "catalisador da luta" pelo território, um "pretexto para se bater" visando a progressão parcelada sobre o terreno, através da dominação física do oponente até a destruição simbólica de sua posição.[83] Também, nesse sentido, é uma formulação oposta à do futebol, onde a bola esférica — que não é boba — tem autonomia, personalidade, idiossincrasias, segredos a contar e a esconder. No poema "O futebol brasileiro evocado da Europa", de João Cabral de Melo Neto, diz-se, bem a propósito, que a bola "é um utensílio semivivo,/ de reações próprias como bicho,/ e que, como bicho, é mister/ [...]/ usar com malícia e atenção/ dando aos pés astúcias de mão". Tais propriedades são, de fato, potencializadas no futebol brasileiro, que, em suas formas mais livres e impulsivas, pode-se dizer que inverte, no limite, a fórmula do rúgbi e do futebol americano, fazendo da bola não um pretexto para o combate, mas do jogo um pretexto para a posse da bola — esta emergindo tantas vezes, com suas disposições e veleidades, para a condição de estrela do jogo. Aliás, no momento do gol quem fulgura ao nossos olhos é ela, estufando ou acariciando a rede, enquanto que no *touchdown* do futebol americano o astro é o jogador na corrida, que se mostrou capaz, levando a termo o trabalho de equipe, de se desvencilhar da massa dos obstáculos portando a bola entre os braços (ou de apará-la na zona crucial, quando lançada).

Embora não devesse ser necessário, vou frisar: esse contraponto não pretende fomentar uma facilitada gratificação apologética do mundo do futebol, e tudo que ele representa, em oposição à cultura norte-americana, tomada redutoramente como um todo sem relevo e sem complexidade. Embora escrito do ponto de vista do futebol, e assumindo como valor o seu enorme interesse mundial e a sua importância para o Brasil, o que interessa a este texto é

---

83. Pociello, op. cit., p. 25.

dar um estatuto analítico à constatação de um conjunto de diferenças estruturais, sintomáticas e genéricas — de uma simetria cristalina. Elas estão na base de motivações e de resistências profundas nos modos de relação coletiva com os esportes. E dão conta, em seu contraponto, mais das belezas e horrores que as culturas e as sociedades vêm a produzir — na complexidade das suas dimensões trágicas — do que da simplória dominância de umas sobre outras.

Assim, ao contrário do futebol, em cujo cerne se encontra uma sarabanda de "lógicas" que relativiza e inverte ludicamente as prioridades do capital, o futebol americano é uma construção simbólica que redobra estruturalmente, em seu campo, os princípios opositivos da ciência positiva (a lógica do "terceiro excluído") e do sujeito de sobrevoo que regula os objetos (a performance ideal sendo concebida como a efetuação ótima de um programa previamente traçado). Estas são, justamente, as duas "lógicas" resolutivas, voltadas para a plena eficácia do planejamento global, que dominam o mundo da tecnologia e da empresa, das quais o futebol americano oferece, sem representá-las literalmente, esteja claro, uma espécie de confirmação não verbal e não figurativa.

Não é de surpreender, assim, que o futebol inglês não tenha encontrado ressonância numa sociedade em que a otimização do rendimento e o planejamento exaustivo compartilham uma espécie de núcleo duro da cultura. Pode-se dizer que a rejeição do futebol participa daquele mesmo espírito com que se desenvolveu tradicionalmente nos Estados Unidos, segundo um crítico de artes plásticas, uma resistência à gratuidade da arte e da pintura, sentida como excessivamente europeia (ou, mais especialmente, francesa). Para se contrapor a esse franco desinteresse pelo caráter "desinteressado" e contemplativo da arte, a pintura americana buscou então desincompatibilizar-se da sua aura de gratuidade, investindo-se das propriedades produtivas do trabalho, das virtudes pragmáticas da ação, de um espírito francamente transacional que busca a intervenção, a "situação, o experimento, o estímulo comportamental".[84] Essa empreitada acabou por levá-la, segundo Leo Steinberg, a abandonar o modelo da tela vertical que representa o mundo em correspondência e contiguidade com a "postura humana ereta", substituído ali pelo modelo dos "opacos *flatbeds* horizontais": "o plano *flatbed* da pintura faz alusão simbólica a superfícies duras como tampos de mesa, pisos de ateliê, diagramas ou quadros de aviso — qualquer superfície receptora em que objetos são espalhados, são introduzidos, em que informações podem ser recebidas, impressas, estampadas [...]".[85] Nessa recriação norte-americana do espaço pictórico (que se consuma em torno de 1950, especialmente no trabalho de Robert Rauschenberg), a "tela" adota as propriedades do modelo da "chapa horizontal sobre a qual repousa uma superfície impressora horizontal" (fazendo-se, assim, a projeção desse plano horizontal pragmático, mesmo quando posta na vertical).

Voltando ao *soccer*: as traves no futebol, assim como a moldura de uma tela vertical na pintura tradicional, são uma extensão da escala e da postura humana ereta, que elas ao mesmo tempo respeitam e desafiam, dilatando-a. Não gratuitamente dizemos que um gol "é uma pintura": ele afinal acontece numa estrutura espacial análoga à da posição de um quadro em sua relação com o mundo. Já o futebol americano se imprime sobre algo como uma "chapa horizontal" reticulada, que é o campo como um todo, onde se encontra, no limite do seu perfazimento, a área decisiva, a *end*

---

84. Leo Steinberg, "Outros critérios", em Glória Ferreira e Cecília Cotrim de Mello (org., apr. e notas), *Clement Greenberg e o debate crítico*. Rio de Janeiro: Funarte/Jorge Zahar, 1997, p. 182.
85. Idem, ibidem, p. 201.

zone em que se dá o *touchdown*. Em outras palavras, o "gol" não é o espaço virtual de uma tela por onde a bola penetra livre, mas a área final de um território, ao qual a bola chega dominada. O chute que se faz a seguir, como prêmio para esse feito, dirigido a traves verticais postas fora de qualquer alcance corporal ao alto, não é similar ao gol do futebol: ele autoriza uma ultrapassagem ascensional para fora do esquadro horizontal da disputa. Assim, a moldura vertical do "gol" suspenso não imita a verticalidade natural do corpo ou sua escala, contígua à fervura do jogo e exposta aos golpes e aos acasos, como na "zona do agrião" do futebol, sempre sujeita ao bate e rebate, ao "melê" na área. Em vez disso, articula-se como se o próprio plano horizontal se erguesse oferecendo o bônus de uma dimensão superior aos premiados pela competência: alcançar mais longe e acima, extrapolar da média, erigir em totem o plano horizontal em que se dá a concorrência. (Também o beisebol, com seu espaço afunilado em forma de diamante, no vértice do qual se encontra o duelo exaustivo de competências entre o lançador e o rebatedor, combina a sequência da ocupação de posições sucessivas no território com o disparo euforizante da bola para fora do espaço da disputa.)

O equacionamento do espaço no futebol norte-americano, tal como desenvolvido aqui, admite uma extensão reveladora, sugerida por um artigo de Guilherme Wisnik.[86] É que o próprio mapa dos Estados Unidos é análogo ao *flatbed*, à superfície plana horizontal sobre a qual se desenvolve uma prática de atravessamento, e, mais que isso, ao campo de futebol americano, com sua cartografia traçada a régua delimitando um espaço de conquista. Na história, na cultura e na geografia do país uma "subjetividade afirmativa e onipotente espelha a eficiente conquista territorial [...] que ligou os oceanos Atlântico e Pacífico" em marcha para Oeste, esquadrinhando "o solo em unidades federativas geometricamente defini-

---

86. Guilherme Wisnik, "A estrada e o pântano", *Folha de S.Paulo*, 26 fev. 2007.

das". Desenvolve-se, assim, uma sensibilidade desarraigada, ligada ao fluxo contínuo, figurada nas estradas de ferro e nos desertos, como "substrato de uma vocação imperialista para a conquista de [...] territórios, tendo o arranha-céu como desdobramento lógico no plano vertical". Tal dimensão macrossimbólica, ligada à vastidão do território e à sua ocupação de ponta a ponta, é inseparável da grandeza cultural norte-americana, de "Walt Whitman a Herman Melville, incluindo John Ford, Frank Lloyd Wright e a *land art*".

Ao mesmo tempo, a não adoção quase geral do futebol britânico nos Estados Unidos, assim como a objeção tácita à gratuidade da arte em contexto norte-americano, juntamente com a criação do futebol americano em afinidade com os parâmetros do rúgbi, são, todos, sinais da construção implacável de uma civilização *que não brinca em serviço* e que, mais que isso, *só se admite estar e ser em serviço*. Esses aspectos podem ser facilmente reconhecidos como variações sobre o tema clássico da ética protestante em sua relação com o "espírito" do capitalismo: Max Weber fala da aversão do puritanismo ao esporte quando praticado por puro deleite, sem servir a um fim racional;[87] Adorno fala da separação rígida que distancia o esporte burguês da gratuidade lúdica, tomando "a ação do jogo como dever entre os fins úteis e apagando dela, com isso, até o último rastro de liberdade";[88] Roberto da Matta fala da diferença entre o *esporte* anglo-saxão, concebido com ênfase no "controle do físico e na coordenação de indivíduos para formar uma coletividade", visando o domínio completo "do mundo exterior ou do que vem de fora", e do *jogo* brasileiro, como "uma atividade que requer táticas,

---

87. Max Weber, *A ética protestante e o "espírito" do capitalismo*. Tradução de José Marcos Mariani de Macedo. São Paulo: Companhia das Letras, 2004, p. 152.
88. Theodor W. Adorno, "Sobre el carácter fetichista en la música y la regresión del oído". In *Disonancias: música en el mundo dirigido*. Tradução de Rafael de la Vega. Madri/México/Buenos Aires/Pamplona: Rialp, 1966, p. 64.

força, determinação psicológica e física, habilidade técnica", mas que contempla também "as forças incontroláveis da sorte e do destino".[89]

Em suma, aponta-se para um universo onde se costuma ver, pelo viés do negativo, a sua tendência a desativar a tentação do deleite em estado puro, a desarmar a liberdade da gratuidade improdutiva e a denegar os imponderáveis da sorte. Sendo assim, a mentalidade dominante nos Estados Unidos, pelo menos no que diz respeito ao jogo, não estaria preparada, pode-se dizer, nem para o zero a zero nem para o Gravatinha e o Sobrenatural de Almeida (isto é, nem para a ação sem correspondência contábil, nem para a contemplação e a gratificação dos efeitos sabidamente incontroláveis). Ao mesmo tempo, pode-se identificar como princípio construtivo, nesse espectro de negações, a eleição e a codificação sistemática de esportes que, em conformidade com tudo isso, são compactados e parcelados o tempo todo em *jogadas que decidem*, numa oposição clara, quando não unívoca, entre ataque e defesa — jogadas passíveis de contabilização constante, quando não exaustiva, e convertidas em um complexo aparato de números de placar, estatísticas, recordes, índices de eficiência no desempenho que se agregam indissociavelmente ao nome do jogador, além de marcas de ocupação territorial que fazem nada difusa e inocente a posição da bola em campo.[90] A cultura que

---

89. Roberto da Matta, "Esporte na sociedade: um ensaio sobre o futebol brasileiro", em Roberto da Matta, Luiz Felipe Baêta Neves Flores, Simoni Lahud Guedes, Arno Vogel, *Universo do futebol: esporte e sociedade brasileira*. Rio de Janeiro: Edições Pinakotheke, 1982, p. 25.

90. Gumbrecht dá como exceção a prática do hóquei em algumas regiões norte-americanas. Penso que seria importante considerar, nesse caso, mais do que a sua narrativa não contabilizada de maneira esgotante, o peso do choque físico entre jogadores armados de aparatos protetores defensivos e agressivos, à maneira do futebol americano. O hóquei no gelo se inclui, assim, no gosto pelos "esportes de contato" que "permitem e até estimulam o confronto físico violento" (Gumbrecht, "A forma da violência: Em louvor da beleza atlética", *Folha de S.Paulo, Mais!*, 11 mar. 2001, p. 4).

criou o *flatbed* na pintura está para o futebol americano como o futebol brasileiro está para o *parangolé* de Hélio Oiticica (o objeto estético veste o corpo e dança com ele). Pode-se estender também aos dois futebóis a relação que Lorenzo Mammì estabeleceu entre o jazz e a bossa nova: um é *vontade de potência*, o outro é *promessa de felicidade*.[91]

Franklin Foer observa que, se alguns países receberam o futebol "com relativa indiferença", como a Austrália e o subcontinente indiano, "os Estados Unidos talvez sejam o único país em que uma ampla parcela da população despreza efetivamente esse esporte, chegando a se mobilizar contra ele". Essa ampla e sintomática rejeição se faz representar por uma "legião de comentaristas e jornalistas esportivos de prestígio que usam suas colunas para atacar o esporte, em especial por ocasião da Copa do Mundo".[92] Um político conservador influente, além de ex-jogador do Buffalo Bills, Jack Kemp, discursando no Congresso contra a realização da Copa do Mundo nos Estados Unidos, deu forma ideológica explícita a esse desprezo: "Penso que é importante para todos aqueles jovens lá fora, que esperam algum dia jogar o verdadeiro futebol, no qual você arremessa e chuta e corre com a bola nas mãos, que se faça uma *distinção entre o futebol norte-americano, democrático e capitalista, e o outro, europeu e socialista*" (o grifo é meu).[93] Na sua obnubilação direitista, essa afirmação não deixa de se dar conta, não digo da ideologia, mas da efetiva oposição "lógica" que trabalha por dentro do futebol norte-americano e do *soccer*, percebida bandeirosamente, nesse caso, como ameaçadora. Por sua vez, um "arguto" jornalista esportivo do *Wall Street Journal*, Alan Barra —

---

91. Lorenzo Mammì, "João Gilberto e o projeto utópico da bossa nova". *Novos Estudos* (Cebrap), n. 34, nov. 1992.
92. Foer, op. cit., p. 207.
93. Idem, ibidem, p. 208.

que "perde a linha" quando se trata de futebol —, sustenta que o *soccer* pode ser o jogo mais popular do mundo, mas um alimento tão anódino como o arroz também é o alimento mais popular do mundo. E que outros países talvez gostassem mais do futebol norte-americano, do basquete e do beisebol se pudessem "se dar ao luxo" de manter ligas correspondentes.[94]

É importante observar que esse quadro não é monolítico. Ao contrário, ele é o lugar, segundo Foer, de um racha maior, acentuado pela globalização — uma "guerra cultural" em andamento, da qual o futebol veio a se constituir, de certo modo, nos Estados Unidos, numa "pequena pedra de toque". No panorama traçado por ele vê-se que a pressuposição de superioridade "democrática e capitalista" do futebol norte-americano corresponde até certo ponto ao campo poderoso dos adeptos da ideia de que os Estados Unidos, graças à sua suposta excepcionalidade no contexto mundial, pairariam por direito histórico ou divino "acima das leis e instituições internacionais".[95] Reativos às "atitudes indulgentes" que veem nos "europeus degradados", e preocupados "com a ameaça que a tolerância secular representa à cultura norte-americana", enxergam no *soccer*, embora nem sempre algo pernicioso em si, um símbolo da dilapidação das tradições próprias e uma entrega "ao programa do resto do mundo".[96] Do outro lado estariam, por sua vez, os adeptos da globalização cultural e do compromisso com instituições como a ONU e a Organização Mundial do Comércio, que tendem a se opor à invasão do Iraque, que "compartilham valores culturais com os europeus — um secularismo agressivo, um conjunto mais flexível de atitudes culturais que tolera gays e o consumo de maconha", que se consideram "parte de uma cultura

---

94. Idem, ibidem, p. 210.
95. Idem, ibidem, p. 211.
96. Idem, ibidem, p. 212.

cosmopolita que transcende as fronteiras nacionais", e que manteriam, segundo Foer, laços de interesses econômicos e turísticos "com o outro lado do Atlântico".

Pelo que se entende, a identificação desses dois campos ideológicos — de direita e esquerda — com atitudes de rejeição e aceitação do futebol não seria completa, como sempre, mas, mesmo assim, fortemente tendencial: o lugar do futebol nos Estados Unidos desponta, no mínimo, como uma dobradiça e um índice dessas duas formas antagônicas de conceber o papel mundial do país. Por tudo que tenho dito, considero que isso não acontece somente porque se convencionou que os dois futebóis representam valores americanos ou antiamericanos, de um ponto de vista externo: essas disposições estão cifradas na base deles, dentro do campo, em suas oposições flagrantes e simétricas, em seus modos de priorizar o tempo, de incorporar produtiva e improdutivamente o acaso, de admitir ou não o extravasamento individual, de configurar e ocupar o espaço. Um detalhe significativo do ponto de vista metodológico: a leitura de Foer acaba por dizer que o futebol é portador de sentidos, sem nenhuma análise interna de suas motivações em campo; Gumbrecht faz a análise precisa dessas motivações internas em campo, recusando-se a aceitar que elas sejam portadoras de sentido.

Não terá sido à toa, portanto, que se deu, nos Estados Unidos, uma inversão na sociologia do futebol: ao contrário de "qualquer outro lugar do planeta", em que "ele é o espaço da classe trabalhadora", nos Estados Unidos, "tirando os imigrantes latinos, são os profissionais liberais que, como classe, acompanham o esporte com maior avidez, enquanto a classe trabalhadora não lhe dá a mínima".[97] Foer apresenta-se saborosamente, ele mesmo, como um

---

97. Idem, ibidem, p. 206.

filho da geração dos anos 60, que se dispôs a preservar "seus preciosos rebentos" tanto da violência "inerente" ao futebol norte-americano como dos "embates estressantes e capazes de rebaixar a autoestima" do beisebol, assim como de um basquete que "ainda tinha a marca do gueto". Essa geração, a de seus pais, viu naquilo que Foer pensa ser a *tabula rasa* do *soccer* a oportunidade de projetar valores novos e críticos aos padrões norte-americanos dominantes — valores menos competitivos e afinados com o espírito da contracultura, tomando para si "a ideia de Theodor Adorno de que lares rígidos e emocionalmente estultificantes geravam crianças autoritárias e intolerantes".[98] (Curiosamente, e contra as proposições de Sebreli, o futebol despontaria aqui, portanto, nessa sua apropriação pela classe média liberal norte-americana, como um corretivo e um remédio *contra* a formação da personalidade autoritária.) Embora Foer não desenvolva esse aspecto, é dentro do contexto desenhado por ele, certamente, que podemos entender a importância e o relevo mundial do *soccer* feminino, nos Estados Unidos, em detrimento do masculino: o jogo se opõe à virilidade excludente do futebol americano e do beisebol, dando vazão aos impulsos esportivos das mulheres sem lugar nos esportes dominantes. É por essa via original, por sinal, que a prática do futebol vem crescendo nos Estados Unidos, entre mulheres e crianças de classe média, como uma brecha cavada pela própria internacionalização que a economia capitalista impõe ao mundo, sem, no entanto, dar, até aqui, um salto significativo.

Ainda o depoimento de Foer: mostrando que não deixavam de ser norte-americanos exemplares, os liberados pais dos anos 60 e 70 que levavam seus filhos para praticar o *soccer* preocupavam-se com os danos que as eventuais cabeçadas na bola poderiam causar aos cérebros dos pequenos praticantes, e faziam por proteger-lhes as cabecinhas com providenciais capacetes.

98. Idem, ibidem, p. 205.

DONOS DO CAMPO E DONOS DA BOLA

Chico Buarque deu um alcance revelador à oposição entre os "donos da bola" e os "donos do campo", que constitui uma espécie de embate interno ao próprio jogo e abre a porta à sua assimilação diferenciada pelas culturas do mundo. Observando uma partida entre garotos europeus e filhos de imigrantes em Paris, 1998, disse que os "ricos" tendem a se comportar desde a infância como donos do campo, privilegiando o controle da bola em função da ocupação organizada do território; já os "pobres" se aproveitam, no futebol, da oportunidade de se adestrar o mais possível na intimidade com a bola (desenvolvendo no jogo aquela perícia que conhecemos, dolorosamente esplêndida e desperdiçada no espetáculo fugaz dos "malabaristas do sinal vermelho"). Uns são equilibrados, outros são equilibristas. "Os pobres são os folgados, os esbanjadores, os exibicionistas, matam a bola no peito, a bola gruda ali que nem uma goma [...]. De fato controlam, protegem, escondem, carregam a bola para cima e para baixo, e em vez de intimidade, talvez tenham ciúmes dela." Já os ricos "recebem a bola e um-dois, tocam, recebem, desprendem-se dela, não fazem questão dela, correm soltos por toda parte. Parecem conhecer e ocupar melhor o espaço de jogo, podendo se dizer que têm intimidade com o campo. Assim, quando se enfrentam países ricos e países pobres — na Holanda eles se enfrentam dentro do mesmo time — estão se enfrentando os donos do campo e os donos da bola".[99]

Que esses modos contrastantes se enfrentem, pois, dentro do mesmo jogo (e até do mesmo time) faz parte da riqueza específica do futebol e do modo como ele combina em si princípios múltiplos: campo e bola, "dialética" e "diferença", prosa e poesia.

---

99. Chico Buarque, op. cit., p. 54.

É claro, também, que o grande futebol, quando se realiza, de um lado ou do outro, só o faz porque supera essa dicotomia. Embora mantenha a tendência originária em seu desenho: no futebol europeu, o movimento vai do "dono do campo" para o domínio da bola; no futebol sul-americano, do "dono da bola" para o domínio do campo. Nuno Ramos observou, num sintomático exemplo-limite, que alguns jogadores brasileiros e sul-americanos deram à bola *carregada de efeito* — uma bola alterada, *em transe* — uma dimensão que não se encontra talvez em nenhum dos grandes jogadores europeus. Estes costumam conferir-lhe, sobretudo, clareza e nitidez — mesmo Zidane, que dá aos pés "astúcias de mão" sem precisar olhar para a bola, sem perder o descortino do campo, enquanto a esconde magistralmente com os dois pés e a desfere indiferentemente em passes curtos ou longos com efeitos e profundidades de tenista. Nuno se refere a Rivelino, que, parado, faz da bola um ser vivo, em "elástico"; a Maradona, que faz a mesma coisa com a bola em movimento; e a Ronaldinho Gaúcho, que inscreve nela movimentos quase que só perceptíveis e inteligíveis em vídeo.[100]

Desde talvez os anos 70, no entanto, pode-se perceber no futebol, de modo crescente e imprevisível no seu alcance, uma série de mudanças. Entre as mais imediatamente notáveis estão a intensidade da preparação física e atlética, a ocupação intensiva dos espaços, o recrudescimento do corpo a corpo como forma de minar a construção de jogadas (com empurrões sistemáticos que se pretendem no ponto cego do juiz, embora milimetricamente visíveis pela televisão e seus replays), a administração sistemática de faltas feitas expressamente para travar a continuidade do jogo, tudo associado à enorme volatilidade das equipes, cujas formações se

---

100. Debate com Hans Ulrich Gumbrecht no Instituto Goethe (São Paulo), em julho de 2007.

desmancham rapidamente no ar antes de qualquer desenvolvimento orgânico. Junto com a saturação serializada dos campeonatos, esses fatores vêm operando uma mutação na textura do futebol, que ganha alguma coisa dos choques disruptivos do futebol americano e do rúgbi, e muito da compactação estratégica de um jogo de xadrez à procura de flancos em espaços congestionados, com frestas estreitas para aquela conjunção utópica da prosa com a poesia que marcou a "alta modernidade" do esporte. O público leigo renega essa perda de encanto imediatamente reconhecível e reclama a festa estética de outros tempos, embora isso só alinhe o futebol com o estado geral da arte contemporânea, sem que ele deixe de ser, até agora, a maior expressão de uma cultura de massas no planeta.

Incorporadas essas características a um futebol fortemente mundializado, ele ganha certa uniformidade e maior paridade entre escolas diversas, que se tornam mais igualadas e menos suscetíveis a grandes diferenças na disputa. Acostumamo-nos a dizer que "no futebol não tem mais bobo" — não há adversários fáceis de antemão. Atacar defendendo e defender atacando, neutralizar ao máximo possível a contingência da posse de bola, que define o jogo, por meio de rodá-la, tocá-la para os lados, atrasá-la ostensivamente, esperando a oportunidade, de maneira às vezes parecida com o futebol de salão, tornaram-se procedimentos genéricos de um futebol "globalizado", que minimizaram as situações de gol — como se viu na Copa do Mundo de 2006. Esta pareceu remeter o destino da combinação entre prosa e poesia e o futebol da "diferença" à condição de lenda. Com seu realismo e alguma dose de exagero didático, Tostão suspende a sua antiga evidência, no quadro atual: "o antigo conceito de que o futebol brasileiro é diferente, mais leve, mais bonito, mais habilidoso, de mais dribles e de mais tabelas, precisa ser revisto. O futebol está globalizado na maneira de jogar e na estrutura física dos atletas. No Brasil e em todo o mundo, predominam a marcação forte e os cruzamentos para a área".[101] A análise pode ser vista como um reconhecimento, da parte de um amante do futebol, da força com que o império da prosa pesa hoje sobre o jogo.

Entendido como "morte do futebol", tudo isso é, ao mesmo tempo, o sintoma dos conflitos evidentes ou surdos que nele se travam, a cada vez que o jogo renasce das cinzas ou se dissipa em condições adversas, estacionando num ponto entrópico em que acontece sem acontecer. Quando bem jogado, o futebol continua a se aproximar de um outro gênero mais reflexivo, que ele frequenta desde algum tempo: uma espécie de prosa ensaística cujo tema ou horizonte é a poesia, nem sempre alcançável.

BERLIM 2006

Durante a Copa do Mundo de 2006, em Berlim, uma exposição no Museu Pergamon — *Der Ball ist rund: Kreis Kugel Kosmos* [*A bola é redonda: círculo esfera cosmos*] — reunia um exemplário de largo espectro, remontando a culturas do Ocidente e do Oriente, sobre os modos pelos quais convergiram para a bola, tradicionalmente, as representações do cosmos, do tempo, do poder, do acaso e do jogo: o cosmos representado através do sistema ptolomaico de esferas planetárias embutidas; o tempo, através da circularidade das estações e dos relógios; o poder, através de esferas, coroas, auréolas e cetros (deter a esfera é ter o mundo nas mãos). Esses orbes integrados e miméticos afetados, por sua vez, pelo acaso e pelo jogo (implicados nos movimentos nunca inteiramente controláveis da bola). A esfera consistia, pois, na perfeição irredutível, na marca intangível do divino, na forma completa em

---

101. Tostão, "Baixinhos e altinhos", *Folha de S.Paulo*, 7 fev. 2007.

si mesma, e, no limite, rebelde à decifração e ao controle. Embora tomada pelo poder soberano, ela o enfraquece pela rotação devoradora do acaso, do tempo e da morte, e resplandece acima de todo domínio, na sua circularidade perfeita.

Na entrada da exposição via-se um círculo luminoso que repetia, numa silenciosa sala em sombras, através de um filme em *looping*, o *close reading* de negaceios de Garrincha: a bola parada no mesmo lugar, enquanto ele ia, ou não ia, fingia que ia, e voltava e ia, medusando seu marcador. Repetidos fantasmaticamente *ad infinitum*, os movimentos em torno da bola pareciam uma fração eterna do tempo que, livre de chegar a algum lugar, tornava-se ele mesmo, como no aforisma heraclitiano, um brinquedo nos pés de uma criança. Na estação da Potsdamer Platz, apresentava-se a grande exposição *Pelé Station*, obra de arte total com a qual Wagner não sonhou. Ao longo do parque Tiergarten uma série de imensos telões de alta resolução, com o som em *surround*, transmitiam os jogos da Copa ao vivo, culminando no telão sobre a Porta de Brandenburgo, que se constituía, na verdade, no ponto nodal de uma vertiginosa alegoria urbana, exatamente ali, no lugar mais simbólico do Muro, agora suturado pelo futebol. A cidade, que foi cenário e ruína das forças macro-históricas do século XX, o nazismo, a Guerra, o socialismo real em ponto de corte com o capitalismo, a queda do Muro e o capitalismo ostensivo, tornava-se o epicentro da globalização futebolística que redesenhava e revirava, no seu espaço real, a longa história da bola, contada por sua vez no interior do Pergamon.

Pelo que se via neste, a bola conteve, em tradições milenares, a fórmula da ordem universal, consubstanciando-se num símbolo de poder e *no* objeto do poder. Ao mesmo tempo, ainda dentro da visão tradicional, ela teve a capacidade de pôr o poder a prêmio, porque ele estava sujeito aos sortilégios do acaso e do jogo, também contidos, por sua vez, na própria fórmula da bola. A alegoria medieval da Roda da Fortuna é uma síntese perfeita desses elementos, porque é o círculo cósmico no qual giram as estações do ano, as fases da existência, e no qual são jogados, como numa roleta, todos os destinos — ascensões e quedas, altos e baixos.

Simultaneamente, a esfera, que se consagrou como o símbolo por excelência da Criação (a fórmula perfeita do desígnio divino), constituiu-se por longo tempo num desafio permanente e inalcançável da cognição humana: construir o círculo perfeito é buscar, na ciência ou na arte, as leis secretas da criação, e deparar-se com a incalculabilidade do número *pi*, transcendental e irredutível, como a impossível quadratura, o elo faltante entre a criação e o conhecimento.

A história pré-moderna da bola punha em jogo, assim, o conhecimento e o poder: a religião, a moral, a ciência e a arte, compreendidas num núcleo único, ou numa só *esfera*, anterior à moderna distinção entre essas *esferas* (a chamada *separação das esferas* como obra da modernidade vem a ser, na verdade, *o desfazimento da esfera* totalizadora do mundo pré-moderno). Mas o verão de 2006, em Berlim, dava a impressão alucinante de arrematar a longa virada macro-histórica em que a esfera, sob a forma da bola de futebol, se colocava, de novo, no ponto central do imaginário do mundo. Desta vez, não a esfera como analogia macrocósmica de um poder divino, mimetizado e representado pelo poder terreno, posto em jogo pela Roda da Fortuna. Em vez disso, a bola em jogo num mundo digitalizado pela tecnologia que varreu, mapeou e controlou todos os dispositivos do mundo. Não a esfera como imagem do poder posto em causa pelo jogo: o jogo como imagem do poder mobilizado e investido na esfera. Esse poder parece não se deixar ameaçar pelo jogo, porque o próprio jogo passa a ser o princípio regente do poder, publicitário e capitalístico.

Na esfera do futebol, essa grande torsão envolve, certamente, a ciência, a tecnologia, o capital, a Nike, a Adidas, a Coca-Cola, o

Guaraná Antarctica, as marcas de cerveja etc. Ela é uma operação da ciência e da tecnologia, da mitologia inconsciente e da mitologia ostensiva: a publicidade. Mais do que uma manobra de marketing, participa de uma grandiosa obra de "reengenharia" do inconsciente humano (como nem Platão nem os maiores utopistas sonharam realizar). Nesta, o futebol é posto a participar, pela sua capacidade única de fisgar o desejo dos sujeitos, num regime de realimentação imaginária em que seus ícones são induzidos a se confundirem com as logomarcas, que se confundem circularmente com os ícones do jogo. Pela extensão atingida, pelo poder de fogo e aparato midiático à mão, e pela natureza de sua armação psíquica, esse processo já não se reduz àquele da psicologia de massas analisada por Freud e comentada por nós no início deste capítulo, que se faz a partir do sujeito edípico, identificado verticalmente com o objeto que se constitui em *ideal-de-eu*. Aqui, de maneira diferente, o processo induz ou conduz a um sujeito "dividido pelo objeto de gozo e por seu consumo compulsivo, atraído pela idealização narcísica da própria imagem", um sujeito "sem centro de gravidade, privado da bússola orientadora da identificação edípica e seduzido [...] pelo espelhismo dos objetos de consumo e pelo poder invisível da marca". Alguns psicanalistas, retomando sugestões do último Lacan, entendem essa diferença como uma conversão do tradicional *discurso do mestre* (ou do *amo e senhor*) em *discurso capitalista*, em que se promove a desativação da lógica do sujeito inconsciente constituído sobre a divisão e a *falta-a-ser*, rumo à "supressão ilusória de qualquer divisão e qualquer falta", ativada por um regime circular do imaginário pontificado pelo gozo da marca.[102]

---

102. Massimo Recalcati, "Lignes pour une clinique des monosymptômes: anorexie, boulimie, dépression, attaque panique...". *La Cause Freudienne*, Paris: Navarin, n. 61, pp. 83-98, nov. 2005.

Essa operação, embora de uma visibilidade gritante, dispõe daquela invisibilidade anestésica que investe o hábito e o habitat. É preciso saber entendê-la como uma poderosíssima força dominante em jogo — não a única. A versão recorrente de que a Nike interfere diretamente nas escalações dos times e no resultado dos jogos, por sua vez, é simplória quando supõe ser a explicação crítica da realidade global do futebol. A versão dos jogadores como diretamente "comprados" pelos interesses do capital é desfocada pelo primarismo da análise e pelo ressentimento, embora a participação intensiva no circuito da logomarca não saia gratuita, certamente, e mereça análise à altura da sua complexidade. Ambas as versões, no entanto, compreendem mal tanto a natureza do jogo quanto a daquilo que o cerca.

O ponto principal é que essa megaoperação do imaginário está em contradição flagrante com as condições e vicissitudes internas ao jogo que uma parcela imensa da população do planeta escolheu como o seu rito. Por isso, em vez de hipotéticos e conspiratórios bastidores imaginários, ainda é o jogo, ele mesmo, o que melhor *fala* a situação. O próprio fato de estar permanentemente exposto ao esforço, ao contato continuado com o limite e a necessidade de superação, de exigir a prontidão e a naturalidade do *insight* único e improgramável, de envolver uma interação permanente de fatores individuais e coletivos, de depender tanto da interpretação, de sofrer a força do acaso e de submeter-se às contingências e às perdas, sucessivamente repostas, tudo isso distingue o jogo de futebol dos esportes atléticos que servem para consagrar o imaginário do vencedor sem falhas, fetichizando a figura do Número Um — escolhido a cada ano, através da FIFA, como o melhor do mundo. O Número Um no futebol é uma cilada em que caíram todos os seus eleitos. Os fracassados times chamados "galácticos", centrados no princípio do planejamento empresarial da marca associado à imagem de uma casta de jogadores excepcionais, têm falhado sistematicamente em estabelecer um padrão de jogo à altura das expectativas que alimenta. Existe na verdade um descompasso profundo entre os ritos da mentalidade técnico-científica, empresarial e publicitária, que bombardeia pela supressão imaginária da divisão e da falta, no sujeito, e a natureza errático-criativa do jogo de futebol. Esse descompasso acompanha o descompasso geral entre a economia e a cultura, que se estampa em seu campo, surdamente, e talvez mais do que em nenhum outro lugar.

A Copa do Mundo da Alemanha evidenciou-se como um curioso caso de "dialética negativa" no futebol. A Copa foi o cometa (tendo o Brasil como seu núcleo) *que não passou*, depois de intensivamente anunciado com um aparato maior do que nunca. Evacuou-se numa série de promessas falhadas, em que se rarefazia a trama do jogo, caminhando tantas vezes, afinal, apenas para o sofrido corte decisório, no gol isolado ou no pênalti. A Itália venceu com a confirmação clássica de sua capacidade defensiva, e com a capacidade de fazer, no limite último, gols que se distribuíam por quase toda equipe (e que afirmavam a compatibilidade de sua tradição com o futebol "globalizado", da qual ela é uma das matrizes, sabendo desdobrar a defesa em poder parcimonioso, mas multidistribuído, de ataque). A Argentina anunciou um futebol poderoso e espetacular na vitória localizada contra Sérvia e Montenegro, um adversário que deu espaço para que ela desfilasse, com altivez e volúpia, as suas qualidades coletivas e individuais. Confirmou contra a Alemanha, em condições difíceis, a diferença de seu estilo de jogo, fazendo-se dona do campo e da bola até refugar essa diferença exatamente ao estar ganhando em 1 × 0, por razões que estão entre a mentalidade reativa do técnico e o fato de ter perdido, talvez, a chance de uma substituição crucial, com a contusão do goleiro Abbondanzzieri.

Não estou estabelecendo, através dessa "negatividade", uma relação causal explicativa e direta entre o futebol e o estado do mundo, mas apontando para uma interação complexa de fatores múltiplos, incluindo os imponderáveis, que se dão a ver, todos, como cifra enigmática. E evidentemente nada, nem ninguém, concentrou mais, em si, a condição de cifra enigmática, do que Zinedine Zidane. No outono de uma carreira reconhecidamente majestosa, no último giro da Roda da Fortuna, quando a plateia mundial espera o gozo do círculo se fechando sobre si numa figura perfeita, Zidane despede-se através de uma série espantosa de espasmos contrários. Não falo só do momento agudo e rombudo do final da final. Zidane já tinha deixado a seleção da França e voltou depois, para salvá-la de uma situação difícil nas eliminatórias. Fez uma despedida morna no Real Madrid. A França não começou bem a Copa, levando a temer por uma repetição do fracasso rotundo de 2002. Mas, de repente, reagiu de virada contra a Espanha e dominou o Brasil, impondo-se numa partida em que, pode-se dizer, estavam em jogo simbólico duas Copas: se a França perdesse categoricamente, veria ofuscado *a posteriori*, algo do brilho da conquista de 1998, também sobre o Brasil, numa partida atípica marcada pela famosa convulsão de Ronaldo.

Em vez disso, Zidane jogou esplendidamente mordido e fez o Brasil experimentar o seu próprio veneno (o chapéu sobre Ronaldo dura e dói no replay da memória). A França passa por Portugal, nos pênaltis, e afinal, na segunda metade da prorrogação da final contra a Itália, dá-se o acontecimento intempestivo, na iminência da consagração cabal — *que não se dá*. Num curto espaço de tempo, a cabeçada depois da cabeçada: uma para um lado, categórica, em direção ao gol adversário, outra para o outro lado, tão categórica quanto, em direção ao peito do zagueiro italiano. Esta segunda, quanto mais nas circunstâncias, esplende absurda como um fato sem código: um raio que ao mesmo tempo une e separa o alto e o baixo. O funil da Copa tinha deixado Zinedine Zidane, inequivocamente, àquela altura, no lugar único e providencial do eleito: o paradigma do craque pairando soberano ainda, como um astro tardio, no eclipse dos craques. Num primeiro momento da transmissão ao vivo, o ato de violência acontece de maneira invisível, e, mesmo no estádio, fora do campo de atenção geral; no segundo momento, torna-se hipervisível e repetido compulsivamente aos bilhões de olhos.

Passado o primeiro espanto, a mais bem-intencionada das interpretações, imediatamente levantada por locutores e comentaristas esclarecidos e cogitada por espectadores, acionada por ativistas, além de alimentada pelo silêncio do jogador, que durou alguns dias, recuperava a ideia da violência não justificada, mas justificada como resposta a uma violência injustificável: a do insulto racista. Nesse caso, tratava-se da contraparte trágica de uma atitude ainda assim heroica, vinda de um francês de origem argelina integrando a seleção multirracial de um país recentemente traumatizado por convulsões sociais graves envolvendo seus descendentes de imigrantes. Os depoimentos de Zidane e de Materazzi, no entanto, trouxeram outras notícias de uma pequena guerra particular. Na sequência de uma dessas disputas de corpo em que teve a camisa puxada por Materazzi, como acontece a toda hora nos jogos todos, Zidane teria ironizado, com inegável *esprit de finesse*, dizendo que, já que o italiano queria a todo custo a sua camisa, ele, Zidane, poderia cedê-la ao final da partida. Subtexto da provocação, em legenda invisível: aqui, onde sou o craque cheio de glórias, ponha-se no lugar de meu fã. Segue-se a resposta, na forma das imprecações cabeludas "clássicas", cujo resumo elegante poderia ser algo como: você diz que é único, mas sua mãe e sua irmã são de todos. A microguerra embutida em filigrana num momento despercebido do jogo, que não deixa de ser algo assim como o resumo simplificado de todas as guerras homéricas, bíblicas e históricas (disputa de domínio e prestígio tendo a mulher como flanco insondável), desencadeia a reação. Esta é inesperada pela sua contundência, por vir de quem vem, no momento em que acontece, e também pelo fato de que jogadores profissionais experimentados desenvolvem em geral um tipo de couraça psicológica contra injúrias verbais desse tipo, que, além de desafogarem os ânimos esquentados pela disputa, visam justamente a desequilibrar o adversário. Em geral não são tomadas ao pé da letra: não cumprem propriamente a função referencial da linguagem, mas a função emotiva (descarga subjetiva) e imperativa (querem alterar o comportamento do outro).

No seu relato, Zidane faz menção à música insuportavelmente repetitiva das injúrias. A interrogação maior, irrespondível para nós, no fundo, é essa: que partícula psíquica com que poder radioativo terá feito Zidane, na nítida fração de um instante, tomar para si a cantilena injuriosa de Materazzi, a ponto de atirar-se contra este, contra o destino da Copa do Mundo e de sua própria história? Quantas ruas de Marselha em redemunho dentro daquela cabeça, quantas vielas de Argel e Marrakech? Quem poderia informar qual *aleph*, qual delas?

Desativada a justificação politicamente correta, sobrava para o sentimento de massa um estranho sabor de anticlímax, que é a contraparte banal da tragédia, inexplicável e óbvia: xingaram-lhe a mãe e a irmã. Nelson Rodrigues não precisaria estar aqui para dizer: xingaram-lhe a mãe e a irmã desde o início dos tempos, a mãe e a irmã de todos. Privada de uma excepcionalidade à altura de seu efeito bombástico, no cume da Copa, a sórdida cabeçada revela-se de uma nudez shakespeariana: "som e fúria, significando nada".

Ainda assim, o desenho do golpe, em sua evidência chocante, guarda curiosamente a singularidade do gesto de um peladeiro classudo, que se movesse *malgré tout* dentro da regra digna de um jogador de linha: sem usar as mãos em improvável soco, sem dar lugar à confusão de um empurra-empurra tão típico, nesses casos, sem *borrar a imagem*. A nítida marrada no peito acolchoado de

Materazzi tem um valor de ícone: ela expõe num relance a figura do bode, o *tragos*, da tragédia, o *farmacós* consagrado e execrado, premiado e punido, soberano e pária, veneno e remédio, símbolo oculto e óbvio da Copa de 2006. O futebol devolvido interrogativamente às suas bases.

(O chinês Zhao Xiaokai, gerente-geral de uma empresa de relações públicas especializada em esportes, em Pequim, registrou os direitos sobre a imagem do "Coup de boule" — como se chamou na França, por sua vez, o hit instantâneo — e faturou vendendo produtos com a silhueta do golpe. Segundo ele, "o nível de reconhecimento desta marca é muito alto".)

3. A elipse: o futebol brasileiro

O CAPOEIRA E O EMPLASTO

Numa crônica de 1892, Machado de Assis falava do traço brasileiro da fuga à *obrigação*, que implica a inconsequência, a irresponsabilidade e a incapacidade de sustentar um projeto. Dizia que só nos mobilizamos, calorosa e simpaticamente, por sinal, quando os atos são "voluntários, não há calendário, nem relógio, nem ordem do dia; não há regimentos. Obrigação é eufemismo de cativeiro: tanto que os antigos escravos diziam sempre que iam *à sua obrigação*, para significar que iam para casa de seus senhores".[1] Na sociedade tardo-escravista brasileira, a identificação através do trabalho seria, assim, refugada, e, junto com isso, tudo que ele comporta de introjeção de limites, de elaboração concreta das dificuldades materiais e de previsão responsável das dificuldades. Instaura-se aí mesmo uma linha de fuga do imaginário, ligada à

1. Machado de Assis, "29 de maio de 1892". In *A Semana: crônicas (1982-1893)*. Introdução e notas de John Gledson. São Paulo: Hucitec, 1996, p. 67.

evasão e ao culto vazio da imagem, que se constitui num dos crivos da ironia machadiana (o tema tem afinidade com formulações posteriores de Sérgio Buarque de Holanda em *Raízes do Brasil*, como observou John Gledson, na introdução ao mesmo volume de crônicas).[2]

A sequência é cáustica: "Nós fazemos tudo por vontade, por escolha, por gosto; e, de duas uma: ou isto é a perfeição final do homem, ou não passa das primeiras verduras. Não é preciso desenvolver a primeira hipótese; é clara de si mesma. A segunda é a nossa virgindade, e, quando menos em matéria de amofinações, políticas ou municipais, é preciso aceitar a teoria de Rousseau: o homem nasce puro. Para que corromper-nos?".

Segundo o comentário de Gledson, esse "homem cordial" brasileiro visto por Machado, prefigurando o sérgio-buarquiano, combina a sua "simpática familiaridade" com o defeito real de uma lamentável "falta de espírito público". Sérgio Buarque reitera, de fato, de maneira semelhante, a falta de uma "moral do trabalho" cimentando "a organização racional dos homens" e sustentando "a coesão entre eles", no Brasil. Essa falta teria como contrapartida a solidariedade de sentimento, mais do que de interesse produtivo, que se dá nos círculos domésticos e particularistas entre familiares, amigos e aliados, e que se contrapõe à associação efetivamente pública, de âmbito mais vasto e nacional.[3] Esse nó implica, por sua vez, a constatação de uma zona em que os interesses e as disposições públicas se confundem de maneira inextricável com os interesses e as disposições privadas. Que essa confusão — irradiada amplamente numa cultura da pessoalidade e da interpenetração festiva da casa com a rua — possa ser ao mesmo tempo nefasta para

---

2. Ver Machado de Assis, op. cit., p. 26.
3. Ver Sérgio Buarque de Holanda, "Fronteiras da Europa", capítulo 1 de *Raízes do Brasil*. 5. ed. Rio de Janeiro: José Olympio, 1969, pp. 3-11.

os costumes políticos e fecunda para a vida cultural não deixa de ser uma das complexidades do problema, olhado dessa perspectiva. O mesmo nó que produziu o favorecimento ao arrepio da lei e a impunidade qualificada pelo privilégio produziu o samba, o futebol e a poesia modernista.

Antes, no entanto, de que se abra demais o arco das cogitações genéricas, é preciso retomar o foco da questão, tal como ela se formula na crônica de Machado de Assis: avessa ao reconhecimento da própria *obrigação* sobre a qual se constituiu, isto é, o trabalho escravo, e a partir disso avessa ao reconhecimento positivo de qualquer obrigação, "esta é uma sociedade politicamente imatura, incapaz de produzir a ordem coletiva necessária para o seu próprio controle", diz Gledson.[4] O que mais nos interessa aqui é o modo como Machado formula essa síndrome brasileira, através de uma antítese extremada: "ou isto é a perfeição final do homem, ou não passa das primeiras verduras". Ou seja, tamanho *laissez-faire*, tamanho descompromisso e alheamento às constrições da vida, ou corresponde à mais adiantada ou à mais infantil e imatura das civilizações. A realidade da primeira hipótese é *descartada* sumariamente por absurda ("é clara de si mesma"); a naturalidade de que se investe a segunda, isto é, o frescor da nossa puerilidade, é *reduzido* por sua vez ao absurdo quando o cronista diz, como se candidamente: *para que corromper tamanha pureza virginal* (como quem dissesse, macunaimicamente, "para que esculhambar a inteireza do nosso caráter")?

De um ponto de vista inequivocamente cético, para dizer o mínimo, podemos considerar que a formulação machadiana focaliza a gangorra imaginária, e duplamente absurda, entre a importância desmedida e a desimportância, entre o alcance máximo e a irrisória incapacidade, entre o maduro e o imaturo, entre o Brasil

---

4. Machado de Assis, op. cit., pp. 26-7.

remédio universal e o Brasil veneno de si mesmo — que, na sua análise irônica, se equivalem. Podemos dizer que essas ambivalências corrosivas se condensam exatamente no curto-circuito do Emplasto Brás Cubas, a pretendida panaceia que deveria curar a humanidade, mas que causa, em vez disso, risivelmente, a morte de seu inventor, antes mesmo de que ele chegue a inventá-la. A propósito, essa tentativa extrema e *causa mortis* do "defunto autor" responde obscuramente a um desejo familiar de esconder e rasurar as origens sociais ligadas ao trabalho manual e incomodamente impressas no nome Cubas, relacionado à *obrigação* da tanoaria.

A crônica machadiana toca, a seu modo, num complexo recorrente no imaginário brasileiro, o da pendulação entre a ambição de grandeza máxima e a impotência infantilizada de um povo periférico e anarcoide. Digamos que o futebol, no século XX, tornou-se a arena principal dessa síndrome, o seu maior campo de provas, ao mesmo tempo em que um lugar privilegiado da sua elaboração. É um documento monumental desse balanceio fragoroso a própria construção do Maracanã, o maior estádio do mundo, inseparável do "complexo de vira-latas" (expressão famosa de Nelson Rodrigues que descreve a incapacidade doentia de aceitar a própria potência). Tudo isso implode no fracasso de 1950, a derrota para o Uruguai na final da Copa do Mundo realizada no Brasil. Esse colossal Titanic caboclo, que Nelson Rodrigues vê também, numa hipérbole ao seu estilo, como a nossa "Hiroshima" psíquica, é redimido espetacularmente pelas conquistas de 58, 62 e 70, sem que isso venha a sanar, propriamente, no plano do imaginário coletivo, as instáveis reversões da potência à impotência, e vice-versa.

O mais intrigante e extraordinário, no entanto, e não menos irônico, é que o futebol acabou por oferecer o terreno e a oportunidade histórica, no seu campo próprio, de um equacionamento positivo da "perfeição final" com as "primeiras verduras", isto é, do sonho da civilização avançada combinado inesperadamente com a gratificação das disposições infantis, num plano lúdico-artístico. Porque, no caso, o jogo admite as demandas infantis que estão na base da compulsão ao brinquedo de bola (congenitamente avessa, por sua vez, ao universo da *obrigação*), ao mesmo tempo em que exige maturação e senso de responsabilidade, sem o qual a disputa não se sustenta. Ludicamente gratuito e seriamente jogado, o futebol teve a capacidade de reverter a dialética negativa do círculo vicioso, convertendo-o numa reação em cadeia de elipses virtuosas (para glosar, distorcendo-a, a expressão dos economistas).

Tudo isso se dá graças à apropriação popular do jogo moderno inventado pelos ingleses, traduzido aqui, em grande parte, por descendentes de escravos que têm gana de brincar com a *obrigação*, e aos quais não faltou repertório para fazer disso um salto simbólico de expressão nacional e universal. A invenção do futebol pelos ingleses, convertendo a lógica de ritos ancestrais em jogo esportivo, é, como vimos, uma espécie de quadratura do círculo, ou do circo, e se constitui em proeza da modernização; a sua interpretação por culturas mestiças que estão dentro e na periferia da mesma modernização, em especial a brasileira, é um efeito elíptico, uma glosa, dessa quadratura — como veremos.

Ainda: numa crônica de 1893, denunciando a tendência estrangeira a gabar a feérica natureza brasileira — a baía de Guanabara — e não as construções e os esforços, mesmo que incipientes, do homem local, Machado de Assis, depois de outras divagações, acaba por comentar o *jogo de pela*, isto é, o jogo de pelota basca, que estava em moda no Rio por essa época. Como tantos outros itens culturais, a ciência do jogo "também não é nossa", já que era um esporte importado, vindo "de outra banda", como será o caso do futebol (de que Machado, ao que se sabe, não tratou), com a diferença evidente e fundamental de que o jogo de pela *não pegou*, enquanto que o futebol entrou em ressonância profunda com o ser brasileiro. Nesse sentido, aliás, a importação do futebol pode ser comparada à importação da polca, que acabou por desembocar no maxixe, e de cuja aclimatação nacional Machado tratou em conto e crônicas. Mas o que nos interessa aqui é que a deriva dos assuntos, típica dessas crônicas, leva a uma outra questão sobre o lugar do esporte no Brasil: citando versos de Basílio da Gama, o cronista contrapõe ao jogo de pela a perícia, digamos, *esportiva* dos caboclos na "arte de envergar o arco" e "no exercício da flecha", concluindo intrigantemente: "contestou-se que a poesia nacional estivesse no caboclo; ninguém poderá contestar, a sério, que esteja nele a nacionalização do esporte. O caboclo e o capoeira podem fazer-se úteis, em vez de inúteis e perigosos".[5]

O trecho intrigante que encerra a crônica seria certamente escandaloso e desproposital, na época, se tomado a sério: o caboclo indolente e o capoeira temível (este, um espectro aterrorizante da escravidão mal abolida e à solta, com suas ameaças, arruaças e "rabos de arraia") não poderiam se constituir, em sã consciência, em modelos esportivos da nacionalidade. Como vimos, o esporte enquanto instituição era, naquela altura, uma relativamente recente invenção britânica, trazendo consigo a marca prestigiosa de um avanço civilizatório de última geração. Associá-lo aos caboclos e capoeiras corresponde a expor corrosivamente a incongruência entre os supostos avanços da civilização e os atrasos perniciosos da "primeira das verduras". É impensável, ao mesmo tempo, que Machado estivesse antecipando algum tipo de eugenia social pelo esporte, e conferindo uma positividade direta à sua afirmação. O mais plausível é que a passagem desloca o discurso moral que estigmatizava essa dupla espécie de bugre, tão *inútil* quanto *perigosa*, objeto de condenação e repulsa amedrontada,

---

5. Machado de Assis, "20 de agosto de 1893", op. cit., p. 287.

pondo-a ironicamente num hipotético panteão nacional com efeito evidentemente derrisório. Numa ironia de duplo alvo, o cronista desloca a objeção literária mais antiga e, digamos, "elevada" de que a poesia nacional não poderia estar no indígena, para estendê-la ao esporte, cujo destino no Brasil estaria a depender desses "inúteis e perigosos", que compunham sub-repticiamente a figura do mestiço e mais propriamente do mulato. Ao inverter de forma pontual, no entanto, o tom moral desqualificante e amedrontado daquela elite que experimentava a pelota basca, a afirmação de Machado de Assis abre-se, mesmo que inadvertidamente, para seus desdobramentos inesperados. Pois o fato é que, embora ponha em cena uma flagrante e aparente incongruência, a frase é curiosamente profética *apesar dela mesma*: "ninguém poderá contestar a sério" que foi o caboclo-capoeira, esse mestiço inútil-perigoso, que veio a nacionalizar o esporte brasileiro e a dar-lhe dimensão mundial. Nesse sentido, também aí Machado de Assis, para o qual a palavra *mulato* é barrada (certamente pelo quanto lhe custou sê-lo), põe o dedo, enviesadamente, na futurosa ferida.

É possível avaliar, então, o quanto terá se passado em matéria de experiência coletiva e de alquimia cultural concreta até que se processasse o percurso que vai do capoeira inútil e perigoso a Pelé e Garrincha, realizando mais-que-ironicamente, de algum modo, a própria quintessência do Emplasto Brás Cubas: *o alívio da nossa melancólica humanidade* ("essa ideia era nada menos que a invenção de um medicamento sublime, um emplasto anti-hipocondríaco, destinado a aliviar a nossa melancólica humanidade").

A PROVA DOS NOVE

Pode-se dizer que a memória coletiva brasileira é demarcada e compartilhada, no século XX, mais do que por qualquer outra coisa, pelas Copas do Mundo de futebol. O inglês Alex Bellos, autor de *Futebol: o Brasil em campo*, chega a fazer um contraponto tão sugestivo quanto ousado: "Os britânicos dividem o século XX em blocos demarcados pelas guerras mundiais de 1914-18 e 1939--45. O Brasil mede sua história recente pelas Copas do Mundo, já que é durante as Copas que mais se identifica como nação". Acrescenta que, sendo "o único país a ter participado de todas as Copas", o "estado da nação" é passível de ser conferido "em saltos de quatro anos".[6]

A afirmação soa como uma alusão, grave ou não, ao mote bem conhecido do país pouco sério. Mas pode ser tomada, também, como uma afirmação metairônica que remete a uma seriedade de outro tipo. Ela é o índice efetivo de uma cultura em que o jogo tem um papel exponencial, como a instância capaz de catalisar a experiência coletiva e dar-lhe um foco. Ao fazer isso, o futebol concentra questões que envolvem o cerne recorrente das interpretações do Brasil, e que se manifestam, de múltiplos modos e perspectivas, no ensaísmo, na ficção, na música.

O filósofo tcheco Vilém Flusser, que morou no Brasil entre os anos 40 e 70, faz, em sua *Fenomenologia do brasileiro*, afirmações que incidem diretamente sobre esse ponto.[7] Embora publicado postumamente em 1998, o livro teria sido escrito no início dos anos 70, ao que tudo indica pouco depois da Copa do Mundo no México. No capítulo "Alienação", Flusser sustenta que o futebol brasileiro não se explicaria simplesmente como evasão do cotidiano e como escape do mundo do trabalho, caráter dominante da expansão popular do esporte na Europa. Lá, o futebol constituiu--se, segundo ele, numa "fuga alienada aberta ao proletariado", que

---

6. Alex Bellos, *Futebol: O Brasil em campo*. Tradução de Jorge Viveiros de Castro. Rio de Janeiro: Jorge Zahar, 2003, p. 57.
7. Ver Vilém Flusser, em Gustavo Bernardo (org.), op. cit., pp. 93-112.

forjara sua autoconsciência na luta secular contra a burguesia, luta que se esvaziou, por sua vez, com o aburguesamento do proletariado nos países neocapitalistas. Nesse amplo conjunto temporal, em que a realidade pode ser entendida como "o processo histórico objetivo" envolvendo a dominação, o futebol faria parte, segundo Flusser, de uma "alienação enquadrada", ou, se quisermos, de uma espécie de *alienação ao quadrado*, algo mais próximo do "não espírito de um mundo sem espírito" (de que já falamos). Cá, no entanto, onde a alienação é mais profunda ("o brasileiro alienou-se de sua realidade e de si próprio porque não conseguiu firmar-se e abrigar-se em nada, porque não é tomado de movimento histórico"), o futebol ganha um estatuto "ontologicamente diferente do futebol europeu". Nessa forma de alienação não *enquadrada*, mas "exilada", o futebol acaba por constituir-se segundo Flusser numa fuga paradoxal, num *exílio do exílio* que se transforma em realidade absorvente e transbordante para toda a vida social. Na visão de Flusser, não se trataria, assim, de uma simples operação de *fuga* à realidade, que faz esquecê-la, mas da *construção* de uma realidade própria, na falta dela: "se o proletário se realiza existencialmente no futebol, de forma que tal realização extravase as fronteiras do futebol e invada todos os campos e dê sentido à sua vida, como negar-lhe realidade? E como falar em alienação no caso?". Em outros termos, não se trataria de um avesso alienado do trabalho alienado, mas de um *avesso do avesso* que, em vez de retornar ao ponto de partida, instaura uma dimensão lúdica autônoma e irradiante, que *é* realidade: "a alienação que propele o proletário rumo ao futebol dá um salto qualitativo e resulta em verdadeiro engajamento".

Essa dimensão forjada pelo espírito do jogo no Brasil apontaria, ainda segundo Flusser, para uma superação do homem econômico por um "autêntico, espontâneo, não-deliberado *homo ludens*". Esse *homo ludens* reverteria a precariedade da sua condição ao descobrir, através da própria "alienação de uma realidade esgotada", a possibilidade de uma "vida real no jogo". Da alienação brasileira, "incomparável com a alienação europeia e americana", adviria paradoxalmente a perspectiva utópica de "um homem não mais condicionado pela economia" ("para falar em termos marxistas") e para o qual "arte é melhor que verdade" ("para falar em termos nietzschianos").

A ideia é provocativa por todos os lados, ao cutucar o vespeiro de controvérsia implicado na interpretação político-utópica da cultura. O que ela faz, no entanto, num tom reflexivo e distinto do apologético, é surpreender a singularidade do lugar que o futebol veio a ocupar no Brasil, afirmar a sua potência desalienadora e arriscar a proposição de que essa disposição teria o poder de contaminar positivamente outras esferas da vida. Flusser frisa que não se trata de um desconhecimento ingênuo das necessidades materiais: "é claro que tal realização é duvidosa enquanto não estiverem satisfeitas as suas necessidades básicas". Mas, diz ele, se tal tendência criativa "não for sufocada e transformada em alienação histórica", e se a burguesia brasileira, entre outras coisas, não arrastar o país na direção japonesa e americana do produtivismo sem espírito ou "na direção do próprio suicídio", "pode surgir aqui um novo tipo de homem, com novo tipo de religiosidade, cultura, jogo e, posteriormente, com novo tipo de vida em sociedade".

Propostas como a de Flusser tenderão a ser rebatidas ao infinito pelos céticos, mas o que importa aqui, em vez de embarcar simplesmente na gangorra enganosa do otimismo e do pessimismo, é flagrar o seu núcleo ambivalente, identificando o quanto ele tem de representativo, mesmo que também de datado. Outro europeu, nesse caso pensador-artista, o nosso já comentado Pier Paolo Pasolini, acusou o impacto do futebol brasileiro sobre ele em 1970-1, quando, por acaso ou não, veio ao Brasil quase clandestinamente (a experiência ficou registrada num poema intitulado "Hierarquia", além dos artigos sobre a prosa e a poesia do futebol).[8] Num tempo de ditadura, Pasolini assinalou a extraordinária força do corpo popular livre, a seu ver extinta em contexto italiano, sem deixar de apontar para a ambiguidade inextrincável desse fato num regime de truculência. Pode-se dizer que, de maneira análoga, esses dois europeus sinalizavam, quase ao mesmo tempo (um pouco depois da Copa de 1970), a capacidade do futebol brasileiro de desvelar e imprimir, no futebol inglês, algo como uma outra lógica (uma criativa e poética "lógica da diferença", se quisermos retomar os termos já desenvolvidos aqui). Essa percepção do futebol espicaçava, por sua vez, o próprio ritmo dialético do seu pensamento, levando-os, como no futebol, a dribles vertiginosos que invertem e subvertem a dependência da cultura à economia, fundindo Marx e Nietzsche, augurando a utopia do *homo ludens* e do jogador-poeta.

Por um lado, esses dois testemunhos dão sinal, no mínimo, do impacto profundo que a época áurea do futebol brasileiro, de 58 a 70, consumando-se no tricampeonato mundial, causou sobre alguns observadores sensíveis, em especial europeus, com consequências importantes sobre a sua visão do estado contemporâneo da cultura. Eric Hosbsbawm, por exemplo, afirmou que, num tempo em que, "no campo da cultura popular, o mundo era americano ou provinciano", "a única exceção foi o esporte", e, nele, "quem, tendo visto a seleção brasileira em seus dias de glória, negará sua pretensão à condição de arte?".[9] Simultaneamente, esse

---

8. "Hierarquia", baseado numa passagem curta e incógnita pelo Brasil, em 1971, publicado no mesmo ano no livro de poemas *Trasumanar e organizzar*. O texto encontra-se em Michel Lahud, *A vida clara: linguagens e realidade segundo Pasolini*. São Paulo: Companhia das Letras/Unicamp, 1993, pp. 125-9.
9. Hobsbawm, *Era dos extremos: o breve século XX*. Tradução Marcos Santarrita. São Paulo: Companhia das Letras, 1995, pp. 196-7.

futebol "ontologicamente diferente do europeu" se contrapunha a um mundo cada vez mais consumista e monocórdio, que já se podia divisar àquela altura do início dos anos 70. Assim, o "futebol de poesia" de Pasolini alinhava-se com o seu "cinema de poesia" contra a padronização cultural burguesa e a descaracterização da Itália massificada. E a *Fenomenologia do brasileiro*, de Flusser, ressaltava a singularidade de um país onde se misturavam problemática e desafiadoramente o *a-histórico* de suas dimensões mítico--arcaicas com o *histórico* da presença letrada e europeizante, mais a iminência *pós-histórica* dos jogos tecnológicos. Tudo isso deixando exposta, mesmo que em sua fragilidade esgarçada e cheia de promessas, a complexidade sincrônica de processos que a Europa ocultou e esqueceu, em seu desenvolvimento secular. Embora muito conscientes da precariedade da condição brasileira, sujeita a se engolfar na própria indefinição ou a ser sufocada pela adversidade histórica, o filósofo tcheco e o cineasta italiano viam nela, ainda assim, a possibilidade de um salto, como se uma falha paradoxal fosse capaz de produzir, através dela, passagens inéditas e transformadoras.

Voltemos ao caso em seu núcleo originário: todo esse espectro de ambivalências está anunciado, pode-se dizer, sob um crivo negativo e implacável, nas observações machadianas sobre o ser e o não-ser brasileiro. Ali, elas aparecem como a reversão insistente entre a candidatura permanente ao fracasso, por parte de uma coletividade que refuga os limites da realidade, combinada com a invenção pouco plausível de uma civilização livre e lúdica, da parte dessa "primeira das verduras". O balanço de negativas machadiano ilumina e prefigura, na verdade, com a luz de seu espectro cético e com a potência reveladora da intuição aguda, um movimento que não cansa de se repetir e de se repor. E, talvez, por um efeito lateral de sua negatividade, Machado não deixou de afirmar ainda, num lapso positivo, em pleno fim do século XIX, a hipótese da nacionalização do esporte pelo caboclo-capoeira. O que ele flagra, de todo modo, numa fulguração penetrante e irônica, que está a seu modo na crônica de que falamos mas também no episódio do Emplasto Brás Cubas, é a ideia em princípio capciosa de que "a mais avançada das civilizações" se confunde com a mais imatura delas — "a primeira das verduras" —, anomalia que não deixa de ser o cerne do pensamento de Flusser sobre a alienação brasileira, que lhe dá um estatuto problemático mas afirmativo: de tão funda e sem lastro histórico, a alienação brasileira converte a realidade em jogo e encarna possibilidades de autêntica libertação. Assim, o veneno e o remédio se alternam e se fundem na mesma poção enigmática do caldo de cultura nacional. Pode-se dizer que alguns farmacêuticos aviam nela o remédio amargo e potencialmente letal da ironia, como Machado entre todos, vazando-lhe o espectro real; outros extraem dela o seu próprio antídoto, como Flusser e Pasolini, segundo vimos, ou Oswald de Andrade e Gilberto Freyre, como veremos, extraindo-lhe uma potência utópica.

A síndrome coletiva apontada por Machado poderia ser formulada, em outros termos, como a *tendência irresistível a fazer que as agruras da realidade passem necessariamente pelo teste do princípio de prazer*. Sintomaticamente, a frase muito repetida do "Manifesto antropófago" (1928) de Oswald de Andrade — "a alegria é a prova dos nove" — formula sinteticamente essa mesma propensão, em registro provocantemente afirmativo. Com um humor programático, Oswald remete os embates mais duros do real ao campo do lúdico e cria uma zona de reversão na qual, *em vez de se submeter o prazer à prova da realidade, é a realidade que é submetida à prova do prazer*. Se Huizinga aponta, em *Homo ludens*, a tendência a misturar as esferas do jogo e da vida como uma atitude perigosamente "pueril", a frase de Oswald é uma réplica estilizada desse sintoma coletivo e propõe a sua superação pela franca admissão dele. Num lance arriscado e cheio de confiança na vitalidade versátil e criadora da cultura, a antropofagia é uma espécie de psicanálise literalmente *selvagem* do povo colonizado e periférico, que inverte as prioridades da colonização e faz da desvantagem uma vantagem.[10] Não é o caso, veja-se bem, de tomar essa formulação pela via simplista e eufórica da panaceia: no próprio manifesto, Oswald refere-se aos poderes regressivos e insistentes de uma "baixa antropofagia", capaz de devorar viciosamente as potencialidades transformadoras. Mas é uma modalidade de *alta antropofagia*, com certeza, que faz possível à cultura popular brasileira tomar para si a cultura colonizante, reinventando-a sob um viés distinto e imprimindo-lhe uma outra configuração civilizatória — como acontece, justamente, com o destino do futebol inglês no Brasil.

As consequências da inclinação extravagante e singular a fazer do mundo um brinquedo estão estampadas em muitas manifestações da cultura, que oscilam ambivalentemente entre a tragédia e o carnaval, como é o caso, mais agônico e dilacerado, do romance *Macunaíma*, de Mário de Andrade (publicado no mesmo ano do "Manifesto" oswaldiano). As relações entre o desenvolvimento do futebol brasileiro, suas síndromes e vicissitudes, com o livro de Mário de Andrade, incluindo a identificação de um ciclo macunaímico no nosso futebol, serão tratadas mais adiante. Elas são inseparáveis, ao mesmo tempo, do fato de que o Brasil se faz reconhecer, mundialmente, pela produção de uma espécie de tecnologia de ponta do ócio, do qual a música e o futebol são os sinais mais evidentes e refinados.

Que uma nação se especialize, afinal, em competir no campo da gratuidade improdutiva já é um fato inusual. E que esse campo tenha se tornado largamente capitalizado na sociedade do espetá-

---

10. Oswald de Andrade, "Manifesto antropófago", *Do pau-brasil à antropofagia e às utopias*. Obras Completas de Oswald de Andrade, v. 6, Rio de Janeiro: Civilização Brasileira, 1972.

culo de massa, tendo o futebol como o seu mais rematado e difundido exemplo, faz desse esporte uma via incontornável para se pensar as formas paradoxais de inserção do Brasil no mundo contemporâneo. Ao mesmo tempo, o futebol é a maneira privilegiada pela qual a nação ritualiza um acerto de contas consigo mesma — acerto cíclico, e sob certos aspectos *ciclotímico*, do qual as Copas do Mundo se tornaram, a cada quatro anos, a cena principal. Nesses confrontos com o mundo e consigo mesmo, o futebol brasileiro, e por extensão o país, se experimenta como um *fármacon*, um veneno remédio, uma droga inebriante e potencialmente letal que oscila com uma facilidade excessiva entre a plenitude e o vazio.

No campo da discussão cultural, que de certa forma replica a gangorra do imaginário coletivo, o futebol é visto ora como expressão otimista de uma singularidade cultural que se expressa em noções intraduzíveis como *ginga, malandragem, jeito de corpo, molecagem*, tidas como marcas originais da formação mestiça, ora é denunciado como uma via de escape que recobre o enfrentamento das realidades e dá chance à ideia mistificatória de uma "democracia racial". Na verdade, essas duas posições são insuficientes. No primeiro caso, o pensamento corre o risco de girar em círculo, tomando a malandragem brasileira como explicação da malandragem brasileira, e fazendo do elogio da espontaneidade do país uma espécie de prisão mental. No segundo caso, o uso crítico de categorias histórico-sociais, de modo a não permitir que os conflitos e tensões sejam mascarados pelo entusiasmo nacionalista, tende a fazer dos níveis inconscientes, irredutíveis, estéticos e propriamente lúdicos do jogo um tabu impenetrável, a ser calado sob o pretexto da objetividade da análise.

Nessa corda bamba entre duas posições insuficientes é preciso não cair, por um lado, na apologia das qualidades inefáveis do futebol e da versatilidade nacional, sem perguntar como elas se historicizam. E não cair, por outro, no mero exame das condições externas em que o futebol se realiza, sem entrar no mérito arriscado de saber em que é que ele consiste. (O equilíbrio tem de se fazer, justamente, compensando a queda para os dois lados, de modo que saber cair nos dois riscos seja a condição para não cair da corda.)

1938: A EPIFANIA

A primeira *epifania* do futebol como uma expressão privilegiada do Brasil no mundo pôde ser vista em 1938, na Copa da França. Nas duas anteriores, de 1930, no Uruguai, e de 1934, na Itália, o país foi representado por seleções inexpressivas, resultantes de disputas regionais sem acordo entre São Paulo e Rio de Janeiro, além de impasses quanto à adoção do profissionalismo. Os times não incluíam negros, pelo menos na medida de sua representatividade, mesmo se considerarmos a presença ocasional do centromédio Fausto, que veio a ser chamado "a maravilha negra", na comitiva de 1930, e a de Leônidas da Silva na de 1934. Esta, sem a participação dos paulistas, foi, segundo o cronista Tomás Mazzoni, "das mais fracas, improvisadas e inexperientes de todas que até então saíram do Brasil".[11] O porta-voz da delegação oficial brasileira de 1934, por sua vez, engrossou com destaque constrangedor o coro de louvação a Mussolini (levado a efeito também, mas ao que parece com menos "brilho", pelas delegações argentina, francesa, holandesa, suíça, espanhola e austríaca).[12] Ao contrário dessas demonstrações inconsequentes e vexaminosas, a de 1938 foi uma seleção assumidamente miscigenada, e pela pri-

---

11. Tomás Mazzoni (Olimpicus), *História do futebol no Brasil: 1894-1950*. São Paulo: Leia, 1950, p. 222.
12. Sebreli, op. cit., p. 157.

meira vez representativa do que havia de melhor no futebol já profissionalizado do país, dando esperanças às multidões que acompanhavam sofregamente, havia pelo menos vinte anos, as disputas internacionais sul-americanas. Reforçava essa atmosfera propícia ao envolvimento intenso o fato de que, pela primeira vez, as partidas de uma Copa do Mundo eram transmitidas ao vivo pelo rádio, "através do locutor Gagliano Netto, da Rádio Clube do Brasil (a PRA-3) e da cadeia de emissoras Byington, diretamente das cidades francesas de Estrasburgo, Bordeaux e Paris, sendo acompanhada por milhares de brasileiros de forma frenética e contagiante [...]".[13]

O Brasil estreou contra a Polônia num jogo vibrante e cheio de alternativas que terminou depois de onze gols, uma prorrogação e "infinitos movimentos do pêndulo", com o placar de 6 × 5 para o time brasileiro. Segundo Mazzoni, a equipe conseguiu alternar superioridade absoluta com "a velha mania das brincadeiras", o que a fez abrir vantagem, sofrer o empate, ir para a prorrogação, entrar em desvantagem e recuperar-se.[14] Esse zigue-zague entre o domínio e o brinquedo, na versão do historiador paulista do futebol, não deixa de ser um índice daquele balancê entre princípio de prazer e de realidade, de que já falamos. O respeitado historiador inglês das Copas, Brian Glanville, refere-se elogiosamente, por sua vez, ao "clássico zagueiro 'de cor' Domingas [sic] da Guia", e ao "maravilhosamente elástico centroavante negro, Leônidas, autor de quatro gols". O campo estava lamacento, e, segundo Glanville, a certa altura do segundo tempo Leônidas "atirou ostensivamente as suas chuteiras para o

---

13. Bernardo Borges Buarque de Hollanda, *O descobrimento do futebol: modernismo, regionalismo e paixão esportiva em José Lins do Rego*. Rio de Janeiro: Biblioteca Nacional, 2004, p. 28.
14. Mazzoni, op. cit., p. 273.

treinador", decidindo jogar descalço — como se estivesse numa pelada —, no que foi obrigado pelo árbitro sueco a calçá-las imediatamente.[15]

Depois de um empate por 1 × 1 contra a Tchecoslováquia e uma partida tira-teima vencida por 2 × 1, o Brasil enfrentou a Itália nas semifinais, num famigerado e controvertido jogo em que perdeu por 2 × 1. O segundo gol da Itália resultou da marcação de um pênalti discutido, causando "quase [...] uma [...] revolução no Brasil", num dia de semana que paralisou o país, produziu "intenso nervosismo", indignação e "não poucos" incidentes. Notícias desencontradas e sem nenhuma base davam conta de que a partida seria anulada, e uma "imensa decepção" sobreveio quando o golpe real do revés, que se buscou adiar na imaginação, foi confirmado inapelavelmente. Na versão de Tomás Mazzoni, o centroavante Piola, "que vinha sendo controlado e detido por Da Guia, não lhe dando chance alguma de marcar gol, aproveitou-se de uma jogada vulgar na área para entrar acintosamente no nosso zagueiro". Vale a pena transcrever a descrição completa do lance:

> Domingos o escorou, desviou a bola e depois o derrubou com um golpe de pé e de perna... No entanto, o extrema esquerdo italiano que havia recebido a bola adiantou-se para precipitar o lance. Não sabemos se quis centrar ou chutar à meta; o fato é que inutilizou o tiro, sendo censurado pelos seus companheiros. A bola foi atirada pela linha de fundo tendo Walter se encaminhado para recebê-la, já fora do gramado. Notem bem, já fora do gramado. Nesse instante, ou seja, quando todos acabam de voltar suas vistas da bola, viu-se Domingos acabar de aterrar Piola.[16]

---

15. Brian Glanville, *The story of the World Cup*. Londres/Boston: Faber and Faber, 1993, p. 36.
16. Mazzoni, op. cit., p. 276.

Na avaliação do cronista, Domingos tivera apenas "um lance de reação" com o consequente "ligeiro atracamento" dos dois jogadores, numa jogada sem perigo e com a bola já fora de campo: "por que marcar penal?". Seria, segundo ele, o caso para "uma severa admoestação" conjunta dos jogadores, nada mais que isso. A sua versão do lance contém, no entanto, um intrigante lapso de tempo que permanece obscuro: no início dela, Domingos escora e derruba o centroavante Piola, e esse ato permanece como que congelado enquanto o ponta-esquerda italiano recebe a sobra da bola, adianta-se hesitando entre centrar ou visar o gol, chuta para fora, é recriminado por seus companheiros, o goleiro brasileiro vai buscar a bola fora de campo quando, só então, as vistas se voltam para perceber "Domingos acaba de aterrar Piola" (!). Esse não deixa de ser mais um exemplo exposto daquele componente de interpretação incontornável que o futebol provoca e faz proliferar entre seus envolvidos observadores (como se, para dirimi-lo, tivéssemos de aguardar, no limite, a unificação do campo da física quântica com o da teoria da relatividade). Além do mais, Brian Glanville descreve assim o mesmo lance: era um mau dia para o zagueiro brasileiro, que além de marcar Piola, um atacante corpulento, talhado para irritá-lo, já tinha sido ultrapassado como um raio por Colaussi na marcação do primeiro gol italiano. Tendo o jogo se concentrado então para Domingos da Guia num duelo pessoal com Piola, e tendo este passado por ele "mais uma vez", Da Guia derrubou-o, Piola tirou um proveito histriônico do fato e Meazza converteu friamente o pênalti, "um instante antes de seu calção rasgado cair".[17]

O que se tem aí, portanto, é um autêntico imbróglio pirandelliano, com rasgos de pastelão, onde as versões narrativas se encaixam, mas não conferem. Estaria Domingos da Guia jogando impecavelmente, como quer Mazzoni, ou levando um baile dos italianos, como

---

17. Glanville, op. cit., p. 39.

sugere Glanville? O zagueiro derrubou o atacante, ao mesmo tempo em que este encenou: vale a infração ou a encenação fictícia? Ou essa encenação é a cena deveras fingida de uma infração real? Se hoje, com o recurso aos replays de todos os ângulos, essas interrogações persistem tantas vezes, acirradas pelos ânimos exaltados e controvertidos das plateias e dos comentaristas, o que dizer de um tempo em que as partidas se disputavam decididamente na zona fantasmática do imaginário, já transformadas, em ato, na narrativa de suas locuções radiofônicas remotas, no burburinho de suas repercussões, já convertidas em seus efeitos, já virando uma espécie de literatura oral taxativa e divergente, polissêmica e litigiosa, em que as motivações das personagens e dos atos é enigma? Pode-se dizer que esse mundo dos anos 20 aos 50 em que se vivia à distância, por telefone, por placares e alto-falantes públicos, pelo rádio, um jogo que não se via, é até mais real como índice do nosso comportamento psíquico do que o esquadrinhamento atual, por todas as câmaras, do jogo que queremos ver e que não coincide com o jogo que *não* queremos ver.

Desse Brasil *vs*. Itália em 1938 resta, de todo modo, o vulto nebuloso de um centroavante italiano "cavando" um pênalti e de um zagueiro brasileiro cometendo-o, num tempo que se estende e se contrai entre uma bola dentro e uma bola fora. Mário Filho, como o melhor cronista das peripécias do imaginário coletivo brasileiro, fez anos depois, quando os ânimos já tinham esfriado, uma análise aguda e hilariante da recepção do jogo no Brasil. Segundo ele, o "espíquer" Gagliano Netto já vinha de um comportamento duvidoso, aos ouvidos brasileiros, por ter gritado alto demais o primeiro gol da Itália, em vez de, como de costume nesses casos, "emitir o som, rápido, abafado, por assim dizer sem ruído", calando-o como quem engulisse um caroço. A imparcialidade gritante do locutor, combinada com um certo acento ítalo-paulistano, lançava sobre ele a suspeita de "uma satisfação italiana pelo menos de segunda geração", marca de "filho ou neto de italiano".

Mas o mais "grave" veio depois: "não chamou o juiz de ladrão quando foi marcado o pênalti contra o Brasil". Mário Filho dá a sua versão do lance, e ela tem a particularidade de focar não só o suposto fato objetivo, mas a fração mínima em que se abre a fresta da interpretação, flagrando a psicologia instantânea do zagueiro brasileiro e, com ela, algo de uma psicologia brasileira geral. Como podemos ver, trata-se, da parte do jogador, segundo Mário Filho, de confiar no intervalo sutil em que *a lei se suspende*:

> Domingos da Guia esperava que a bola fosse fora. A bola estava saindo e ele estava metendo o pé em Piola, dentro da área. Aqui não se daria nada. A bola não estava em jogo, quer dizer, não havia jogo, ou por outra, não fora no jogo, portanto não acontecera coisa alguma. O juiz pensou diferente. O jogo é de noventa minutos. Bola fora é do jogo. Tudo é do jogo. O pontapé de Domingos foi do jogo e sendo dentro da área era pênalti. Depois, se compreendeu aqui que o juiz tinha sido até bonzinho: ele podia expulsar Domingos de campo. Domingos metera o pé em Piola como quem mete o braço. Realmente, o pontapé de Domingos tinha sido fora do jogo pela intenção de só meter o pé, sem bola e até sem jogo. Mas, para se entender isso, foi preciso descobrir ou redescobrir as regras do futebol.[18]

Da Guia teria agido, a se crer na interpretação de Mário Filho, naquela fração do *arrepio da lei*, ambígua entre a ordem e a desordem, em que a lei provisoriamente está suspensa, já que a bola está no limite do fora de jogo. É essa disposição profundamente entranhada no hábito cultural brasileiro ("aqui não se daria nada"), esse interstício em que a lei falha em varrer exaustivamente o campo, próprio tanto da "dialética da malandragem" quanto do

---

18. Mário Filho, "Brasil *vs.* Itália de 38". In *O sapo de Arubinha: os anos de sonho do futebol brasileiro*. São Paulo: Companhia das Letras, 1994, pp. 56-7.

"homem cordial" ambivalente, que teria permitido a Domingos da Guia liberar o impulso instantâneo de "meter o pé": não só "sem bola", mas, mais que isso, *sem jogo*.[19] Na cena construída por Mário Filho, que traz o grão de sal da intuição analítica, Domingos estaria jogando com o tempo mínimo entre a bola dentro e fora de campo, em seu embate com o atacante italiano, no momento em que "a bola estava saindo". Mas, conforme vemos na descrição de Tomás Mazzoni, a bola não saiu, o lance continua e o entrevero prossegue, na verdade ambiguamente, ao mesmo tempo *dentro e fora* do jogo. A versão de Mário Filho desvela a de Mazzoni (que lhe é complementar), explicando o lapso paradoxal de tempo em que esta se enrola. Isso porque Mazzoni *não quer ver* aquilo que Mário Filho expõe: nesse atracar-se entre dois pícaros, o italiano e o brasileiro, a malandragem desse último passa pelo primeiro teste, em competição mundial, da sua propensão congênita a habitar a sobra, o interstício, a tirar proveito da margem em que um *mais-de-gozo* resiste à simbolização, escapando, por uma fração, à lei. Pois se trata então, não mais nem menos, de tomar ciência desse sintoma nacional, descobrindo (como se fosse "a primeira das verduras") que a lei oferece uma resistência inesperada a essa manobra manhosa e oportunista. A ponto de que, "para se entender isso, foi preciso descobrir ou redescobrir" *não a roda, nem a bola, mas a quadratura do circo*, isto é, "as regras do futebol".

O caso tem consequências duradouras, já que na Copa de 1950, a alegada debilidade dos defensores brasileiros diante da

---

19. "Dialética da malandragem" é uma referência ao ensaio de Antonio Candido (*O discurso e a cidade*, São Paulo: Duas Cidades, 1993, pp. 19-54), que, analisando o romance *Memórias de um sargento de milícias*, de Manuel Antônio de Almeida, postula a presença de um movimento permeável entre ordem e desordem na sociabilidade brasileira. O "homem cordial" é um conceito desenvolvido por Sérgio Buarque de Holanda no já citado *Raízes do Brasil*. Os dois temas serão retomados adiante, em "A bola ao alto".

garra uruguaia será considerada ainda um eco tardio dessa partida contra a Itália em 1938: tratava-se da intenção de não reincidir no erro de escorregar numa violência punível e letal, ao preço, dessa vez, de uma fatal paralisia da iniciativa. Ao mesmo tempo, o recurso a árbitros ingleses, chamados a ensinar as regras, antes da Copa no Brasil, corresponde a um esforço de adaptação e de superação desse descompasso íntimo com a lei do jogo, esse grande Outro. Em outras palavras, abria-se o longo processo de elaboração dialética da custosa e nada óbvia adaptação sutil ao império da lei.

E a coisa se complica, ainda, quando sabemos que é nesse mesmo interstício de suspensão, senão da lei, do tempo corriqueiro do jogo, que vigora a singularidade do futebol brasileiro, que se começava então a perceber e a formular como característica. E este será sem dúvida o caso do próprio estilo de Domingos da Guia, que Mário Filho descreveu tantas vezes. Trata-se de um defensor que faz jogadas temerárias, no limite do suspense, com uma impassibilidade apolínea, surrupiando a bola do atacante no último instante, quando o gol adversário já parecia consumado, e que sai dali driblando na própria área perigosa como se nada estivesse acontecendo (essa jogada no fio da navalha ficou conhecida como "domingada"). Aplicando sobre Heleno de Freitas "uns vinte dribles seguidos", como se o pé para lá e para cá sobre a bola amolasse a própria navalha em ritmo crescente (e como se uma banda de circo anunciasse "o salto mortal de um trapézio de trinta metros de altura, sem rede"), até que o artilheiro Heleno, amolengado e entontecido pelo drible repetido, se esparramasse rotundamente pelo chão.[20] Num caso e noutro, portanto, para o bem ou para o mal, com Piola ou com Heleno, Domingos da Guia, que veio a ser conhecido como o "Divino", especializou-se em cavar um *tempo sem tempo* dentro do jogo. Essa proeza sem medo da corda bamba entre a infantilidade e

---

20. Mário Filho, "Jogadas de Domingos", op. cit., pp. 15-9.

a maturidade, entre a precisão olímpica e o risco da inconsequência, delineava-se surdamente, em si mesma, como uma espécie de *xis do problema*, ao mesmo tempo em que a sua solução. Ela reside justamente no *mais-de-gozo*, naquele elemento irredutível à simbolização que resiste fora da lei do jogo, e que, ou bem cai nas suas malhas ou as desenreda de maneira inesperada. Em outras palavras, tratava-se, no caso de Domingos da Guia, assim como na prova dos nove oswaldiana, de submeter milimetricamente o primado do princípio de realidade, do qual um zagueiro é o representante por excelência, ao *teste do princípio de prazer*.

Voltando ao Brasil *vs*. Itália em 1938. Consta ainda, segundo Mário Filho, o caso de um ouvinte que, não satisfeito com a entonação de Gagliano Netto ao gritar o segundo gol da Itália, "não teve dúvida: foi lá dentro, apanhou o revólver e despejou as balas no rádio", fazendo sumir definitivamente, pelo menos para ele, a indesejada voz do locutor. Mais sintomático do que essa peripécia individual do imaginário, no que ela tem de infantil em estado cru, é o já citado rebate falso da suposta anulação da partida que o cronista comenta, e cujas dimensões nos fazem identificar, em 1938, um traço nítido e mais largo indo das espetadas de Machado de Assis às vicissitudes de 1950 e depois:

> Nunca ninguém conseguiu explicar como nasceu a notícia, que não era notícia, como se espalhou o boato e não como boato, como informação exata, indesmentível. O jogo ia ser anulado. Havia quem afirmasse que já fora anulado. [...] Só os jornais, as estações de rádio, as agências telegráficas não sabiam de nada, absolutamente. Mas era tal o delírio nas ruas [...] que se mandou perguntar na França, na FIFA, no Rio Branco [...]. Tarde veio a resposta: o jogo não ia ser anulado coisa alguma, ninguém pensara nisso. E foi como outra derrota. Lá voltou o brasileiro para casa, infeliz, desgraçado mesmo, como ainda não o fora.

O saldo inconcluso dessa derrota múltipla — no registro real, simbólico e imaginário, como se caíssem um de cada vez para a disposição coletiva resistente a integrá-los — guarda aquela sobra que a decisão do jogo anula e *sacramenta* para todo o sempre. Um resto insatisfeito queima num inferno à parte, onde se multiplicam as versões. Glanville diz ainda que, na sequência, o time brasileiro desperdiçou duas grandes chances, através de Perácio, que jogava no lugar de Leônidas, ausente da partida (embora este tenha sempre se declarado contundido, Glanville o diz "inacreditavelmente poupado", sugerindo inconsequência por parte dos dirigentes brasileiros; no Brasil, vozes se levantaram, como sempre, para dizer que Leônidas fugira à partida decisiva, ou que se vendera). E se o gol isolado do Brasil, marcado por Romeu, só teria acontecido, segundo o mesmo Glanville, quando os italianos, senhores da partida, já haviam relaxado, Mazzoni sustenta, ao contrário, que, no calor da disputa e na iminência do empate, não foi marcado ainda um pênalti sobre Patesko. O que deixava ver "em seu verdadeiro vulto todo o escândalo, toda a injustiça e a má disposição daquela arbitragem", que fez do resultado final a consequência insofismável de um "penal-monstro".[21]

Após esse jogo a seleção brasileira venceu a Suécia por 4 × 2 e conquistou o terceiro lugar, figurando Leônidas da Silva como o artilheiro da competição.[22] Com seu "sabor amargo" ao mesmo tempo em que seu gosto promissor, a Copa de 1938 tem a curiosa capacidade de prefigurar algo da experiência traumática de 1950 (a decepção de uma derrota indigerível) convertendo-se já na experiência gloriosa de 1958 (o anúncio de uma vocação futebolística

---

21. Mazzoni, op. cit., p. 275.
22. A FIFA acaba de tirar-lhe, em 2006, a exclusividade desse feito, cancelando quase setenta anos depois a autoria de um dos seus atribuídos oito gols, e fazendo-o fazendo-o dividir a artilharia da Copa de 1938 com o húngaro Gyula Zsengellér.

poderosa e única). As demonstrações inequívocas de infantilidade coletiva convivem com as promessas de um ludismo superior. A Copa deu matéria suficiente para a construção de uma imagem renovada e afirmativa do papel destinado ao futebol brasileiro no mundo. Até então, somadas as duas Copas anteriores, o Brasil não tinha mais do que uma inexpressiva vitória sobre a Bolívia e duas derrotas para Espanha e Iugoslávia. Agora, eram vitórias sobre Polônia, Tchecoslováquia, Suécia e uma derrota litigiosa para a Itália. Segundo um comentário posterior de Leônidas, o time brasileiro poderia ter ganho o torneio se tivesse um mínimo de preparação (o treinador era Ademar Pimenta, um amigo dos jogadores e respeitado por eles, mas sem nenhuma ambição tática ou técnica; o sistema utilizado era um antiquado 2-3-5, quando na Europa se jogava desde 1925 pelo WM, mais equilibrado e compatível com a lei do impedimento então implantada, sistema só introduzido no Brasil por Kruschner, logo depois da Copa de 1938).[23] Uma pesquisa da época identificava Leônidas — o acrobata e malabarista da bola, que veio a ser chamado *inventor da bicicleta*, *diamante negro*, *crack de ébano*, *homem elástico* e *magia* — como um dos três homens mais célebres do Brasil, ao lado do presidente Getúlio Vargas e do Cantor das Multidões, Orlando Silva (o presidente-ditador ladeado por um músico popular e um jogador de futebol: estavam lançadas as bases da imagem do Brasil moderno).[24]

Tomás Mazzoni elencou as justificativas da derrota: tratados como "escravos" na Europa, os brasileiros vieram de longe, jogaram num clima diferente, disputaram quatro jogos e uma prorrogação em oito dias (mais do que as demais seleções), viajaram 3 mil

---

23. Sobre Ademar Pimenta, ver depoimento de Leônidas a Jairo Severiano. Sobre sistemas táticos, ver João Máximo, *João Saldanha: sobre nuvens de fantasia*. Rio de Janeiro: Relume Dumará, 1996, p. 34.
24. Bernardo Buarque de Hollanda, op. cit., p. 28.

quilômetros de trem e trocaram meia dezena de vezes de hotel (enquanto os italianos se deslocavam de avião entre Gênova, Marselha e Paris), caíram com a chave mais forte, foram os mais castigados pelos juízes, sofreram três pênaltis, quatro gols anulados e duas expulsões (contra "nada disso" da Itália, que teve ainda o privilégio de um gol contra si anulado). "Queira ou não queira a FIFA, somos campeões do mundo", afirmava a manchete do *Jornal dos Sports*, editado pelo próprio Mário Filho, que, como vimos, diria contrariamente, anos mais tarde, que o juiz fora até "bonzinho" ao não expulsar Da Guia.[25] De todo modo, a declaração em caixa alta prefigura a ideia dos "campeões morais" (reivindicada pelo técnico Cláudio Coutinho para a seleção brasileira na Copa do Mundo de 1978, na Argentina), e a arenga justificatória assinalava como fato novo o sentimento de se ter chegado à beira de um futebol internacionalmente competitivo e original, em que o despontar da promessa já vinha acompanhado do seu respectivo alarde glorificante. O fato é que, no retorno ao Brasil, "cidadãos brancos [...] disputavam a honra" de carregar nos ombros o atacante negro-mulato Leônidas da Silva, "num ambiente de desfile triunfal e de 'carnaval' como só raras vezes poderia ter cabido a um general vitorioso".[26]

O FUTEBOL MULATO

Mais do que o resultado numérico do torneio esportivo, a participação na Copa de 1938 contou como um ponto a favor

25. Cf. Leonardo Affonso de Miranda Pereira, *Footballmania: uma história social do futebol no Rio de Janeiro (1902-1938)*. Rio de Janeiro: Nova Fronteira, 2000, p. 339.
26. Anatol Rosenfeld, "O futebol no Brasil". In *Negro, macumba e futebol*. São Paulo/Campinas: Perspectiva/Edusp/UNICAMP, 1993, p. 101.

das teses defendidas por Gilberto Freyre em seus textos clássicos, *Casa-grande & senzala* (1933) e *Sobrados e mucambos* (1936). Neste, Gilberto Freyre dizia que o modo brasileiro de jogar convertia o "jogo britanicamente apolíneo" em "dança dionisíaca", incorporando à sua técnica "o pé ágil mas delicado" do capoeira e do dançarino de samba.[27] À época da Copa, Freyre burilou essa formulação dizendo, numa comparação estilística mais aguda, que o futebol europeu, reto e anguloso, ganhou, no Brasil, contornos sinuosos e curvilíneos que "arredonda(m) e adoça(m) o jogo".[28] Ia nessa descrição uma avaliação positiva do processo — ou progresso — da mestiçagem como sublimação da violência "dos bailarinos da navalha e da faca" (os capoeiristas e valentões malandros que assombravam o Rio de Janeiro no século XIX).[29] Na explicação de Anatol Rosenfeld, a capoeira, inventada por afrodescendentes e mestiços, desenvolveu-se como uma "forma acrobática de autodefesa" cujos jogadores "sabiam derrubar o adversário perplexo através de uma técnica rica em truques de violentas cabeçadas e ágeis rasteiras". Com um pendor para o rito e a dança com acompanhamento musical, ela se constituía ao mesmo tempo na "perigosa arma do lumpemproletariado formado pela libertação de muitos escravos de cor, dos arruaceiros do submundo urbano, terror da polícia e do burguês pacífico".[30]

27. Gilberto Freyre, *Sobrados e mucambos*, 9. ed. Rio de Janeiro: Record, 1996, p. 598.
28. *Diário de Pernambuco*, 17 jun. 1938, apud Antonio Jorge Soares, "História e a invenção de tradições no futebol brasileiro", em Ronaldo Helal, Hugo Loviso e Antonio Jorge Soares, *A invenção do país do futebol: mídia, raça e idolatria*. Rio de Janeiro: Mauad, 2001, p. 31. Para uma resenha completa das passagens de Gilberto Freyre sobre futebol, incluindo épocas posteriores, ver Túlio Velho Barreto, "Gilberto Freyre e o futebol-arte", *Revista USP*, São Paulo, n. 62, pp. 233-8, jun./ago. 2004.
29. Gilberto Freyre, op. cit., p. 522.
30. Anatol Rosenfeld, op. cit., pp. 75-6.

Para Gilberto Freyre, o futebol brasileiro extraía as qualidades de luta dançante da capoeira para fins decididamente lúdicos e estéticos, através dos "bailarinos da bola". Ele oferecia um efeito de comprovação prática da interpretação cultural em andamento na sua obra. O alcance mais engenhoso e inovador dessa formulação é que ela extraía a sua potência afirmativa dos próprios estigmas da escravidão, como uma operação simbólica que extraísse do veneno o próprio remédio. A obra de Gilberto Freyre é, ao mesmo tempo, e assim, parte crucial do processo pelo qual se introduziu no país tardo-escravista a imagem do Brasil moderno e mulato, partilhado por intelectuais e povo, e da qual participam de maneira nova o futebol e a música popular.[31]

No vácuo das ideias de Freyre, e afinado com este, ao mesmo tempo em que apoiado numa influente atividade como jornalista esportivo ao longo dos anos 30, o livro de Mário Filho, *O negro no futebol brasileiro*, lançado em 1947, tornou-se uma referência ao mesmo tempo clássica e polêmica para todos os estudiosos de futebol no Brasil.[32] É uma história da formação do futebol brasileiro, justamente, como uma extraordinária virada racial: os negros, inicialmente excluídos dos clubes brancos e elitistas que dominavam as ligas do Rio e de São Paulo, para os quais o amadorismo era uma prerrogativa de classe (na década de 10), ganham espaço e impõe-se litigiosamente, apesar de todos os estigmas de que estavam marcados, pelas qualidades irresistíveis de seu jogo, através da brecha aberta por alguns clubes de formação mais popular, no caso o Bangu, o Vasco da Gama e o São Cristóvão (na década de 20), pres-

---

31. Ver Hermano Vianna, *O mistério do samba*. Rio de Janeiro: Jorge Zahar/UFRJ, 1995. Para as relações entre literatura e futebol no Brasil, convergindo na Copa de 1938, ver Bernardo Borges Buarque de Hollanda, op. cit.
32. Mário Filho (org.), *O negro no foot-ball do Brasil*, Rio de Janeiro: Irmãos Pongetti, 1947; *O negro no futebol brasileiro*, 2. ed., Rio de Janeiro: Civilização Brasileira, 1964; e *O negro no futebol brasileiro*, 4. ed., Rio de Janeiro: Mauad, 2003.

sionam pela adoção do profissionalismo (na década de 30) e consagram-se na Copa do Mundo de 1938 como os representantes máximos do futebol brasileiro. Edições posteriores do livro incorporaram as vicissitudes da Copa de 1950, por cuja derrota alguns dos jogadores negros foram eleitos os bodes expiatórios, num sintoma recorrente, segundo Mário Filho, da sua antiga exclusão. Mas culminam na consagração mundial irrefutável de Pelé e Garrincha, na Copa de 1958, em que o Brasil sagrou-se pela primeira vez campeão mundial e onde Pelé "completa", para Mário Filho, "a obra da princesa Isabel" (que assinou a lei da abolição da escravatura em 1888).

Já se disse de Mário Filho que ele narra, sem rigor científico, a história do futebol brasileiro como um mito infantil de "dano e reparação" que resulta numa fábula da democracia racial, com o agravante de ser seguida generalizadamente como verdade.[33] O livro é, de fato, fartamente anedótico, e se estrutura, em muito, à maneira dos relatos orais. Mas, em se tratando de mito, ele pode ser visto, em certos momentos, menos como uma fábula infantil do que como uma partitura fabular à maneira de Lévi-Strauss (não no sentido estruturalista, mas como rede complexa e não linear). Numa primeira fase, a do amadorismo dos anos 10 tratada no primeiro capítulo, o futebol oficial no Brasil é descrito como excludente e branco. Ele é emblematicamente representado, em Mário Filho, pela figura de Marcos de Mendonça, goleiro do Fluminense e da seleção brasileira — rico, elitista e próximo da cultura letrada (fazendo eco ao papel desempenhado pelo escritor Coelho Neto).

---

33. Ver Antonio Jorge Soares, op. cit. Ver também, no mesmo volume, a esclarecedora discussão do texto de Antonio Jorge Soares por Ronaldo Helal e César Gordon Jr., "Sociologia, história e romance na construção da identidade nacional através do futebol". Nele, se propõe a ideia da passagem, no futebol brasileiro, "de uma área *dura* de relações raciais a uma área *mole*" (p. 65).

No polo oposto estão os excluídos, os pretos, mulatos (e brancos) pobres, como aqueles que aparecem nas preciosas fotos estampadas no livro *Footballmania*, de Leonardo Affonso de Miranda Pereira, encarapitados nos muros e telhados, vendo o jogo de fora do campo.[34] Mas há também Friedenreich, que jogava na seleção com Marcos de Mendonça: o famoso mulato que se disfarça de não mulato — esticando o cabelo e usando gorros, ou cobrindo a pele com pó de arroz, como fazia o jogador do Fluminense, Carlos Alberto. Marcos de Mendonça e Friedenreich são, sintomaticamente, os nomes mais notáveis do período, e Friedenreich é a primeira manifestação da vocação atacante do futebol brasileiro. Nele, podemos ver a ambivalência do mulato *nem rejeitado nem admitido*, posição clássica de Machado de Assis no século XIX, em cuja obra ficcional se faz a análise aguda e elíptica das relações de favor e escravistas na sociedade brasileira, contendo todos os elementos sociais visíveis menos um: o homem mulato livre — que ele mesmo era.[35] É claro que essa presença ausente, não explicitada mas indicada de forma indireta em certos momentos, na obra de Machado de Assis, é extremamente significativa e fala por si mesma: no escravismo mestiço brasileiro, o mulato é o *não rejeitado nem admitido que guarda o segredo inconfessável do todo*. Depois, e ainda no primeiro capítulo do livro, mostrando um insuspeitado espírito de sistema, Mário Filho fala no caso do jogador Manteiga, que é um preto que foi admitido pelo América do Rio de Janeiro e logo em seguida rejeitado, a partir da recusa dos seus próprios companheiros de time. Ou seja, o anedotário aparente do livro capta relações complexas entre incluídos de um lado, excluídos de outro, e as figuras ambivalentes daqueles que

---

34. Ver Leonardo Affonso de Miranda Pereira, op. cit., pp. 57, 142 e 153.
35. Ver José Miguel Wisnik, "Machado maxixe". In *Sem receita: ensaios e canções*. São Paulo: Publifolha, 2004, pp. 15-105.

são *nem incluídos nem excluídos*, ou *incluídos e excluídos*. Essa dinâmica fala, por si só, de uma rede de relações raciais complexas que não pode ser entendida na base de uma oposição binária pura e simples. E o mulato vem a ser, justamente, no futebol e na literatura, o melhor intérprete dessa configuração cultural. A rigor, ele é uma figura social, cultural e metarracial que pode recobrir às vezes, pela sua natureza híbrida e complexa, brancos e negros que não são literalmente mulatos, mas que são mediadores do hibridismo.

Leônidas da Silva será, com Domingos da Guia, o grande craque do primeiro momento da profissionalização, nos anos 30, depois de rompidas as barreiras da exclusão e conquistados, como vimos, os primeiros sinais de reconhecimento internacional. Como principal protagonista dessa virada, Leônidas será então o *admitido e rejeitado* ao mesmo tempo. Nele, a inclusão frustrada de Manteiga, na primeira fase, ganha uma atualização ativa, triunfante, e, ainda assim, contraditória. Mário Filho o mostra na posição do *farmacós*, o homem celebrizado, o artilheiro vitorioso que é ao mesmo tempo contestado, criticado, vilipendiado, xingado. Já Domingos da Guia, aspirando discretamente ao Fluminense, ecoa o modelo machadiano, com quem Mário Filho o compara estilisticamente. Tudo isso nos instrui mais, decerto, do que uma mera ideologia da "democracia racial", assim como nos instrui mais do que a alternativa asséptica que pretende desqualificar a questão racial como sendo impertinente ao futebol, ou entendê-la segundo um modelo racialista baseado na oposição binariamente marcada de branco e negro. A verdade é que Mário Filho consegue tocar naqueles aspectos ambivalentes e problemáticos, porque nem sempre diretamente visíveis, que a historiografia tende muitas vezes a descartar, na impossibilidade de absorvê-los ou enquadrá-los.

A DUPLA CENA

Voltemos então no tempo. O início do futebol no Brasil tem uma face visível e outra invisível. Imediatamente visível é o futebol de elite, introduzido, segundo a versão oficial, por Charles Miller em 1894, antecedido aqui e ali por marinheiros ingleses, por funcionários da São Paulo Railway e por alguns colégios que modernizavam eventualmente os hábitos ginásticos (seguindo proposição de Rui Barbosa feita já em 1882) como o São Luis de Itu.[36] Implantado e praticado regularmente entre *sportsmen* nos clubes *chics*, com status de importação inglesa, assumido como prerrogativa de classe e separado da plebe por uma espécie de cordão sanitário, esse futebol torna-se logo a vitrine de um modo de vida europeizado, cosmopolita, e um índice de civilização e progresso, além de um traço de distinção social. Pondo-se como um esporte vocacionado congenitamente para gente fina, seja na plateia ou no gramado, o futebol dos grandes clubes do Rio de Janeiro (Rio Cricket, Paysandu Cricket, Fluminense, Botafogo, América, Bangu) e de São Paulo (São Paulo Athletic, Paulistano, Germânia, Palmeiras, Ipiranga)[37] consolida-se como moda elegante ao longo já da primeira década do século.

36. A discussão sobre a "paternidade" do futebol brasileiro, relativizando o papel de Charles Miller, é levada a efeito por José Moraes dos Santos Neto em *Visão do jogo: primórdios do futebol no Brasil*. São Paulo: CosacNaify, 2002, pp. 13-37. A crítica, embora procedente, da construção desse mito do fundador insiste, de certo modo, na busca do "pai". O mesmo problema é tratado em termos sociais mais amplos por Leonardo Affonso de Miranda Pereira, op. cit., pp. 21-41. Nesse caso, pode-se dizer mais propriamente que as múltiplas formas de introdução do futebol no Brasil desautorizam a entronização figurada de um "pai".
37. O Palmeiras aqui citado não é o clube que conhecemos, que derivou do Palestra Itália, mas um outro, já desaparecido, e que se constituía, segundo Marcos de Mendonça, num correspondente paulista do Botafogo, assim como o Fluminense corresponderia ao Paulistano, e os ingleses Paysandu e Rio Cricket ao São Paulo Athletic.

Monteiro Lobato, por exemplo, elogiou-lhe em 1905 as virtudes médicas, morais e pedagógicas, capazes de temperar e enaltecer a "raça".[38] O futebol empolga o público de cavalheiros, dá forma a um emergente público feminino, ganha espaço na imprensa e publicidade crescente, resguardado pelo privilégio do amadorismo de elite e abrigado nos nascentes campos de futebol encastelados em suas arquibancadas cobertas. O timbre aristocrático associado ao jogo inglês pela supostamente atualizada elite carioca e paulista, como se fosse inerente a ele, ocultava, no entanto, em defasagem com o centro, o fato de que o futebol na Inglaterra, a essa altura, já era praticado amplamente "por operários das mais diversas procedências".[39]

No Brasil, o esporte participa de uma hierarquia piramidal de tal modo verticalizada que, apesar do status prestigioso dos seus praticantes e do círculo fechado a que eles pertenciam, Rui Barbosa vetou a presença do selecionado brasileiro no navio em que viajariam juntos à Argentina, em 1916, para participar do Campeonato Sul-Americano e da comemoração do primeiro centenário da independência argentina, quando o "Águia de Haia" proferiria discurso em Tucumán. Esse sistema de exclusões do qual o futebol é, portanto, apenas um dos elos, fez também que o presidente Epitácio Pessoa vetasse a presença de Friedenreich em uma competição na Argentina, em 1921, para evitar que os brasileiros fossem chamados de "macaquitos" — o que já acontecia mesmo na época em que se

---

38. A crônica de Monteiro Lobato saiu no jornal *O Povo* de Caçapava, em 10 e 17 de julho de 1905, e foi republicada em Monteiro Lobato, *Literatura do minarete*, Obras Completas, v. 14, São Paulo: Brasiliense, 1964, pp. 179-86. Ver Claudio Bertolli Filho e José Carlos Sebe Bom Meihy, "Monteiro Lobato e o futebol: um projeto para a elite urbana do começo do século", em Meihy e Witter (org.), *Futebol e cultura: coletânea de estudos*, São Paulo: Imprensa Oficial/Arquivo do Estado, 1982.

39. Pereira, op. cit., pp. 40-1. Segundo o autor, os jogadores ingleses que visitam o Brasil consideram altos os preços cobrados para assistir aos jogos de futebol.

excluíam os negros no nosso futebol (o Brasil soando como irremediavelmente africano aos olhos dos europeizantes argentinos).

A cena visível do futebol elitista dos inícios teve seu promotor inflamado no beletrista Coelho Neto, "o último dos helenos", que lhe deu ares e avatares olímpicos, e seu crítico mais implacável no romancista mulato Lima Barreto, que viu na adoção do esporte inglês no Brasil a degradação da cultura intelectual, a afirmação de um poder tiranizador e truculento, e uma sobrecarga racista que a abolição havia atenuado. Nem um nem outro são tão óbvios quanto pode parecer à primeira vista.

Coelho Neto defende as propriedades cívico-patrióticas e eugenistas do futebol, capaz de se constituir num remédio contra a "degeneração da raça mestiça" que forma grande parte da nossa população (vale dizer, propugna por um branqueamento conduzido por *sportsmen* e alavancado pela disciplina física). Mas o seu espalhafatoso envolvimento com o esporte vai além do beletrismo ideológico: pai dos jogadores Mano e Preguinho e torcedor do Fluminense,[40] a ponto de comandar uma invasão de campo, munido de uma bengala, contra um pênalti marcado pelo juiz num jogo contra o Flamengo em 1916, praticante ele mesmo de capoeira, sem prejuízo das exortações pela disciplina esportiva e pela purificação da raça, Coelho Neto é uma espécie de Policarpo Quaresma de *pince-nez* às avessas, querendo salvar o Brasil através do esporte bretão que nos elevaria à Grécia antiga.

Lima Barreto, por sua vez, não cansa de satirizar o pseudo-helenismo burguês do escritor e pró-homem da eugenia esportiva, que confundiria com a Hélade o bairro onde morava, num Rio de

---

40. O Curupaiti, "clube de garotos fundado pelos filhos de Coelho Neto na década de 10, [...] deu origem a vários jogadores famosos e influenciou o escritor a se tornar um aficionado pelo esporte". Marcelino Rodrigues da Silva, *Mil e uma noites de futebol: O Brasil moderno de Mário Filho*. Belo Horizonte: UFMG, 2006, p. 169.

Janeiro imaginário feito de Tessálias, Lacônias, Beócias e Élidas.[41] Mas a sua crítica ao futebol é mais funda: no ambiente marcado pela guerra (suas crônicas sobre o assunto se notabilizam entre 1918 e 1922), ela é o mote de uma percepção do rebaixamento da cultura pelo fascínio da potência massiva do *sport*, do novo culto estilístico da concorrência violenta, índices de uma ostensiva regressão à barbárie ("retrocesso para a barbaria", são as suas palavras).[42] A seus olhos, a emergência da celebridade esportiva, que usurpa o lugar da vida literária, convive com a generalização degradante da música popular urbana, onde se confundem e nivelam o maxixe, o tango argentino e o foxtrote, danças "intencionalmente lascivas, provocantes e imorais". Comentando as transformações dos divertimentos populares suburbanos, diz que "[...] o tal de futebol pôs tanta grosseria no ambiente, tanto desdém pelas coisas de gosto, e reveladoras de cultura, tanta brutalidade de maneiras, de frases e de gestos, que é bem possível não ser ele isento de culpa no recrudescimento geral, no Rio de Janeiro, dessas danças luxuriosas que os hipócritas estadunidenses foram buscar entre os negros e os apaches".[43]

Em sua guerra ao futebol, Lima Barreto chega a dizer que a redução da atividade intelectual ao "tal jogo de pontapés" produziria uma possível oxicefalia, espécie de alteração antropológica afetando o crânio, que assumiria a forma alongada, cônica ou pontuda de "cabeças de chuchu" ou "em pão de açúcar", a se disseminar hereditariamente pelas gerações.[44] Comentário indicador do

---

41. "A Academia Nacional de Medicina. O poeta Aurúncio Aurora da Estrela. A sua candidatura. Várias opiniões" [1922]. In *Feiras e mafuás*. Obras Completas de Lima Barreto. v. 10. São Paulo: Brasiliense, 1956, p. 80.
42. "Não valia a pena" [1918]. In *Bagatelas*. Obras Completas de Lima Barreto. v. 9. São Paulo: Brasiliense, 1956, pp. 115-21.
43. "Bailes e divertimentos suburbanos" [1922]. In *Marginalia*. Obras Completas de Lima Barreto. v. 12. São Paulo: Brasiliense, 1956, p. 63.
44. "Tudo junto" [1921]. In *Impressões de leitura*. Obras Completas de Lima Barreto. v. 13. São Paulo: Brasiliense, 1956, p. 227.

quanto a categoria "raça" é um crivo operante na discussão cultural do período: se Coelho Neto pensa num futebol regenerador da impureza da raça mestiça, Lima Barreto responde com uma degeneração grotesca da raça. Mas o alcance mais geral da sua cruzada antifutebolística, mesmo com seus lances rebarbativos, moralistas e pseudocientíficos, faz pensar numa versão precoce, à brasileira, da crítica à industria cultural: ela não se limita somente a atacar o arrivismo europeizante e endinheirado dos almofadinhas dos clubes *chics*, mas também o clima de degradação da cultura convertida num comércio rasteiro, para o qual contribuem certos literatos (histriões esquecidos da "dignidade do seu nome" e da "grandeza de sua missão", como Afrânio Peixoto, além de Coelho Neto),[45] a música popular urbana e o cinema, responsáveis pelo rebaixamento dos hábitos populares.

Mas há um ponto-chave mais específico e sintomático: Lima Barreto denuncia o caráter segregador do "esporte bretão", que "cavou uma separação idiota entre os brasileiros", insultando, humilhando e alijando "quase a metade da população do Brasil", isto é, os negros e mulatos. Que, postos fora dele, pagavam também as dízimas para que o governo subvencionasse à larga as ligas do futebol amador.[46] Como essa separação racial não era permitida "no Senado, na Câmara, nos cargos públicos, no Exército, na magistratura, no magistério", o sistema futebolístico reinstaurava a violência segregacionista que a Abolição teria extinguido.

A afirmação do escritor e promotor da "Liga Brasileira Contra o Futebol" faz ver, ao mesmo tempo, o quanto era impensável, naquele momento, aquilo que, no entanto, começava a se delinear: a insuspeitada tomada simbólica do campo futebolístico

---

45. "Histrião ou literato?" [1918], op. cit., p. 191.
46. "O meu conselho" [1921]. In *Feiras e mafuás*. Obras Completas de Lima Barreto. v. 10. São Paulo: Brasiliense, 1956, p. 171.

brasileiro por negros e mulatos. A disposição desses a respeito do tema não entrava na ordem das considerações polêmicas entre intelectuais. Vale lembrar, no entanto, que, dois anos depois, em 1923, o Vasco, financiado pelos ricos comerciantes portugueses que, na base do chamado *amadorismo marrom*, "empregavam" jogadores do clube "nos seus armazéns, lojas e fábricas, liberando-os para os treinos do time num regime de internato", venceria o campeonato carioca com um time pela primeira vez formado por brancos, negros e mulatos.[47] (Pode-se dizer, assim, que os portugueses endinheirados do Rio de Janeiro iniciaram a recolonização do futebol brasileiro à sua maneira, sob o timbre da mestiçagem, dando condições econômicas para arrancá-lo do modelo anglófilo.)

É significativo, no entanto, que Lima Barreto tenha roçado no ponto que ele mesmo não pôde ver: comentando um festejo suburbano em 1922, ano de sua morte, observa que populares cantam sua "proeza homérica" no futebol (isto é, a comemoração de uma vitória) por meio da "letra e música da escola dos cordões carnavalescos". E acrescenta: "Vi isto só uma vez e não garanto que essa hibridação do samba, mais ou menos africano com o futebol anglo-saxônio, se haja hoje generalizado nos subúrbios. Pode ser, mas não tenho documentos para tanto afiançar".[48] A suspeita toca, exatamente, no ponto insuspeitável: o recado de uma *hibridação*, dado pela música, no qual se desenha o destino do futebol no Brasil como mescla de elementos afro-originários com o esporte anglo-saxão, a se generalizar pelos subúrbios.

---

47. José Sérgio Leite Lopes, "A vitória do futebol que incorporou a *pelada*: a invenção do jornalismo esportivo e a entrada dos negros no futebol brasileiro", Dossiê Futebol, *Revista USP*, n. 22, p. 69, jun./jul./ago. 1994.
48. "Bailes e divertimentos suburbanos". In *Marginalia*. Obras Completas de Lima Barreto. v. 12. São Paulo: Brasiliense, 1956, p. 67.

Curiosamente, quem nomeou premonitoriamente esse fato, mesmo que de raspão e contra todas as evidências e resistências, incluindo as próprias, foram dois mulatos: Machado de Assis ironizando em 1893 a possível nacionalização do esporte brasileiro através do caboclo e do capoeira, e Lima Barreto, nessa curiosa bala perdida pela culatra em meio ao tiroteio cerrado de sua guerra ao futebol, constatando sinais de uma hipotética assimilação popular do futebol a um substrato afromestiço.

Coelho Neto e Lima Barreto foram, cada um a seu modo, superados pelos fatos. O interesse que o futebol de elite provocava, exaltado por um e criticado pelo outro, crescia de maneira inexorável, e independentemente de sua vontade, por todos os lados à sua volta, constituindo-se, afinal, num golpe fatal a si mesmo e ao seu desejado isolamento de classe. A outra cena, a princípio invisível, dos primórdios do futebol brasileiro, é justamente a do futebol de pobres, o movimento presumível de gandulas improvisados, moleques, trabalhadores e desclassificados, que se impregna daquilo que vê nos campos ricos e se irradia rápida e indomável pelas várzeas e clubecos populares como um rastilho de pólvora. Ele tem uma instância mediadora, digamos assim, em times de fábrica como o Bangu, que muito cedo incluiu trabalhadores, às vezes negros (assimilados a um regime ambíguo de trabalho, com regalias associadas às virtudes futebolísticas dos operários-jogadores), assim como nos times ligados às ferrovias inglesas, próximos às várzeas, onde se misturavam funcionários ingleses e operários brasileiros, e nos próprios times de várzeas que se instituíram e buscaram litigiosamente lugar nos campeonatos oficiais, como o Corinthians Paulista. O nome Corinthians, aliás, representa a própria síntese do processo em sua extensão mais larga: o clube da várzea do Tietê adotou a sigla de uma das mais aristocráticas equipes inglesas, a mais ciosa, por sinal, dos privilégios elitistas do amadorismo e do jogo entre pares (a equipe, formada de alunos de Oxford e Cambridge, visitara o Brasil no início do século, deixando um rastro prestigioso), e acabou por convertê-lo no nome mais popular do futebol brasileiro, juntamente com o Flamengo. O time de futebol do Flamengo, por sua vez, resultou, de maneira similar, de uma cisão no Fluminense — o "pó de arroz" — em 1911, e transformou-se depois, a partir da década de 30, no clube mais popular do Brasil, ao acolher franca e gloriosamente os ídolos negros e mulatos, vindo a ser chamado de "pó de carvão" pelos adeptos do "pó de arroz". Pode-se dizer, assim, que os dois times mais populares do Brasil surgiram de uma fissão originária em que o futebol elitista e branco partiu-se no futebol popular miscigenado. Tudo isso aponta vagamente, ainda, para o inapreensível: o futebol que se formou fora das agremiações, ou tangente a elas, e que se tornou o laboratório informal da apropriação original e *antropofágica* do jogo inglês.

Ao que tudo indica, esse futebol é um caso de amor à primeira vista, uma adesão coletiva, rápida e convicta às possibilidades secretas que o jogo oferecia. Nunca uma "ideia fora de lugar" — como o futebol inglês — esteve tão no lugar como nesse *lugar fora das ideias* em que se constituiu o futebol popular, apropriado e transformado de maneira invisível — ou só visível *a posteriori*, quando toma proporções avassaladoras e vem a ser rememorado irremediavelmente na forma do mito.

Há alguns poucos indícios historiográficos palpáveis, lampejos de acontecimento, que deixam entrever vagamente o processo em curso. O historiador Leonardo Affonso de Miranda Pereira, autor do já citado *Footballmania*, apresenta fotos da revista *O Malho*, em 1905, mostrando a *galera* encarapitada em telhados e muros, "pequena multidão de curiosos", na maioria negros e mulatos, a assistir do alto e de fora àquilo que se passava no recesso do campo do Fluminense para uma "juventude elegante e seleta".[49] As silhuetas atentas, alijadas do jogo e inequivocamente ligadas nele, dão notícia, por si só, de algo que se passa em outro lugar, de um futebol em gestação precoce — havia apenas um pouco mais do que dez anos que a primeira bola de futebol inglesa chegara ao Brasil (o cronista de *O Malho* compara aqueles espectadores, com ironia desqualificante, aos *habitués* de torrinhas de ópera, de onde despencaria pela ribanceira, de quando em quando, um bêbado).

Já uma outra foto significativa dá uma panorâmica do estádio das Laranjeiras na famosa final do campeonato sul-americano em 1919, quando o Brasil ganhou de 1 × 0 do Uruguai (comemorado pelo famoso choro de Pixinguinha e Benedito Lacerda, de nome "1 × 0", que faz uma "leitura" sestrosa e movida do jogo) e conquistou seu primeiro título internacional expressivo: ao fundo do estádio lotado "de jovens bem vestidos e de senhorinhas elegantes" vê-se o morro, em cuja encosta se espreme uma galera-favela de cerca de 5 mil pessoas, fazendo "verdadeiros prodígios de equilíbrio e de ginástica" para assistir à partida, e irrompendo em "entusiásticas ovações" ao selecionado nacional.[50]

A essa altura também na capital paulista o fenômeno se alastrava como uma "infecção" sem precedentes, com "uma multidão colossal de mais de 20 mil pessoas" tendo acorrido, no mesmo ano, ao Parque Antarctica para assistir ao jogo entre o Corinthians Paulista e o Palestra Itália, "apesar da chuva torrencial que desa-

---

49. Como diz um outro comentador, o proibido encontro das duas plateias, àquela altura, soaria como se, "guardadas as devidas proporções históricas [...] uma turba de farofeiros invadisse o desfile de gala das *socialites* nas bancadas do Jockey Club brasileiro em pleno Grande Prêmio Brasil". Luis Manuel Rebelo Fernandes, "Futebol, racismo e identidade nacional", prefácio à quarta edição de Mário Filho (org.), *O negro no futebol brasileiro*. Rio de Janeiro: Mauad, 2003, p. 12.
50. Pereira, op. cit., pp. 152-3.

bara sobre São Paulo".[51] Mais sintomaticamente ainda, as notícias ao vivo da final do Campeonato Sul-Americano de Futebol, diretamente do Rio de Janeiro, por telefone, que o jornal *O Estado de S. Paulo* fazia retransmitir "através de um sistema de placares informativos na fachada do prédio", dando conta de "um ataque perigoso, um escanteio, uma defesa arrojada, um impedimento, um pênalti, um gol", provocaram um ajuntamento frenético de pessoas a "se esmagar voluntariamente num mar humano em efervescência contínua, dos altos da colina central até o Vale do Anhangabaú".[52]

O fenômeno se repete no campeonato Sul-Americano de 1922, dessa vez com alto-falantes instalados por *A Gazeta*. O Anhangabaú lotado faz lembrar, a propósito, a *Pauliceia desvairada* de Mário de Andrade, lançado no mesmo ano em que se deu também a Semana de Arte Moderna. No longo poema final do livro, intitulado "As enfibraturas do Ipiranga", o poeta modernista imaginou o Vale do Anhangabaú tomado pela população em massa na execução de um convulsionado "oratório profano" sinfônico e coral, em que se expunham choques culturais e conflitos de classe quase como se fossem a manifestação exaltada de torcidas. As "juvenilidades auriverdes" modernistas, postadas no fundo do Vale, se debatem contra o coro solene dos "orientalismos convencionais" (artistas acadêmicos, parnasianos e beletristas, entrincheirados nos terraços do Teatro Municipal), secundados pela dança caricata das "senectudes tremulinas" (milionários e burgueses, nas sacadas elegantes) e pela massa dos "sandapilários indiferentes" (trabalhadores e desempregados, postados no Viaduto do Chá, reativos às batalhas campais da cultura de elite e mais interessados na ópera e nos emergentes sucessos musicais de

---

51. Nicolau Sevcenko, *Orfeu extático na metrópole: São Paulo, sociedade e cultura nos frementes anos 20*. São Paulo: Companhia das Letras, 1992, p. 58.
52. Idem, ibidem, p. 66.

massa). Por outro lado, no mesmo ano da *Pauliceia desvairada* e no mesmo espaço central da cidade, é o futebol que galvaniza as *enfibraturas* da metrópole. No lugar da música erudita e da poesia de vanguarda, que evidenciavam no poema de Mário de Andrade as desigualdades socioculturais e o próprio dilaceramento do poeta modernista frente a esse campo em convulsão, o Vale é tomado por uma multidão magnetizada pelos sinais impalpáveis de um jogo à distância.

Nicolau Sevcenko compreende o "avanço em avalanche, num curtíssimo intervalo de tempo" como parte do processo em que as multidões que acorrem aos espetáculos esportivos transformam-se elas mesmas em espetáculo. Sua sinergia é inseparável do colapso da cultura tradicional europeia (figurado, pode-se dizer, nos "orientalismos convencionais" e nas "senectudes tremulinas" de Mário) e do afluxo dos "contingentes [...] que a crise internacional e a metropolização precipitada privaram seja da sua cultura de raiz, seja de uma educação convencional".[53] Num panorama marcado pela queda da cultura alta, pela deculturação das matrizes populares e pela desescolaridade (figuradas nos "sandapilários indiferentes", entregues ao chamado das novas diversões urbanas), a vida da cidade gera, em período curto e vertiginoso, "essas agregações maciças" em que tanto "a multidão é atraída pela fruição em comum de um espetáculo, quanto pelas próprias proporções inusitadas das massas envolvidas".[54] É assim que a cidade pode se transformar numa "gigantesca praça de esportes" ligada por um fluido eletromagnético e agônico a um espetáculo esportivo que se dá a 400 km dali: "a alienação em relação à cidade e a alienação no coração da cidade são formas compensatórias da alienação gerada pela própria cidade, que se revol-

---

53. Idem, ibidem, p. 62.
54. Idem, ibidem, p. 58.

vem numa forma especial de cidadania fundada na emoção".[55] Reencontramos, aqui, algo daquele princípio paradoxal de alienação na alienação compensada por uma espécie de mais-alienação (que já vimos, de outro modo, na análise de Flusser).

Ao mesmo tempo em que se tornou o *medium* instaurador do *frisson* de suas concentrações fervilhantes, o futebol é visto por vozes temerosas como um fator insidioso de desordem a perturbar a vida coletiva, a introduzir-se em todos os seus interstícios, a propiciar "o embaralhamento das posições relativas", a suscitar "identificações desautorizadas", a invadir "espaços interditos" e a desafiar "tanto o tempo do trabalho quanto o do lazer".[56] "Chovem queixas", que os jornais veiculam, contra os rachas entre trabalhadores nos intervalos de almoço, e reclamações contra "garotos", "moleques", "vadios" e "vagabundos" que passam dias inteiros "nos terrenos baldios, ruas e esquinas, aos chutes e correrias atrás de bolas de pano e papel, couro ou simples tocos de madeira". O jogo traz à tona hostilidades pontuais ou maciças, espicaça distúrbios locais, provoca a coreografia temível das torcidas, alimenta a indisciplina latente e dá uma visibilidade nova e dinâmica às zonas e faixas de pobreza. Como as batucadas no Rio de Janeiro, em certo sentido, o futebol nascente na cidade das fábricas e das greves operárias é identificado "com a perturbação da ordem e contravenção das leis, não raro com a própria criminalidade".

Se o poder público e a classe patronal tiveram o projeto de utilizá-lo como instrumento de controle das populações urbanas inclinadas à desordem social, nas primeiras décadas do século

---

55. "O inesperado concurso entre a mais moderna tecnologia e a forma mais arcaica de simbolização da força coletiva deu ensejo a um prodigioso efeito de eliminação das distâncias no tempo e no espaço", bem como a suspensão do "cotidiano desconexo, opaco e soez". Sevcenko, op. cit., p. 67.
56. Idem, ibidem, p. 61.

xx, como defende Joel Rufino dos Santos na *História política do futebol brasileiro* (redirecionando para a alienação as energias políticas das greves de 1917, em São Paulo, e constituindo-se numa *vacina* contra distúrbios como os da Revolta da Vacina, no Rio de Janeiro),[57] o futebol manifestava ao mesmo tempo aquela imemorial tendência dos jogos de bola a fomentar a ordem e a desordem, dessa vez no panorama convulsionado da metrópole periférica.

PEGADA "A MARCOS DE MENDONÇA"

O goleiro Marcos de Mendonça é a figura "emblemática" do período áureo do amadorismo elitista, que se estendeu, segundo ele mesmo, de 1910 a 1919, seguido de uma fase de "amadorismo marrom" que vai de 1920 a 1933, quando se instaura, então, oficialmente, o profissionalismo no Brasil. Jogou no América, no Fluminense e foi com Friedenreich, ou mais que esse, pelo menos no cultivo da própria imagem, a figura carismática da seleção brasileira por ocasião do título sul-americano de 1919. Uma foto do time das Laranjeiras daquela época estampa a posição hierarquicamente incomum a que ele se alçou: na pose coletiva, a equipe esboça uma formação em arco tendo-o no centro, em destaque, um passo adiante dos demais jogadores, postados em dois grupos de cinco de cada lado, compondo uma imagem de equilíbrio que gravita em torno do goleiro. Somos tentados a pensar numa versão esportiva e laica da *Santa ceia* de Da Vinci. Com uma certa *nonchalance* de ancas, o goleiro detém a bola com a mão direita junto ao corpo e ostenta a famosa fita roxa com que amarrava o

---

57. Ver Joel Rufino dos Santos, *História política do futebol brasileiro*. São Paulo: Brasiliense, 1981.

longo calção, destacada sobre o uniforme todo branco e o distintivo tricolor.[58]

Além de esportista, Marcos Cláudio Felipe Carneiro de Mendonça formou-se engenheiro e cultivou, mais tarde, veleidades de historiador, pesquisando os primórdios da indústria do carvão de madeira e do ferro no Brasil; além disso, fez uma monografia sobre o marquês de Pombal, entrou para o Instituto Histórico e Geográfico e veio a ser presidente do Fluminense em 1943; durante o noivado, sua mulher Ana Amélia compôs um famoso soneto de exaltação à sua figura; e a filha do casal veio a ser a crítica de teatro, tradutora e especialista em Shakespeare, Bárbara Heliodora.

Em valioso depoimento a Jairo Severiano e Vander Neder para o Arquivo da Cidade do Rio de Janeiro (21 de julho de 1984), Marcos de Mendonça afirma que, até 1908, quando da vinda dos argentinos do Alumni ao Brasil, não se tinha, aqui, a mínima noção técnica e tática do jogo, que na verdade se confundia com dribles a esmo e chutões "a Maranhão" (alusão a um zagueiro do Riachuelo que se notabilizava por rifar a bola às alturas). O goleiro historia os progressos paulatinos que permitem, por exemplo, a vitória de um combinado Rio-São Paulo sobre os profissionais do Exeter City em 1914 (na verdade, um "esquadrão profissional da terceira divisão da Inglaterra"),[59] e a vitória sobre a Argentina, em Buenos Aires, no mesmo ano, na disputa da Copa Roca. Nessa ocasião, a propósito, os dribles de corpo, as "costuradas" e os "dribles de engano" praticados por Friedenreich, Rubens Salles, Bartolomeu e Arnaldo teriam chamado a atenção da imprensa argentina como marcas de estilo (a informação é de José Moraes dos Santos Neto, e a expressão "drible de engano", ligada a essa primeira conquista, se confirmada, parece indicar já um desenvolvi-

---

58. Pereira, op. cit., p. 125.
59. Mazzoni, op. cit., p. 99.

mento original do princípio da finta).⁶⁰ Tudo culminando na vitória já citada do Sul-Americano de 1919, que teve o efeito exaltante de confirmar a capacidade competitiva do futebol brasileiro diante de argentinos e uruguaios, projetando-o pela primeira vez num imaginário panorama internacional.

A narrativa dessa ascensão, no depoimento de Marcos de Mendonça, é pontuada por um lamento retrospectivo pela dissolução e o fim do "amadorismo puro", que mantinha o futebol num nível social isento dos constrangimentos implicados na convivência e no embate de classes. Falando quase setenta anos depois, o ex-goleiro continua, sintomaticamente, a fazer coro com aquelas vozes que expressavam, nos idos de 1910, a necessidade de ver os trabalhadores manuais longe dos campos de disputa, e de restaurar a hierarquia social e as fronteiras nítidas que a abolição tinha diluído. Esse período conteria já, para ele, os germens da degradação do futebol rumo ao "amadorismo marrom" e ao profissionalismo, que implica a reversão completa do elitismo.

O mais significativo na figura de Marcos de Mendonça, no entanto, é que ele não só representou o futebol de sua época com o estilo de vida e de classe correspondentes, mas compôs junto com isso um indissociável estilo de jogo. Dissertando com desembaraço sobre sua própria técnica, afirma que evitava o gesto desnecessário e de efeito, como o espojar-se com a bola pelo chão. Contra aqueles que "diziam que [...] não queria sujar a camisa", desenvolve uma análise apurada do seu posicionamento com relação ao arco e ao atacante em posição de chute, tendo como base o estudo dos ângulos do jogo de bilhar.⁶¹ Afirmava, ainda, ser capaz

---

60. José Moraes dos Santos Neto, op. cit., p. 107.
61. "Todo bom goleiro é, na verdade, um expert em geometria", diria Liev Yashin, o "Aranha Negra" russo dos anos 50. Cf. Luis H. Antezana Juarez, "La estrategia de la araña: elementos para uma arcología del saber", *Un pajarillo llamado "Mané": Notas al pie de su fútbol*. Cochabamba: Plural Editores, 1998, pp. 43-52.

de prever a direção de um chute percebendo os movimentos da perna do atacante como um taco de golfe. A postura hierática e geometrizante do goleiro-engenheiro provocava uma certa perseguição humorística por parte de Mário Filho, que dizia que Marcos de Mendonça aprofundou a tal ponto "a ciência do futebol" que passou a se julgar invulnerável, só engolindo solenemente os chutes imperfeitos, "fora de todos os cálculos".[62] Cioso de sua topologia e de seu sistema teórico, o arqueiro do Fluminense, ao que parece, só admitiria o gol sofrido como uma traição do Gravatinha (para retomar a figura rodriguiana) — mais do que como mérito do atacante. Em consonância com essa atitude, desenvolveu uma fenomenologia da bola não distante das técnicas de meditação e disciplina mental: numa época em que o *goalkeeper* podia ser atirado com bola e tudo para dentro do gol, na disputa pelo alto (já que não se considerava infração esse "ataque simultâneo de bola e jogador"), Mendonça teria desenvolvido, segundo ele mesmo, uma capacidade de desfocar a vista nos adversários, deixando-os em "flou", e focar a bola em movimento como "um ponto negro absoluto e fixo". Com isso, conseguiria estabelecer uma referência imperturbável nos choques corpo a corpo no ar, a ponto de lamentar a perda de *frisson* que o futebol sofreu quando se passou a não mais permitir esse tipo de carga sobre o goleiro na pequena área. A bola deveria, ainda, ser dominada em três fases quase instantâneas de absorção pelo corpo, de modo a ser defendida com gestos exatos e econômicos, em vez de "atacada" — isto é, socada e espirrada — pelo goleiro.

O "estilo Marcos de Mendonça", amplamente festejado em sua época tanto por populares como por intelectuais (Humberto de Campos definiu-o como um "aristocrata em tudo", jogando

---

62. Mário Filho, op. cit., p. 75.

"com a gravidade de um sacerdote"),[63] combina o descortino técnico de sua precoce e original formulação do princípio da "otimização do rendimento" com um timbre aristocrático e exclusivista, condensado numa soberba autonomia (que não deixa de ser uma autonomia da soberba). Ele combina a "lógica científica" aplicada ao futebol com uma posição transcendental que vê o jogo ao mesmo tempo de dentro e do alto. Fundado na defesa contra o rebaixamento social do futebol, vista como essencial para o pleno exercício do esporte, o seu estilo encarna e dá forma, mais do que qualquer outro, ao apogeu do amadorismo na sua faceta dominante, a do "incluído e não rejeitado" que se põe na posição soberana do rejeitador.

O arquivo pessoal de recortes e fotos do goleiro, frisando com esmero todas as suas glórias, foi um material decisivo com que Mário Filho contou na elaboração de *O negro no futebol brasileiro*. E não é à toa que o escritor faça, não obstante, a marcação marota a ele: em certo sentido, é a subversão do seu estilo emblemático e quase heráldico de vida e de jogo que faz prevalecer o futebol popular e mulato. Há uma passagem específica sobre isso no livro, quando o autor fala sobre o modo pelo qual o jeito característico de pegar a bola, com que o famoso goleiro a encaixava na asa de um só braço, foi apropriado e modificado pelos moleques do Rio de Janeiro. Ao imitar essa altiva "encaixada em um braço só", invejável na sua solene autossuficiência, o moleque não sabe bem o que fazer com o outro braço, e, imaginando que está por trás do corpo, acaba recriando a "pegada a Marcos de Mendonça" à sua maneira, ao modo do moleque maneiro: "o moleque fez acrobacia para imitar Marcos de Mendonça, passou um braço para trás, torcendo o corpo, para alcançar, com a mão, a bola que já devia estar encaixada na asa do outro braço".[64] Assim, popularizou-se uma "pegada a

---

63. Ver Pereira, op. cit., p. 173.
64. Mário Filho, op. cit., p. 75.

Marcos de Mendonça", a ponto de se tornar, na época, uma "carteira de identidade de golquíper" mirim (algo assim como é hoje a "pedalada" para o jovem atacante), e que se tornava uma versão contorcida e lúdica do apolíneo arqueiro, uma paródia involuntária, uma conversão de sua altiva *engenharia* em pura e instintiva *bricolagem*.

O MOLEQUE PRIMORDIAL

É na direção da cena invisível do futebol popular dos primórdios que vai a pergunta sobre a singularidade da formação do futebol brasileiro, que paira como enigma persistente sobre a sua posteriormente reconhecível diferença. Uma tendência irresistível aponta para a figura do mediador entre as duas cenas, que se imagina como sendo o *moleque-gandula*: "os moleques na cerca, de olho grande, esperando que uma bola fosse fora", assistindo treinos, pegando rebarbas, "dispostos a tudo" para entrar clandestinamente no jogo (como os descreve Mário Filho). Eles seriam os elos mercuriais da cadeia, Prometeus mirins a roubar a bola do Olimpo de Coelho Neto e a levá-la para o "terreno pedroso e cascalhudo" da pelada, que um dirigente inglês descreveu, horrorizado, nos seguintes termos, em 1914: "Se você imaginar o pior terreno que você conhece, pegá-lo e estendê-lo como um carpete espalhando pedras e pedaços de tijolo sobre ele todo, e depois deixá-lo cozinhando sob o sol tropical, terá uma remota noção do campo".[65]

Quem deu formulação poética e paródica definitiva a essa narrativa mítica foi Chico Buarque, na mesma crônica — "O

---

65. Aidan Hamilton, *Um jogo inteiramente diferente! Futebol: a maestria brasileira de um legado britânico*. Tradução de Beatriz Sidou. Rio de Janeiro: Gryphus, 2001, p. 147. O referido dirigente é McGahey, do Exeter City, em excursão pelo Brasil.

moleque e a bola" — em que estabelece a distinção conceitual, já tratada aqui, entre os *donos do campo* (os futebolistas dos países ricos, que tendem, desde criancinhas, a se distribuir organizadamente pelo espaço do jogo, desprendidos da bola, como *engenheiros* do território a dominar) e os *donos da bola* (os moleques dos países pobres que a tomam para si, qual malabaristas, grudando nela com a intimidade amorosa de *bricoleurs* ciumentos).[66] O gandula-moleque participa, pode-se dizer, de uma cultura que opera com as sobras, as rebarbas, que faz uso de um objeto que originalmente não se destinava àquela função (diferentemente da cultura da *engenharia*, que opera com peças funcionalmente destinadas aos seus fins). O objeto do desejo furtado aos "deuses" — os avatares do futebol britânico — que o moleque desloca e adapta a seus próprios fins, no caso, é a própria bola, que se incorpora, assim, a uma cultura da pobreza.

Vejamos um trecho da crônica de Chico Buarque:

> Eram eles os donos da bola, marca Mac Gregor, quando sem refletir a desembarcaram na América do Sul, um século atrás. No Rio, em São Paulo, em Buenos Aires, os ingleses detinham, além de todas as bolas, o monopólio das chuteiras, das camisas listradas e dos campos de grama inglesa, como manda a regra, perfeitamente planos e horizontais. Em sensacionais torneios, com turno e returno, jogavam então Inglaterra *vs.* Inglaterra. Aos nativos, além da liberdade de torcer por uma ou outra equipe, sobrava a alegria de catar e

---

66. Chico Buarque, op. cit. (o tema foi tratado, acima, em "Donos do campo e donos da bola"). Sem a mesma articulação conceitual, Mário Filho refere-se também ao moleque dono da bola: "Havia moleque que ficava toda a vida assim. Suspendendo a bola, passando a bola de um pé para o outro, cinquenta, cem, duzentas vezes. Amanheciam com a bola de meia, a rua era o campo, formavam times de par ou ímpar, jogavam até não poder mais". Mário Filho (org.), *O negro no futebol brasileiro*. Rio de Janeiro: Mauad, 2003, pp. 76-7.

devolver as bolas, que já naquele tempo os britânicos catapultavam com frequência. Em 1895, segundo a crônica paulistana, confrontavam-se Railway Team e Gas Team, quando huma pellota imprensada entre dous athletas subiu aos céos e foi cahir às mãos de hum assistente. D'improviso, o cidadão sequestrou a pellota. Metteu-a sob o braço e escafedeu-se no matagal, perseguido por dezenas de crioulos. Foi alcançado ao cabo de meia hora, às margens do rio Ypiranga. E celebrou-se alli, em terreno pedroso e cascalhudo, o primeiro jogo de bola entre brasileiros, com cincoenta actuantes e nenhum *goal-keeper*.[67]

A crônica inventa o nascimento futebolístico do Brasil seguindo mais ou menos o mesmo método do moleque: roubar a bola da narrativa histórica, que não tem como contar esse primórdio. Um historiador "sonso e ladrão", digamos assim (glosando a letra do "Choro bandido", do próprio Chico), isto é, um poeta, faz das tripas o primeiro jogo mítico que engendrou os outros jogos, numa adivinhação cheia de pequenas falcatruas, hipérboles e parábolas. Nele, a bola transfere-se para uma outra zona lúdica, a *pelada*, onde passa a funcionar num estado de franca disponibilidade para o nada ("cincoenta actuantes e nenhum *goal-keeper*"). Esta que "é a matriz do futebol sul-americano e, hoje em dia mais nitidamente, do africano", não é mais nem menos do que uma variação "livremente inspirada no *foot-ball association*" (vale dizer, "ontologicamente diferente do futebol europeu", repisando a afirmação de Flusser). O nome é uma substantivação do adjetivo "pelado", remetendo ao campo de terra "sem pelo", sem grama. Constituindo-se "numa espécie de futebol que se joga apesar do chão" ("no meio da rua, em pirambeira, na linha de trem, dentro do ônibus, no mangue, na areia fofa, em qualquer terreno pouco

---

67. Chico Buarque, op. cit., pp. 54-5.

confiável"), trata-se de um "esporte descampado" em que "todas as linhas são imaginárias — ou flutuantes, como a linha da água no futebol de praia — e o próprio gol é coisa abstrata. O que conta mesmo é a bola e o moleque, o moleque e a bola, e por bola pode se entender um coco, uma laranja ou um ovo [...]".

Embora obedecendo ao mesmo princípio lúdico — a disputa da bola dominada com os pés, num campo agora desnivelado e periclitante —, a *pelada* não obedece ao diagrama nem ao finalismo do esporte futebolístico. Não se trata tampouco de uma interpretação mitológica do futebol à maneira dos nativos da Nova Guiné (de que falamos em "Rito e jogo"), que convertiam o jogo num rito de conciliação dos opostos (os vivos e os mortos) através de um empate buscado e produzido. O seu horizonte não é delimitado pela quadratura estrita da conduta esportiva, nem pelo círculo implacável da vida e da morte, mas pelas *linhas imaginárias e flutuantes* que disponibilizam uma espécie de *saída pela tangente*. A matriz do futebol brasileiro formulada pelo mito paródico de Chico Buarque é uma espécie de potencialização do princípio da continuidade *erótica* do futebol, para retomar a distinção de Nuno Ramos, como se ele se mantivesse distante do corte descontínuo do *sagrado*, tanto *em sua versão moderna e concorrencial* (a consagração de um vencedor através dos seus resultados numéricos cumulativos) quanto *em sua versão arcaica* (o rito da conciliação dos opostos). Nem propriamente o círculo mítico dos ritos com bola nem a quadratura ostensiva do jogo moderno, mas um entrelugar que não deixa de ser *dialeticamente conciliável com este*, a se manifestar no processo histórico como elipse.

A crônica buarquiana afirma que, para o autêntico peladeiro, mesmo quando profissional, "o campo oficial às vezes não passa de um retângulo chato" (Leônidas jogando as chuteiras fora no jogo contra a Polônia, respondendo ao campo lamacento com um impulso de retorno às origens). Ao mesmo tempo em que a bola, transfigurada por essa metafísica lúdica e concreta, consuma "a reabilitação do ovo", "a sublimação do coco", a elevação da "laranja em êxtase". Em suma, a *quintessencialização da bola* prevalece, em princípio e por princípio, sobre a domesticação do quadrilátero e a entronização do círculo. Pode-se dizer, passados mais de cem anos de processo, que traços dessa mítica disposição resistem no DNA do atacante brasileiro — quando não no próprio jogo, pelo menos naquela exibição prévia e de praxe, de preferência diante de estrangeiros, de toques de malabarismo, embaixadas cheias de firulas e bolas alçadas ao cangote. Em sua expressão estilisticamente plena, o coco redimido, o orgasmo da laranja e o ovo elevado à sua potência máxima estão presentes, como já vimos, no tratamento alterado da bola, cheia de efeitos, *em transe*, por Rivelino, Maradona e Ronaldinho Gaúcho.

A *pelada* escapa, assim, do peso algo opressivo da geometria totalizante do quadrilátero e do círculo, produzindo um espaço em que as bordas estão em nenhum lugar e o centro está em toda parte: onde estiver a bola. Essa "gramática" heterodoxa não se furtará, por sua vez, a dialetizar-se a seu modo, em contato com as exigências do futebol propriamente dito, varrendo o campo com suas figuras elípticas e compreendendo-o em consonância com as demandas realistas do jogo: delineia-se aqui um princípio de *formação* do futebol brasileiro como uma dialética entre a sua singularidade lúdica e as demandas universais do código, envolvendo gratuidade e maturidade viril, espírito amador e profissionalismo consequente.

O FUTEBOL, A PRONTIDÃO E OUTRAS BOSSAS

Durante a década de 20, e já após a sintomática despedida de Marcos de Mendonça (em 1922), cujo lugar simbólico foi "asfixiado" pelas transformações sociais que se desenhavam no universo das ligas de futebol cariocas e paulistas, o processo segue, de certo modo, o rastro enigmático de Friedenreich. Este dispôs da fama ambivalente do herói que ao mesmo tempo se mostra e se oculta, através do protagonismo inequívoco e discreto com que disfarçava a condição, nem inteiramente admitida e nem inteiramente rejeitada, de jogador mulato em plena era do amadorismo elitista e branco. A sua entrada no futebol é possibilitada, aliás, pela condição social de classe média, dada pela origem do pai, um alemão radicado no Brasil, graças à qual começou a jogar pelo clube paulista Germânia e onde começou a se firmar pelo talento, transferindo-se depois para o Ipiranga e mais tarde para o Paulistano. A cor e o cabelo "ruim" indicavam a ascendência materna (a mãe era uma lavadeira negra) e a marca atávica do escravismo brasileiro, que, segundo se conta insistentemente, ele tentava atenuar (pelo menos no começo da carreira) usando gorro e alisando o cabelo.[68]

As poucas informações sobre seu futebol sugerem um artilheiro implacável, mas, ao mesmo tempo, esclarecido. Durante a famosa excursão do Paulistano à Europa, em 1925, em que a imprensa francesa ressaltou o estilo "nervoso, fantasista e brilhante" da equipe, o jornal francês *Miroir des Sports* o descreve

---

68. Nas partidas anuais comemorativas do 13 de Maio disputadas no final dos anos 20 entre seleções de jogadores pretos e brancos de São Paulo, Friedenreich jogava sempre no time dos brancos, pelo qual foi várias vezes capitão. Em 1929, no entanto, jogou num time de negros de São Paulo em um amistoso contra um combinado carioca. Ugo Giorgetti observou a mesma ambivalência de mulato filho de alemão no zagueiro Bauer, do São Paulo e da seleção de 1950, ao qual aplica com precisão os versos de Mário de Andrade, que também serviriam para Friedenreich: "Garoa do meu São Paulo/ Timbre triste de martírios/ Um negro vem vindo é branco/ Só bem perto fica negro/ Passa e torna a ficar branco".

como um jogador que "vê claro no campo", e o *Sporting* diz que ele "chuta bem, finta habilmente, mas sobretudo, e antes de tudo, sabe fazer jogar aos seus vizinhos e sabe jogar com eles [...]".[69] Os artigos referem-se ao jogo de estreia da excursão, em Paris, contra um selecionado francês, vencido pelo time paulista por 7 × 2. (Ainda assim, uma matéria jornalística em 1918 criticava seu suposto individualismo e sua "desobediência à disciplina tática" em termos grosseiros, sintomaticamente preconceituosos e contrários, em tudo, às avaliações que vimos: Friedenreich, segundo um jornal, "andou como macaco em casa de louças" e "teve a pretensão de [...] prejudicar a ação de seus companheiros, invadindo-lhes as posições e até tomando-lhes a esfera".)[70]

Mas a descrição por Tomás Mazzoni do sétimo gol contra os franceses, em 1925, marcado por "El Tigre", como veio a ser chamado, acrescenta às qualidades anteriormente apontadas a capacidade excepcional de fazer um gol encobrindo o goleiro depois de uma série de fintas com tabela:

> A última palavra do dia, porém, havia de caber ao grande Tigre, que mau grado as afirmações de decadência, ainda é e será de certo por muito tempo um dos maiores jogadores da atualidade. Num dado momento recebe um bom passe de Filó e ei-lo que escapa, numa investida velocíssima, fintando toda a defesa inimiga e acompanhado por Filó, pronto para o que desse e viesse e que de uma das vezes, quando o nosso dianteiro estava embaraçado, recebeu a bola e a manteve por alguns instantes, devolvendo-a a Friedenreich.

69. Apud Mazzoni, op. cit., pp. 187-8. Curiosamente, os jornais esportivos franceses parecem aplicar ao futebol, na época, os procedimentos tradicionais da crítica teatral, combinando o comentário geral do espetáculo com observações pontuais sobre cada um dos "atores".
70. Ver Marcelino Rodrigues da Silva, op. cit., p. 69.

Este, já próximo da meta inimiga, finta o zagueiro e cobre o guardião com um chute alto, mercê do qual marcou o sétimo e último ponto dos brasileiros.[71]

A excursão do time de elite paulista, financiada, assim como o movimento modernista, por representantes da burguesia de São Paulo, procurava explorar o interesse despertado àquela altura na Europa pelo futebol sul-americano, a partir do destaque obtido pela seleção uruguaia, que vencera os Jogos Olímpicos de 1924.[72] Cabe dizer que os uruguaios se permitiam atuar pioneiramente, como na famosa final de 1919, com jogadores negros, tendo como maior destaque o atacante Gradín, cujo estilo veloz e arisco — "tudo nele é 'dribling'", diz Mazzoni — impressionava pela capacidade de reter a bola nos pés mesmo na carreira, travando-a "com incrível proficiência" e partindo rapidamente "em fintas ligeiras, para mandar, afinal, de surpresa, possantes e certeiros chutes enviesados".[73] Diferentemente do que aconteceu no Brasil e na Argentina, "no Uruguai o futebol

---

71. Mazzoni, op. cit., p. 186. Oswald de Andrade registrou essa excursão vitoriosa num poema do livro *Pau-Brasil* ("A Europa curvou-se ante o Brasil"): "7 a 2/ 3 a 1/ A injustiça de Cette/ 4 a 0/ 2 a 1/ 2 a 0/ 3 a 1/ E meia dúzia na cabeça dos portugueses". Segundo Décio de Almeida Prado, "o entusiasmo patriótico" é "temperado ou disfarçado pela ironia" e pela "secura futurista", isto é, a montagem sintética do poema (*Seres, coisas, lugares: do teatro ao futebol*. São Paulo: Companhia das Letras, 1997, p. 206). O título é a citação de uma canção de sucesso que exaltava os feitos de Santos Dumont, com um evidente ufanismo provinciano. Oswald o aplica com humor paródico ao avanço do time paulista em gramados da Europa.
72. O jogo com o selecionado francês, antecedido de banquete, foi presenciado, entre outras figuras civis e militares, por Washington Luís e pelo príncipe de Orleans e Bragança, filho de D. Pedro II. A excursão se vale da iniciativa de Antonio Prado Júnior.
73. Mazzoni, op. cit., p. 145.

não começou como forma de lazer dos bem-nascidos e sim como um instrumento que os estrangeiros, donos de indústrias ou administradores de grandes propriedades rurais, usavam para adaptar o homem do povo às suas regras e interesses". Desde cerca de 1880, o futebol era, ali, jogado por operários, homens do campo e gente pobre, incluindo ex-escravos — "latinos de sangue rebelde, negros orgulhosos, mestiços irascíveis" que o futebol contribuía para educar, aliciar e converter ao trabalho. A precoce e excepcional qualidade do futebol uruguaio, bem como a sua *garra* histórica (unindo classe patronal e homem do povo num sentimento nacional digno de soldados defendendo em campo "a pátria até a morte", como disse deles o húngaro Kocsis), são inseparáveis dessas condições originárias.[74]

Se esse fato contrasta com o rigor férreo com que os argentinos riscaram do seu mapa — e não só do futebol — todo e qualquer sinal da escravidão negra (que no entanto deixou marcas quase secretas, por exemplo, na formação do tango), a presença de um craque negro no time uruguaio que se exibia no Rio de Janeiro espicaçava a evidente e inconfessável exclusão dos negros e mulatos presentes por toda parte.[75] Desde 1912, diz Mazzoni, "extraordinários valores se perderam na várzea, nos subúrbios, nos terrenos baldios onde crescia assustadoramente o pequeno futebol". A presença e o destaque de Gradín não deixavam de se constituir num chamado a essa incômoda realidade, e o fenômeno dos "Gradíns" brasileiros — jogadores negros que adotaram nos anos seguintes o nome do jogador uruguaio como apelido — o atesta.

Se os argentinos europeizantes zeravam a presença negra,

---

74. João Máximo, *Jornal do Brasil*, 10 jan. 1981, apud Paulo Perdigão, *Anatomia de uma derrota*. Porto Alegre: L&PM, 2000, p. 97.
75. Ver Pereira, op. cit., pp. 170-5.

enquanto os uruguaios, campeões do mundo de 1930, constituíram uma escola futebolística mais do que notável assumindo-a precocemente, o Brasil lidava surdamente com o magma mestiço, que teve seu primeiro emblema na figura solitária e evasiva de Friedenreich. Olhado em perspectiva, depois do reconhecimento de Fausto no período litigioso de transição para o profissionalismo (na altura de 1930), da consagração de Domingos da Guia e Leônidas da Silva como ícones da primeira afirmação do futebol profissionalizado (a partir de 1933), de Zizinho como o ocupante melancólico do trono manchado pela derrota de 1950, e pela entronização cósmica e mítica de Pelé e Garrincha em 1958, todos mestiços ou negros, Friedenreich soa como a primeira emanação inconclusiva do enigma: como entender o alcance e a dimensão racial no esporte em geral e no futebol brasileiro em particular? Por que negros e mulatos dominam a cena desse processo formativo? Ou: por que o maior atacante do futebol brasileiro, no período amadorista, vem a ser justamente, ou praticamente, o único mulato em jogo?

Como veremos logo adiante, Mário Filho fez das consequências disso tudo a questão central de sua vida e obra. Mas importa comentar, antes, a consideração de Hans Ulrich Gumbrecht sobre o assunto, que esbarra, como ele mesmo sugere, num tabu que seria produtivo desencantar. O tabu reside na afirmação de que afrodescendentes manifestam uma propensão congenial a responder instantaneamente, e com o corpo todo, a desafios que se colocam e se resolvem no tempo-espaço do jogo, assim como no da música e da dança. Trata-se de uma capacidade de improvisação encarnada que poderia se traduzir na palavra *prontidão*, no sentido de presteza, agilidade, desembaraço espontâneo diante de uma demanda objetiva que encontra eco no desejo do sujeito. É verdade que a questão é delicada, arriscada ao equívoco e ao mal-entendido, como toda afirmação geral baseada num pressuposto racial, seja positivo ou negativo.[76] Conflitos raciais acumulados e abertos, passados e reatualizados, escancarados ou disfarçados, fazem que a afirmação de que negros manifestam uma notável *prontidão* nos esportes e na música não seja recebida como algo razoavelmente intuitivo, suficientemente representativo e verificável na história do futebol e da arte musical. De fato, a afirmação será confundida quase que fatalmente, num erro silogístico induzido pelo campo minado do embate ideológico, com o equívoco simplório de que *todos os negros têm capacidade da prontidão nos esportes e na música*, com a pretensão simplista de que *somente negros detêm a capacidade da prontidão nos esportes e na música*, e, mais grave, com a ideia espúria de que *a única capacidade de negros é a prontidão nos esportes e na música*.

O primeiro desafio para a superação do tabu, num movimento que incomodaria tanto conservadores brancos quanto ativistas raciais negros, fazendo que a questão fosse postulável em outro nível, consiste, portanto, em afastar prontamente esses riscos multiplicados: a apologia e a estigmatização, o preconceito e o paternalismo. Como é o preconceito que arca com o maior peso da violência histórica, é importante ressaltar que ele já se dissolve, na própria cena das nossas considerações, pela simples presença de Machado de Assis e de Lima Barreto. A capacidade intelectual ine-

---

76. No seu artigo "Comunidades imaginadas", no caderno *Mais!* do jornal *Folha de S.Paulo*, em 4 de junho de 2006, Gumbrecht afirma que "saber se as virtudes do futebol brasileiro [...] têm realmente algo a ver com a componente africana dessa cultura, como Gilberto Freyre sugeriu na alvorada histórica da glória futebolística nacional, constitui [...] problema" que "nos conduz inevitavelmente para as proximidades de uma zona intelectualmente tabu, na qual — por bons motivos, por motivos quase políticos — eu não gostaria de tocar aqui". Em debate posterior, realizado no Instituto Goethe de São Paulo, em 4 de julho de 2006, explicita que o "tabu" consistiria no reconhecimento da especial *prontidão* dos afrodescendentes para o futebol e a dança.

quívoca desses escritores, afirmada contra todas as restrições e adversidades, vem associada neles a uma sobriedade ética através da qual recusam implicitamente qualquer identificação apologética, redutora e naturalizadora da origem racial. Em vez disso, têm motivos para refugar, inteligentemente, nas condições em que viveram, a identificação pela raça — seja porque sofrem a rejeição e dela se defendem, seja porque rejeitam o apelo a uma categoria natural e biológica em detrimento da afirmação pela cultura.[77]

Um outro aspecto fundamental da mesma questão: a prontidão para o jogo implica, ela também, em uma forma específica e elevada de inteligência, não se confundindo com uma atividade puramente física. A *prontidão* é uma inteligência do corpo. Leônidas da Silva, por exemplo, surpreendeu com a evidência de sua elasticidade extraordinária. Mais que isso, Décio de Almeida Prado, que o viu jogar, diz que Leônidas, assim como Pelé, ou Pelé como Leônidas, eram capazes de driblar "valendo-se unicamente da inteligência (inteligência futebolística, bem entendido), ao deixar de fazer o que os outros, todos os outros, no campo e nas arquibancadas, esperavam dele". Segundo Décio, essa simbiose entre o pensamento e a sequência viva da jogada, visível, fluente e instantânea, como se via tantas vezes, lembro eu, nas tabelinhas de Pelé e Coutinho, seria responsável pelo fato de que tanta gente fosse aos estádios para vê-los (Décio se refere a Pelé e Leônidas), na esperança de que "entre milhares de jogadas conhecidas, óbvias", despontasse "um desses lampejos de criatividade que recompensam o público de sua longa espera". A *prontidão* torna-se, assim, uma inteligência do corpo e uma manifestação visível de espírito cria-

---

77. Gilberto Freyre, op. cit., p. 656: "Deve-se [...] salientar este aspecto honroso para a honestidade intelectual do mestiço brasileiro: ser capaz de assumir atitudes contra o fácil narcisismo que o levaria, tão docemente, a considerar-se a solução ideal para o problema das relações entre as raças".

tivo: "a emoção da ideia quando ginga", como diz a canção de Chico Buarque sobre o futebol. É só graças a ela que se pode afirmar que "[...] nesses pequenos milagres de lucidez, de coordenação integral entre espírito e corpo, o futebol revela a sua mais alta natureza, também de *cosa mentale*, como Leonardo da Vinci desejava que fosse a pintura".[78]

Temos a ganhar, portanto, se, nem que for para espantar os fantasmas de todos os tipos, admitirmos com simplicidade a constatação não excludente nem generalizante, mas desmitificadora e a cada vez singular, de que afrodescendentes manifestaram e manifestam uma extraordinária prontidão esportiva e musical, que veio a ter um papel decisivo na constituição cultural do Brasil moderno.[79]

O exame de um conhecido refrão de um samba de Noel Rosa pode enriquecer o problema e ajudar a remetê-lo a um outro plano de entendimento, onde se relativiza e supera, por sua vez, a explicação racial: "O samba, a prontidão e outras bossas/ são nossas coisas/ são coisas nossas". Convenhamos que, para jogar devidamente com essas palavras, precisamos perceber que elas mesmas jogam com o verso e o reverso do que dizem, de maneira irônica e autoirônica. Elas não se tomam inteiramente ao pé da letra, mas instauram uma margem de alusão ao que não está dito, ao que não é simbolizável, o gozo de um sentido que não está dado pela linguagem, mas que se goza na sobra, na falta, na impossibilidade cabal de se simbolizar. Exemplificando com o nosso caso concreto: se a palavra *prontidão* é o significante do desembaraço, da desenvoltura, da capacidade de improvisação incorporada de que falamos, ela é também o da falta de dinheiro, da ausência de recursos, da "dureza" — vale dizer, ela é simultaneamente um traço de excesso e de

---

78. Décio de Almeida Prado, op. cit., p. 221.
79. Ver João Máximo, op. cit., p. 72.

carência, de mais e de menos. Para jogar o jogo que ela instaura, temos de suportar o fato de que a palavra diz ao mesmo tempo uma coisa (o desembaraço), a outra (a pobreza), e *ainda outra*: o ponto mais-que-irônico em que esses sentidos opostos se somam e se abolem, sem se reduzir. A linguagem é afirmada no seu ponto de suspensão: não é fixada na letra, mas desliza indeterminada, somando-se a *outras bossas*. A própria palavra *bossa*, por sua vez, designando originariamente uma saliência craniana que a frenologia acreditava ser capaz de determinar disposições do intelecto, com o risco de caracterizar um estigma racial, virou no Brasil o significante de um "patrimônio imaterial" de difícil nomeação: a ginga, o jeito, a disposição a habitar o intervalo do ritmo, os hiatos da linguagem, os meneios do corpo, ou seja, um equivalente mais qualificado de *prontidão*. Pode-se dizer que a *bossa* é uma *prontidão avisada*, que conhece os atalhos do tempo e do espaço, que vai sem pressa e sem abrir mão da graça e da malícia.

"O samba [o futebol], a prontidão e outras bossas/ são nossas coisas/ são coisas nossas" é, portanto, um enunciado complexo, em que as palavras-chave oscilam entre o sentido e seu oposto, pondo em questão o conjunto. No próprio vai e vem em que *nossas coisas* são *coisas nossas* (o que não é exatamente a mesma *coisa*), ecoa um *mais-de-gozo* que é *uma espécie de mais-valia às avessas, que tira seu lucro da falta*. Curiosamente, esse não-lugar da linguagem é justamente um correspondente eficaz do estilo futebolístico que estávamos tentando propor, e um traço marcante da cultura que desliza na alusão, na síncopa, no drible, e que não fixa os sentidos no pé da letra. Ao contrário, provoca e desfruta o fato de que eles escorregam e abrem um hiato propositalmente sem sentido, ou de excesso e falta dele.[80] Não que esse hiato se esgote no *nonsense*, mas

---

80. Em nível anedótico, é o caso do exemplo de Mário Filho, dizendo que os rapazes do Botafogo, "quase meninos", traduziam assim as canções inglesas cervejei-

ele é justamente o lugar do lapso criativo, da suspensão que admite o vazio sem o qual não se formula o inesperado. Ao mesmo tempo, é uma estratégia congenial à condição da carência, da falta e da pobreza. Com isso, ele não *reproduz* o discurso do poder que tem como agente um significante já dado, que polariza todos os demais, mas se arrisca a produzir o imprevisto complexo que vemos em Pelé e Coutinho, em Garrincha, em Leônidas e no samba. Essa síndrome popular cria, desse modo, uma zona própria de ação que foi encontrar, nas condições brasileiras, seu terreno fértil na música e no futebol. Os custos a pagar por esse hibridismo e essa *hybris*, por esse excesso que vacila na falta de um limite, sempre assinalado por Machado de Assis, serão retomados adiante.

Dito assim, o problema racial deixa de ser o ponto, mesmo que incontornável. O mulato não é o tal do futebol brasileiro, nesse caso, apenas por uma questão ontologicamente racial, mas porque é através dele que os elos recalcados da cultura e da sociedade falam. Esse nem rejeitado nem admitido, que guarda o segredo inconfessável do todo (séculos de escravidão *e* miscigenação), é o intérprete privilegiado da sociabilidade ambivalente, do interstício, do intervalo, da margem em que o sentido se põe e se suspende, ou, em suma, o agente metacultural por excelência da *prontidão* e da *bossa*. O mediador — e não necessariamente o mulato literal — da reciprocidade cultural: não o representante de uma suposta naturalização da cultura, mas o relativizador da fixidez das raças e das culturas.

---

ras dos mais velhos do Fluminense: "When more we drink together" virou "onde mora o Pinto Guedes", e "for he is a jolly good-fellow" virou "a baliza é bola de ferro" (op. cit., p. 35). Esses casos despencariam na completa irrelevância se não fossem análogos a tantos nomes de polcas e maxixes curiosos, extravagantes e quase "surrealistas", nos quais Mário de Andrade viu um caso singular de vocação nacional. A propósito, ver José Miguel Wisnik, op. cit., pp. 35-42.

É em grande parte desse caldo que se formou a singularidade do futebol brasileiro, desde o moleque primordial, e dentro de condições sociais que incluem um substrato profundo e difuso de paternalismo. Condições que vigoraram tanto na Bangu de Domingos da Guia como na Pau Grande de Garrincha: o operário com campo de manobra para o ócio lúdico, conferido pela própria fábrica interessada nas suas virtudes de reinventor da bola.

O HOMERO DO MARACANÃ

A importância "homérica" de Mário Filho para o futebol no Brasil, tal como foi decantada por seu irmão Nelson Rodrigues, não se resume à autoria do ensaio interpretativo *O negro no futebol brasileiro*. Aquilo que se diz tantas vezes com propósitos críticos — que uma interpretação de processos formativos participa da *fabricação* ou da *invenção* de uma tradição nacional —, no caso dele é menos do que nunca uma afirmação forçada ou uma simples metáfora. Mas tampouco a obra dele forja uma versão ideológica e instrumentalizadora para uso direto do Estado Novo, como também se diz. Um artigo de José Sergio Leite Lopes[81] e o recente e esclarecedor livro de Marcelino Rodrigues da Silva, *Mil e uma noites de futebol: O Brasil moderno de Mário Filho*,[82] fazem ver bem as proporções do caso. Quando publica pela primeira vez o livro, em 1947, Mário Filho já tinha duas décadas de atuação como agitador jornalístico e promotor do futebol — agitação envolvida com a implantação do profissionalismo e com a celebrização dos craques mulatos surgidos no final dos anos 20 e início dos 30. Assim, ele foi um fator considerável na afirmação do negro no futebol brasileiro,

---

81. Já citado na nota 48 deste capítulo. José Sérgio Leite Lopes, op. cit., pp. 64-83.
82. Ver nota 70 deste capítulo.

cuja apoteose resultante ele mesmo, por sua vez, erigiu em tema central do seu ensaio interpretativo. Para usar uma expressão bem futebolística, Mário Filho *bateu o escanteio e marcou o gol de cabeça* — fora do campo, no terreno determinante da construção e consolidação das imagens e dos símbolos. O jornalista (que vemos conversando com jogadores, em fotos do início dos anos 30, com o típico chapéu de banda e um cigarro no canto direito da boca, qual um repórter de *Boca de ouro* ou *Vestido de noiva*) desdobra-se depois no ensaísta e intérprete que tratou em detalhe e em conjunto do fenômeno de cuja produção e projeção pública ele foi um dos motores fundamentais.

Para se ter uma ideia, Mário Filho foi decisivo para a implantação de um jornalismo esportivo ágil, que trazia seus personagens para a cena visível, em entrevistas que pluralizavam socialmente as vozes do esporte e tornavam definitivamente anacrônica a página estática com notícias de superfície e linguagem engomada. O processo marcava a reversão daquelas duas cenas que estão na origem do futebol brasileiro e se delineava nas páginas esportivas dos jornais da família Rodrigues, *A Manhã*, em 1927, e *A Crítica*, cuja história começou em 1928 e terminou tragicamente em 1930. A tragédia pode ser resumida assim: Mário Rodrigues, o chefe do clã e diretor do jornal, mergulhara na depressão e no alcoolismo depois da morte de seu filho Roberto Rodrigues, assassinado em lugar dele, como uma espécie de vítima expiatória, por uma mulher que fora objeto de reportagens políticas escandalosas, tudo em 1929. Mário Rodrigues morreu em decorrência de uma trombose cerebral em 1930, ano em que o jornal foi empastelado nas circunstâncias da Revolução. Essa combinação de tragédia, família, sexo, escândalo, intimidade e exposição obscena, violência particular e pública, tudo potencializado, é inseparável, certamente, do núcleo da obra ficcional de Nelson Rodrigues.

Mas voltando ao nosso ponto: as inovações formais introduzidas por Mário Filho representavam, na verdade, um golpe no discurso futebolístico elitista, subjacente ao jornalismo esportivo até o final dos anos 20. Frequentando clubes, vestiários, campos, associações, aproximando-se dos personagens envolvidos, que se tornavam seus personagens, ouvindo as histórias, imergindo "nos bastidores impuros", como diz Marcelino Rodrigues da Silva,[83] Mário Filho estava pondo em andamento, como repórter, a pesquisa de campo informal daquele que viria a ser o seu grande assunto ensaístico. Escrevendo n'*O Globo* e instalado no Café Nice, extensão da redação e ao mesmo tempo reduto de jogadores e músicos, ponto de cruzamento virtual do futebol com o samba, e a partir de 1936 dirigindo o *Jornal dos Sports*, Mário agitou parte daquela efervescente aproximação entre letrados e artistas populares urbanos através da qual se compunha uma representação do Brasil moderno. Ela acompanha, de certa forma, os contatos de Manuel Bandeira com Sinhô, de Gilberto Freyre, Prudente de Moraes Neto e Villa-Lobos com Pixinguinha e Donga (nos quais Hermano Vianna viu sinais do processo de construção coletiva do samba como imagem do Brasil moderno),[84] e do envolvimento do romancista José Lins do Rego com o Flamengo e com o futebol, do qual se tornou também um cronista militante. Aliás, hospedado na casa de José Lins, quando recém-saído das prisões do Estado Novo, Graciliano Ramos (que arriscara em crônica remota, escrita ainda em Palmeira dos Índios, uma previsão falhada sobre o fenômeno do futebol no Brasil como "fogo de palha" e "modismo litorâneo") teria se deparado, perplexo, com o fato de que Leônidas da Silva parecia ter presença maior, ali, do que Dostoiévski. Essa anedota encontra-se relatada no livro de Bernardo Borges Buarque de Hollanda, *O descobrimento do futebol: modernismo, regionalismo e*

---

83. Silva, op. cit., p. 122.
84. Ver nota 32 deste capítulo.

paixão esportiva em José Lins do Rego, que oferece um quadro vivo e esclarecedor das muitas imbricações de futebol e cultura no período.[85] Oswald de Andrade assimilou de passagem o futebol no período modernista, como vimos, e criticou-o durante sua militância comunista, para recuperá-lo mais tarde como uma forma de teatro de massas. Mário de Andrade escreve uma sugestiva crônica sobre um jogo em que o Brasil é amplamente derrotado pela Argentina em 1939, num confronto admirável, como se a "raspadeira mecânica" argentina, "perfeitamente azeitada", avançasse sobre "onze beija-flores" brasileiros indefesos. Vê no "bailado mirífico do jogo" o contraste mitológico em que Minerva-Argentina dá palmada "num Dionísio adolescente e já completamente embriagado", que, ainda assim, inventa "umas rasteiras sutis, uns jeitos sambísticos de enganar" e "uns volteios rapidíssimos, uma coisa radiosa, pânica, cheia das mais sublimes promessas!". Mas enquanto Dionísio-Macunaíma sucumbe em sua promessa de felicidade, Minerva vai "chegando com jeito, com uma segurança infalível, baça, vulgar, sem oratória nem lirismo, e juque! fazia gol".[86] O texto, poético e espirituoso, tem como foco indireto as vicissitudes do caráter nacional, ou de sua falta (tema bem mário--andradino), e pode ser lido, em certo sentido, como uma curiosa antecipação do confronto entre Brasil e Uruguai na Copa de 1950.

Ganhavam realidade, naquele momento, as diversas formas de aproximação entre o mundo erudito e o popular, aproximação aberta pelo modernismo dos anos 20 e que se torna, na verdade, uma linha mestra da cultura brasileira até os anos 60, em todas as

---

85. O contraponto foi desenvolvido ficcionalmente por Silviano Santiago, no romance *Em liberdade*, que tem Graciliano por personagem. Ver Bernardo Borges Buarque de Hollanda, op. cit., pp. 70-2.
86. Mário de Andrade, "Brasil-Argentina". In *Os filhos de Candinha*. São Paulo: Martins, 1963, pp. 82-3.

áreas. Podemos dizer que Mário de Andrade e Guimarães Rosa lhe deram um fôlego totalizante, abarcando o mundo rural e, no caso de Mário, o mítico mundo selvagem. Mas o meio de campo concreto, urbano e ligado aos meios de massa desse ciclo envolve a incorporação explícita do samba e do futebol ao universo imaginário do Brasil. É inseparável disso, certamente, e dos efeitos da Copa de 1938, o fato de que Ari Barroso, compositor e locutor esportivo, tenha aberto a "Aquarela do Brasil", em 1939, com os versos "Brasil/ meu Brasil brasileiro/ meu mulato inzoneiro".

Ao lado de participar afirmativamente da polêmica adoção do regime profissional no futebol brasileiro (entre os anos de 1931 e 1933), a prática jornalística de Mário Filho induzia a valorização do futebol miscigenado, que lhe era correspondente, e ia participando decididamente do processo pelo qual jogadores negros e mulatos iam sendo guindados à condição de celebridades. Entre esses, Fausto, Jaguaré, e, mais que todos, Domingos da Guia e Leônidas da Silva: Mário Filho "inventou" previamente a imagem pública daqueles jogadores que a Copa de 1938 confirmaria e consagraria. Da Guia, dançando no campo de jogo os passos do *miudinho machadiano* que alçava voo em eletrizantes "domingadas", como as já descritas, e que, mesmo consagrado, preferia manter-se, de certa forma, na zona ambígua do *nem rejeitado nem admitido* — jogador do Flamengo que queria ter ido para o Fluminense. E Leônidas, a celebridade que fazia gritar a sua condição estridente de *admitido e rejeitado*, identificando-se explicitamente com o paradigma de Manteiga, aquele jogador baiano que fora incorporado ao América em 1921, antes da hora histórica viável, no "apagar das luzes" da hegemonia elitista e branca, e dejetado em seguida.

Mas, no início dos anos 30, o regime de inclusões e exclusões em vigor já tinha feito aquela rotação que é, basicamente, o objeto de *O negro no futebol brasileiro*: o modelo Marcos de Mendonça já era coisa do passado, a ambiguidade de Friedenreich tinha seu eco, atenuado, em Domingos da Guia, e Leônidas da Silva era o Manteiga que deu certo, sem deixar de fazer alarde dessa incongruência, por um lado, e de sofrer perseguição e execração, por outro. Leônidas era um mulato bem falante, filho de pai português e mãe negra, com simpatias comunistas. Havia rumores de que o jogador tinha roubado uma joia de uma certa senhora, e o estigma de larápio, entre outros, era-lhe gritado à beira do campo. Numa dessas ocasiões, baixou o calção e mostrou o pau à plateia. Se pudéssemos dizer que esse novo *teatro* do futebol brasileiro, esse trepidante "instrumento de dar a ver", tinha um "autor" implícito, esse autor não seria outro senão o irmão de Nelson Rodrigues.

Mas, não bastasse isso, o senso oportunístico de Mário Filho, antenado para as imbricações do futebol com a música, patrocinou pela primeira vez o desfile-concurso de escolas de samba, lançado para o carnaval de 1932 por *O Mundo Esportivo*, que ele editava. A ideia de "promover as escolas de samba segundo o modelo dos concursos esportivos", sugerida a Mário por um repórter boêmio, "foi um sucesso e alguns anos depois a prefeitura passa a assumir oficialmente sua realização".[87] Não para por aí o atiçador incansável e enviesado das instituições do Brasil moderno popular e mulato. Movido pela necessidade empresarial e "midiática" de produzir sucessos jornalísticos e otimizá-los, criando antes, por meio do jornal, aquilo que o jornal espelhará depois, isto é, promovendo o clima de expectativa que cerca a iminência e a repercussão dos confrontos futebolísticos tradicionais, Mário Filho "inventa" e glorifica o Fla-Flu (que Nelson Rodrigues elevou a mito dos mitos e a primórdio dos primórdios, quando afirmou que "o Fla-Flu começou quarenta minutos antes do nada"). Quando das discussões sobre a construção de um novo estádio que fosse o palco e o cenário da Copa do Mundo de 1950, concebida subliminarmente

---

87. José Sérgio Leite Lopes, op. cit., p. 71.

como a apoteose potencial das promessas de 1938, Mário Filho opôs-se à construção de um estádio mais modesto e periférico, em Jacarepaguá, e sua atuação foi determinante contra políticos influentes para a adoção do partido máximo: o maior estádio do mundo, o Maracanã. Depois da Copa de 1950, suas crônicas recolheram ainda as cinzas da derrota e sopraram os ventos da virada de 1958, que o seu livro quisera já anunciar em 1947, com a interpretação do futebol brasileiro como um revirão de raça que augura a democracia racial. (O Maracanã passou a se chamar oficialmente Estádio Jornalista Mário Filho, depois da sua morte, em 1966.)

O grande estudioso clássico do futebol brasileiro é, portanto, um *nativo* (como se usa o termo em antropologia) que se envolveu no próprio fenômeno até a raiz dos cabelos, fundando no espaço dos meios de massa as condições para o desenvolvimento das potencialidades que ele veio a exaltar. Seu trabalho difere, em quase tudo, dos tons ditados pela observação acadêmica que mal começava a se implantar sistematicamente no Brasil. A diretriz principal da sua ação, segundo Leite Lopes, é emancipar o jogo e os jogadores dos interesses particulares e clubísticos, criando uma esfera autônoma baseada em padrões de excelência e reconhecimento público, garantida pelo profissionalismo esclarecido (incluindo o profissionalismo da imprensa) contra as suas modalidades "marrons". Sem expor frontalmente, ao mesmo tempo, as manobras e interesses da cartolagem (na interpretação de Lopes, sua atuação é movida por um desígnio mediador, com o qual ele busca a expiação e a sublimação da tragédia familiar cujo *páthos*, mesmo que não os conteúdos, Nelson Rodrigues maximizou). Se em Nelson temos o eterno retorno de conteúdos resistentes ao moderno,[88] em Mário assistimos ao esforço modernizador das instituições — o futebol profis-

---

88. Ver Nuno Ramos, "A noiva desnudada [o teatro de Nelson Rodrigues]", op. cit., pp. 51-67.

sional, o jornalismo esportivo, o carnaval, o Maracanã. Essa ação emancipatória se dá, ao mesmo tempo, no campo interessado e mercantilizado do espetáculo de massa, agitada pela imprensa através da cultura da celebridade em ascensão, na qual Leônidas contracena com Getúlio e Orlando Silva, como vimos, mas também com Carmem Miranda e Evita Perón, num *cambalache* infindável. O projeto implícito na sua obra teórica e prática é o de que o Brasil atualize as suas instituições em consonância com a sua originalidade — a desvelar e fazer emergir. Mário Filho é um dos heróis de mil faces da singularidade plural do país e da cidadania associada à "diferença" (que terá um outro avatar à esquerda na figura de João Saldanha).

Como Gilberto Freyre, a cujo fraseado o estilo de *O negro no futebol brasileiro* deve algo (o tom de conversa, a fartura de episódios anedóticos, as frases coordenadas, pouca subordinação), assim como as crônicas devem algo às tiradas de Nelson, Mário Filho expõe a inclinação brasileira à adaptação miscigenante, à "reciprocidade de culturas" e raças, sem esconder-lhe os sinais contrários, num processo inacabado e não idílico, mesmo que triunfante em campo: violências, mazelas miúdas, preconceitos, estigmas, misérias, doenças (focos dentários, sífilis, alcoolismo) e fraquezas psicológicas povoam o livro, evidenciando o terreno minado de onde se extrai a sua afirmação.[89] Ao mesmo tempo, o campo onde vige essa reinterpretação do futebol é um regime permeável, conflitivo e plástico, de exclusões e inclusões em revirada.

---

89. Marcelino Rodrigues da Silva faz, no capítulo 3 de *Mil e uma noites de futebol*, uma instrutiva síntese das questões metodológicas e ideológicas envolvidas no livro de Mário Filho, ou despertadas por ele. Em nota às páginas 226 e 227, estabelece uma relação comparativa entre Mário Filho e Gilberto Freyre, afirmando que "a semelhança mais significativa entre os dois" é "uma permanente e não resolvida tensão entre o reconhecimento das diferenças e conflitos e o desejo de equilibrar esses antagonismos por meio de proposições sintéticas como 'mestiçagem', 'mulatismo', 'democracia racial' [que Gilberto Freyre na verdade não usa] e 'mobilidade social'".

A DEMOCRACIA RACIAL EM QUESTÃO

Num comentário equilibrado e insuspeito de qualquer ufanismo, escrito em 1956 para uma revista alemã, Anatol Rosenfeld afirma que o arco de desenvolvimento do futebol brasileiro instaura, de fato, uma *democracia racial em campo*, no que teria razão a "obra extraordinária" de Mário Filho. Mas não se pode estender, diz ele, o reconhecimento do jogador negro, que se dá num plano do imaginário festivo e do "êxtase das massas", coroado pela auréola do extraordinário, ao reconhecimento social extensivo e ordinário da vida social.[90] Podemos dizer que a democracia racial do futebol brasileiro prescreve (no sentido médico, de indicar um remédio) mas não descreve o Brasil. Ou, ainda, que ela descreve possibilidades realizadas e significativas que não se completam como sistema. Em outras palavras, o país não coincide consigo mesmo, e a democracia racial tem de ser complexamente pensada como algo que é e não é, contendo nesse paradoxo o xis da questão.

Segundo Anatol, a população de negros, mulatos e brancos pobres produzia "um grande número de jogadores de primeira classe", movidos pelo talento natural, pela "sucção da subida" que o "remoinho de chances" do futebol mobilizava, pelo fato de que não estudavam e de que podiam dar tudo de si no futebol. O jogo constituía-se na verdadeira *hora e vez* de homens sem perspectiva, que tinham tudo para ser desencorajados previamente por sua condição e "tornados interiormente incapazes de enfrentar as exigências da vida". Através do futebol, eles são *sugados para cima* numa verdadeira linha de fuga, numa queda para o alto que redimensionava ao avesso, no entanto, o sentido da escravidão recen-

---

90. Anatol Rosenfeld, op. cit., p. 104. Publicada originalmente no Anuário do Instituto Hans Staden (Staden-Jahrbuch) sob o título *Das Fussballspiel in Brasilien*.

temente abolida. Numa sociedade escravista em que o trabalho manual era estigmatizado e em que o trabalho escravo, como vimos, recebia o nome de *obrigação*, "dar pontapés numa bola", ao arrepio de qualquer obrigação, "era um ato de emancipação" do atavismo da condição escrava. Rosenfeld formula de maneira penetrante esse jogo de inversões: "de repente o próprio jogo tornou-se para eles um trabalho, e pôde igualmente relacionar-se com a emancipação dos escravos — num país que nunca teve o equilíbrio de uma ética puritana do trabalho — o fato de que, por outro lado, muitas vezes também o trabalho foi realizado como se fosse um jogo".[91]

Podemos dizer que a formulação de Anatol Rosenfeld é uma sóbria tradução dialética do paradoxo de Flusser: o fato singular de que a escravidão, com tudo que tem de aviltante, abrigue em si, pelo seu caráter "não weberiano" e estranho ao ascetismo puritano, um componente lúdico a contrapelo, permite que se imprima ao futebol como trabalho um poderoso componente de brinquedo. Dimensões raciais e sociais se combinam aí de maneira inextricável e ambivalente. Respondendo aos anseios modernos e frenéticos das cidades massificadas que se espelham nas manobras coletivas dos esportes, de que fala Sevcenko,[92] o futebol brasileiro opera, ao mesmo tempo e pelo menos em seu campo, um espetacular *revirão*[93] da experiência constitutiva e traumática da escravidão. A epifania da Copa de 1938 que fez sentir o futebol e o

---

91. Anatol Rosenfeld, op. cit., p. 85. A referência à nomeação do trabalho escravo como *obrigação* e a interpretação de suas consequências na vida brasileira encontra-se na crônica já citada de Machado de Assis, "29 de maio de 1892", op. cit.
92. Ver Nicolau Sevcenko, "Futebol, metrópoles e desatinos", Dossiê Futebol, *Revista USP*, n. 22, jun./jul./ago. 1994. Além de *Orfeu extático na metrópole*, já citado.
93. O conceito de *revirão* tem sido desenvolvido por M. D. Magno no contexto de sua Nova Psicanálise. Ver Maria Luiza Furtado Kahl, *A interpretação do sonho de Freud*. Santa Maria: UFSM, 2000, em especial pp. 91-2.

Brasil, pela primeira vez, como se feitos um para o outro, encontrava nele a realização virtual, que o tempo confirmou, de uma reversão da história brasileira extraída das suas próprias bases. Mais do que qualquer outro esporte, o futebol dava lugar a essa gana, da parte de descendentes de escravos ou não, de brincar com a obrigação, de meter os pés pelas mãos e de explorar a margem ampla e única de gratuidade, de invenção individual, de produtividade e ócio, de uma narratividade aberta ao épico mas também ao trágico, ao dramático, ao lírico e ao paródico, que só o futebol inglês, entre as muitas formas concorrenciais do esporte moderno, permite. Nele, mulatos criam uma linguagem lúdica (a curvatura da reta e a quadratura do circo) na qual se costuram os fios mal amarrados da escravidão mal abolida e sem projeto, e que se convertem numa afirmação esplêndida de potência, que é "promessa de felicidade".

Gilberto Freyre entendeu esse processo como uma "sublimação" dos componentes perigosamente violentos e desorganizadores da vida social, que ameaçaram no século XIX com uma ruptura do país. No prefácio a *O negro no futebol brasileiro*, Freyre foi, quanto a isso, possivelmente mais explícito do que nunca em toda a sua obra. Diz, ali, que "o desenvolvimento do futebol, não num esporte igual aos outros, mas numa verdadeira instituição brasileira, tornou possível a sublimação de vários daqueles elementos irracionais de nossa formação social e de cultura". Afirma que, na falta dele ou de algo que lhe correspondesse no sentido de domar e transformar desde dentro os impulsos irracionais e as forças destrutivas, "o cangaceirismo teria provavelmente evoluído para um [...] gangsterismo urbano [...]", "a capoeiragem [...] teria provavelmente voltado a enfrentar a polícia das cidades sob a forma de conflitos mais sérios que os antigos entre valentes dos morros e guardas-civis das avenidas, agora asfaltadas", "o samba teria se conservado tão particularmente primitivo, africano, irracional que suas modernas estilizações seriam desconhecidas, com prejuízo para a nossa cultura e para o seu vigor híbrido" e "a malandragem também teria se conservado inteiramente um mal ou uma inconveniência".[94] Naquele momento vê, portanto, o futebol (e podemos dizer que as forças que lhe correspondem, como a música popular) impedindo o país de engolfar-se nos horrores que rondam a sociedade por dentro e por baixo: o futebol é o *fármacon* prodigioso, o veneno remédio que converte a violência, a desagregação social, o primarismo, o oportunismo vicioso e estéril, em arte e em perspectiva de afirmação do país.

Entenda-se o papel do *fármacon*: ele é a força que revira em seu contrário, o *mesmo* que se transforma em *outro*, o avesso do avesso. O processo que permitiu aos negros entrar num jogo do qual estavam excluídos e virá-lo, tal como descrito por Mário Filho, é a garantia para o salto civilizatório original capaz de transcender o giro em falso na violência e no primarismo, tal como formulado por Freyre. Poderíamos dizer, no entanto, que, assim como avançou, o processo é virtualmente reversível, de tal modo a violência e a sua sublimação estão intimamente ligadas. A epifania do futebol brasileiro, para Gilberto Freyre, tem como seu negativo o espectro perigosamente real e virulento da violência primária, do primitivismo sem saída e do oportunismo irresponsável afundando no caos social.

Essa constatação permite considerar criticamente a formulação de Gilberto Freyre sobre o futebol e a cultura, de uma perspectiva atual, no seu alcance e no seu limite. Devolvendo a ela, com recuo histórico, a engenhosa torsão que ela realiza, é preciso dizer então que o futebol brasileiro pentacampeão mundial elevou reconhecidamente à potência máxima a sua excelência técnica e artística, *ao mesmo tempo* em que as violências que ele sublimaria

---

94. Gilberto Freyre, "Prefácio à primeira edição", em Mário Filho, op. cit., p. 25.

cresceram em potência. Os horrores que Gilberto Freyre descreve como superados pelo advento do futebol parecem uma descrição cabal e precisa daqueles que conhecemos hoje: a violência urbana, o crime organizado (os morros enfrentando "a polícia das cidades sob a forma de confrontos mais sérios que os antigos"), a malandragem (elevada a oportunismo e irresponsabilidade generalizada) resistindo como "um mal" crônico e "um inconveniente". O futebol chegou a se formar (no sentido de ter desenvolvido plenamente as suas potencialidades, a ponto de dominá-las), e a nação não. Os destinos opostos da cultura e da sociedade apresentam-se como duas faces do mesmo nó, e a terapia pela cultura, que faz do mal o seu antídoto, resiste no seu ponto estacionário. Não é à toa que, visto pelo prisma do futebol, que o encarna aos olhos de todos, *o país se realiza extraordinariamente enquanto não se realiza nunca.*

É nesse ponto que se dá uma encruzilhada lógica e ideológica. Os críticos usuais de Gilberto Freyre dirão que o fracasso da sublimação do Brasil pela criatividade da cultura mestiça e tropical é uma prova de que as verdadeiras questões ligadas ao futebol e ao Brasil devem ser procuradas em outro lugar — em fatores socioeconômicos e políticos. O futebol será concebido como o excelente pretexto para tratar daquelas coisas que estão em volta dele, e que são as que verdadeiramente importam. Dirão também que a mestiçagem é um falso problema ou uma falsa solução que procura encobrir com o manto da democracia racial os choques camuflados de raça e de classe. No entanto, o mais importante na formulação de Gilberto Freyre, a meu ver, é que ela toca, conscientemente ou não, no ponto nevrálgico segundo o qual os fracassos e as realizações brasileiras (que se dão sobretudo em certos campos da cultura) fazem parte de um só processo, cuja dissociação interna resiste desafiadoramente como enigma. Nesse caso, o futebol não é apenas a ocasião para estudar a sociedade à sua volta, mas um dos elementos nucleares nos quais pode se ler, num nível não verbal, o fato irrebatível de que *o Brasil é uma droga*, em toda a potência ambivalente da expressão: a substância não substancial que se caracteriza por ser ao mesmo tempo mortífera e salvadora, redentora e destrutiva, dividindo-se e repondo-se, sem se decidir entre essas faces opostas.[95]

A CATÁSTROFE

A Copa de 1950, que se realizou no Brasil depois do lapso sem Copas da Segunda Guerra, ofereceu um palco quase inacreditável para o desenvolvimento dessa síndrome. Em um "país sem glórias, saído de uma ditadura, no marasmo do governo Dutra e antes do impacto da volta de Vargas ao poder e da euforia desenvolvimentista de Juscelino Kubitschek" (que erguerá Brasília dez anos depois), construiu-se em dois anos o maior estádio do mundo, com uma capacidade para quase 200 mil pessoas.[96] Olhada retrospectivamente, essa aposta monumental se materializava num indeciso compasso de espera histórico: nem mais a *ditadura de Vargas*, nem ainda *o retorno de Vargas* — seus impasses e sua tragédia —, menos ainda o arranque desenvolvimentista. As novas eleições presidenciais avizinhavam-se e, por coincidência ou não, o PTB homologou a candidatura de Getúlio Vargas no próprio dia da inauguração do Maracanã, 16 de junho, um mês exato antes da partida final da Copa.

95. A questão da ambivalência indecidível comparecendo como "uma estranha metafísica das letras brasileiras" é tratada agudamente por José Antonio Pasta Júnior em *Pompeia: A metafísica ruinosa d'O Ateneu*, Tese de Doutorado, Universidade de São Paulo, 1991, encontrando um ponto de síntese na página 225. A tese permanece infelizmente inédita, podendo ser consultada no banco de teses da Faculdade de Filosofia, Letras e Ciências Humanas/USP.
96. Paulo Perdigão, op. cit., pp. 27-8.

Para além da conjuntura, no entanto, a grandiosidade inusitada do estádio, que o nosso observador inglês, Brian Glanville, sentiu ainda no Brasil vs. Uruguai como um vasto canteiro de obras hiperlotado, será a arena ideal para o balanceio fragoroso entre a ambição de grandeza e a impotência infantilizada de um povo periférico e anarcoide, posto entre as primícias da realização original sugerida pela Copa de 1938 e o temor inconfessável de que essas promessas regridam eternamente a um ponto inultrapassável. Tudo contribuiu para a teatralização em escala colossal dessa síndrome. Por isso mesmo o trauma brasileiro, na Copa de 1950, foi e é continuamente lembrado e repetido em prosa, em verso, em ensaio, em foto, em filme: essa recorrência insistente cumpre aí a função freudiana de rasurar o trauma através da sua infinita repetição fantasmática, diante de um conteúdo insuportável *que se deu a ver*.

Um dos mais notáveis livros sobre futebol escritos no Brasil, o ensaio *Anatomia de uma derrota*, de Paulo Perdigão, contém, por exemplo, a transcrição *integral* da transmissão radiofônica da partida final, em que o Brasil perdeu do Uruguai por 2 × 1, comentada em suas mínimas refrações. É um clássico da obsessão: o autor, então com onze anos, que estava no estádio no dia do jogo, se vê capturado numa perda em queda livre cujo luto parece não caber numa vida inteira, e onde a lembrança do jogo, assim como o jogo da lembrança, não podem terminar: "há [...] uma relação afetiva com a Copa de 1950 e, em particular, com o jogo Brasil × Uruguai, que parecem-me desfrutar de uma 'vida honorária' à margem do tempo universal e se conservam indefinidamente em disputa, em um fluxo eterno que só desaparecerá comigo".[97] O ensaísta invoca Freud (a "causa precipitante" da "perda da inocência"); Jean Cocteau (as imagens fragmentárias da Copa de 1950, banhadas de uma

---

97. Idem, ibidem, p. 17.

luz resplandecente e misteriosa, são a prova de que "o advento da fotografia, e [...] do cinema, conseguiu revelar a morte em seu trabalho"); Heidegger e Santo Agostinho ("não encontramos o tempo em parte alguma" e "aquilo que já passou e aquilo que ainda virá estão sempre 'em outro lugar'"); Proust (ao "reencontrar-me" no Maracanã em 16 de julho de 1950 me deparo "com uma 'realidade' estranha e febril, na qual mal me reconheço, pois já não sou o mesmo que era e, no entanto, continuo sendo"); Hegel (animar com a função estética "a severidade e a aspereza da razão", desvendar "a beleza do infortúnio da condição humana ante a adversidade inevitável do mundo"). Todo esse edifício filosófico, erguido à maneira de um verdadeiro Maracanã metafísico para driblar o sentimento da existência humana como mal-entendido atroz, vacila, no entanto, diante da constatação aterradora e insistente de que "*nunca mais o Brasil ganhará a Copa de 50*" (o destaque é meu). A memória pungente "tornou-se [...] algo de irreal", que se autossustenta e se guarda num mundo "imutável, constante e [...] já acabado, submisso a um destino ubíquo e prefixado".

O livro faz uma fina reconstituição do contexto que caminhou para tamanha derrocada. Mas o inegável exercício de maturidade em que se constitui *Anatomia de uma derrota*, evidenciado pela qualidade crítica do ensaio, parece não poder deixar de repisar eternamente o núcleo infantil que é a sua matéria, sendo a franca exposição dessa incongruência uma das marcas do livro. O luto só se faz à custa de uma insistente reiteração da melancolia e uma elaborada estilização de seu círculo sem saída. Aliás, como mostra o autor do ensaio, a *Gazeta Esportiva Ilustrada* estampou, na época, qual a própria esfinge da melancolia, a manchete: "Nunca mais... Nunca mais...". O refrão do poema de Edgar Allan Poe, em que um corvo enigmático e sinistro repete cegamente — "*Never more!*" — a toda pergunta que se lhe faça, serve à perfeição para pontuar esse luto sem fim e sem finalidade.

Nunca uma fração do inconsciente do Brasil terá se entreaberto em espectro, no imenso negativo de uma foto sempre atual, como nessa tarde — porque o que aconteceu ali está, aliás, sempre reacontecendo entre nós, de maneira entranhada e não tão facilmente perceptível. E todas as divagações de Paulo Perdigão sobre o tempo perdido se dissolveriam numa lamúria neurótica não fosse o fato de que "as quase 200 mil pessoas que lotaram o Maracanã na tarde de 16 de julho constituíam uma espécie de quintessência do *homo brasiliensis* em seus fundamentos histórico-antropológicos", medusados pela encarnação do futebol no destino do país, vendo-o fixar-se numa lutuosa alegoria ao vivo e desenhar-se sobre o campo, como num implacável lance de búzios, a imagem terrível da sua inviabilidade e o espectro de "uma desesperança quanto à efetivação de qualquer projeto coletivo". O ensaísta desse clássico movido pela fixação, em contraposição ao engenho totalizante, animado e volúvel de Mário Filho, é também um *nativo* do jogo que ele veio a destrinchar: enquanto um promoveu na prática o futebol mulato que decantou, o outro sofreu *in loco*, e desde então loucamente, a partida que se apossou dele como o "cavalo" de uma entidade no candomblé.

Paulo Perdigão diz que, em sua "estatura histórica e mitológica", a derrota de 16 de julho é "o grande emblema do Imaginário do país", e também "uma das representações da nacionalidade em seu empenho por uma identidade própria". É importante reter aqui essas duas noções necessariamente imbricadas: identidade e imaginário. O episódio "traz o encantamento mágico de uma gesta efêmera, tendo por cenário suntuoso um Coliseu da era moderna", literalmente um nicho *colossal* da paixão dionisíaca, extático na "solidez e perenidade do rochedo" e na "calma grandeza de uma ruína clássica", edificado "como panteão para a glória nacional", mas cenário "onde brotou a provação de heróis esquecidos e o infortúnio e a desesperança de um país inteiro". Para que se entendam as dimensões trágicas de que se investiu o fracasso, ultrapassando em muito a ocorrência de uma derrota no esporte, é decisivo saber, antes de mais nada, que a narrativa desenhada pela Copa expôs e maximizou, com a crueldade dos deuses, a própria oscilação vertiginosa entre a potência e a impotência, entre os voos do imaginário e sua súbita reversão ao real.

A vitória contra o México no jogo de estreia, por 4 × 0, correspondeu, sem novidade, ao esperado. O empate por 2 × 2 contra o *ferrolho* suíço, que se deu no Pacaembu, com uma escalação destinada a aplacar os brios paulistas e a atenuar a histórica dissensão entre Rio e São Paulo, por sua vez, produziu uma onda de desânimo e pessimismo que "invadiu o país". Dado que a maioria dos jogadores do selecionado brasileiro, bem como seu técnico, Flávio Costa, eram do Vasco da Gama, jogar em São Paulo com alguns jogadores paulistas não deixava de ser uma manobra politicamente conciliatória e agregadora, que acabou por esbarrar, no entanto, num entrave perigoso. O jogo seguinte, com a Iugoslávia, se dava sob risco de desclassificação em caso de empate ou derrota, o que reverteu em negativismo e descrença já contagiantes. Mas bastou a vitória por 2 × 0 para desencadear, por sua vez, "uma crescente onda de euforia, presunção e triunfalismo".

Começamos a assistir aqui, portanto, àquele dispositivo típico, e sintomático até a raiz dos cabelos, de uma pendulação imaginária e ciclotímica entre o tudo e o nada, sem meias medidas emocionais, em que os critérios ponderados e realistas de avaliação sucumbem ao menor sinal dos fatos, desaguando em caudal. E o que se seguiu, para o bem e para o mal, foi, de fato, um verdadeiro caudal de gols. A famosa goleada sobre a Espanha, por 6 × 1, três dias antes da última partida, contra o Uruguai, foi ritmada inesquecivelmente pelo coro monumental do Maracanã entoando em uníssono delirante a marchinha carnavalesca "Touradas em Madri". Ela se seguia à vitória sobre a Suécia, por 7 × 1, e confirmava, num crescendo carnavalesco, a sensação de dominar a realidade sob a espécie do lúdico, de transformar a vida em jogo e de encontrar por essa via congenial um lugar próprio e original no mundo.

Enriquece e complica o quadro saber, pelo testemunho unânime dos jornalistas estrangeiros presentes, que o delírio não era calcado puramente na inconsistência da fantasia coletiva, mas que o Brasil jogava, em vez disso, um futebol fantasioso, encantatório e único, eficaz e artístico. Brian Glanville o diz sem meias palavras, de um modo que faria inveja a Mário Filho ou Gilberto Freyre: "Jogadores negros tinham desde algum tempo transformado e dominado o futebol brasileiro. Seus extraordinários reflexos, a um só tempo balé e ginástica, sua concepção do jogo, tão radicalmente nova e tão explosivamente efetiva, levaram, a certa altura do torneio, um jornalista romano a clamar: '*Come resistere?*'".[98] Não sabemos se a pergunta se refere à dificuldade de resistir em campo a uma equipe tão envolvente, ou se à dificuldade de resistir na arquibancada ao seu poder sedutor — considerada tamanha fusão entre eficácia e beleza, entre competição e espetáculo. Por ocasião da partida contra a Suécia, diz Glanville que "o Brasil jogava um futebol do futuro, algo quase surrealista, taticamente comum mas tecnicamente soberbo, no qual jogadores geniais, não sacrificando um milésimo de seu direito ao virtuosismo e ao espetáculo, encontravam um extasiante *modus vivendi*". Na iminência da partida contra o Uruguai, observa ainda que "a intrincada e elétrica combinação de seu trio central avançado, Zizinho, Ademir e Jair, era devastadora. Um movimento [...] era especialmente inusual e efetivo. Para variar o método normal de ataque — passes curtos alternados com bolas em profundidade, agudamente anguladas para as pontas, às vezes com mais de vinte jardas — Ademir atrasava para o dominador Bauer. Este esperava, com o pé sobre a bola, enquanto

---

98. Glanville, op. cit., p. 44.

Zizinho, com seu jeito relaxado e quase displicente, trotava de volta como um cão obediente para tomá-la do companheiro".[99] A descrição corresponde, pode-se dizer, à surpresa frente à instauração de um tempo de jogo inédito, cavando buracos aparentemente improdutivos, zonas algo ociosas, buscadas por desfastio, por tédio à redundância, por cadenciamento e variação do ritmo do jogo, por uma espécie de tratamento íntimo e pessoal da bola e do campo, que não se vê obrigado a perseguir uma eficiência que, no entanto, brota como que naturalmente. A fina observação do jornalista inglês de uma jogada sutil como essa é, de certa forma, mais reveladora das transformações que se processavam, indicando singularidades do futebol brasileiro, do que a das jogadas mais evidentes e espetaculosas que, não obstante, se multiplicavam.

Willy Meisl, do *World Sports* de Londres, afirmou que Zizinho era um gênio próximo da perfeição, e Giordano Fattori, do *Gazetta Dello Sport* de Milão, se estendia sobre o mesmo ponto: "No jogo Brasil *vs*. Espanha viu-se tudo o que se poderia imaginar teoricamente em futebol. Houve ciência, arte, balé, e até jogadas de circo. Mas, entre todos os onze jogadores dessa equipe mágica do Brasil, um estava em relevo. Era Zizinho, o mestre da esquadra. Seu futebol fazia recordar Leonardo da Vinci [...] criando obras-primas com os pés na imensa tela do gramado do Maracanã".[100] (A comparação desabusada não é inteiramente nova, de todo modo: já vimos Décio de Almeida Prado relacionar Da Vinci com Pelé e Leônidas invocando no seu caso o sentido preciso do futebol como *cosa mentale*.) O chileno Pepe Navas alinhou "a máquina esportiva construída por Flávio Costa" entre "os monumentos do Brasil moderno, junto ao Cristo Redentor e aos arranha-céus de Copaca-

---

99. Idem, ibidem, p. 55.
100. Perdigão, op. cit., p. 87.

bana". E Ari Barroso, lembrando a presença da capoeira, do maxixe, do jongo e do frevo naquilo que via em campo, comparou essa máquina a uma orquestra sinfônica que tocasse samba.

De fato, a conjunção entre o futebol e a música tem a sua demonstração explícita em Brasil *vs*. Espanha, com o Maracanã inteiro cantando, como já dissemos, "Touradas em Madri". A marchinha carnavalesca, composta por Alberto Ribeiro e João de Barro — o Braguinha —, fora gravada em novembro de 1937 por Almirante, e, como muitas de Braguinha, pertencia já à memória coletiva como se existissem desde sempre, compostas por ninguém. Depois do quarto gol, marcado por Chico aos onze minutos do segundo tempo, e provocado pelos "olés" da multidão, consta que um grupo começou a cantá-la em algum lugar do estádio. A iniciativa contagiou prontamente as 150 mil vozes, que se juntaram num coro inesperado e espontâneo, seguido de perto pela Charanga do Flamengo, de Jaime Carvalho, "eleito pela loja Dragão dos Tecidos o chefe da torcida organizada brasileira".

> *Eu fui às touradas em Madri*
> *(Parará tchim bum bum bum*
> *Parará tchim bum bum)*
> *E quase não volto mais aqui-i-i*
> *Pra ver Peri-i-i*
> *Beijar Ceci*
> *(Parará tchim bum bum bum*
> *Parará tchim bum bum)*
> *Eu conheci uma espanhola*
> *Natural da Catalu-unha*
> *Queria que eu tocasse castanhola*
> *E pegasse o touro à u-unha*
> *Caramba*
> *Caracoles*

Sou do samba
Não me amoles
Pro Brasil eu vou fugir
Isso é conversa mole
Para boi dormir
(Parará tchim bum bum bum
Parará tchim bum bum)

Não se tratava de uma manifestação de euforia habitual de uma torcida diante de um jogo. A marchinha tomou proporções avassaladoras, reboando por toda a estrepitosa elipse do estádio. Segundo João Máximo, "a multidão prolongava de tal forma o *u* de *Catalunha* e *unha* que se tinha a impressão de que um vento forte soprava sonoramente das arquibancadas, das gerais, das cadeiras cativas"[101] (vale dizer, a força desencadeada juntava todos os setores sociais, representados na estrutura do estádio — que Leite Lopes viu como o teatro e a teatralização do Brasil —, numa apoteose fusional). Simultaneamente, o time parece ter entrado numa relação de franca sinergia com a música, interagindo em campo com o seu ritmo: "era como se o coro dos torcedores atuasse em contraponto às jogadas dos craques brasileiros, as duas coisas se complementando".[102]

Tamanha simbiose só poderia se dar como a cristalização de muitas camadas de sentido acumuladas. Cantar durante o jogo uma marcha de carnaval que parodiava um *paso doble* e se referia ao grande rito espanhol das touradas, nas quais a multidão por sua vez entoa *olés* em coro, transformava pelo futebol o time da Espanha numa espécie de touro paródico, e assimilava e convertia o rito

---

101. Apud Perdigão, op. cit., p. 86.
102. Jairo Severiano e Zuza Homem de Mello, *A canção no tempo*, apud Perdigão, op. cit., p. 86.

da tourada em um imenso rito carnavalesco. Pode-se imaginar o efeito de desrecalque investido na cena, e o quanto ela presentificava em escala eufórica as promessas de uma cultura mestiça, sem reconhecimento em plano mundial, exercendo desembaraçadamente a sua propensão a incorporar o alheio e dar-lhe os próprios sentidos. Nesse caso duplamente, assimilando a um só tempo o futebol inglês e a tourada espanhola a uma "lógica" toda própria.

Mas o que não se costuma dizer a propósito do episódio é que esse momento de delírio eufórico absoluto, de encontro pleno com a fantasia coletiva, já contém, de certa forma, na apoteose do conjunto e cifradas na própria canção, as precondições do fracasso que se seguiria três dias depois. O transe do uníssono de massa, embriagado pela sensação da potência que se extrai do futebol que se mistura com a música, sustenta a pretensão de que a realidade está rendida definitivamente ao prazer, como se essa manifestação do desejo se confundisse com o fato consumado. Mais do que um momento de êxtase esportivo e artístico, o *homo brasiliensis* tomou ao pé da letra, nesses dias, e nos dias seguintes, aquilo que a letra da canção soletra com astúcia malandra, sendo pego no contrapé, como se diz no futebol, dessa mesma crença cega.

Não custa prestar um pouco mais de atenção à marchinha, porque nela se manifestam conteúdos latentes ou quase explícitos que são muito próximos daqueles que, em algum nível, a própria Copa punha em cena para o Brasil, embora invisíveis de tão óbvios. A canção começa com uma suposta visitação ao território do outro: "eeeeeeu fui às touradas de Madri". A melodia espanholizada confirma esse anúncio com uma festa onomatopaica, que nos transporta imediatamente para o ambiente musical do *paso doble*: "(Parará tchim bum bum bum/ Parará tchim bum bum)". A pronta e fácil assimilação da cultura do outro simula, por sua vez, uma pseudodespedida do Brasil, representado pelo mito de origem d'*O Guarani* de José de Alencar, escandido sibilinamente em

repetidos *iis* espanholados: "E[eeeeeee] quase não volto mais aqui-
-i-i/ Pra ver Peri-i-i/ Beijar Ceci/ (Parará tchim bum bum bum/
Parará tchim bum bum)". (Vale lembrar outra canção do gênero,
a "História do Brasil" de Lamartine Babo, onde, depois de se dizer
que o Brasil foi "inventado" por "seu Cabral" no dia 21 de abril,
"três meses depois do carnaval", se acrescenta, numa nova festa de
iis: "Aí, Peri beijou Ceci/ Ceci beijou Peri/ ao som, ao som do Guarani/ do Guarani ao Guaraná/ criou-se a feijoada e depois a Parati".
Nos dois casos, a mitologia romântica da origem do Brasil é
reposta por uma carnavalização em ambiente brejeiro e paternalista de fundo, no qual se juntam as "coisas nossas": a música, a
cachaça, a feijoada, e, por acréscimo natural, o futebol.)

Mas a segunda parte de "Touradas em Madri" virará do avesso
(depois de uma modulação tonal incomum em singelas marchinhas de carnaval, mas em consonância com o modelo parodiado
do *paso doble*) a ameaça de abandono do Brasil, que estava aí, evidentemente, como um rebate falso. "Eu conheci uma espanhola
natural da Cataluuuuu-unha": a já citada sílaba em *u* é uma imitação da nota longa típica nesse gênero de música de tourada, e um
índice da assimilação dos registros da alteridade, prometendo prazer. Mas a promessa de satisfação erótica no reconhecimento do
outro (a "espanhola") não se faz de graça, exigindo como rito de
passagem uma inesperada adaptação ao *flamenco* e, mais do que
isso, uma sujeição aos ritos da tauromaquia, nos quais, como sabemos, a prova da morte está incluída: "queria que eu tocasse castanhola/ e pegasse o touro à uuuuuu-unha". Essa prova do real é o
limite da aventura, disparando uma rápida regressão aos hábitos e
ao habitat brasileiro: "Caramba/ caracoles/ sou do samba/ não me
amoles/ pro Brasil eu vou fugir/ isso é conversa mole para boi dormir". O fogo cruzado de expressões espanholas e brasileiras, todas
compartilhadas pelo repertório comum, rebate a conhecida
expressão referente ao enfrentamento direto de uma dificuldade

— "pegar o touro à unha" —, desqualificada por meio das não menos conhecidas e evasivas "conversa mole" e "conversa para boi dormir". Na sua simples e intrincada relação entre letra e música, "Touradas em Madri" é um hino da vitória insofismável do chiste sobre o chamado à dureza das coisas, cujo campo de manobras é o território do outro, mas cujo berço irreprimível é dado como sendo o Brasil.

Com isso, a marchinha radiografa a síndrome carnavalizante brasileira e expõe algumas das suas facetas traiçoeiras, que andam junto com a sua face gozosa: uma disposição para lançar-se e expor-se ao campo do outro retroage numa afirmação do espaço familiar compartilhado; uma agilíssima capacidade de absorver os estilos alheios desemboca na afirmação resistente da disposição a não sair do lugar e do mesmo; uma astúcia fundada no hábil domínio dos significantes pretende rasurar o impacto do real e subornar o princípio de realidade pelo princípio do prazer. Tem-se aí a cena de uma identidade polarizada pelo jogo do imaginário, em que o *outro* funciona como um espelho do *mesmo* (e onde o contato do real com o simbólico gira em falso). Se olhada com o devido humor, essa singela, astuciosa e refinadíssima marchinha pode ser vista como um documento "da mais avançada das civilizações", explorando sinuosamente o lapso do *mais-de-gozo* (amor e humor, autoironia, maleabilidade e salto para a alegria). Se tomada literalmente a sério, poder-se-ia dizer que "não passa da primeira das verduras". Nos dois casos, considerados conjuntamente, ela tanto transfigura como expõe sintomaticamente a dificuldade de confrontar-se com a alteridade, fantasiada da inesgotável capacidade de parecer fazê-lo.

A canção capta e irradia essa disposição difusa, que parecia encontrar no Maracanã o seu destino triunfal, ganhando forma repentina e confirmação literal inesperada pelo seu vulto. Se for permitida a digressão, podemos dizer que os conteúdos latentes em jogo decantavam uma saída pela tangente, à maneira de Macunaíma: lembremos que o herói foge à escolha de uma das três filhas de Vei, a Sol, desviando-se, como só ele, do complexo recorrente, analisado por Freud em tantas culturas conhecidas, em que o herói escolhe sempre a terceira, quando chamado a escolher entre três mulheres.[103] O enigma da escolha da terceira, segundo Freud, consiste numa manobra de astúcia simbólica pela qual se aceita o limite da morte inelutável escolhendo na terceira (a "cinzenta", a "borralheira", a obscura) aquilo que não tem escolha, a morte, que se transfigura então numa bela mulher. Passar pela prova do limite, assumindo-a e sofrendo a resistência do objeto, em troca da sua fruição consistente, parece ser a precondição universal de toda busca. Trata-se, no caso, de uma negociação entre a dialetização do mundo, de seus lados positivos e negativos, e o corte sem saída, que se impõe inelutavelmente. Diferente de seus pares míticos, no entanto, Macunaíma, a quem é dado o privilégio mirífico de "brincar" de antemão com as três filhas da Vei, "esquece" e dribla o compromisso firmado com a entidade solar, "brincando" com uma quarta, que não estava na história. De maneira semelhante a Macunaíma, o sujeito de "Touradas em Madri", o *homo brasiliensis* contumaz, recusa o encontro com a "espanhola", em que é posto à prova da resistência feroz do objeto e da opacidade da coisa ("pegar o touro à unha"), para voltar (literalmente *fugir*) para os braços imaginários de uma brasilidade sem fraturas. Essa mesma disposição desencadeará mais tarde, na narrativa, o estraçalhamento de Macunaíma e a perda da muiraquitã, "jogada" vingativamente pela Vei numa lagoa de piranhas tendo ao fundo a Uiara (a mulher-morte, evitada no plano simbólico, retornando no real).

Entende-se que a euforia generalizada e a difusa convicção coletiva de que o país encontrava no futebol já não mais um campo

---

103. Ver Sigmund Freud, "El tema de la elección de un cofrecillo", op. cit., pp. 1868-75.

de disputa — o território difícil de um *fazer* —, mas o *locus* privilegiado do seu *ser* em desfile, deram à partida decisiva contra a valorosa seleção do Uruguai, campeã mundial de 1930, a sensação generalizada de uma vitória por antecipação, a celebração exultante de um status já conquistado. Se analisadas realisticamente, as chances poderiam ser consideradas efetivamente muito boas: o Uruguai tinha passado com dificuldade pelos seus adversários do quadrangular decisivo, empatando com a Espanha em 2 × 2 e vencendo sofridamente a Suécia por 3 × 2. Por isso mesmo o Brasil dispunha da vantagem do empate, além de vir sonoramente embalado por tudo que já dissemos. Mas, como fica evidente, não era a análise ponderada que movia os espíritos, mas o transporte a um plano supostamente invencível dado de antemão (tudo isso no campo de futebol, aquele esporte traiçoeiro em que, como já vimos, os movimentos do placar elidem a estrutura do jogo).

Ultrapassados imaginariamente os limites da realidade, a expectativa mínima era de uma nova goleada triunfal e apoteótica, como se se tratasse, ali, não mais de vencer um adversário, mas de superar-se ao infinito. Já se disse, com razão, que se não tivesse havido Brasil 6 × 1 Espanha com "Touradas em Madri", uma derrota por 2 × 1 para o Uruguai poderia até ter sido sentida como fazendo parte da ordem natural das coisas. As duas partidas fazem, no entanto, um par complementar indissociável, já que a vitória na primeira delas, tal como se deu, produziu uma verdadeira *precipitação* do imaginário coletivo, em todos os sentidos da palavra, escancarando os seus desfiladeiros mais vertiginosos, nos quais se tomba fragorosamente na partida seguinte.

A tradição do futebol uruguaio estava baseada em nada mais nada menos, por sua vez, do que no ato simbólico de "pegar o touro à unha". Como já vimos, a sua matéria social originária foi o confronto interno de raças e classes assumido e canalizado, através do futebol, para a condição de *ethos* nacional. É ela que contracenava subliminarmente com a mestiçagem brasileira, guindada e transcendida à condição de futebol-arte, em que se prefigurava a utopia do *homo ludens*, acompanhada por um séquito estrutural de oportunistas, aproveitadores, interesseiros de todo tipo, e seguida pela massa em triunfo, iludida pelo brilho da conquista por antecipação. Como que para facilitar a exposição da seleção nacional a esse caldo de cultura, o retiro dos jogadores foi transferido, nas vésperas do jogo, do distante Joá para o vespeiro fervilhante de São Januário. Ali, o espaço reservado da concentração virou ponto oficial de romaria, invadido pelos oportunismos políticos e eleitoreiros, pelo assédio publicitário, pelas benesses paternalistas e pelos vendedores e caçadores de autógrafos sobre fotos já assinaladas com o título de campeões do mundo. A propósito, um jornal, *O Mundo*, já circulava com a notícia do campeonato conquistado (e foi tomado pelos uruguaios como aguilhão motivador e peça de expiação coletiva, com os jogadores urinando ritualmente sobre ele). No dia da partida, os jogadores brasileiros foram expostos aos discursos triunfalistas, às pérolas da retórica, às inconsequências mais rasteiras e ao esquecimento dos limites, culminando numa primeira interrupção do almoço coletivo para ouvir, na sala de troféus de São Januário, o discurso autopropagandístico de Cristiano Machado, candidato à presidência, acompanhado de figurões da Confederação Brasileira de Desportos; como se não bastasse houve uma segunda interrupção para receber Adhemar de Barros e sua comitiva, que apoiava Getúlio, e, já em campo, deu-se o discurso do prefeito Ângelo Mendes de Moraes, um épico da impropriedade cívica e da parcialidade, como se tudo realizasse um resumo magnificado dos temas-chave da ironia machadiana: ideia fixa, obnubilação, onipotência imaginária e tombo no real.

Arno Vogel observa com razão, de um ponto de vista antropológico, que os sucessivos procedimentos inconsequentes envolvem "uma violação flagrante e primária do princípio de isolamento que caracteriza os ritos de passagem [...]. A sacralidade do estado liminar, que marca a concentração dos jogadores de futebol [...] ficou exposta à poluição resultante do contato com os políticos" e demais invasores qualificados e desqualificados. Ao mesmo tempo, a investidura por antecipação num status que se busca, ou seja, o título conferido antes da partida, subverte a ordem do rito e desqualifica a prova pela qual se vai passar, degradando-a em mera e iludida "formalidade confirmatória".[104] Zizinho comentava que a decisão tinha se convertido antecipadamente numa celebração *pro forma*. São erros simbólicos crassos, cujas causas mais fundas são inseparáveis do conjunto de sintomas apontado, e cujas consequências imediatas são a perda da concentração e do tônus competitivo.

Ainda assim, o time do Brasil, depois de um zero a zero no primeiro tempo, abriu o marcador com um gol de Friaça a um minuto do segundo tempo e colocou-se, em seu próprio campo, e frente à maior torcida já reunida dentro de um estádio, em vantagem confortável e dificilmente reversível. Segundo os testemunhos, no entanto, essa vantagem, possivelmente reconhecida enquanto tal por qualquer plateia do mundo, era sentida difusamente, ali, como insuficiente: era preciso confirmar pelo excesso as projeções da fantasia, sem as quais a própria vitória parecia cair no vazio. Note-se que o regime do *imaginário*, tal como o estamos entendendo, consiste na identificação imediata com uma autoimagem absoluta, que recobre a angústia de um vazio onde essa imagem falta por completo. Tratava-se, no caso, do limite frágil entre a goleada e o nada.

---

104. Arno Vogel, "O momento feliz: reflexões sobre o futebol e o *ethos* nacional", em Roberto da Matta, Luiz Felipe Baêta Neves Flores, Simoni Lahud Guedes, Arno Vogel, op. cit., p. 97.

Deu-se, então, justamente, que o Uruguai fez o gol de empate aos vinte minutos, explorando o flanco direito de seu ataque, através de Ghiggia, que, vencendo a marcação de Bigode, passou para Schiaffino finalizar. Esse fato, que garantia ainda ao Brasil um resultado favorável, é vivido, no entanto, como um desabamento surdo que desvela o inacreditável: o Outro existe. A situação é o momento emblemático de uma vicissitude do veneno remédio brasileiro: o outro, que subsiste tão naturalmente quando objeto de apropriação e paródia — vide as "Touradas em Madri" —, existe com dificuldade quando reverte como limite. Os relatos do impacto desse gol sobre o time e a torcida — esse golpe inesperado, sentido como uma traição do fado, essa cota de real em hora adversa — fazem lembrar os relatos da estranha desconexão apática do rei de Portugal, d. Sebastião, na legendária batalha de Alcácer Quibir, em 1578, que levou à queda do império e à submissão de Portugal ao domínio espanhol. Uma estranha catatonia em campo e nas arquibancadas parece adivinhar que, se aconteceu um gol do adversário, isto é, se este *existe*, um segundo acontecerá, então, fatalmente. Só isso explica o "silêncio ensurdecedor" que, segundo tantos testemunhos, se abateu sobre o estádio, silêncio que a gravação de rádio não registra, mas que parece estar localizado num lugar mais abissal do que as camadas agitadas de ar.

O segundo gol é assinalado aos trinta e três minutos pelo próprio Ghiggia, em jogada pela direita que parece quase repetir fatidicamente a do primeiro gol, com a diferença de que, dessa vez, em vez de centrar, o ponta chutou a gol, surpreendendo o goleiro Barbosa. Só acresce em ironia o fato de que o chute não tenha sido forte nem preciso, contando com uma relativa participação do Gravatinha, conforme se vê na descrição do próprio Ghiggia: "Ergui a cabeça quando me certifiquei de que Bigode não podia mais me alcançar e percebi um espaço que se abriu entre Barbosa e a trave esquerda. [...] Barbosa já estava acostumado aos cruzamentos e não se preocupou em fechar o ângulo. [...] Não pensei mais e chutei a bola com a direita. O chute saiu murcho e torto, em direção ao pequeno espaço entre Barbosa e a trave. A bola levava efeito, e isso contribuiu também para que Barbosa não pudesse controlá-la. Quando [...] se atirou, estava no contrapé e já era tarde".[105]

Um dos fascínios do futebol, como já vimos, é de que um imenso investimento coletivo, um Maracanã psíquico, o destino inteiro de um país parece periclitar no efeito de uma bola defeituosa e certeira, na fração de um espasmo entre o absoluto e a contingência. Tendo apostado na repetição do centro para o miolo da área, Barbosa perdeu a fração de segundo em que ela veio para o gol, como quem perdesse numa disputa de par ou ímpar. A descrição do lance, do seu ponto de vista, também é reveladora, e insistente na palavra "medo", em contraste com o relato do uruguaio: "Quando vi que Ghiggia tomava a bola e outra vez se livrava de Bigode, fiquei com medo. E o medo aumentou porque, de soslaio, percebi que Juvenal abandonava o centro da área para correr na direção de Ghiggia, deixando Schiaffino livre. Pensei que Ghiggia ia cruzar, pois sempre fazia isso. [...] Quando Ghiggia percebeu, chutou para o gol entre meu corpo e a trave esquerda, mais por desencargo de consciência, porque estava praticamente sem ângulo. Dei um salto de gato para trás e cheguei a tocar na bola. Um segundo depois, olhei para o gol e vi as redes balançando. Por um instante, pensei que ela estivesse do lado de fora". Sua conclusão, na forma de uma justificação trágica, é uma pérola do quiasmo: "ele pensou errado e deu certo; eu pensei certo e deu errado".[106] A afirmação correta de Barbosa sobre Ghiggia seria ainda, se consideradas as duas descrições, mais sinuosa — algo como "ele pensou certo, chutou errado, e deu certo; eu pensei que pensei certo, saltei

---

105. Perdigão, op. cit., p. 185.
106. Idem, ibidem, p. 186.

certo, e deu errado". Como se sabe, o excelente e elegante goleiro negro ficou sendo um dos bodes expiatórios da derrota, o que levou Nelson Rodrigues a falar na sombra de um "frango eterno".

A culpabilização do zagueiro lateral-esquerdo Bigode, por sua vez, o marcador de Ghiggia, pode ser vista sob três aspectos. O primeiro é a acusação de pusilanimidade após intimidação por Obdulio Varela, o carismático capitão da vitória uruguaia, que encenou um tapa intimidador, mais teatral do que real, em Bigode, fazendo valer a lendária garra cisplatina. Essa versão estenderia o estigma de Barbosa ao zagueiro, também negro — tema que Mário Filho desenvolveu em seu livro como um retorno dos preconceitos contra negros e mulatos no futebol brasileiro, que tinham sido parcial ou aparentemente superados (a discussão escondia o fato muito significativo de que Obdulio Varela era um mulato uruguaio). Uma segunda versão fala que uma marcação individual relativamente frouxa de Bigode sobre Ghiggia evidenciaria um desejo de evitar os choques mais arriscados, de maneira a não repetir o trauma do episódio de 1938, isto é, o pênalti de Domingos da Guia sobre Piola. Uma terceira discussão, mais esclarecida, dá conta que a questão não se resumia a um problema individual de Bigode, mas acusava a existência de um flanco tático, uma zona desprotegida e sem cobertura, deixando o zagueiro exposto às tabelas do adversário, que o Uruguai explorou de maneira persistente e inteligente. Segundo o próprio técnico Flávio Costa, o triunfo sobre a Espanha tinha tido também o poder de esconder as deficiências táticas que o time apresentava.

De todo modo, a consumação do fato dá a ele a marca trágica a que nos referimos, abatendo-se implacavelmente sobre a *hybris* pueril do povo que imagina poder fundir numa só "as esferas do jogo e da vida". Faz sentido retomar aqui a oposição proposta por Nuno Ramos: o futebol brasileiro parece sofrer, naquele momento, de uma cisão profunda e sintomática entre a *continuidade erótica* do jogo, na qual ele se reconhece plenamente (elevada ao paroxismo em Brasil *vs.* Espanha, com a chuva de gols coroada de música, fundindo o campo e a plateia) e a *descontinuidade desconcertante do sagrado*, que se expressa no movimento do placar (aparentemente) adverso, paralisando-o. O placar, aliás, nada mais é do que a expressão simbólica de um real, que manifesta seu poder de corte como uma cisão que cai do alto — uma *decisão*. Só mesmo o seu completo descompasso com um imaginário inflado, prisioneiro do balanceio entre a autoimagem plena ou o vazio, o tudo ou o nada, pode explicar o efeito de um placar ainda favorável ter sido tomado difusamente como um golpe fatídico, com seus correlatos de "temor, tabu, catástrofe, permanência". Com o primeiro gol do Uruguai, uma espécie de terror sagrado parece se abater sobre o fluxo erótico do jogo, como se pudesse anulá-lo com a sua simples manifestação. (Algo dessa versão, recorrente entre as testemunhas do jogo, ressoa na afirmação de um jogador uruguaio dizendo que, ao chocar-se com um brasileiro numa circunstância do jogo, àquela altura, sentiu a sua cabeça espantosamente gelada.)

Mais do que o previsível medo de perder, a final da Copa de 1950 parece apontar *também* para uma espécie de medo paralisante diante da vitória, que seria, também ela, *excessivamente real*. Nelson Rodrigues imortalizou esse sentimento na fórmula do "complexo de vira-latas", que assombraria o povo colonizado e mestiço com a incapacidade doentia de aceitar a própria potência.[107] Esse com-

---

107. Ricardo Benzaquen de Araújo observa, por sua vez, que a obra de Gilberto Freyre pode ser entendida a partir de uma remota visão sua de marinheiros brasileiros, mulatos e cafuzos, caminhando num inverno em Nova York, que ele percebe angustiadamente como "caricaturas de homens", lembrando-se com incômodo da frase de um viajante americano ou inglês que vira um aspecto de "vira-lata" na população brasileira. Todo o esforço ensaístico de Freyre consistiria, pode-se dizer, numa laboriosa tarefa de *refutação* e reversão dessa imagem. Ver *Guerra e paz: Casa-grande & senzala e a obra de Gilberto Freyre nos anos 30*. São Paulo: Editora 34, 1994, p. 27.

plexo é tanto mais irônico e cruel pelo fato de contracenar com o colosso de concreto do Maracanã. A existência do estádio confere à partida final de 1950 nada mais nada menos do que a condição espantosamente derrisória de ser o maior espetáculo do fracasso *in loco* já visto na história, o campeonato mundial da derrota ao vivo — numa gratificação cruel e invertida das projeções da fantasia.

Numa crônica chamada "A derrota", José Lins do Rego fala de uma "ideia fixa que se grudou na [sua] cabeça, a ideia de que éramos mesmo um povo sem sorte, um povo sem as grandes alegrias das vitórias, sempre perseguido pelo azar, pela mesquinharia do destino. A vil tristeza de Camões, a vil tristeza dos que nada têm que esperar, seria assim o alimento podre dos nossos corações".[108] Embora o escritor nomeie a "apagada e vil tristeza" da epopeia camoniana, emprestando à derrota algo ainda de um sopro épico, o subtexto evidente e recalcado é o Emplasto Brás Cubas de Machado, antecedido pela ideia fixa que gruda na cabeça da personagem, a dizer com suas piruetas em xis: "Decifra-me ou devoro-te". Trata-se de olhar o espetáculo horrível da falta de conquistas e de perspectivas coletivas, escoada pelo ralo junto com uma derrisória e mera partida de futebol. A decadência do passado português (a "vil tristeza" como alimento podre do coração) espelhada no buraco sem futuro de uma civilização que nunca demarca o seu começo, e que o apostou todo no jogo. O confronto de fundo — ou sem fundo — entre o Emplasto Brás Cubas e as "Touradas em Madri". Consola-o desse pesadelo, no entanto, a sensação da presença, no episódio, de uma entidade, não se sabe se nova ou recorrente, visível e quase tangível: o *povo brasileiro*, "uma média de homens e mulheres de todas as classes sociais", para além dos grupos, regiões ou classes, "o Brasil em corpo inteiro". Em resumo, um povo perseguido "pela mesquinharia do destino", mas um povo.

108. Hollanda, op. cit., pp. 91-2.

O já citado jornalista do *World Sports*, Willy Meisl, comovido com a multidão estarrecida e, ainda assim, capaz de aplaudir os vencedores, vai mais longe na mesma linha: escreve que "acabava de presenciar a um daqueles raros momentos na vida de um homem, quando um povo encontra a sua própria alma, quando uma nação se supera a si própria. [...] Porque o Brasil foi maior na derrota do que poderia ter sido na vitória". Na verdade, o trauma introjetado, fantasmático, é tão abissal quanto pacificamente aceito (considerando-se o quanto o imaginário traído por sua própria ilusão costuma ser vingativo e violento — agressivo contra a imagem do outro que o nega —, como o prova o fenômeno posterior das próprias torcidas organizadas de futebol).

O destino propriamente futebolístico desse nó fica latente, no entanto, em duas reações tão reveladoras de seus atores quanto opostas: em Bauru, o menino Pelé prometia ao pai — o ex-jogador Dondinho, que tivera uma carreira abortada no futebol, e que chorava a derrota — que lhe traria a Copa do Mundo; em Pau Grande, Garrincha não se lembrou de ouvir o jogo pelo alto-falante armado na praça, foi pescar ou caçar passarinho, e, na volta, encontrou Pau Grande inteira chorando. "Quando ficou sabendo por quê, achou uma bobagem. O futebol só era bom para jogar."[109]

Um quer redimir a figura do pai rebaixado pela história individual e coletiva, o outro está mais aquém ou mais além desse

---

109. Ruy Castro, *Estrela solitária: um brasileiro chamado Garrincha*. São Paulo: Companhia das Letras, 1995, pp. 39-40. Paulo Mendes Campos reporta a conversa que Garrincha teve com um jornalista: "No último jogo daquela Copa que teve aqui no Rio, eu não dei bola. Não ouvi nem rádio. Fui caçar passarinho. [...] Quando cheguei de tardinha lá em Pau Grande, levei um susto danado: tava todo mundo chorando. Pensei logo que fosse desastre de trem. Quando me contaram que o Brasil tinha perdido é que eu fiquei calmo e falei pro pessoal que era bobagem chorar por causa de futebol". Ver Paulo Mendes Campos, "Garrincha", em Flávio Pinheiro (org. e apr.), *O gol é necessário: crônicas esportivas*. Rio de Janeiro: Civilização Brasileira, 2000, pp. 26-7.

drama. Só a conjunção dessas duas disposições, o acaso fulgurante de que elas recaíam sobre dois gênios do futebol, mais tudo aquilo que a experiência coletiva acumulou, poderia iluminar, talvez, o que se passou depois.

GARRINCHA E PELÉ

A Copa seguinte, de 1954, na Suíça, foi ainda, para o time do Brasil, uma espécie de ressaca da Copa de 1950. A equipe perdeu nas quartas de final para a legendária Hungria de Puskas por 4 × 2. João Máximo, biógrafo de João Saldanha, resume o episódio, resenhando as ideias de seu personagem — o inquieto e múltiplo jornalista que se tornaria técnico do Botafogo de Garrincha, Didi e Nilton Santos, poucos anos depois, e da seleção brasileira em 1969-70: "o ortodoxo sistema adotado por Zezé Moreira bitolava em demasia jogadores com talento de sobra para [...] criarem dentro de campo as melhores soluções táticas. Havia magníficos jogadores naquele time: Julinho, Didi, Bauer, Djalma e Nilton Santos. Eram os nossos Puskas, os nossos Hidegkutis, só que tecnicamente tolhidos, além de psicologicamente mal-orientados: tanto lhes meteram na cabeça que aquela quarta de final com a Hungria era uma batalha patriótica, uma guerra anticomunista, que eles acabaram vencidos pelos nervos".[110]

Mas a Copa de 1958, na Suécia, é a quase inacreditável reversão das precedentes, e a confirmação, com aura mágica e eficácia indiscutida, das promessas de 1938 e 1950, consolidadas depois pelas Copas de 1962 no Chile e de 1970 no México, que dão ao Brasil o primeiro tricampeonato mundial da história e a posse defini-

---

110. João Máximo, op. cit., p. 41.

tiva da taça Jules Rimet. Numa crônica profética, e logo anterior à Copa, Nelson Rodrigues martelava contra as expectativas gerais a certeza de que, arrancado o "complexo de vira-latas", revelar-se-ia, no mesmo instante "a pura, a santa verdade": a de que o "jogador brasileiro, quando se desamarra de suas inibições e se põe em estado de graça, é algo de único em matéria de fantasia, de improvisação, de invenção".[111] Nelson insistia no bordão a ponto de parecer que acabaria acertando pela insistência. Na sua análise, o brasileiro é — ou tornou-se — um "narciso às avessas que cospe na própria imagem", por uma orgulhosa e pusilânime precaução contra o medo de sofrer. Assim, em fase de preparação para o torneio mundial, "se vence de cinco, [...] o torcedor acha que o adversário não presta. Se empata, quem não presta somos nós". Mas se vence o campeonato com folga, como mostrará a experiência, então sempre fomos e seremos eternamente os melhores, até o próximo e magro 1 × 0, quando reinicia o círculo vicioso. Com sua arma mais característica, a hipérbole inesperada, Nelson Rodrigues bombardeava esse monstro psíquico — "o quadrúpede de 28 patas" — que fazia o brasileiro descrer cronicamente das próprias potencialidades.[112]

Por mais hiperbólicas que pudessem ser as suas palavras, no entanto, elas ganhariam uma materialização inédita com a estreia de Pelé e Garrincha no jogo contra a Rússia, cujos três primeiros minutos são a prefiguração estonteante de um novo mundo de possibilidades — um *jamais visto* — que se abria para o futebol ("os maiores três minutos" da história, teria dito àquela altura, segundo Ruy Castro, o jornalista Gabriel Hannot). A descrição do momento pelo repórter Ney Bianchi, em *Manchete Esportiva*, ostenta o indis-

---

111. Nelson Rodrigues, "Complexo de vira-latas", *À sombra das chuteiras imortais*. Seleção e notas: Ruy Castro. São Paulo: Companhia das Letras, 1993, p. 52.
112. Nelson Rodrigues, "O quadrúpede de 28 patas", op. cit., pp. 49-50.

farçável desrecalque nacional diante da pletora do acontecimento em campo. A recôndita Rússia da Cortina de Ferro, que soava para o Ocidente como se fosse uma espécie de planeta Marte, e que lançara recentemente ao espaço o satélite artificial Sputnik, teria conseguido, segundo se dizia, transpor para o campo de jogo de futebol as novas capacidades do cérebro eletrônico. A desmontagem fulgurante desse mito, o da virtual onipotência científica, por uma espécie de "tecnologia" nativa, o drible ao cubo, é o subtexto eufórico da narrativa de Bianchi. Antes de se desfazer na euforia, ela se compraz na criação de um efeito de objetividade exaustiva, a ponto de simular a improvável capacidade, segundo Ruy Castro, de manter "um olho na bola e outro no cronômetro":

> *Monsieur* Guigue, *gendarme* nas horas vagas, ordena o começo da partida. Didi centra rápido para a direita: 15 segundos de jogo. Garrincha escora a bola com o peito do pé: 20 segundos. Kuznetzov parte sobre ele. Garrincha faz que vai para a esquerda, não vai, sai pela direita. Kuznetzov cai e fica sendo o primeiro *joão* da Copa do Mundo: 25 segundos. Garrincha dá outro drible em Kuznetzov: 27 segundos. Mais outro: 30 segundos. Outro. Todo o estádio levanta-se. Kuznetzov está sentado, espantado: 32 segundos. Garrincha parte para a linha de fundo. Kuznetzov arremete outra vez, agora ajudado por Voinov e Krijveski: 34 segundos. Garrincha faz assim com a perna. Puxa a bola para cá, para lá e sai de novo pela direita. Os três russos estão esparramados pela grama, Voinov com o assento empinado para o céu. O estádio estoura de riso: 38 segundos. Garrincha chuta violentamente, cruzado, sem ângulo. A bola explode no poste esquerdo da baliza de Yashin e sai pela linha de fundo: 40 segundos. A plateia delira. Garrincha volta para o meio do campo, sempre desengonçado. Agora é aplaudido.
>
> A torcida fica de pé outra vez. Garrincha avança com a bola. *João* Kuznetzov cai novamente. Didi pede a bola: 45 segundos. Chuta de

curva, com a parte de dentro do pé. A bola faz a volta ao lado de Igor Netto e cai nos pés de Pelé. Pelé dá a Vavá: 48 segundos. Vavá a Didi, a Garrincha, outra vez a Pelé, Pelé chuta, a bola bate no travessão e sobe: 55 segundos. O ritmo do time é alucinante. É a cadência de Garrincha. Yashin tem a camisa empapada de suor, como se jogasse há várias horas. A avalanche continua. Segundo após segundos, Garrincha dizima os russos. A histeria domina o estádio. E a explosão vem com o gol de Vavá, exatamente aos três minutos.[113]

Garrincha leva a um extremo incomum, ali, as possibilidades do drible — que é finta, negaceio, movimento *que se dá e não se dá*, em fração de segundo, confundindo a expectativa do adversário e explorando essa confusão instantânea. Nesse sentido, o drible é *elipse*, para usar um termo técnico da retórica, isto é, uma perturbação da linearidade que produz um efeito poético; é *chiste*, produzindo uma prazerosa e desconcertante suspensão do recalcado, um instantâneo do inconsciente (como propõe o ensaio de Freud sobre o assunto); é *síncopa*, o acento rítmico fora do tempo forte do compasso — o acento contramétrico, como acontece na música popular com a combinação das rítmicas europeia e africana, que lhe permite passar pelo espaço esperável no tempo inesperado. Não bastasse, o drible de Garrincha é um "antônimo do drible", um paradoxo e um oxímoro: segundo Paulo Mendes Campos, Armando Nogueira dizia que em vez de fingir obviamente que vai sair pela esquerda saindo em seguida pela direita, como se espera normalmente do drible inesperado, Garrincha "pega a bola e para; o marcador sabe que ele vai sair pela direita; seu Mané mostra com o corpo que vai sair pela direita; o público todo sabe que ele vai sair pela direita; seu Mané mostra mais uma vez que vai sair pela direita; a essa altura a convicção do marcador é granítica: ele vai

---

113. Ruy Castro, op. cit., p. 164.

sair pela direita; Garrincha parte e sai pela direita. Um murmúrio de espanto percorre o estádio: o esperado aconteceu, o antônimo do drible aconteceu". Paulo Mendes Campos acrescenta sobre "a graça espantosa" contida nessa *finta*: "às vezes o adversário retarda o mais possível a entrada em cima dele, na improvável esperança duma oportunidade melhor. Garrincha avança um pouco, o adversário recua. Que faz então? Tenta o marcador, oferecendo-lhe um pouco da bola, adiantando esta a um ponto suficiente para encher de cobiça o pobre João. João parte para a bola de acordo com o princípio de Nenê Prancha: como quem parte para um prato de comida. Seu Mané então sai pela direita".[114]

Num curioso e estimulante ensaio sobre Garrincha, em que invoca desde Heráclito a Lewis Carroll, o crítico boliviano Luis Antezana fala da construção de minúsculos labirintos na beirada do campo, onde se perdiam irremediavelmente as defesas adversárias. Ali, na ponta direita, e como que puxando o desenho de um tapete pelo fio de Ariadne, Garrincha chegava ao gol — seu, dos companheiros, ou ao nada — "já como um mero excesso suplementar de livre e gratuita doação".[115] Antezana compara ainda essa exploração inusitada da extrema direita com a estratégia de certos enxadristas extremamente hábeis no uso dos espaços laterais mínimos (com base em *A luta*, de Norman Mailer, ele cita Nimzovitch e Reti) a partir dos quais preparam "uma definitiva e fatal apropriação do centro". Lembrando procedimentos bélicos tradicionais, Leite Lopes e Sylvain Maresca falam numa tática de *emboscada* a propósito de Garrincha, em contraposição ao estilo fulgurante de *cavalaria ligeira* que será desenvolvido por Pelé.[116]

---

114. Paulo Mendes Campos, op. cit., p. 29.
115. Luis H. Antezana Juarez, op. cit., p. 36.
116. José Sérgio Leite Lopes e Sylvain Maresca, "La disparition de 'La joie du peuple': notes sur la mort d'un joueur de football célèbre", *Actes de la Recherche en Sciences Sociales*, Paris, n. 79, pp. 21-36, set. 1989.

Pode-se dizer que, do festival de dribles ao passe em curva de Didi, o que se descreve nessa sequência é uma inesperada varredura do campo por uma cascata de elipses. A linearidade do percurso da bola é alterada continuamente por lapsos não lineares, que tornam difícil ao adversário habituado à prosa do jogo "achar" onde ela está. O efeito cômico resulta do esforço continuado e inútil, mesmo com a vinda de reforços na marcação. O jogo não foi uma goleada, fique claro, e terminou em 2 × 0: passado o susto inicial, a Rússia terá se achado em campo, Yashin fazendo por sua vez uma série de defesas que ressoam a lenda do "Aranha Negra" como o goleiro do século (o Brasil atacou 36 vezes, dezoito delas com perigo). Mas o que se passa nesses lendários três minutos é uma espécie de surto inaugural, um desses momentos em que o início de uma era se anuncia através de sua prefiguração frenética e concentrada. Ela indicava que algo singular, de fato, tinha se processado no futebol brasileiro, com o encontro de uma saída dialética para a sua congenial "lógica da diferença". O espanto e o riso, a gratuidade e a eficácia, a suspensão da oposição entre produtividade e improdutividade, trabalho e brinquedo, finalidade e ócio, que se estampam aí, eram o equacionamento ao mesmo tempo esperado e inusitado das questões formativas cifradas no futebol brasileiro, de que viemos falando.

A escalação de Garrincha nesse terceiro jogo, com a Copa já em andamento, depois de um empate desanimador em 0 × 0 com a Inglaterra e de um time não convincente, era uma aposta arriscada, mas irrecusável, nas virtudes ambivalentes de Macunaíma, do qual a vida e obra de Garrincha constituem-se num verdadeiro avatar. Sonso, enganosamente retardado e precoce, imprevisivelmente ligado e desligado do tempo do jogo, dono de um drible que podia ser tanto a solução quanto a perdição por excesso, Garrincha era uma espécie de incógnita do dilema brasileiro, colocado entre as mazelas do atraso e as promessas de sua originalidade no modo de inserir-se na realidade dos tempos modernos. Sua curta carreira, que esplende entre 58 e 62, sua decadência trágica, suas famosas pernas tortas, fazendo do déficit uma vantagem, contêm esse momento de afirmação gloriosa e fulgurante da face positiva desse complexo, dando um toque popular profundo às formulações cosmopolitas da bossa nova e da arquitetura de Brasília, que lhe são contemporâneas. Garrincha é a "alegria do povo" e sua não aristotélica "prova dos nove".

Se Garrincha remete a uma conjunção disparatada e surpreendente de todos os elementos reconhecíveis da formação brasileira, Pelé os transcende e compacta numa resolução tão concentrada que torna difícil falar sobre ele. Garrincha desperta e provoca a interpretação infinita, na forma de "digressões em torno de uma legenda", ou glosas a um conto das mil e uma noites.[117] Existe sobre ele uma "abundante literatura interpretativa".[118] Pelé, ao contrário, silencia o intérprete, paralisado por não poder explicar, antes de tudo, como terá sido possível a um jogador dominar todas as instâncias do jogo, do drible, do chute, do passe, do cabeceio, e, além do mais, adivinhar o jogo à sua volta, como se escaneasse o campo e o arrastasse consigo.

A capacidade de dizimar defesas adversárias mudando o ritmo da investida, apontando como uma flecha em direção ao gol com arrancadas e paradas súbitas, fazendo a bola passar entre as pernas de um adversário e por cima da cabeça do adversário seguinte, com desnorteante simplicidade e furor, fazem parte da

---

117. Cf. Antezana, op. cit., p. 32. Ver também Ruy Castro, op. cit; Alex Bellos, op. cit.; João Saldanha, *Os subterrâneos do futebol*. Rio de Janeiro: José Olympio, 1980; Nelson Rodrigues, "Descoberta de Garrincha" e "Garrincha não pensa", op. cit.; Carlos Drummond de Andrade, "Mané e o sonho", *Quando é dia de futebol*. Rio de Janeiro/São Paulo: Record, 2002. Além, é claro, do filme *Garrincha, alegria do povo*, de Joaquim Pedro de Andrade.
118. Lopes e Maresca, op. cit., p. 25.

reserva mais seleta dos exemplos de enfrentamento superior das curvas do tempo e do espaço, da fulguração do *insight* no instante, da produção da epifania da forma, da afirmação natural da majestade do corpo.

Em 1958, com dezessete anos e já se mostrando "qual na inteira idade", Pelé dava realidade à figura mítica da criança madura, com a qual se confirmava e transcendia o papel do *moleque* como inventor essencial da releitura que o futebol brasileiro impõe ao seu modelo inglês. Que essa relação infantil, ou "pueril", se quisermos, possa ter se convertido também em uma capacidade de enfrentamento dos obstáculos concretos, em "maturidade viril", prometendo uma via original e criativa para os percalços da modernização, é o sonho que a Copa de 1958 materializou por um instante eterno. Por isso, quando, na partida final contra a Suécia, o jovem Pelé mata a bola no peito, disputando-a com um adversário, e, sem deixá-la tocar o chão, encobre o adversário seguinte, que se apresentava para despachá-la, concluindo em seguida para fazer o terceiro gol, a súbita subida da bola, como um repuxo, faz pensar na irrupção de lençóis petrolíferos e no desabrochar definitivo das potencialidades de uma cultura, dando-se em espetáculo — sempre em elipse. Rematando os seus comentários sobre a Copa de 1958, Brian Glanville declara que "não pairava dúvida, naquele momento, de que o imensamente melhor e mais refinado dos times havia vencido".[119]

Consumando-se na Copa de 1970, a "era Pelé" acompanhou os anos da bossa nova, da Jovem Guarda, da eclosão da canção popular e do movimento tropicalista, do cinema novo, do concretismo e do neoconcretismo na literatura e nas artes plásticas, da tensão entre uma cultura efervescente e o regime militar, até o recrudescimento deste no AI-5, em 1968. Quando o governo

---

119. Glanville, op. cit., p. 105.

Médici, em 1970, tenta capitalizar simbolicamente a seu favor a conquista do tricampeonato mundial, pode-se dizer, sem minimizar o que isso representou como fato político, que o significado do futebol era maior do que a ditadura, remetia a estratos profundos da vida popular e não era, efetivamente, de fácil apropriação.

MACUNAÍMA E SEU OUTRO

Voltemos ao ponto: a relação da vida e obra de Garrincha com a rapsódia literária de Mário de Andrade é tão forte, e o livro uma intuição tão sutil e complexa dessa experiência coletiva, que não devemos permitir que a comparação fique relegada ao plano da generalidade e do estereótipo. Em primeiro lugar, é notável o fato de que os fragmentos biográficos colhidos por Ruy Castro para *Estrela solitária*, baseados em testemunhos, "colam" perfeitamente na narrativa mítica do "herói da nossa gente", a começar do seu nascimento excepcional e crescimento anormal, onde se juntam marcas ambíguas de precocidade e retardamento.

> Quando o menino Manuel nasceu, sua parteira, dona Leonor, foi a primeira a ver que ele tinha as pernas tortas. A perna esquerda era arqueada para fora e a direita para dentro, paralelas, como se uma rajada de vento de desenho animado as tivesse vergado para o mesmo lado. Manuel não herdara essas pernas de Amaro, mas da mãe, Maria Carolina, embora as dela não fossem tão tortas quanto as dele.[120]

Embora compreendida imediatamente como uma herança genética, essa marca de nascença lembra também um traço cultural reconhecido e assinalado por Gilberto Freyre em *Casa-grande*

---

120. Ruy Castro, op. cit., p. 26.

& *senzala*, quando fala das tantas crianças com pernas entortadas pela posição em que ficavam carregadas nas costas da mãe, segundo costume africano: "obrigadas as negras, no trabalho agrícola de longas horas por dia, a trazerem os filhos atados às costas [...] 'veem mais tarde os seus filhos ficarem com as pernas defeituosas, arqueadas, de modo que, tocando-se pelos pés, formam uma elipse alongada'".[121] Fato que confere a esse mestiço das três raças, e descendente próximo dos índios fulniô, aquela marca de liminaridade a que se refere Antezana, própria dos seres míticos e nunca domesticados que não são nem bem da natureza nem bem da cultura, que têm algo dos animais e das entidades, das máscaras, do "caos por trás dos rostos civilizados".

Alex Bellos observou a afinidade desse *handicap* miraculoso com duas figuras do imaginário popular brasileiro: o saci e o curupira. "O curupira [...] tem aparência de menino, cabelos ruivos e distingue-se por um traço físico peculiar: seus pés são virados para trás. Quando o curupira corre numa direção, suas pegadas correm na direção contrária. O curupira é veloz e enganador. Se você tentar segui-lo, irá pelo caminho errado e ficará perdido na mata para sempre". O saci: "sua perna única o torna leve e ligeiro. A maneira de pará-lo é aprisioná-lo num redemoinho". Constatando a característica comum a esses "dois monstrinhos" de utilizar com esperteza seus membros inferiores ambivalentemente excepcionais, Bellos a reconhece também no jogador: como o curupira e o saci-pererê, Garrincha "tinha um perfil incomum abaixo da cintura", como eles "era astuto, ágil, [...] impossível de pegar" e, "por causa de seu alinhamento, [...] capaz de se mover em direções imprevisíveis", capacidade potencializada pela sua extraordinária aceleração. Em resumo, esse ser paradoxal na raiz, "esse antiatleta", esse "desafio à medicina

---

121. Gilberto Freyre, *Casa-grande & senzala*, 19. ed. Rio de Janeiro: José Olympio, 1978, p. 359.

esportiva" era "um fio de prumo, um homem que só caía quando derrubado. E, que, pelo contrário, desequilibrava os outros".[122]

Compareçem também, nas circunstâncias da infância de Garrincha, os traços prototípicos do crescimento anormal do herói, reconhecidos genericamente nos contos populares universais, e identificados no caso singular de *Macunaíma* com a figura ambivalente do bobo sabido, atrasado e precoce, como mostrou Haroldo de Campos em *Morfologia do Macunaíma*.[123] Seguimos com Ruy Castro:

> Quando Manuel aprendeu a falar, começou a chamá-la [a irmã] de 'Vó', embora Rosa tivesse apenas oito anos e dez meses a mais do que ele. Em compensação, todos os que não o chamavam de Manuel o tratavam por 'Camisinha' — por andar dia e noite com a mesma camisinha de meia, babada pela chupeta pendurada por um barbante, as calças curtas caindo e o umbigo de fora.
> [...]
> Vivia descalço — suas solas dos pés, desde sempre, eram as de quem andava no mato e nos calçamentos de pedra. Seu pai tinha um cavalo e Manuel aprendeu a cavalgar em pelo antes de ter idade pra subir sem ajuda no animal. E, longe das vistas de sua família, já se atirara ao rio Inhomirim e saíra nadando, na companhia dos bagres e das piabas. Quando Manuel era criança, os únicos índios em que podia espelhar-se eram os das estampas do sabonete Eucalol. Mas não precisa espelhar-se em estampas para ser um deles.
> Todos os contemporâneos do pequeno Manuel se referem à sua meiguice. Era um menino de uma intensa doçura, incapaz de uma resposta atravessada para os mais velhos ou mesmo para os do seu tamanho. Falava pouco e nunca em voz alta. Mas era também ingo-

---

122. Bellos, op. cit., pp. 87-90.
123. Haroldo de Campos, *Morfologia do Macunaíma*. São Paulo: Perspectiva, 1973.

vernável. Quando ralhavam com ele por roubar doces ou biscoitos na despensa, sorria sem graça — e, na primeira oportunidade, voltava a fazer o que lhe fora proibido. Apanhou de vara de marmelo, mas talvez menos do que merecesse: era pequeninho, menor do que deveria para sua idade, e inspirava pena e carinho.[124]

As peculiaridades do acesso inicial à fala, combinadas com o transtorno das noções temporais, a intimidade selvagem com os rios e os bichos, a mistura de reverência respeitosa aos mais velhos com ingovernabilidade incorrigível, a capacidade de desconcertar e seduzir, tudo isso pode ser reconhecido sem dificuldade, também, nas primeiras páginas da saga do "herói sem nenhum caráter". Além dessas características, pode-se identificar neles a precoce disposição para o sexo, presente igualmente nesses dois exemplares de criança adulta e adulto-criança, cifrada enigmaticamente no "*sim sinhô*" do menino: "segundo os relatos mais insuspeitos, antes dos dez anos Garrincha já tinha um pênis de adulto, assustador para a sua idade".

É, portanto, nesse quase "ócio lúdico da promiscuidade tribal" (como chamou Haroldo de Campos a fase inicial da narrativa de Mário de Andrade), num mundo em que os limites são difusos e resvaladiços, e onde os princípios da realidade, da hierarquia e da temporalidade vacilam num jogo indeterminado, que transcorre a convivência de gaiolas, atiradeiras e arapucas com a velha bola de meia "recheada com papel de embrulho e costurada na boca", a de bexiga de cabrito soprada com um nó de tripa, a vermelha de borracha dada por Rosa no aniversário de sete anos, "que custou cinco mil-réis no armarinho do português Antônio Barbeiro" — tudo sob o signo totêmico do Pau Grande.

No saboroso, revelador e cheio de verve *Os subterrâneos do*

---

124. Ruy Castro, op. cit., pp. 27-8.

futebol, João Saldanha faz um retrato vivo desse alvo em permanente movimento que é o nosso personagem quando jogador do Botafogo e não muito antes da Copa de 1958.[125] Além de macunaímicas, as crônicas nos remetem nitidamente a *Memórias de um sargento de milícias*, de Manuel Antônio de Almeida, o romance de 1853 em cuja estrutura interna Antonio Candido identificou o principio da "dialética da malandragem" como marca da sociabilidade brasileira, escorregando sempre ambiguamente entre a ordem e a desordem. No papel de técnico da equipe, Saldanha faz de certo modo a figura, ironicamente consciente, de uma espécie de major Vidigal que, além de dirigir o time em campo, deve pastorear e reprimir as pulsões malandras desse conjunto de futebolistas sempre prontos a escapar da concentração ou se envolverem em patuscadas, quando não em enrascadas. Mais que isso, Saldanha é, na prática, um Vidigal que se desdobrasse no próprio Manuel Antônio de Almeida. Parece extraída diretamente do romance a página em que ele surpreende um grupo de jogadores escondido em um quarto de hotel, alta noite, véspera de confronto, jogando carteado e tendo Didi como banqueiro do jogo — o venerável "príncipe etíope de rancho" surpreendido ali com os dedos intercalados de notas de dinheiro, parecendo um "trocador de ônibus".

Mas nenhum deles chega aos pés de Garrincha, que ganha, na escrita de Saldanha, o status de um *trickster* de antologia, um prodígio da astúcia universal, um macaco-jabuti Pedro Malasartes, saci-curupira e Leonardinho, todos juntos num só. Inspirado por seu apetite irrefreável de *brincar*, no campo de jogo e fora dele, no sentido carnavalesco e no sentido macunaímico, Garrincha foge repetidas vezes, à noite, do sistema de internato da concentração, deixando no seu lugar um outro que ele faz dormir com seu pijama

---

125. João Saldanha, op. cit. Publicado posteriormente com o título de *Histórias do futebol*. 3. ed. Rio de Janeiro: Revan, 1994.

quadriculado e um travesseiro cobrindo a cabeça; a certa altura, é descoberto dançando em El Salvador com uma "caturrita", sob o pseudônimo de Manolo, na iminência de ganhar um concurso de bolero pelo prêmio de vinte dólares; na cidade do México, escapa para um carnaval local disfarçado de "payaso". Além de deixar noivas pelo caminho, a sua libido insaciável não perdoa nem mesmo uma camareira velhota em Goiás. E em meio a tudo isso, dá um vareio de bola em um lateral do River Plate — Vairo —, fazendo o estádio mexicano prorromper num delírio de mariachis e olés.

Nem devemos perder tempo em tentar apurar a contribuição da imaginação também fértil de João Saldanha na brilhante configuração narrativa da personagem. Aqui, estamos nos domínios da própria "dialética da malandragem", o fio da navalha em que os sentidos supostamente estabelecidos deslizam para a sua permanente conversão em jogo. A escrita de João Saldanha nas crônicas de *Os subterrâneos do futebol* está em perfeita intimidade com o malandro retratado, e nela o major Vidigal de Almeida não é necessariamente menos astuto que seus objetos de vigilância. O técnico-jornalista e escritor, inserido no "intertexto" da malandragem, está recriando, certamente, o caldo de cultura que ele conhece profundamente e do qual faz parte, por dentro e por fora, como gaúcho acariocado que já alimentava a essa altura, decerto, o projeto de elevar um dia esse animado viveiro de malandros à altura de si mesmo. Saldanha tinha, como veremos, um pensamento todo próprio sobre o futebol brasileiro, e terá ocasião de colocá-lo em prática como técnico da seleção brasileira de Gérson, Pelé e Tostão, no período conturbado que antecede a Copa de 1970. Comunista exaltado e boêmio de praia, imaginoso e encrenqueiro, que garantia ter participado da Grande Marcha de Mao Tsé-tung e desembarcado com as tropas de Montgomery na Normandia, Saldanha dirigiu com uma independência indomável a seleção brasileira em plena ditadura Garrastazu Médici, por um ano, dando-lhe o toque decisivo para que ela viesse a ser o que foi. O que não parece ser uma proeza menor do que as duas anteriores e nunca confirmadas, a da China e a da Normandia. João Saldanha reúne, na verdade, as qualidades de um general gaúcho com as de Neném Prancha, técnico de futebol de praia e filósofo. É, pois, do alto da sua legendária experiência e da sua condição de autoridade a ser obedecida que o treinador, jornalista e homem do mundo rende preito e tributo a Garrincha, o insuperável: "dentro e fora do campo, jamais vi alguém tão desconcertante, tão driblador. É impossível adivinhar-se o lado por onde Mané vai *sair* da enrascada".

José Sérgio Leite Lopes e Sylvain Maresca lembram que o futebol de Garrincha tem uma base social intimamente ligada ao mundo do amadorismo. Como instinto, Garrincha leva para a sua experiência como profissional (à qual chegou, aliás, relativamente tarde e sem nenhuma pressa, um ano depois de ter sido descoberto por um "olheiro" em Pau Grande) as características próprias do futebol amador, que ele amadureceu sem nenhum esforço específico no sentido de "superá-las", até que seu exagero nos dribles chegasse naturalmente ao ponto. O fenômeno Garrincha consiste no próprio fato inusitado de que isso tenha sido possível em tão alto nível, estando o jogador aparentemente alheio à contradição que representava.

O futebol foi introduzido na cidadezinha de Pau Grande à maneira clássica da fábrica com dirigentes ingleses, que se estendia num time de futebol de várzea, seguindo o mesmo modelo que gerou um clube como o Bangu, embora, no caso deste, disputando a divisão principal do Rio de Janeiro. A prática do esporte bretão "[...] já existia ali desde 1908, quando os ingleses importaram as primeiras bolas, ensinaram-no aos operários e fundaram o Sport Club Pau Grande. [...] Os jogadores eram amadores e continuariam a ser, muito depois de o profissionalismo ser oficializado no país em 1933. [...] Para jogar pelo Pau Grande, precisavam ser operários da fábrica e sócios do clube [...]".[126]

A permeabilidade das relações paternalistas, numa fábrica em ambiente quase rural cercada de condições propícias a caçadas e pescarias, instaura segundo Lopes e Maresca um regime ambíguo "entre um mínimo de disciplina e assiduidade ao trabalho e um máximo de atividades paralelas, no primeiro plano das quais está o futebol que, patrocinado pela fábrica, o recupera por sua vez no status reconhecido do trabalhador-jogador".[127] Segundo essa interpretação, Garrincha nunca se desligou, nem dentro nem fora do campo, das condições sociais que o moldaram, nas quais parece ganhar uma curiosa sobrevida a "dialética da malandragem" e seu "mundo sem culpa", em ambiente já industrial. Sua relação com o clube do Botafogo seguiu sempre o modelo patronal-paternalista, com o jogador assinando contratos em branco, desligado do dinheiro e sempre tutelado pela figura generosa e leal de um "padrinho", o craque Nilton Santos, conhecido como a "Enciclopédia do Futebol", e que, driblado seguidamente por Garrincha no primeiro treino de que este participou, passou a recomendá-lo e a protegê-lo. Dentro do campo o seu futebol, sem deixar de ser eficaz e preciso, guardava a margem lúdica e gratuita do "peladeiro", traço que manteve a real dimensão do seu valor em suspenso até os jogos inesquecíveis da Copa de 1958, quando passou diretamente da dúvida para a história e para o mito. Tostão observa que, como ponta, ao chegar driblando à linha de fundo Garrincha não centrava, simplesmente, mas passava a bola com exatidão — com plena visão do jogo. Quando foi preciso, na Copa de 1962 (na ausência de Pelé, que se contundira, sendo substituído por Amarildo), essa visão de jogo se estampou claramente: Garrincha dei-

---

126. Ruy Castro, op. cit., p. 18.
127. Lopes e Maresca, op. cit., p. 31.

xou o flanco exclusivo do campo e foi capaz de dar lançamento, fazer gol de falta e de cabeça, mostrando que sua figura de driblador excepcional pela ponta incubava, não sem razão, um repertório imenso de capacidades insuspeitadas. Mas podemos dizer que mesmo nessa mutação era ainda e sempre o *amador* que falava mais alto: Elza Soares, a absolutamente genial sambista a quem Garrincha se ligaria escandalosamente, logo depois, numa relação profunda e duradoura, deixando a mulher e numerosa prole de sete filhas em Pau Grande, assistia *in loco* àqueles jogos no Chile como uma verdadeira musa musical. (Ela tentaria introduzi-lo a uma visão mais interessadamente profissional do esporte e a uma aceitação das condições de vida dadas pelo enriquecimento, mas em vão: um carro luxuoso, comprado por ela para ele, virava rapidamente um viveiro ambulante de passarinhos.)

Lopes e Maresca pretendem fazer valer, ainda, a sua leitura sociológica contra a interpretação "antropológica" e quase totêmica de Mário Filho, quando este relaciona o drible de Garrincha com a longa intimidade do jogador com passarinhos e pacas, com bichos do mato, cuja rapidez multidirecional ele teria incorporado em sua longa convivência de caçador, mimetizando a caça. Mas, longe de se excluírem, essas dimensões díspares fazem justamente o nó da questão: como o Brasil atávico, Garrincha está na zona ambígua entre o mito e a história, a natureza e a cultura, a aparição moderna e a experiência imemorial inconsciente. Ele é ao mesmo tempo o *espécime* único e a expressão mais acabada da *espécie*. Exatamente como Macunaíma, habitando o *continuum* por onde passam o índio, o negro e o branco, o bicho do mato, o curupira, o Pedro Malasartes, o malandro, o aprendiz de operário numa ordem social lábil, mais a transfiguração de tudo isso. O resumo miraculoso e anômalo do *país novo*, na acepção de Darcy Ribeiro, como resultado de sucessivas aculturações e deculturações.

Nele, esse complexo ganhou a sua expressão criativa mais pura. As mazelas vulgares lhe são alheias, do tipo do oportunismo rasteiro, da violência velada ou explícita. Garrincha teria inventado, segundo João Saldanha — seja verdade ou não —, o costume de pôr a bola fora de jogo quando um jogador do time adversário se contunde. A sua maldade é infantil, inocente das consequências, não premeditada. Quando dribla um adversário, não o faz "por mal", diz Nelson Rodrigues. "Garrincha estava ali com a mesma boa-fé inefável com que, em Pau Grande, vai chumbando as cambaxirras, os pardais. Via nos russos a inocência dos passarinhos". Na partida já citada, chega ao cúmulo, segundo Ruy Castro, "depois de fazer um russo cair", de pôr o pé sobre a bola e, de costas para o adversário, estender-lhe a mão "para que se levantasse". E seguir com a jogada, "como se fosse a coisa mais natural do mundo". Diz Carlos Drummond de Andrade que "se há um deus que regula o futebol, esse deus é sobretudo irônico e farsante, e Garrincha foi um de seus delegados incumbidos de zombar de tudo e de todos, nos estádios. Mas como é também um deus cruel, tirou do estonteante Garrincha a faculdade de perceber a sua condição de agente divino".[128]

Garrincha é a expressão de um amadorismo fundo e renitente, atávico, pré-moderno, a assunção miraculosa, em seu perfeito acabamento, de um mundo prestes a desaparecer em sua manifestação mais fulgurante. Um mundo em que a exploração do trabalho se dava com folga, banhada em camadas de culturas híbridas e orais que vigoraram de maneira corrente até a chegada onipresente da televisão em rede nacional, consumada nos anos 70, quando se fecha também o cerco produtivista a esse estado de suspensa disponibilidade. Suas imagens gloriosas, praticamente anteriores ao videoteipe, são poucas e deperecentes, como se se

---

128. Carlos Drummond de Andrade, op. cit., p. 219.

desmanchassem em jatos de luz fugazes ao contato com a própria atmosfera que o revelou. Mas, com Dorival Caymmi, independentemente das imensas diferenças entre os dois, ele é a tradução mais moderna de nichos socioculturais arcaicos que saltam fora de si através deles, como se, brilhando eternamente neles, pudessem enfim desaparecer. Eles são a grande novidade do Brasil popular profundo e ancestral, ao se tornarem, legitimamente, mitos criadores do Brasil moderno.

Mas como Macunaíma, e não como Caymmi (que sela um pacto radioso com o tempo e com a música), Garrincha vence o gigante comedor de gente pela astúcia, mas perde para Vei, a Sol — a "mamãe natureza" pródiga que "não dá sobremesa" (usando aqui uma expressão de Rita Lee) para sua busca de gozo sem fim. As pernas tortas lhe armam a arapuca de sua própria conformação anômala. O joelho se gasta e se estraga numa decadência ao mesmo tempo precoce, lenta e dolorosa. O seu amadorismo congênito num meio não amador, em vez disso oportunista e pouco profissional, não lhe lega nenhuma sobrevida financeira. "A criança grande que ele não deixou de ser foi vitimada pelo germe de autodestruição que trazia consigo", na falta de "defesas psicológicas".[129] O alcoolismo sela a sua "morte social", à qual a morte real empresta, por um momento, a fulguração de um fogo fátuo.

Se a figura de um pai parece não ter expressão na vida de Garrincha, quase como se ele tivesse nascido por partenogênese, tendo por herança as pernas tortas da mãe, a figura paterna é o centro da biografia infantil de Pelé. Garrincha é o puro devir, o anti-Édipo, como se fizesse parte daquela galeria de heróis sem pai, ou para os quais não comparece um pai que os constitua pelo limite, como tantos na literatura brasileira (Leonardinho, Bentinho, Sérgio, Brás Cubas, Riobaldo e, mais que todos, o próprio

---

129. Idem, ibidem.

Macunaíma). Já a trajetória original de Pelé é uma espécie de inversão e redenção do Édipo: ele salva o pai, fracassado no futebol, da morte simbólica, contra a resistência protetora da mãe, que não acreditava na possibilidade de realização por essa via. (Não me lembro de correspondente, na nossa literatura, desse complexo — embora o conto "A terceira margem do rio", de Guimarães Rosa, possa ser pensado justamente como a versão inconclusiva de uma tentativa frustrada de resgate simbólico do pai, e a cifra dessa impossibilidade diante da sua falta metafísica.) Enquanto a família originária de Garrincha é difusa e elide o pai, a de Pelé se aglutina em torno da reinvenção do pai: ele parece equipado pelo destino para realizar a proeza desse revirão, para sanar essa falha — pode-se dizer — arquetípica. Como observa Leite Lopes, o menino Garrincha não sabia que ia ser um jogador profissional, nem se figurava o que é sê-lo; Pelé parece entender o profissionalismo, desde sempre, como a sua missão. Um é o trabalhador amador que viveu voltando para a origem, o mato e a pelada, de onde parece nunca ter saído; outro é o profissional precoce, que passou já metade da sua adolescência dentro de um clube de futebol.

A vida de Garrincha é uma sequência infindável de peripécias, análoga ao seu estilo de jogo: como sugere João Saldanha, o driblador de dentro do campo e o driblador de fora do campo são o mesmo — Garrincha é Garrincha, não tem como descolar de Garrincha, a ponto de que o definhar de um se torne inescapavelmente o definhar do outro. A vida de Pelé soa unidirecional, como se os percalços (separação matrimonial, complicações financeiras, negócios obscuros, filha ilegítima) não mudassem o rumo de um traçado familiar aburguesado do qual se descola a entidade: um é Pelé e o outro é Edson. Em campo, a entidade "baixa", para além dos limites sociais e existenciais do Edson, como sugere a sua própria descrição do gol como um filme que passa na cabeça e que ele mesmo assiste em ato, ou então como indica a referência unânime de seus companheiros de time ao fato de ele se deitar por algum tempo antes do jogo, no vestiário, com uma toalha sobre o rosto, em contato silencioso não se sabe com que potências indizíveis, concentrando-se na passagem ao seu duplo. É graças a essa dualização que o protege de si mesmo, aliás, que seu carisma, popularidade e juventude parecem poder permanecer intocáveis ao longo do tempo. A própria biografia de Pelé quando jovem, por Mário Filho — *Viagem em torno de Pelé* —,[130] é rica em fatos mas não em acontecimentos, resultando algo insossa na sua reiteração do eterno *leitmotif* — a reabilitação do modelo do pai. Pode-se dizer o mesmo da biografia mais recente, *Pelé: Os dez corações do Rei*, de José Castello:[131] por uma culpa que nem é delas, não conseguem saltar da vida para a história. O filme *Pelé eterno* compensa tudo isso com a valiosa profusão de imagens, que falam por si, embora a direção de arte simule em Pelé um pseudo-herói de cinema americano, que ele não é nem precisa ser, as cenas familiares insistam no modelo biográfico batido e a edição picote os lances de maneira a figurar um jogador que nunca tivesse errado, ou, mais grave, que não jogasse com um time (as tabelinhas com Coutinho desaparecem, junto com todo o time do Santos).

Mas a grande ferida sem nome que essa trajetória contém é certamente o fracasso na transmissão do modelo redimido do pai ao filho primogênito, Edinho, que vive uma carreira abortada de goleiro e um envolvimento com drogas e tráfico, voltando a história pessoal a se engolfar, depois de tudo, nos sintomas mais cruéis do país — agora recrudescidos. O complexo simbólico da paternidade e da filiação, em Pelé, fica sendo, assim, através desse retorno

---

130. Mário Filho, *Viagem em torno de Pelé*. Rio de Janeiro: Editora do Autor, 1963.
131. José Castello, *Pelé: os dez corações do Rei*. Rio de Janeiro: Ediouro, 2004.

da falha, um elo ambivalente entre o mundo ancestral do paternalismo brasileiro[132] e sua corrosão trágica num mundo de massas consumista e sem parâmetros, do qual a classe média alta, anômica, frequentando o crime, é apenas um dos índices.

Todo esse contraponto biográfico comparece aqui somente para nos confrontar com o quanto de veneno remédio brasileiro mora no coração dos nossos maiores ídolos. Ele deve nos devolver de alguma forma, então, ao enigma do seu futebol inexplicável.

Como foi dito, o de Pelé tem resistido como algo ininterpretável, inabordável, inacessível, enquanto o de Garrincha parece trazer consigo a história popular e oculta da colonização inteira. Os estigmas e vicissitudes que ele estampa, supera e nos quais sucumbe, inseparáveis da sua figura fulgurante e meteórica, dão margem à narrativa infinita. A figura de Pelé parece lançar todos esses estigmas e vicissitudes diretamente para uma outra dimensão, onde teríamos num átimo, e para além dele mesmo, *toda a escravidão e toda a abolição* entranhadas e abolidas — e como que projetadas no mundo das ideias. Enquanto os jogadores de futebol, de uma maneira geral, fazem o *possível* e o *impossível* dentro de um plano *real*, Pelé — consideremos Garrincha um caso à parte de tudo — faz que o *virtual* (as formas perfeitas e a inventar, o "mundo das ideias") se torne *atual*. É como se Pelé realizasse finalmente, com isso, o improvável ideal de Gumbrecht: a falência da interpretação pela pura "produção de presença".

Os melhores comentários que conheço sobre o futebol de Pelé são, não por acaso, de um jogador, Tostão, e de um poeta concreto, Décio Pignatari. Na essência, coincidem. Diz Pignatari, em crônica de 1965:

---

132. Pelé foi levado para o Santos Futebol Clube pelo ex-jogador Valdemar de Brito, em retribuição a um favor do deputado e ex-goleiro Athié Jorge Cury, presidente do clube, junto a Jânio Quadros. Cf. Lopes e Maresca, op. cit.

Poucos, muito poucos, raros, raríssimos, talvez ninguém, teve [...] tanta sensibilidade e inteligência criativa para a relação básica do futebol: a relação bola-homem-campo, em função da meta. O campo é um verdadeiro prolongamento de sua pele: para onde vai, Pelé como que carrega o campo consigo. Isto porque ele sabe que, por estranho que pareça, o campo não é estático e sim uma estrutura dinâmica, móvel, relacionado às contínuas deslocações da bola e dos homens envolvendo sempre uma questão de tempo — o tempo fracionado em piques e lances que dão a precisão e o ritmo das jogadas e do jogo.

É comum ver bons jogadores, e até craques consumados, errarem no cálculo de um *rush*, de um pique, de uma antecipação, de um impulso, de um deslocamento — para não falar já de um lançamento. Esse erro é excepcional em Pelé. Sua noção perfeita de posição nasce do fato de não só saber perfeitamente onde está (e onde os demais estão) a cada momento — mesmo em lances agudos e ultrarrápidos — como de saber também onde estará provavelmente (e onde os demais estarão) no lance imediatamente seguinte. Vale dizer: sua posição é sempre boa, é sempre a melhor possível porque é ele próprio quem cria as condições favoráveis à sua melhor posição. Tanto no posicionamento geral, como no desempenho de cada lance individual, Pelé cria, ao mesmo tempo, o problema e a solução.[133]

A constatação óbvia e necessária de um domínio perfeito de todos os fundamentos salta assim, nessa formulação, para o pulo do gato: o campo é uma entidade total, mental e tátil, que desemboca no gol. A percepção dinâmica de todos os elementos envolvidos no espaço-tempo, bola-homem-campo-meta, é extensão da pele e intelecção do momento vivo. É o caso do famoso drible em

---

133. Décio Pignatari, "Flama não se apaga". In *Contracomunicação*. São Paulo: Perspectiva, 1971, pp. 179-80.

xis, radicalmente elíptico, sobre o goleiro do Uruguai na Copa de 1970, sobre o qual comentou, por sua vez, Décio de Almeida Prado: "O pasmoso, o que perdurou na memória, foi [...] o cálculo instantâneo que realizou, somando três variáveis — ele, a bola, o goleiro — com a velocidade e a precisão de uma máquina eletrônica".[134] No gol contra a Inglaterra, Tostão dribla e centra quase sem pensar para o meio da área congestionada, onde a presença de Pelé cava uma clareira, atraindo a bola como se ele fosse um ímã e adivinhando a entrada de Jairzinho, que recebe o passe e finaliza para fazer o gol. Sem dispor já do arranque juvenil, da "tempestade e ímpeto" dos dois primeiros terços de sua carreira, Pelé concebeu, na Copa de 1970, um estilo tardio que se baseava na sua capacidade imediata de ver a instância mais aguda do lance. Concentrava, com isso, um traço que já era seu, abolindo a dicotomia entre o *dono da bola* e o *dono do campo*. Os dois são o mesmo, quando gravitam num espaço que é um corpo através de um corpo que atrai consigo o espaço.

Tostão pôde aquilatar de um ângulo privilegiado essa capacidade de percepção do momento virtual e atual da jogada, essa visão global do lance na fração de segundo em que a bola está chegando: primeiro porque reúne as qualidades do mais fino analista ao fato de ter sido um dos maiores jogadores da história do futebol brasileiro; segundo porque jogou com Pelé no período áureo de 1969-70 e por ter tido também, como ele e como poucos, além da sua refinadíssima técnica, uma capacidade semelhante de ver e adivinhar o lance em movimento (fato que Tostão reconhece, embora lhe faltasse, segundo a sua própria análise ponderada e precisa, uma série de outros atributos que sobravam ao Rei: velocidade depois do arranque, cabeceio, constituição atlética vigorosa e rigorosamente equilibrada etc.). Com elas todas, mais o olho de

---

134. Décio de Almeida Prado, op. cit., p. 221.

lince e o pulo do gato, Pelé parece funcionar numa frequência diferente da dos demais jogadores, como se ele tivesse mais tempo para pensar e ver o que se passa, assistindo na cabeça e em câmera lenta ao mesmo jogo do qual está participando em altíssima velocidade — enquanto outros, em torno dele, parecem estar, tantas vezes, assistindo ao jogo em altíssima velocidade e jogando em câmera lenta.

É exatamente a capacidade de *dar atualidade ao virtual* que faz o ensaísta italiano Giancristiano Desiderio, sem maiores cerimônias, comparar Pelé ao Ser de Parmênides. Se o curiosíssimo livro, que se chama *Platone e il calcio: saggio sul pallone e la condizione umana* [*Platão e o futebol: ensaio sobre a bola e a condição humana*], caminha rente ao delírio filosófico, e por vezes à franca baboseira, podemos dizer que contrabalanceia esse risco com o humor e com algumas ideias subitamente reveladoras, como a que nos interessa aqui. As personagens centrais de suas considerações filosóficas são Pelé (a ideia do gol de cabeça), Garrincha (a ideia do drible), Platini (a ideia da cobrança de falta — onde Desiderio não erraria se também tivesse colocado Zico), Falcão (o demiurgo platônico: no time da Roma onde jogava Falcão, "o técnico sueco Nils Liedholm dava ordens, e o grande brasileiro *dava ordem*").[135]

Isolando o aspecto que lhe parece "filosoficamente" decisivo, Desiderio focaliza o gol de Pelé contra a Itália, na final da Copa de 1970: Pelé saltou mais do que todos e parou no ar, no momento exato, nem antes nem depois, nem mais depressa nem mais devagar, numa completa sintonia com o tempo da bola, com o espaço curvo do cruzamento, com a posição do goleiro, com a disposição geométrica da meta e com o próprio golpe final de cabeça. Parmênides, sustenta Desiderio, diz que *só o ser é*, enquanto imóvel,

---

135. Giancristiano Desiderio, *Platone e il calcio: saggio sul pallone e la condizione umana*. Arezzo: Limine, 2005.

eterno, absolutamente coincidente consigo, como Pelé que, na sua absoluta identidade, se se movesse, se se atrasasse, se se apressasse, cairia no não-ser, não teria assinalado, o goleiro Albertosi teria defendido, o zagueiro Burgnich teria alcançado, a bola teria passado e "a eternidade do ser de seu gol teria sido negada". Em vez disso, ele paira sobre a inalcançabilidade. (No jogo contra a Inglaterra, uma cabeçada comparável de Pelé foi defendida milagrosamente pelo goleiro Banks, e deveria figurar aí, então, como a "ideia da defesa".) Mas só o gol faz ver, como verdade ofuscantemente luminosa, a unidade do ser imóvel — enquanto tudo o mais é ilusão, não-ser.

Estaríamos então diante de uma aporia, pergunta o ensaísta, dado que só Pelé — "venerando e terrível", como diz Sócrates a propósito de Parmênides, no *Teeteto* platônico — é, e tudo o mais não é? Assim seria, diz o raciocínio de Desiderio, se não fosse Garrincha: se com Pelé e Parmênides havíamos aprendido que a ilusão das infinitas formas alcança, na absoluta coincidência consigo, o plano em que *só o ser é, e o não-ser não é*, no drible de Garrincha, na *identidade da finta*, ficamos sabendo que, se ela realiza a ideia de um ser que se finge ser, que ama se ocultar, de um ser que não é, então, no drible de Garrincha se esconde e se mostra, como em Heráclito, o enigma do futebol e do ser: com ele, finalmente, *o ser é e não é*.

A deriva futebolístico-filosofante de Giancristiano Desiderio acaba sendo uma maneira de figurar a magnitude extravagante do acontecimento Pelé-Garrincha, em que a "lógica dialética" e a "lógica da diferença" em jogo ganharam uma nova identidade vertiginosa pela qual, através deles, a diferença faz-se identidade (o virtual se atualiza — *o ser é*), e a identidade salta na diferença (*o ser é e não é*). A complexidade do futebol atinge aí, através do delírio de Desiderio, as raias de uma dimensão lógico-ontológica (que já vimos se armar no "esquema de Sampaio"). Digamos que o que o ensaísta está postulando, sem saber (mas quem sabe *por desejar*, a se crer no nome), é algo que está no cerne do Brasil-como-enigma. Em outros termos, é como se tivéssemos ali — naqueles dois jogadores que juntos nunca perderam — a marca incontestável da nossa falha geológica, e, ao mesmo tempo, o salto para um ponto geodésico.

A COPA DAS COPAS

O clima que antecedeu a Copa de 1970 vedetizou ostensivamente pela primeira vez, em nosso futebol, a figura do técnico, e prefigurou as condições para o seu contraponto direto e permanente com o protagonismo dos jogadores. O pivô dessa passagem foi o próprio João Saldanha, cujas facetas múltiplas já tivemos ocasião de conhecer. Em 1968 a situação da seleção brasileira tinha chegado a um nível caótico que fazia temer por uma repetição da derrota esmagadora na Copa de 1966, na Inglaterra, quando o Brasil teve o pior desempenho desde as Copas antediluvianas de 1930 e 1934, sendo eliminado na primeira fase, com Pelé e tudo (para piorar, o jogador estava em condições físicas precárias). Já naquela ocasião, sem a liderança paternalista e agregadora de Paulo Machado de Carvalho, o "marechal da vitória" de 1958, a preparação tinha se transformado num caos clientelístico: em vez de uma seleção, foram formadas quatro seleções simultâneas, disputando um extemporâneo torneio interno e atendendo a um enxame de demandas e interesses, como se fosse possível filtrá-las afinal num resultado consequente. O quadro confuso de 1968 não era muito diferente deste, e incomodava tanto a médio quanto a curto prazo: o público perdia interesse nos jogos da seleção, delineando um desses momentos típicos na política futebolística em que uma saída qualquer tem que ser inventada.[136]

João Havelange, presidente da Confederação Brasileira de

---

136. Ver João Máximo, op. cit.

Desportos, resolveu apostar então, por desígnios no fundo insondáveis, numa carta-surpresa, e pagar para ver no que resultaria a escolha de um homem carismático, temperamental, de esquerda, jornalista conhecido mas com experiência apenas errática como técnico (tendo dirigido, como vimos, o Botafogo campeão carioca de 1957), mas capaz de magnetizar as atenções e insuflar uma nova chama no time. O convite se deu no começo de 1969, ano dos jogos eliminatórios e classificatórios para a Copa do ano seguinte. João Saldanha não só aceitou imediatamente como, na primeira entrevista coletiva, anunciou o seu time titular e o seu time reserva, numa atitude inusitada que desarmava de saída as especulações costumeiras sobre futuras convocações. Num lance de efeito publicitário, chamava os jogadores de "feras", visando "desafrescalhar" o epíteto de "canarinhos", que passaram a ser conhecidos como "as feras do Saldanha". E punha em prática, ao mesmo tempo, o seu axioma fundamental: craque tem que jogar, seja em qual for a posição. Ou seja, a existência de um jogador diferenciado e inventivo não pode vetar a presença de um outro jogador também diferenciado e inventivo: é preciso justamente inventar, ou deixar que inventem, a maneira de jogarem juntos.

Aparentemente idiossincrática num homem cheio de idiossincrasias, a atitude correspondia na verdade a uma posição filosófica longamente ruminada, segundo a qual não se deve submeter o jogador brasileiro a um esquema tático abstrato, engessando-o em campo, mas chegar a um sistema de jogo a partir do conjunto de individualidades disponíveis, a ser potencializado. Uma mentalidade esquemática e dualista, como aquela a que nos acostumamos depois, diria que se tratava de uma apologia irresponsável do individualismo. Mas entrevemos aqui, na verdade — embora Saldanha não utilize essas palavras —, uma aposta na relação colaborativa entre treinador e jogadores autônomos, que encontramos em geral naquelas equipes que se constituíram em marcos na história do futebol mundial. Essa colaboração dava lugar, por sua vez, ao reconhecimento da capacidade inerente à tradição brasileira de produzir imprevisibilidade e não-linearidade (para usar os nossos termos).

Na prática, o ponto crítico dessa questão era a escalação de Tostão ao lado de Pelé, dois jogadores que teoricamente ocupavam a mesma posição e exerciam a mesma função em campo — meias atacantes com capacidade de visualizar e preparar as jogadas, com extraordinária capacidade de chegar ao gol finalizando. Tostão foi revelado pelo grande time do Cruzeiro na altura de 1966, onde, junto com Piazza e Dirceu Lopes, impôs algumas derrotas históricas ao Santos de Pelé. Cabeçudo e de pernas curtas, conduzindo a bola com o seu toque refinadíssimo, varrendo o campo com o olhar erguido — um verdadeiro "anão de Velásquez", como insistia Nelson Rodrigues —, Tostão já "lia" o jogo do qual participava, como faria depois enquanto crítico e analista. Aliás, o prematuro abandono e o autoexílio do futebol, a formação como médico, professor e psicanalista, e seu retorno como comentarista diferenciado, culto e maduro, fazem de sua trajetória biográfica algo único em matéria de divisão e resolução das relações entre corpo e cabeça — que já pareciam estar, na sua imagem de jogador, em tenso e complexo equilíbrio. Tendo vivido o jogo por dentro, com a rara capacidade de vê-lo como se de fora e tendo decantado uma sabedoria escolada de vida, o crítico Tostão dissolve estereótipos com os quais se reduz habitualmente a complexa interação de fatores que faz o futebol.

Saldanha não tinha dúvida sobre esse ponto: Pelé e Tostão jogariam juntos. O obstáculo em tese, isto é, a superposição e encavalamento das funções táticas, deveria ser resolvido por aquele outro fator, de uma evidência gritante: a capacidade inusitada desses dois jogadores de inventar situações de jogo, de intuir e comunicar "telepaticamente" o desenvolvimento do lance, de multiplicar-lhe ao infinito as possibilidades. Não cabia, pois, colocar em lugar de Tostão um centroavante típico, mais fixo na frente, esperando a oportunidade de finalizar. Em uma palavra, os dois eram *feras* — e titulares absolutos.

Segundo o testemunho de Tostão a Nuno Ramos, Saldanha lhe deu o aval para que o jogador se considerasse e se proclamasse — frente à imprensa — como dono indiscutível da posição, independentemente do vaivém das circunstâncias e das pressões. Menos preocupado com esquemas táticos, Saldanha "se ligava individualmente no jogador e dava [...] orientações para que ele pudesse render mais". "Sentávamos e conversávamos sobre assuntos variados, além de futebol."[137] Nas eliminatórias daquele ano, Tostão teve o momento mais brilhante de sua carreira e foi o artilheiro da campanha, com jogadas e gols absolutamente memoráveis — até sofrer um deslocamento de retina, decorrente de uma bolada no rosto, que o retirou do futebol por meses, quase comprometeu a sua participação na Copa e selou ainda, em 1973, o seu abandono do futebol, quando já jogava no Vasco da Gama.

Os fundamentos da aposta em Tostão e o axioma segundo o qual jogador genial tem espaço no time podem ser encontrados nas reflexões presentes no já citado *Os subterrâneos do futebol*. A base do seu pensamento é a constatação do completo descompasso entre o atraso das elites mandantes — preconceituosas, ignorantes, imprevidentes, inconsequentes, oportunistas e fixadas na própria imagem — e a abundância de jogadores talentosos que chegam aos clubes sem saber "patavina da regra do jogo" e já capazes "de dar uma volta no campo sem deixar a bola cair". Nesse quadro, "o trabalho do treinador no Brasil é de selecionar, não o de ensinar o primeiro chute". A educação é de outra natureza: uma conscientização do sentido geral do jogo. Para retornar aos termos já conhe-

---

137. "Opiniões de um homem comum: entrevista de Tostão a Nuno Ramos". *Novos Estudos* (Cebrap), n. 37, pp. 108-9, nov. 1993.

cidos nossos, tratava-se de converter o *dono da bola* em *dono do campo*, adaptar a *pelada* à *quadratura do circo*, conscientizar das exigências do futebol moderno sem perder o senso da *elipse*, dos atalhos não lineares que levam ao gol. E "o resto é por intuição e por uma astúcia e inteligência que foram desenvolvidos na luta muito dura pela vida, como é o caso da grande maioria dos que vêm ao clube profissional [...]".[138]

O diagnóstico é, portanto, o de um desencontro do Brasil consigo mesmo, que se expressa — quase alegoricamente — no futebol. "Nossos êxitos futebolísticos foram conquistados apesar de nossa arcaica e obsoleta organização esportiva." Além de dar condições de preparação sistemática e treinamento, através de uma programação consequente e não predatória, com excesso de jogos, caberia ao dirigente deixar que essa escola informal do futebol brasileiro — essa cultura espontânea e já altamente elaborada — "falasse" por si mesma aquilo que ela tem a dizer em campo, sem sufocá-la por meio de uma mentalidade planejadora previsível.

Esse diagnóstico lúcido do veneno remédio brasileiro é ainda mais interessante e complexo porque João Saldanha não idealiza os aspectos favoráveis ao florescimento do futebol no Brasil como se fossem a expressão pura e simples de uma "riqueza cultural". A constatação do potencial futebolístico não coincide com um diagnóstico otimista do país — até certo ponto é o contrário que acontece. De maneira direta e realista, o fato de que "possuímos o melhor material humano do mundo" para o futebol é associado, "sem jacobinismo ou [...] arrogância", a quatro condições ambivalentes e problemáticas, que só nós, brasileiros, reunimos: em primeiro lugar, no Brasil, o futebol não é simplesmente esporte e entretenimento, mas é uma arte e paixão popular que tem entre nós, para o bem e para o mal, uma presença esmagadora; em

---

138. João Saldanha, op. cit., p. 122.

segundo lugar, o clima tropical favorece a elasticidade da musculatura, já naturalmente aquecida, e possibilita que se jogue futebol o ano inteiro; em terceiro lugar, os garotos pobres partem para a vida e para o trabalho muito cedo, e não estudam — se o tempo dedicado à bola em geral não é disputado pela escola, a bola é disputada por esses pequenos incultos e ignorantes "com todo o realismo" e com a vivência de problemas "que em países mais adiantados são de adultos";[139] em quarto lugar Saldanha não se intimida com o tabu apontado por Gumbrecht (de que falamos em "O futebol, a prontidão e outras bossas") e afirma, de boca cheia, que negros e mulatos têm uma facilidade atávica para o futebol. No balanço, as qualidades futebolísticas do brasileiro não são enaltecedoras para a nossa civilização, pois elas resultam de um superávit de natureza e de um déficit de cultura: favorecimento climático, favorecimento racial e desescolaridade. Elas fermentam, portanto, na inércia, e são aproveitadas por uma camada dirigente parasitária. Mas faz parte também do mesmo balanço realista o fato de que isso tudo tenha se constituído numa paixão popular de alcance nacional, que se manifesta em forma de arte, intuição, astúcia e inteligência amassadas na dureza da vida.

O técnico da seleção brasileira em 1969, na vigência do período Médici, tinha, portanto, por uma dessas tramas surpreendentes dos fatos, uma visão crítica das bases políticas e sociais sobre as quais funciona o futebol no Brasil. Favorável a uma visão planejadora, capaz de superar o giro imediatista e interesseiro dos clubes e federações (e de um avanço educacional profundo, mas fora do horizonte imediatamente visível), colocava-se, enquanto técnico, como promotor e aliado da potência criativa das "feras", isto é, os intuitivos, astutos, inteligentes e criativos intérpretes da fantasia popular moldada nas condições adversas. Seu método,

---

139. Idem, ibidem, p. 121.

segundo Tostão, não era calcar sobre os sistemas de jogo, mas dar uma atenção pessoal ao jogador, identificando problemas, entraves, conflitos, inseguranças, dando-lhe um retorno psicológico e técnico.

O processo todo foi um grande sucesso na campanha das eliminatórias, durante as quais o time do Brasil se desempenhou com folga e brilhantemente. Segundo João Máximo, Saldanha tornara-se àquela altura "o mais popular cidadão do país" — em outras palavras, uma celebridade mais atual do que qualquer craque, político, cantor, galã de tevê ou artista de cinema.[140] No ano de 1970, no entanto, as tensões subjacentes fermentam e azedam, por fatores que são difíceis de precisar no conjunto e no detalhe, dentro e fora do campo, no plano político e no plano pessoal. Politicamente, a independência crítica de Saldanha não era cômoda para a Confederação Brasileira de Desportos, um órgão esportivo evidentemente sincronizado com o regime militar. Entrechoques surdos devem ter contribuído para o desgaste, que tomou forma pública, no entanto, através dos comentários generalizados sobre um bizarro pomo da discórdia com a instância máxima do poder: a suposta preferência de Garrastazu Médici pelo centroavante Dario, o "Dadá Maravilha", um atacante oportunista (no bom sentido futebolístico) e pouco técnico, além de simpaticamente excêntrico e pitoresco, que João Saldanha não se dispunha a alinhar entre as "feras". O tema político ganhava assim uma dimensão superficialmente anedótica, como se ele só pudesse ter expressão no terreno do folclore futebolístico. A contusão grave de Tostão, que o tirou de campo por alguns meses, contribuiu para desestruturar aquela fórmula de ataque que vinha funcionando tão perfeitamente — o time apresentava problemas e passava por maus resultados. O temperamento descalibrado do técnico con-

---

140. João Máximo, op. cit., p. 99.

tribuía com a sua parte, além da possibilidade, apontada pelo próprio Tostão, de que o fato de Saldanha fumar e beber muito, ter problemas pulmonares e "uma saúde precária" já nessa época, muito longe de qualquer disposição esportiva, também gerasse problemas (pretexto ou não, "havia alguma coisa contra ele na direção de CBD por causa disso"). Como agravante, tinha aceito desde o início uma comissão técnica pouco afinada consigo, e girava em falso na solidão crescente.

Mas uma idiossincrasia dificilmente explicável foi o golpe fatal: Saldanha deu a famigerada declaração, depois negada por ele e pelos fatos, de que Pelé estava míope e sem condições de visualizar a bola nas condições exigidas pelo futebol. A meu ver, Pelé não estava em boa fase, ruminando uma outra tensão íntima: o desafio de superar, em 1970, a suspeita difusa de declínio aos 29 anos de idade, somada ao insucesso pessoal da Copa de 1962 (por contusão) e o insucesso geral de 1966. O episódio da declaração, que era uma forma equivocada de dizer isso, disparou a demissão já latente, fechando a brilhante e conturbada passagem meteórica de Saldanha pela seleção, cujo rastro meteórico não ficaria sem consequências, como veremos.[141]

Para o seu lugar foi escolhido Mário Jorge Lobo Zagallo, que tinha sido jogador das campanhas campeãs de 1958 e 1962, como um ponta-esquerda recuado que fazia um trabalho de "formiguinha" no auxílio ao meio-campo e à defesa, e que se fazia notar mais como um jogador tático do que técnico. Em 58, acabou ganhando a

---

141. O livro de André Iki Siqueira, *João Saldanha: uma vida em jogo* (São Paulo: Companhia Editora Nacional, 2007, pp. 281-367), apresenta uma reportagem bastante completa sobre o período de Saldanha como técnico da seleção brasileira, relatando em detalhe a cascata de vieses políticos, psicológicos, médicos e aleatórios que cercou a crise da sua demissão. Ao final, a frase mais elucidativa é a do próprio Saldanha: "Por que eu saí é muito fácil de entender. O que eu tenho dificuldade de explicar é porque eu entrei".

posição sobre dois brilhantes concorrentes, Canhoteiro e Pepe, através de recursos que vão da sua tenacidade a toda prova, dentro e fora do campo, até a sua autoproclamada proteção sobrenatural — que, a julgar pelo depoimento de Pepe em *Bombas de alegria*, deve ter entrado de fato em ação.[142] Parece resistir nele, como técnico, uma obscura identificação narcísica, recorrente e supersticiosa, com o poder salvífico do jogador mediano em detrimento do craque.

Na avaliação de Tostão, que segue sendo aqui a nossa fonte maior sobre os bastidores futebolísticos e os aspectos estratégicos envolvidos, Zagallo era um treinador diferenciado, que teve o mérito de introduzir na seleção brasileira o treinamento tático e a jogada ensaiada, de levar o estudo do jogo para o quadro-negro, de arrumar "um punhado de opções" que poderiam ser executadas conforme o andamento da partida, de "levar a coisa mais cientificamente [...] sem perder a individualidade". Além da inovação do treinamento tático, a seleção teve uma preparação física tecnicamente acurada, inclusive no que diz respeito à prevenção dos efeitos da altitude.

O detalhamento do episódio é importante, além do mais, para que se entenda que, nesse momento, entravam em cena um novo paradigma e, ao mesmo tempo, algumas personagens que o representarão ao longo das décadas seguintes, com uma recorrência conhecida e consequências a pensar. Com Zagallo, participavam do processo Cláudio Coutinho e Carlos Alberto Parreira, que passavam nesse momento da estrutura militar para a futebolística, pensando o futebol do ponto de vista da organização tática e de sua empostação tecnocrática. Como já dissemos antes, inaugurava-se no campo dialógico do futebol brasileiro o princípio de *otimização do rendimento*. Cláudio Coutinho (que morreu precocemente sem

---

142. Ver José Macia (Pepe), *Bombas de alegria: meio século de histórias do Canhão da Vila*. Santos: Realejo, 2006, pp. 32-8.

desenvolver todas as consequências do seu papel) o representou tipicamente em 1978, quando introduziu, com efeitos controversos, uma terminologia nova voltada para a consciência tática, na qual se destacavam as noções de *polivalência* e *overlapping*. Zagallo, um misto inconfundível do novo e do velho, voltará em 1974 e 1998 como técnico e em 1994 e 2006 como supervisor. Carlos Alberto Parreira, sempre associado por gratidão de origem à figura de Zagallo, seu supervisor por excelência, além de uma espécie de totem e amuleto, desempenhará ao seu estilo próprio os atributos do paradigma em 1994 e 2006.

A dupla contém aspectos complementares. Parreira, articulado, informado, educado e fluente, mantém uma atitude de tipo neutro e impessoal na relação com a imprensa e os jogadores, condizente com seus pressupostos teóricos ligados a um olhar o máximo possível frio, analítico e objetivo sobre o futebol. Zagallo foi se mostrando, com o tempo, mais e mais passional, no limite do histriônico. Enquanto Parreira não deixa de se investir da figura do "professor", como passaram a ser chamados os técnicos pelos jogadores em geral, Zagallo não abdica da figura do pai infantilizador e infantil, com seus fetiches e suas bravatas supersticiosas, ostentando até certa altura a sua fama equívoca de invicto.

Como já sugerimos antes, o futebol é um campo de coalizão de diferentes "lógicas" que se complementam quando se encontram, mas que também se entrechocam, como se emulassem um outro jogo surdo dentro do jogo. Ao implantar a sua mentalidade programática e inovadora, já suficientemente descrita, Zagallo retorna ao mesmo tempo ao princípio sintomático e rigorosamente oposto ao de Saldanha: segundo ele, Pelé e Tostão não podiam jogar juntos, pelo argumento, já superado pelos fatos, de que eram dois jogadores da mesma posição. Na sua previsão, um meia-atacante, isto é, Pelé *ou* Tostão, deveria ser complementado por um centroavante tipicamente finalizador, como Dario ou

Roberto (tratava-se, no caso deste, de um jogador mediano do Botafogo, time que Zagallo dirigia, e não do Roberto Dinamite do Vasco, que atuou na Copa de 1978).

A opção constituía-se, na verdade, numa imensa regressão, só explicável por uma concepção *mecânica* de funcionamento do ataque, pensado como peças engrenadas que se justapõem num dispositivo esquemático e causal, em detrimento da presença de dois inigualáveis criadores-goleadores, capazes de inventar caminhos inimagináveis exatamente porque embaralham e combinam múltiplas lógicas. Essa volta atrás é representativa do lado esquemático e dualista do princípio de otimização do rendimento, e do quanto ele tende a se distanciar daquilo que há de incontrolável e improgramável na "lógica da diferença" — combinado certamente às peculiaridades psicológicas de Zagallo. Trata-se de uma concepção de futebol que cinde a dinâmica intuitiva entre craques-inventores, já que não se dispõe a apostar no fato de que, ao atuarem juntos, suas capacidades não só se somam, mas se potencializam. Dinâmica essa que, à sua maneira afinal destemperada, João Saldanha fazia por ativar. (Relembrar aqui esse detalhe esquecido e superado, na história da preparação para a Copa de 1970, é importante, de todo modo, para assinalar o quanto ele representa uma linha de força recorrente.)

Em 1970, o problema se estendeu com o time se arrastando até as vésperas da Copa, quando a pressão da torcida, da imprensa, mas principalmente dos jogadores, com Gérson,[143] Pelé e Carlos Alberto à frente, fez com que a evidência prevalecesse, e Pelé e Tos-

---

143. A participação numa propaganda de cigarros Vila Rica associou o nome do jogador à malfadada "lei de Gérson", em que se uniam de maneira ingênua de tão ostensiva o princípio capitalista explícito com o oportunismo brasileiro mais rasteiro, num exemplo flagrante de "baixa antropofagia": "o negócio é levar vantagem em tudo, certo?". Em campo, o "Canhotinha de Ouro", com seus primorosos lançamentos de quarenta metros, demonstrava uma visão de conjunto que não se diria correspondente ao slogan publicitário.

tão fossem finalmente escalados. A seleção viajou, de todo modo — com a antecedência necessária para a aclimatação à altitude de Guadalajara —, deixando suspensa a dúvida sobre o seu desempenho. Bastou, no entanto, a bola rolar no primeiro jogo, com a Tchescolováquia vencida por 4 × 1, para se sentir que o lapso de tempo longe dos olhares gerais tinha permitido a esperada transmutação tática. Tão importante na minha lembrança como outros lances celebrizados é o momento quase despercebido em que a bola chega a Tostão talvez pela primeira vez no jogo, ele simplesmente a apara pondo o pé sobre ela e *sai de cena* arrastando consigo o seu marcador, desaparecendo da tela da televisão como se abandonasse a bola ali sozinha, e só um lapso depois é que percebemos que ele o faz para a chegada de Pelé, que vem na corrida. O lance tem até hoje um efeito insólito na minha memória: por uma fração de segundo, não sabemos o que está acontecendo, pois, invertendo a força do hábito, uma bola parada é que põe em contato dois jogadores em movimento, que estão fora do nosso campo de visão. Esse pequeno detalhe inaugurava, no entanto, uma das fórmulas singulares para o desempenho do time naquela Copa. Costuma-se dizer que Tostão inventou um improvável modo de "jogar sem bola", de maneira a não "embolar" com Pelé, dadas as semelhanças funcionais entre os dois. O próprio jogador explica as circunstâncias reconhecendo que, "um pouco por criação minha e de outros jogadores", chegou-se a uma solução em que ele jogava bem à frente, de costas para o gol, junto ao zagueiro líbero na sobra (comum em equipes europeias), tabelando com rapidez e servindo "como anteparo" aos companheiros que chegavam ao ataque. Invertendo a posição mais conhecida do centroavante finalizador — que funciona como um *aríete* —, Tostão ficava numa espécie de antecâmara do gol abrindo e multiplicando espaços e chances para os demais, como um *dissolvente mercurial* de defesas congestionadas. Com isso, impedia também o zagueiro líbero adversário de sair para a cobertura dos demais defensores, facilitando a chegada, em múltiplas frentes, de Jairzinho, Rivelino, Gérson e Pelé, quando ganhavam a jogada sobre um defensor. Não bastasse o seu desempenho eminentemente tático, com que sacrificava outras características suas em benefício do time, Tostão fez algumas das jogadas individuais inigualáveis daquela campanha, como a preparação do gol contra a Inglaterra e os dois passes nos gols de Clodoaldo e Jairzinho contra o Uruguai. Neste último, com precisão — pode-se dizer — de futuro psicanalista, lançou a bola "atrás do calcanhar do beque e na frente do Jairzinho", de modo a que o defensor, "que estava correndo virado para o gol", não visse a bola quando ela já estava sendo dominada pelo atacante.[144]

Em suma, a consagrada seleção brasileira de 1970 não poderia ter sido o que foi sem uma conjunção de esforços e contribuições díspares: ela desenvolveu uma consciência tática que injetou no trabalho racionalizador de Zagallo a solução original encontrada pelos próprios jogadores para permitir a máxima combinação dos talentos. Em outras palavras, *a seleção metodicamente ensaiada por Zagallo não pôde funcionar, afinal, sem o axioma das feras de Saldanha*. Ela provou, contra toda resistência, que era não só possível mas desejável, contra todas as hipóteses, Pelé *e* Tostão, Gérson *e* Rivelino (dois meio-campistas, em princípio superpostos, que encontraram vetores próprios, com Rivelino caindo pela ponta esquerda). O volante Piazza tornou-se um quarto-zagueiro, dando lugar ao aproveitamento do jovem Clodoaldo. Rivelino atuava pela ponta esquerda sem ser ponta-esquerda, Tostão como centroavante sem ser centroavante, e Jairzinho como ponta-direita sem ser ponta-direita. O método de Zagallo foi flexibilizado e dialetizado por um núcleo maduro de craques, permitindo a expressão da "diferença" e da plena conjunção da prosa com a poesia.

144. "Opiniões de um homem comum", op. cit., p. 118.

No seu interessante romance autobiográfico *Febre de bola*, o inglês Nick Hornby descreve vivamente as suas lembranças infantis dos jogos do Brasil, começando pelo gol tomado pela seleção brasileira contra a Tchecoslováquia, que parecia confirmar a fama da "desleixada defesa" e da correspondente incapacidade brasileira para sustentar as exigências da prosa (usando a imagem de Pasolini), seguido, porém, do assombro diante da série de gols desnorteantes que sobrevieram, e do estranhamento maravilhado, "não só pela qualidade daquele futebol", mas "pelo jeito com que [os jogadores] encaravam as firulas mais engenhosas e desconcertantes como se fossem tão funcionais e necessárias quanto um tiro de escanteio ou um lateral".[145]

As jogadas, embora úteis, ganhavam aquela dimensão de *inutensílio* com a qual Paulo Leminski sintetizou a natureza ao mesmo tempo funcional e gratuita do objeto poético. O menino Nick encontra, então, "como único padrão de comparação" para aquele fenômeno, "o universo de carros de brinquedo", entre os quais a seleção brasileira se pareceria com "o Rolls-Royce cor-de-rosa de Penélope Charmosa e o Aston Martin de James Bond, ambos equipados com artefatos sofisticados, tais como assentos ejetáveis e armas ocultas, que os colocavam acima da banalidade entediante". Na sequência, Hornby descreve alguns exemplos de procedimentos que Pasolini chamaria de poéticos, entre os jogos daquela Copa: "o gol por cobertura que Pelé tentou fazer — com um chute dado atrás da intermediária — e a finta que ele aplicou no goleiro uruguaio — dando a volta por um lado enquanto a bola ia por outro — eram os equivalentes futebolísticos do assento ejetável, e faziam todo o resto parecer um bando de Vauxhall Vivas".

Hornby destaca também a impressão singular que produzia

---

145. Nick Hornby, *Febre de bola*. Tradução de Paulo Reis. Rio de Janeiro: Rocco, 2000, pp. 36-7.

nele a comemoração dos jogadores, num comentário que parece captar, inadvertidamente, a estranheza, a derrisão e a delícia de ser brasileiro no mundo: "até a maneira [...] de comemorar os gols — uma corrida de quatro passos, um pulo, um soco no ar, uma corrida de quatro passos, um pulo, um soco no ar — era esquisita, engraçada e invejável, tudo ao mesmo tempo".

A conquista definitiva da taça Jules Rimet, depois de três campeonatos mundiais, parece completar assim o ciclo macunaímico do futebol brasileiro. Não bastasse a analogia com um herói regido pelo *mais-de-gozo* que quer submeter a realidade à prova do prazer, com as consequências trágicas e carnavalescas disso, afinal elevadas à maturidade viril, o feito pode ser comparado estruturalmente à conquista da pedra muiraquitã depois de uma série triplicada de enfrentamentos (como é comum nas fábulas populares). Não falta nem mesmo o dilaceramento inevitável no processo mítico da busca (que os gregos chamavam *sparagmós*), presente no fracasso na Inglaterra em 1966, recuperado pelo reconhecimento (ou *anagnorisis*) da Copa do México em 1970.

Um outro fato, no entanto, a um só tempo mais fortuito e profundo, arremata a semelhança com a narrativa de Mário de Andrade, ao ligar a conquista invulgar à fatídica perda do benefício: assim como a muiraquitã é obtida e perdida, a mundialmente ambicionada taça do tricampeonato foi furtada, anos depois, da sede da Confederação Brasileira de Futebol. O episódio tinha precedentes ficcionais e cômicos na chanchada *O homem que roubou a taça do mundo*, de 1963, com Grande Otelo e Ronald Golias. Três anos depois do filme, pouco antes da Copa do Mundo na Inglaterra, foi efetivamente furtada em Londres (assunto de uma crônica de Carlos Drummond de Andrade)[146] e recuperada pela Scot-

---

146. Carlos Drummond de Andrade, "Voz geral", *Correio da Manhã*, 24 mar. 1966, op. cit., pp. 65-7.

land Yard. Mas a terceira vez, como uma réplica em negativo da própria conquista, foi a definitiva e sem volta. O "vaso sagrado", intocável, "coisa assim de igreja", como diz Drummond, terá se convertido não sabemos se em neutra barra de ouro, "feito barra de chocolate" a girar no mercado, ou em dentes faiscantes a resplandecer em *boca de ouro* de malandro.

Mas seja qual for o destino do furto, o fato novo, nesse caso, segundo versão não contestada, é que a CBF guardava a réplica num cofre e expunha o original. A confusão entre a realidade e o simulacro, o lapso irreparável em que o imaginário e o simbólico trocam de lugar na hora de precaver-se contra as ameaças do real, não deixa de ser sintomático, nessa versão, do lado mais obscuro e inconsequente do complexo macunaímico, mesmo depois de tão cabalmente incorporado e superado em campo. Parece resistir aí uma dissociação entre o tamanho da conquista e a incapacidade de sustentar o correspondente simbólico desse feito. Por um lado a capacidade de enfrentar, no jogo, obstáculos muito objetivos e superá-los com uma sobra de recursos lúdicos e estéticos. Por outro, a resistente demonstração de não saber reter o conquistado, levá-lo às consequências e multiplicar-lhe os efeitos.

Mas insistir na tecla da negação e do fracasso é também parte dessa síndrome pendular que patina entre o tudo e o nada. A era Pelé é um período em que o estilo de ataque brasileiro "é visto em todo o mundo como a forma mais pura e encantadora de futebol", e o exemplo por excelência da "alta modernidade" no esporte, como diz o sociólogo escocês Richard Giulianotti.[147] Ao final dele, a televisão em cores, com replays constantes, passa a projetar "o espetáculo completo para milhões de telespectadores na Europa e nas Américas, com o primeiro superastro global do esporte, Pelé, em seu epicentro". Ela fornece, assim, a "referência crucial" para a

---

147. Giulianotti, op. cit., p. 172.

sua mitologização midiática, ampliando um consenso já, de resto, completamente instalado entre apreciadores, e associando inextrincavelmente a figura do jogador brasileiro à expansão do futebol por todos os continentes, com o alcance transcultural que conhecemos.

O IMPÉRIO DA ELIPSE

É preciso, então, a essa altura dos campeonatos, fazer uma parada para balanço, pois se pode dizer, sem lugar a dúvida, que se constituiu e se consolidou no futebol brasileiro uma *linguagem*, um repertório próprio de situações e de procedimentos que se torna a sua própria referência. Não se tratará mais, nesse caso, de descobrir e afirmar as suas bases, mas de recriar-se ou perder-se em função delas, dentro do quadro das grandes transformações pelas quais passará o futebol a partir dos anos 70. Como venho dizendo ao longo deste livro, a minha proposta é a de que o procedimento poético ao mesmo tempo geral e específico que marca como traço a singularidade do futebol brasileiro é a *elipse*.

A elipse é simultaneamente uma figura de retórica e uma figura geométrica, sintagmática e visual, "discursiva" e topológica, como o próprio futebol. Gramaticalmente, consiste na supressão de um termo, no interior de um enunciado, que fica subentendido pelo contexto e pela situação. Há elipse, por exemplo, na construção do famoso poema de João Cabral de Melo Neto, "Tecendo a manhã": "Um galo sozinho não tece uma manhã:/ ele precisará sempre de outros galos./ De um que apanhe esse grito que ele/ e o lance a outro; de um outro galo/ que apanhe o grito que um galo antes/ e o lance a outro; e de outros galos/ que com muitos outros galos se cruzem/ os fios de sol de seus gritos de galo,/ para que a manhã, desde uma teia tênue,/ se vá tecendo, entre todos os galos".

Ocorre aqui, como podemos ver, a omissão planejada e encadeada do verbo *lançar*: "de um que apanhe esse grito que ele [...]/ e o lance a outro; de um outro galo/ que apanhe o grito de um galo antes [...]/ e o lance a outro". O efeito é de algo que passa de tal modo entre os sujeitos da ação que, quando se supunha estar aqui, no grito de um galo — *que não se diz* —, já está lá, mais adiante, e assim por diante, numa sequência de supressões somadas que resultam, como poderíamos aproveitar para dizer, numa espécie de gol aéreo e luminoso ("A manhã, toldo de um tecido tão aéreo/ que, tecido, se eleva por si: luz balão").

Não deixa de ser sugestivo para nós, no exemplo, que a tessitura da manhã se descreva, no poema, como uma espécie de trabalho de equipe entre galos, jogando, em última instância, com a luz do Sol. Mas o ponto que interessa focalizar é que essa luz que se tece por passes, de grito em grito — e, ao final do poema, "luz balão" —, passa de um galo a outro através da supressão de um elo verbal, dispositivo comparável àquele que chamamos, no futebol, de "corta-luz": a bola, conduzida por um jogador numa sequência supostamente linear, está subitamente nos pés de um outro do mesmo time que se interpõe cruzando a sua trajetória. Ou então: a bola vem na direção de um jogador que cruza a sua trajetória sem pegá-la, deixando-a de surpresa para outro (como acontece no gol de Éder contra a União Soviética em 1982, em corta-luz de Falcão, ou no gol de Ronaldo contra a Alemanha na final de 2002, em corta-luz de Rivaldo).

Podemos ver na elipse, que transforma a subtração numa soma, como é o caso dos corta-luzes em cascata de "Tecendo a manhã", a essência também do drible. E não me refiro, é claro, ao drible primário e meramente físico em que o atacante chuta a bola para a frente e vence o defensor na corrida, e nem no curioso de tão simplório *drible da vaca*, também chamado de *meia-lua*, em que o driblador joga a bola por um lado do adversário e pega do outro, valendo-se da velocidade e da determinação, quando não o faz por ironia. Nos dois casos, trata-se, no entanto, de dribles lineares. Refiro-me ao drible como finta, negaceio, sugestão de um itinerário que não se cumpre e que explora imediatamente o efeito surpresa advindo, promessa de movimento *que não se dá se dando e se dá não se dando*, alusão a gestos que se insinuam e se omitem em fração de segundos, de modo a aproveitar a perturbação da expectativa provocada.

Chico Buarque formulou com precisão essa lógica paradoxal em verso, ritmo e melodia na canção "O futebol", com alusão específica, na passagem, ao drible de Garrincha: "parafusar algum joão/ na lateral/ não/ quando é fatal/ para avisar a finta enfim/ quando não é/ sim/ no contrapé". Como sabemos, "joão" é o nome genérico com que se costumou designar qualquer marcador de Garrincha — que trataria a todos, assim, com a mesma simplicidade sem cerimônia (embora atribuída ao jogador, a nomeação redutora parece fazer parte das muitas lendas e anedotas criadas a partir dele). E "parafusar" implica envolver o marcador em um nó inextrincável, promovendo um curto-circuito da expectativa psicológica e corporal, por meio de *nãos* que são *sins* ("quando é fatal"), bem como de *sins* que *não são sendo* ("no contrapé"). "Parafusar algum joão/ na lateral/ (*e parecer*) não (*parafusar*)/ quando é fatal (*parafusar*)/ para avisar a finta enfim/ quando não é/ (*e é*) sim/ no contrapé": ao captar essa dialética vertiginosa, Chico Buarque constrói a frase elíptica em que, mais uma vez, a omissão dos verbos em torno do *não* e do *sim* é que diz a natureza do movimento que se caracteriza por escapar à percepção da sua instantaneidade, assim como à sua nomeação explícita. Engenhosa e isomorficamente em relação ao drible que descreve, o *é* elidido na frase — "para avisar a finta enfim/ quando não é/ (*é*) sim", aparece embutido a seguir no substantivo *contrapé*, como uma bola que se deslocasse para um lugar inesperado, colada ao *pé*.

O marcador francês de Garrincha na Copa de 1958 reafirmou, em um depoimento televisivo a que assisti, o fato surpreendente de que o ponta conseguia driblar sistematicamente pelo mesmo lado já esperado, e fazendo sempre "o mesmo gesto técnico". A frase é dele, acompanhada idealmente daquele gesto de ombros característico, expressando também, no caso, sincera admiração: "il faisait toujours le même, disons, le même *geste technique*" (confirmando, no rigor da expressão, que um francês é sempre uma vocação de "réthoriqueur" e semiólogo, mesmo quando zagueiro lateral-esquerdo). Mas o enigma envolve, como vimos, uma dimensão física (um corpo anômalo e fluente em suas idas e vindas, que se transmuta em caça e caçador), uma dimensão rítmica (um movimento contramétrico, previsível no espaço e imprevisível no tempo, surpreendendo o marcador no contrapé), uma dimensão mental (a de quem, adivinhando ao avesso o movimento do outro, ganhasse sempre no par ou ímpar).

Como finta e elipse, o drible vem da supressão de elos que comporiam nexos lineares na sequência de um lance. O drible é um *chiste*, e sua irrupção em meio à prosa séria da disputa produz o relance de uma suspensão do recalcado, um prazeroso e desconcertante instantâneo de inconsciente (como propõe o ensaio de Freud sobre o assunto).[148] Uma disposição infantil e perverso-polimorfa, expressa nos lapsos imprimidos ao caráter consequente do discurso realista, faz do drible uma anárquica e utópica conciliação da realidade com o prazer. Ele seria ao mesmo tempo *tendencioso* e *inocente*, envolvendo de forma humorística o outro como objeto da vontade de brincar, reprimida pelas responsabilidades da condição adulta e pelas coerções da vida civilizada, que sublima carnavalizadamente.

148. Sigmund Freud, "El chiste y su relación con lo inconsciente" [1905], *Obras completas*. v. 1. 3. ed. Madri: Biblioteca Nueva, 1973, pp. 1029-67.

Mané Garrincha é a apoteose trágica do drible, sua expressão mais simples e mais complexa, elevando ao paroxismo e ao delírio a junção improvável da eficácia com a gratuidade, do utensílio com o inutensílio. Gerações de jogadores teceram variações sobre o drible, inventando novas modalidades de elipse. Rivelino desenvolveu o drible em *elástico*, verdadeira prestidigitação pedal (o termo pedante é só para frisar de propósito a inusitada habilidade exigida pela jogada) em que a bola parece colar, descolar e colar como um ioiô rasteiro, rente ao pé, em movimento serpeante, procedimento que se tornou, desde então, timbre e pedra de toque de raros atacantes especialmente habilidosos. A jogada é uma das muitas contribuições do futebol de salão ao futebol de campo, já que o futsal tornou-se, no Brasil, um verdadeiro laboratório experimental de soluções rápidas em espaço curto, que podem ser reconhecidas no estilo de Rivelino mas também no de Sócrates, dos Ronaldos e de Robinho. Enquanto isso, o Romário tardio, artista da maturidade que domina como poucos a sutileza do *elástico*, prefere muitas vezes elidir o drible, numa espécie de elipse da elipse, driblando como se não estivesse (no caso, trata-se apenas de encaixar, com propriedade, o movimento mínimo na fresta exata, encobrindo com pata de gato a própria obra). De algum tempo para cá, *pedalar* em torno da bola com os dois pés, na corrida, criando em volta dela um campo eletrizado pela iminência de múltiplos toques, que se realizam ou não, virou "moda": meneio retórico vazio em alguns (verdadeiro lugar-comum levando a lugar nenhum), e momento de *insight* e fulminância em outros. Robinho introduz o que me parece ser um drible de outra geração tecnológica: cria, em alguns momentos, uma espécie de zona randômica envolvendo pé, bola, marcador e campo — num campo de probabilidades proliferantes, paradoxais e paralisantes, que o faz não um "filho do vento", como o veloz e unidirecional Euller, mas uma espécie de "filho do caos". É o que aconteceu na antológica sequência de oito pedaladas sobre Rogério, na final do Campeonato Brasileiro de 2002.

Como dizíamos antes, se a elipse é uma figura retórica pela supressão de algum elo na linearidade discursiva, é também uma figura geométrica ("lugar geométrico dos pontos de um plano cujas distâncias a dois pontos fixos desse plano têm soma constante", segundo o dicionário Houaiss). Mais que em sua definição estrita, no entanto, quero tomá-la, em conjunto com a parábola e a hipérbole, que também são pertinentes ao universo da geometria e da retórica, como modalidade alterada do círculo, e, assim, figuração "aberrante" da reta e da curva. O futebol brasileiro pratica, em seu repertório de variações poéticas, um sem-número de *efeitos* de rosca, de trivela, de chutes e passes de "três dedos", que exploram os deslocamentos elípticos da bola e complexificam a projeção sumária dos passes e chutes em linha reta. O extraordinário meio-campista Didi, grande lançador, ao mesmo tempo em que criador do chute em "folha-seca" (caso singular de aberração da reta e da curva, lugar geométrico de uma trajetória inconstante em que a bola chutada a gol "cai" súbita e inesperadamente sobre a meta, sem peso e com direção imprevisível), "nunca deu um passe com o lado do pé, feito um taco de bilhar, pra a bola ir certinha", segundo o comentário de Mário Filho. Ao contrário, tinha "que tocar na bola com o pé que se torce todo, aparafusando o corpo".[149] O próprio craque dizia que, jogando no Real Madrid na década de 60, recebia reclamações de jogadores espanhóis que estranhavam aquela bola que lhes chegava preciosamente aos pés, mas em curva, cheia de malícia e de subentendidos, girando sobre si mesma de maneira inabitual. Estranhamento semelhante parece se repetir, em alguma medida, com Djalminha no Deportivo La Coruña.

---

149. Mário Filho, "Inteligência e futebol". In *O sapo de Arubinha*. São Paulo: Companhia das Letras, 1994, p. 23.

Os efeitos aplicados à bola, elípticos, hiperbólicos ou parabólicos, não se constituem, nesse universo, em mero preciosismo — que às vezes são —, mas em dispositivos afinados com a tendência, a que se referia Pasolini, de inventar espaços excêntricos, fora das triangulações racionalizadas e dos cruzamentos concludentes. Nesse caso, o passe em curva é uma maneira simples e inesperada de fazer a bola chegar de forma inteligente a um companheiro que se desloca, em ângulo inacessível à linha reta.

As cobranças de falta com barreira são outro item importante na questão do efeito em curva aplicado à bola. Ao comentar o papel da criatividade e das mudanças de paradigma ocorrentes também no futebol, à maneira das revoluções científicas de Thomas Kuhn, Richard Giulianotti comenta, na sua *Sociologia do futebol*, as "grandes inovações na cobrança de falta" introduzidas pelo futebol brasileiro, "refletindo a profunda ênfase cultural na habilidade individual e sua demonstração pública". Uma delas é a já referida "folha-seca" de Didi, "a arte do chute em curva", introduzida nos anos 50, incorporada por "uma geração de seus compatriotas" e tornada "arma comum em muitas equipes". "No fim da década de 1970", diz Giulianotti, "o centroavante [sic] Zico acrescentou um segundo movimento aerodinâmico à bola. O tiro de Zico combinava um movimento horizontal em curva com um movimento lateral subindo ou descendo. Para conseguir esse feito extraordinário, Zico acertava a bola na parte do centro para cima, à maneira de um jogador de tênis, e não de futebol. Tiros livres diretos desorientavam goleiros menos experientes. Num amistoso entre Brasil e Escócia no Rio em 1977, por exemplo, Alan Rough ficou embasbacado quando um chute de Zico que parecia certamente ir para fora desviou e entrou em sua rede. Desde então a 'folha-seca' dupla de Zico se tornou uma nova técnica a ser aprendida e dominada por especialistas em tiros livres".[150]

---

150. Giulianotti, op. cit., p. 178.

O sociólogo do futebol refere-se também a Maradona, Branco e Roberto Carlos, lembrando o "espetacular gol" de falta feito por este último num amistoso entre Brasil e França em 1996, combinando "velocidade com desvio" de maneira ímpar, dada a insólita curva descrita pela trajetória da bola — que, aliás, tornou-se objeto de estudos científicos ingleses. Deveríamos incluir ainda, nessa lista, Nelinho, Neto e Marcelinho Carioca. Contra aqueles que atribuem essas inovações a um dado puramente material, "a bola nova, sintética, que é mais receptiva a variações de golpe", Giulianotti enfatiza as consideráveis capacidades fisiológicas (em força, controle e *timing*) desses "mestres especialistas", acrescentando, nos seus termos, a "vontade de desafiar os parâmetros culturais e históricos que inicialmente os confrontam no futebol tradicional".[151]

Outro modo de realização da elipse geométrica, feita parábola ou hipérbole, é a figura do *chapéu*, movimento com que se desenha a silhueta do adversário com a bola, encobrindo-o. Essa verticalização inesperada do jogo, rente ao corpo, descortina uma dimensão rara no futebol oficial até o final dos anos 50, a julgar pela ausência de referências notáveis, embora fosse praticado no futebol popular, chamado também pelas variantes de "lençol" e "banho de cuia". O filme da Copa de 1954, por exemplo, mostra em todas as seleções um movimento de condução da bola predominantemente rasteiro, que não deixa entrever nada parecido com uma promessa qualquer de chapéu, mesmo no jogo brilhantemente insinuante dos húngaros. Nesse sentido, se o já citado gol de Pelé contra a Suécia, na Copa de 1958, não tiver algo de inaugural na história do futebol, ele é no mínimo o anúncio de uma prática que se tornará corrente no futebol de Pelé — e não propriamente como ornamento gratuito, mas como caminho eficaz e às vezes mais rápido para o gol.

151. Idem, ibidem, p. 179.

Chico Buarque poetizou todos esses aspectos *poéticos* do futebol na canção já citada. Aliás, a música promove um verdadeiro tira-teima entre a arte do futebolista e a do cancionista, em favor daquela, tomando-a como uma arte completa, "pintura [...] fundamental" impossível de emplacar em qualquer pinacoteca, arte total aquém e além da representação. O fato de que o compositor faça uma apologia do fazer futebolístico, em detrimento do seu próprio, não deixa de ser a sugestão, elíptica, de que está construindo através do futebol um modelo de sua poética e mimetizando-o nos seus próprios ritmos, sílabas, sentidos, melodias — suas razões e suas rimas. Aqui, sim, o futebol corresponde a um *ideal-de-eu* estético. "Para estufar esse filó/ como eu sonhei/ só/ se eu fosse o Rei/ para tirar efeito igual/ ao jogador/ qual/ compositor/ para aplicar uma firula exata/ que pintor/ para emplacar em que pinacoteca, nêga". O objeto irredutível em questão, aqui, nessa primeira estrofe da canção, é "um chute a gol/ com precisão/ de flecha e folha-seca", isto é, um objeto ambivalentemente direto e serpeante, ao mesmo tempo arco aéreo e flecha, como quem dissesse arco e lira (penso no arco arcaico, dúplice instrumento musical e arma de guerra, a que se refere Heráclito em um de seus aforismas, e que Octavio Paz tomou como título de seu livro sobre a poesia, *O arco e a lira*).

Depois de focar o drible parafusante de Garrincha na segunda estrofe de "O futebol", como já vimos, a terceira estrofe da canção trata exatamente do *chapéu*: "Parábola do homem comum/ roçando o céu/ um/ senhor chapéu/ para delírio das gerais/ no coliseu/ mas/ que rei sou eu". Dedicada a uma linha de ataque ideal compondo uma poética do futebol devotada à inteligência pelo meio, à elegante visão do jogo e ao tirocínio absoluto do gol pelas meias e ao drible pelas pontas (Mané, Didi, Pagão, Pelé e Canhoteiro), a canção que se diz "capenga" quer "captar o visual/ de um chute a gol" através da refração rítmica e afetiva da ideia: "a emoção da ideia quando ginga" (imagem em que se unem coração, mente e corpo, música, palavra e futebol).

Os dois gols do Brasil na partida contra a Inglaterra, na Copa de 2002, resumem curiosamente as duas modalidades de elipse futebolística a que nos referimos: no primeiro, o drible de Ronaldinho Gaúcho, *pedalando* na corrida sobre a bola, num zigue-zague em flecha, faz que o zagueiro perca, mesmo a certa distância, o tempo do lance e a noção do próprio rumo, o que abre de súbito o espaço congestionado e permite o passe para a conclusão de Rivaldo; no segundo, o mesmo Ronaldinho Gaúcho bate uma falta da intermediária pelo lado direito, que o bom senso comum mandaria centrar sobre a área, e, em vez disso, chuta a gol numa estonteante elipse parabólica que passa altíssima na altura da marca do pênalti, mas cai subitamente em curva no ângulo.

Dois muito famosos lances de Pelé na Copa do Mundo de 1970 reafirmam, não só antológica mas podemos dizer que ontologicamente, o caráter exemplar das elipses geométrica e lógico-sintática na constituição da linguagem do futebol brasileiro. Hornby refere-se exatamente a eles, em passagem que já comentamos, e Pasolini decerto os terá levado em conta na sua avaliação do futebol jogado "em poesia". Trata-se dos dois não-gols acontecidos nas partidas contra a Tchecoslováquia e contra o Uruguai.

No primeiro caso Pelé, recebendo a bola no círculo central e aquém da linha divisória do meio-campo, viu o goleiro adversário muito adiantado, na meia-lua da área grande — tendência que apenas se anunciava nessa época e marcava o início da moderna liberação dos goleiros do seu confinamento ao arco e à pequena área — e chuta a gol de uma distância impensável, descrevendo a bola uma curva longuíssima que passa a pequena distância da meta, com o goleiro — Viktor — recuando na corrida para tentar recuperar o tempo ou o espaço perdidos. Do ponto de vista de uma lógica concorrencial e cumulativa estreita, seria apenas um gol perdido e uma bola improvável irresponsavelmente desperdiçada.

É do ponto de vista de uma lógica poética e de uma "revolução científica", no entanto, que esse inutensílio assume a dimensão antológica que sabemos, e permanece como um marco na história do futebol. A propósito, depois foi muitas vezes imitado, e com sucesso, por muitos jogadores que fizeram gols de longuíssima distância — Rivaldo, por exemplo, mais de uma vez, assim como Beckham e Roger, do Fluminense — aproveitando-se da posição adiantada dos goleiros. Em janeiro de 2003 o jovem Fred, do América Mineiro, marcou, na Copa São Paulo de Juniores, o que está sendo considerado o mais rápido gol já registrado, chutando do círculo central imediatamente após o pontapé inicial do jogo. Mas o lance de Pelé guarda ainda a dimensão inaugural de uma invenção ao vivo, e a desmedida sublime de algo inconcebível que só se descobre e revela durante o acontecer, não codificado.

Tecnicamente, trata-se de uma hipérbole, a figura do exagero, a inesperada amplificação desproporcional do que concebemos como sendo um chute a gol. Mas uma hipérbole que se desenha em parábola e que não sabemos mais se é discurso ou figura, retórica ou geometria. O chute não deixa de ser um comentário irônico ao abandono do gol pelo goleiro, contrapondo à corrida desenfreada deste a majestade de sua trajetória, respondendo a um desassombro com outro maior, como se figurasse: ousadia dos homens, brincadeira dos deuses. Trata-se sobretudo de um lance de descortino e de ampliação do horizonte do possível.

O outro famoso não-gol aconteceu, como sabemos, contra o Uruguai, num momento em que o Brasil já vencia a partida por 3 x 1, de virada. Tostão (que já dera, como vimos, o passe para dois gols anteriores) dá um passe diagonal rasteiro, da esquerda para a direita, na direção de Pelé, que vem correndo, em posição simétrica, da direita para a esquerda, ao encontro da bola. O passe, dado no vazio, surpreende desguarnecida a defesa, e o goleiro Mazurkiewicz se adianta para disputar a bola, fechando o espaço ao atacante. No momento em que Pelé e a bola se interceptariam, no entanto, acontece o inesperado: o atacante cruza por ela sem tocá-la, forma com a trajetória da bola e a sua própria um xis que envolve o goleiro, para pegá-la mais adiante e pelo outro lado, chutando enviesadamente para o gol desguarnecido, em frente ao qual se atiram zagueiros tardios na direção contrária à da bola, que passa muito rente à trave direita. Parece claro, quando se vê o videoteipe, que Pelé poderia, no primeiro momento, dominar a bola com vantagem, ficando na cara do gol e podendo realizar o drible convencional sobre o goleiro, embora em espaço curto e sujeito à disputa de uma dividida. O que acontece, no entanto, mais do que uma simples solução prática — que não deixa de ser —, é uma ampliação de horizonte dada por um lapso na sequência esperável do discurso, um vazio desconcertante e chistoso, a supressão de um elo, em suma, o suprassumo da elipse.

Essa elipse das elipses resume, em linguagem geométrica e corporal, visual e discursiva, a tendência a trabalhar com lógicas distintas e simultâneas, remetendo-as entre si, mudando de clave segundo exigências do processo objetivo. Ao mesmo tempo, ela é guiada pelo desejo de saltar fora das cadeias habituais, porque se trata de um contrassenso fulminante que faz sentido, que desfaz a oposição entre a objetividade e a pura gratuidade, ambas presentes e inquestionáveis. O efeito é chistoso mas não se reduz a ele, pela densidade de sua realização de alto nível.

Em todos os casos aqui citados, a elipse abre instantâneos inesperados no estatuto linear do futebol, dentro do qual o jogador conduz a bola e a bola passada conduz o jogador (como naqueles passatempos em que unimos pontos por meio de linhas e completamos uma figura). A elipse altera esse princípio básico que estrutura e mantém o jogo em movimento, criando um lapso no nexo causal entre jogador e bola, um espaço-tempo vazio em que a bola está livre do jogador, o jogador livre da bola, e ambos, no entanto, ligados por um fio invisível graças ao qual o acontecimento salta aos olhos.

O *INTERMEZZO*

O esquema de Pasolini equaciona com propriedade o tema dominante das duas décadas seguintes do futebol brasileiro e das seis Copas do Mundo que se seguiram à de 1970, entre 1974 e 1994. Trata-se de um longo *intermezzo* sem vitórias, em que a questão discutida no Brasil passava a ser a do dilema entre o "futebol-arte" e o "futebol-força". As vitórias da Alemanha, Argentina e Itália, nesse período, além da fulgurante passagem do "carrossel holandês" em 1974, colocavam na ordem do dia a ideia de que era preciso adotar um futebol eminentemente coletivo, taticamente responsável, compactamente defensivo, fisicamente forte, e que abrisse mão dos devaneios individualistas. Não é difícil reconhecer aí uma nova importância dada à *prosa* em detrimento da *poesia*: quem dirá qual é superior? A emergência do princípio de otimização do rendimento e a respectiva ênfase na preparação física compareciam como exigências de atualização frente às quais o "futebol-arte" soaria como anacrônico e ultrapassado. Curiosamente, repunha-se em outro grau o velho dilema entre a competência concorrencial e a originalidade congenial do povo mestiço, traduzido agora em termos de uma oposição entre a proficiência tecnocrática e os impulsos anárquicos do futebol individualista. Em palavras mais chãs, e representativas do imaginário em jogo, tratava-se de aplicar ao futebol a oposição entre os padrões do Primeiro Mundo e o atraso subdesenvolvido, justamente ali onde o problema parecia ter sido superado.

O dilema era o sinal de um fio da meada que se perdia frente às transformações do futebol mundial, que se tornava "pós-moderno", como já vimos, exigindo do campeão da "alta modernidade" do esporte um novo ritmo de ocupação total do campo. Junto com isso, dava-se um certo recesso, na década de 70, da floração de grandes jogadores que marcou o período áureo de 1950-70. É importante lembrar que a geração da Copa de 1970 foi uma geração madura em todos os sentidos, e que encerrou consigo uma era histórica e etária. A década de 70 implicava necessariamente um novo acerto prospectivo do futebol brasileiro com o seu próprio e acachapante passado recente, com a sua renovação geracional interna e com as mudanças profundas e ainda informuladas do futebol mundial. Não por acaso, talvez, ela é o período de três grandes craques cuja expressão máxima vem a ser frustrada por diferentes motivos: Rivelino, Ademir da Guia e Reinaldo.

Roberto Rivelino foi um jogador explosivo em vários sentidos. Em primeiro lugar, pela bomba no pé esquerdo — a "patada atômica", como foi chamada no México — que ele era capaz de detonar de súbito, quase sem tomar distância da bola. Associe-se a isso o excepcional domínio, "petulante e sinuoso",[152] da pelota, fazendo dela um risco repentino sobre o terreno no drible em "elástico", depois de pará-la diante do adversário — e dispará-la com a faísca de uma ignição. Completa esse perfil o bigode ítalo-paulista, o temperamento futebolisticamente irascível, cheio de nervos, envolvente e instável, capaz da volúpia e do revide.

Na seleção de 1970, cercado de feras, Rivelino foi uma espécie de caçula de ouro entre jogadores já consumados. Dissolvido o grupo, ele se viu de certo modo sozinho e com o bastão sucessório, tanto no Corinthians que o revelou, e ao qual não conseguiu dar um título — como se costuma repetir tantas vezes —, como na seleção de 1974, acompanhado ainda de um Jairzinho já tendendo

---

152. Décio Pignatari, "Rivellino e o dragão", op. cit., p. 204.

a veterano. Na verdade, não caberia a essa personalidade cheia de repentes, de surtos em zigue-zague, de ímpetos *yang*, cadenciar e pastorear uma nova geração (cuja força, por sua vez, não era evidente). Nos piques como nos lançamentos, Rivelino era um meio-campista do arranque, brilhante e impulsivo, mais afeito às descargas de talento e temperamento do que à função tutelar de tomar o jogo para si e infundir-lhe ritmo e ordem.

Ademir da Guia é rigorosamente o oposto. Num artigo notável em toda linha — que eu vou acompanhar, aqui, de perto —, Nuno Ramos diz que "a aceleração era o elemento verdadeiramente excluído do seu futebol". Ou seja, Ademir primava por apagar de maneira desconcertante toda impressão de atrito, de explosão e de impulsão como princípio motor: "seu corpo não parecia exatamente mover-se, mas flutuar, apegado à inércia e à posição anterior (seu próprio batimento cardíaco era incrivelmente baixo)". Por isso mesmo, essa atitude de antiexplosão transmitiria "a falsa impressão de lentidão — na verdade, Ademir agia como a tartaruga do paradoxo de Zenão: confiante de estar sempre à frente do velocista, independentemente dos esforços dele, seguia seu ritmo com segurança".[153]

Sua presença impressiva e rarefeita é enigmaticamente realçada em negativo pela "figura quase albina" de *sarará* (como se ele fosse o espectro essencial da estirpe mulata a que pertencia, ecoando o pai, Domingos da Guia, e os tios Luis Antonio, Médio e Ladislau — jogadores dos primórdios do futebol brasileiro). Fascina e intriga que uma personalidade de tal modo *yin* possa vir a impor-se exatamente por seus atributos recessivos, fazendo deles uma virtude dominante. É desse enigma que trata, justamente, o

---

153. Nuno Ramos, "Considerações sobre o Divino", *Folha de S.Paulo*, 13 out. 2001. Compilado em Nuno Ramos, op. cit., pp. 263-8. Ver também Décio Pignatari, "Ademirável da Guia", op. cit., pp. 187-9.

poema de João Cabral de Melo Neto sobre ele: "Ademir impõe com seu jogo/ o ritmo do chumbo (e o peso),/ da lesma, da câmara lenta,/ do homem dentro do pesadelo.// Ritmo líquido se infiltrando/ no adversário, grosso, de dentro,/ impondo-lhe o que ele deseja,/ mandando nele, apodrecendo-o". Ao fazer da duração "sua matéria e seu alimento", evitando "rompê-la com gestos e rompantes", distribuindo seu jogo "numa monotonia tensa, subterrânea", friamente independente do placar, diz Nuno Ramos, Ademir da Guia aliciava o tempo contínuo de maneira a ir "entorpecendo e então atando/ o mais irriquieto adversário" (como diz ainda o poema de João Cabral).[154]

Essas qualidades paradoxais puderam ser reconhecidas na sua prolongada e exclusiva participação no time do Palmeiras, a memorável "Academia" dos anos 60-70, onde se completou no meio-campo ao lado do combativo e incansável Dudu. Nuno Ramos observa que essas qualidades pairam num lugar fantasmático, ilegíveis quando fora do nicho clubístico em que se aninharam e onde vigoraram no seu necessário tempo próprio. Não eram facilmente transportáveis para o estado de urgência e de exceção que caracteriza a formação de uma seleção nacional — onde Ademir da Guia nunca encontrou o seu tempo nem o seu espaço. Além disso, eram dificilmente traduzíveis tanto para a atmosfera exaltada da transmissão radialística quanto para a decupagem "demasiado focada" da televisão.

Seria esperar demais de Zagallo, que teve dificuldades para equacionar Pelé e Tostão em 1970 — por serem *parecidos* —, que ele ou qualquer outro decifrasse Rivelino e Ademir da Guia em 1974 — uma equação radicalmente disparatada, como vimos, e com incógnitas mais exasperantes. Rivelino e Ademir eram algo

---

154. João Cabral de Melo Neto, "Ademir da Guia". In *Museu de tudo*. Rio de Janeiro: José Olympio, 1975.

assim como o ímpeto e o *continuum*, a combustão e o banho turco, os demônios soltos e o anjo em suspensão. Tudo isso sem um termo comum à vista, a não ser o fato de ocuparem, mais uma vez, a mesma posição, e de serem craques. Sem nenhuma outra mediação, coube a Rivelino arcar com o meio-campo e a Ademir da Guia guardar — mais do que amargar — uma silenciosa e eterna reserva: na Copa de 1974, Zagallo o escalou, ao lado de Rivelino, somente na disputa pelo terceiro lugar com a Polônia (quando o título já tinha sido perdido na partida semifinal contra a Holanda), e, como se não bastasse, substituiu-o no segundo tempo — quando ele era um dos melhores em campo. Como se a sua presença, com todas as potencialidades que comportava, ficasse reduzida afinal a uma espécie de solução sem efeito dentro de um prazo vencido.

Mas Ademir da Guia é uma carta cifrada, não decodificada pelo futebol brasileiro do seu tempo, como se ele concentrasse em si, sozinho, numa espécie de "fundo de garantia", a capacidade que o futebol brasileiro em geral ia perdendo no lapso indefinido daquele período: a capacidade coletiva de reter a bola, de imprimir o ritmo ao jogo, comprimindo-o e distendendo-o — como faz João Gilberto com o canto.[155] Ele instaura assim um estado de densa e máxima saturação de camadas implícitas: não é à toa que se torne, não só figurada mas literalmente, uma questão de poesia. E que, junto com Garrincha, e pelo avesso, seja o jogador brasileiro que mais instigue e provoque a interpretação literária. Pois o lugar em que o seu futebol encontra o mais profundo reconhecimento, afinal, não são os meios de massa nem a seleção brasileira: é o poema e o ensaio.

O céu do futebol brasileiro estava, pois, em 1974, constelado de estrelas vagas, polares, de difícil leitura, exigindo uma invenção

---

155. Nuno Ramos, op. cit., p. 267.

de sentido ainda maior do que em 1970 — sem um intérprete disponível no horizonte. Um outro grande jogador da mesma geração, Paulo César Caju (que inaugurou o modelo, depois tornado comum, do craque descolado, desejável, fashion, desfrutando ao máximo a aura do sucesso esportivo), não dispunha em campo das virtudes extremadas de Rivelino e Ademir, e tampouco chegava a ser uma síntese delas. Já Edu era um extraordinário e não aproveitado ponta-esquerda driblador, no momento em que essa figura tática, tão típica dos anos 50 e 60, entrava em declínio. Na prática, a campanha de 1974 se notabiliza pelos resultados mínimos (zero a zeros com Iugoslávia e Escócia, ou placares na tangente com Zaire, Alemanha Oriental e Argentina) e um só gol sofrido até a derrota para o "carrossel holandês" por 2 × 0, além da perda do terceiro lugar para o rápido time da Polônia, por 1 × 0.

A essa altura, a opinião pública brasileira se vê, contrafeita, na situação de começar a adaptar sua sede de goleadas e de elipses, seu delírio do ilimitado, a uma nova mentalidade de tipo realista, propugnada por uma comissão técnica confessadamente defensivista, objetivamente retranqueira e administradora de resultados. Um "futebol total" com ocupação "polivalente" e exaustiva do campo (que a Holanda inventava, naquele momento, de maneira totalmente surpreendente, unindo de forma dialética a qualidade individual com um desenho coletivo hiperdinâmico) não resultava numa análise de realidade desses dados novos em relação à poderosa tradição brasileira, mas num ramerrão retentivo. O ponto de referência da equipe deslocava-se, na prática, do ataque voluptuoso para a primazia da solidez da defesa, onde se destacavam o goleiro Leão, o lateral-esquerdo Marinho Chagas e a dupla de zaga formada por Luís Pereira e Marinho Perez. A efetiva entressafra de craques combinava-se com o elogio da prosa acadêmica tomada como uma exigência do estado atual do mundo. Não deixava de ser um duro aprendizado e um exercício a contragosto de rebaixamento das fantasias. Mas, se se costuma associar tantas vezes a seleção de 1970 à ditadura, pelos efeitos propagandísticos que o regime político extraiu do seu êxito, o fato é que a verdadeira ditadura em campo se impunha, nos métodos e na mentalidade, com a seleção de 1974. Nela, a *modernização conservadora* encontrava seu correspondente em campo.

A aparição do centroavante Reinaldo, revelado na época aos dezesseis anos pelo Atlético Mineiro e projetado nos anos seguintes, representou sem dúvida um grande alento para os apaixonados pelo futebol pleno. No Campeonato Brasileiro de 1977, Reinaldo foi o artilheiro com 28 gols, marca muito superior à de todos os campeonatos daquela época — e só superada exatos vinte anos depois, quando Edmundo fez 29 gols (e depois disso Dimba e Washington, em campeonatos de estrutura já muito diferente). O mínimo que se pode dizer de suas características como centroavante é que Reinaldo prefigurava, combinando-as, qualidades de Ronaldo com qualidades de Romário, o que por si só já o alinharia entre os grandes atacantes de todos os tempos. Tinha, do primeiro, o arranque e a velocidade do drible na corrida, além da contundência da finalização, e, do segundo, o toque refinado e um arsenal inumerável de soluções de jogo, de alterações de ritmo, de chapéus e toques por cobertura, com o faro conclusivo dos dois. Atitudes independentes e o punho cerrado levantado a cada gol insinuavam uma posição inconformista num cenário politicamente anódino (que Afonsinho, jogador revelado pelo Botafogo no final dos anos 60, e homenageado com justiça por Gilberto Gil na canção "Meio de campo", tinha começado a problematizar pioneiramente no começo dos anos 70).

O desenvolvimento do potencial exuberante de Reinaldo é afetado, no entanto, por uma dupla infelicidade, física e médica: a exposição precoce aos pontapés gera problemas em um dos joelhos, o que o leva, ainda nem completamente acabado de crescer, às mãos de uma medicina tosca e inconsequente. Sabemos o quanto a cirurgia de joelho se desenvolveu posteriormente. Nas condições de então, a solução de praxe consistia na extração de meniscos. Segundo narrativa do jogador, o médico que o operou extraiu os meniscos do joelho afetado e, aproveitando que estava com a mão na massa, extraiu também os meniscos do joelho saudável, como quem arrancasse amídalas pela simples desincumbência cega de um ofício — para evitar problemas futuros. O efeito desse descalabro — que parece uma piada cruel — é que Reinaldo, com os joelhos fragilizados à medida dos sucessivos jogos, e sujeitos a dores persistentes acompanhando-o como uma sombra por toda a sua vida útil no futebol, acabou perdendo algo da base de sustentação e do eixo de equilíbrio, parecendo às vezes, a partir de certo momento, um boneco de engonço a ponto de dobrar as pernas em xis.

Na Copa de 1978, na Argentina, o gramado mal consolidado de Mar del Plata soltava placas inteiras de grama a cada movimento, o que certamente complicava a equipe, e, sobretudo, o futebol refinado do centroavante (que foi sacado do time em seguida). Um zero a zero ferrenho com a Argentina, decidido depois no saldo de gols em partidas do Brasil com a Polônia (3 × 1) e da Argentina com o Peru (vencido por 6 × 0), fez que o Brasil saísse do campeonato sem ter perdido, eliminado por uma vitória tida como suspeita (a da dona da casa, sobre o Peru) e com o técnico Cláudio Coutinho reivindicando o título de "campeão moral" para o Brasil. Independentemente dessas hipóteses controversas, que não interessam aqui, o futebol brasileiro continuava exibindo, nessa Copa, a indefinição entre repentes de sua tradição combinados com a postura técnico-científica incompletamente assimilada, com a fetichização da resistência física (em que se alinhava o prestígio do teste de Cooper, introduzido por Coutinho como panaceia universal e depois caído em desuso), e, sobretudo, um certo mal-entendido quanto a seus próprios talentos emergentes: sem falar do caso infeliz de Reinaldo (que Coutinho, apesar de tudo, valorizava extremamente), a incapacidade de apoiar e assegurar o papel de Zico — que viria a ser o maior jogador de sua geração —, e o veto prévio a um jogador da qualidade de Falcão. A essa altura abolira-se o axioma de Saldanha, isto é, o reconhecimento inequívoco de jogadores criativos através da troca de confiança e responsabilidade com estes, e a invenção das maneiras de compatibilizá-los. Num episódio só aparentemente irrelevante, durante o jogo com a Polônia em Mendoza, o meia-atacante Jorge Mendonça passara quase meia hora sozinho à beira do campo, se aquecendo sob frio intenso, para uma entrada em campo que não se dava: o fato era o índice estranho mas revelador de uma mudança significativa de papéis, em que o jogador passava a ser entendido ostensivamente como um joguete do técnico (que assume o novo papel de protagonista).

Por isso tudo é que, no arco do *intermezzo* que se estende entre as Copas de 1974 e de 1994, duas delas afinal encenam, com uma simetria de cristal, o dilema entre a poesia e a prosa, entre a criação deliberada e a prudência calculista, entre a retomada da linhagem evolutiva e a retranca de resultados. Em 1982, uma equipe esplendorosa, imaginativa no ataque e no meio-campo, representada pela geração criativa e brilhante de Zico, Sócrates, Falcão, Cerezo e Júnior e dirigida por Telê Santana, tomba, ainda antes das semifinais, diante da prosa efetiva e nem tão estetizante da Itália. Em 1994, uma equipe compactamente defensiva, prosaica por definição, dirigida por Carlos Alberto Parreira acompanhado de seu talismã, Zagallo, como supervisor, e contando à frente com a genialidade inventiva de Romário (vetado por eles até o último jogo das eliminatórias), vence a Itália nos pênaltis e reconquista a Copa do Mundo depois de 24 anos. A opinião pública brasileira oscila irresolvida frente à derrota coroada de beleza, com a qual se experimenta a satisfação e a falta, e a vitória magra e pragmática, com a qual se cortou à faca, mais do que se desatou, o nó do dilema.

A seleção de 1982 era o desaguadouro de uma grande renascença do futebol jogado no Brasil, já que nela desembocavam representantes de várias das grandes equipes do período — do Rio de Janeiro, de Minas Gerais, do Rio Grande do Sul e de São Paulo. Zico e Júnior, assim como Leandro, representavam o Flamengo do período áureo de 1980-3, campeão brasileiro e campeão mundial interclubes. Falcão, que a essa altura já jogava na Roma, prenunciando a futura diáspora, tinha surgido no Internacional de Porto Alegre, tricampeão brasileiro de 1975, 1976 e 1979. Toninho Cerezo, assim como Luisinho, Éder e Paulo Isidoro, faziam parte do Atlético Mineiro, que teve um papel expressivo ao longo desses anos (Reinaldo, que jogou as eliminatórias da Copa, não conseguiu chegar a ela, e encerraria precoce e melancolicamente a carreira em 1985, caindo por um longo tempo num abismo pessoal de depressão e drogas). Sócrates vinha do Corinthians que conquistava o bicampeonato paulista em nome da Democracia Corintiana, um breve e significativo movimento pela emancipação dos costumes servis impostos ao jogador de futebol, preconizando a sua maior consciência política. O goleiro Waldir Peres, o zagueiro Oscar e o centroavante Serginho (que entrou no lugar de outra jovem promessa, Careca, descartado por contusão) faziam parte do São Paulo, vice-campeão brasileiro em 1981. (Waldir e Serginho foram campeões em 1977, numa litigiosa vitória sobre o Atlético Mineiro, em que a força dominou truculentamente a arte.)

Com o técnico Telê Santana retornava à seleção brasileira um amplo reconhecimento, sem prevenções, dos melhores jogadores em atividade, que se ofereciam num leque agora exuberante. Sua experiência não vinha da educação física e da disciplina militar convertidas em signos de modernidade esportiva — como era o caso de Cláudio Coutinho — e sim do próprio campo de futebol, como ex-ponta-direita, taticamente consciente, do Fluminense — nesse ponto parecido com Zagallo. Mas, ao contrário dos dois, e mais como João Saldanha (embora Telê fosse um mineiro reservado e circunspecto, nada extravagante), atento às possibilidades de inventar alternativas para a conjunção de jogadores criativos. Não se tratava de um otimizador do rendimento implantando esquemas sobre jogadores escolhidos para executá-los, mas um espírito dialético potencializando as capacidades dos jogadores de que dispunha, às vezes desconhecidas deles próprios. Sua escolha se deu graças a um acidente no percurso político de João Havelange, no interregno em que o esquema de domínio do *cartola dos cartolas* belgo-brasileiro, que já era presidente da FIFA desde 1974, perdeu excepcionalmente as eleições na CBF, quebrando por um momento seus longos ciclos de hegemonia e dando lugar a uma escolha fora do paradigma Zagallo-Coutinho-Parreira.

Zico, o "Galinho do Quintino", revelado pelo Flamengo e a princípio franzino e injustamente tachado como sendo um jogador restrito à rinha do Maracanã, tinha encorpado e se tornado o mais equilibrado e completo entre esses jogadores de alto nível, um clareador intuitivo e consciente do magma do jogo, associando um domínio total da bola curta, grudada ao pé (como observa Tostão), com a antevisão tática e o senso amplo do passe, do drible rápido e da finalização, consumada ainda pelo fato de ser um cobrador de faltas muito próximo da perfeição. Mais fluente e integrado ao jogo como um todo do que Rivelino, e mais agudo e decisivo do que Ademir da Guia, sua presença sintetizava num arco generoso de possibilidades aquela tradição de certa maneira esmagadora que pesava agora sobre todos como uma cobrança inatingível. Num panorama em que não parecia caber nenhum estrelismo avulso a competir em vão com Pelé e Garrincha, Zico desfilou a sua grandeza com brilho e modéstia, como um destaque sempre inseparável do time, arcando com seus problemas físicos (os de joelho em 1986) e as derrotas cruciais da sua geração, na seleção, com sóbrio estoicismo. Como a marca de um destino, a sua grandeza inequívoca sempre teve que conviver com um traço diminuído, dado pelo andamento das coisas — independentemente dele ou não. Mesmo quando foi para a Europa, não para um grande time, mas para um pequeno, a Udinese (o mercado europeu ainda não tinha se aberto para o jogador brasileiro nos termos milionários e predatórios de hoje), ainda assim a sua marca excepcional ficou claríssima. O seu par no panorama do mundo era Maradona, menos regular do que ele e mais carismático, desconcertante, genial e "artista".

Toninho Cerezo era o volante desengonçado e ágil, o ex-palhaço que levava a campo, da sua antiga profissão, algo da disposição versátil para enfrentar situações, e que se apresentava em toda parte, incansavelmente, para roubar bolas e entregá-las pessoalmente aos companheiros, com a sua capacidade de a um só tempo emaranhar e desemaranhar o jogo com entradas de surpresa e passes curtos. Ao lado dessa figura mercurial de entregador em domicílio tínhamos o "demiurgo" de Desiderio, Falcão, árbitro da elegância em Roma, exibindo uma silhueta também longilínea, preclara, apolínea e ordenadora. Segundo o dramaturgo italiano Davide Enia, Falcão pertenceria àquela raça dos eleitos, como Cruyjff, Beckenbauer e Baggio que, guiados pelo dom da previsão, parecem não suar em campo, mesmo estando em toda parte.[156]

O "Doutor" Sócrates, capitão da seleção, paraense-paulista dividido entre o futebol e a carreira de medicina, tinha aderido tardiamente ao futebol como profissão total. Mais longilíneo ainda do que Cerezo e Falcão, ostentando uma desenvoltura exu-

---

156. Davide Enia, "Itália-Brasil 3 a 2", em *Artistas Unidos*, n. 11, Lisboa: Livros Cotovia, jul. 2004, p. 104.

berante sobre um equilíbrio entre firme e periclitante, era surpreendente seja no passe, no drible ou no chute — como se não chegássemos nunca a saber bem o que esperar daquele genial gafanhoto ambulante que não parecia ostentar o inteiro domínio de sua disposição física. Muito alto e de pés pequenos, com dificuldade para virar rapidamente em direções opostas, deu uma dimensão inesperada ao passe de calcanhar, que explorava em condições inimagináveis, incluindo lançamentos longos — como se fosse um Curupira adulto e esclarecido, capaz de investir de um sentido positivo o ponto fraco de Aquiles. A propósito, o pai tinha lhe dado o nome de Sócrates Brasileiro, simbolizando o desejo de vê-lo crescer como um filósofo nacional. Desejo realizado, ainda que pela culatra: Sócrates Brasileiro Sampaio de Souza Vieira de Oliveira, cujo nome completo já compõe, por si só, um samba-enredo, nunca abandonou a barba filosofal e a disposição pensante: "deu um pique filosófico ao nosso futebol" e assumiu uma posição iluminista, ligada à promoção da cultura letrada e da consciência política (sem deixar de lado os eflúvios dionisíacos da cerveja).[157] Sabendo que o jogador teria se interessado pela leitura de Platão, além de Maquiavel e Hobbes (talvez na sua malograda passagem pela Fiorentina), o italiano Giancristiano Desiderio comentou com argúcia, ao seu estilo: "que Sócrates tenha, afinal, lido Platão, é uma inversão histórica comparável a um toque filosófico de calcanhar".

Tudo o que estamos dizendo evidencia o fato de que o futebol no Brasil tinha chegado então a um ponto de diversificação e autoconsciência, em que não se tratava mais das vicissitudes da invenção e consolidação de um estilo a golpes de gênio, mas do

---

157. "Sócrates Brasileiro Sampaio de Souza Vieira de Oliveira/ deu um pique filosófico ao nosso futebol" são os versos de abertura de um samba que compus em sua homenagem, gravado por Ná Ozzetti em seu primeiro disco (*Ná Ozzetti*, 1988).

desdobramento de suas possibilidades sobre uma poderosa tradição, dando lugar a uma linguagem coletiva em que se expressavam diferentes singularidades equiparadas. Todos esses meio-campistas eram praticantes, como evidenciou a Copa de 1982, de uma *dialética elíptica*, se se pode dizer assim: um senso maduro do jogo como um todo e uma refinada capacidade de expressá-lo em lances imprevisíveis — *donos da bola* e *donos do campo* (não fosse uma enigmática falha adamantina, de que falaremos). Esse grupo, aliás, ou vários de seus integrantes, formava uma nova categoria, articulada e esclarecida, de jogadores e cidadãos, em relação colaborativa com a figura sóbria do técnico, sem que houvesse lugar, ali, para paternalismo infantilizador, patriotadas regressivas, devaneios numerológicos e apelos cabotinos aos privilégios sobrenaturais. Zico se tornaria depois o defensor de uma modernização da Lei do Passe; Falcão e Júnior, comentaristas respeitados; e Sócrates um paladino da responsabilidade social do jogador. No futebol brasileiro, Telê Santana assumiria cada vez mais o papel modelar do pai que forma e transforma o jogador, fazendo que ele ressurja metamorfoseado pelos limites que lhe são impostos e ao mesmo tempo pela liberdade que conquista. No país em que se conhece bem o autoritário que tenta coibir o malandro, e o malandro com vocação autoritária, o papel do ordenador flexível, do "caxias" aberto à criatividade não é propriamente comum. João Saldanha, gaúcho carioca e general da praia, era a versão destemperada e sensacional do paradigma. O equilibrado e contido Telê Santana arcou algo solitariamente com o papel, inclusive na atitude neurastênica com que parecia se lamentar cronicamente de ser o assumido portador da Lei num país sem ela, e de ter que afirmá-la a cada passo. (No período em que dirigia o São Paulo, e já transformado numa entidade venerável, no início do anos 90, acusou os juízes do Campeonato Paulista de errarem excessivamente, e eles erraram mais ainda durante aquelas semanas, confusos por terem sido desautorizados pelo próprio pai de todos, o emanador da Lei.)

Uma das críticas que a seleção de 1982 recebeu, depois da surpreendente desclassificação, foi a de jogar um futebol excessivamente civilizado e pouco oportunista (do ponto de vista defensivo) — limpo, escorreito, incapaz de truncar o jogo e "matar a jogada" com falta, coisa que o refinado zagueiro Luisinho (Luiz Carlos Ferreira) não fez em nenhum momento diante das arremetidas fatais de Paolo Rossi. Por todos esses aspectos conjugados é que o fracasso da equipe de 1982 soava surdamente como um fracasso da possibilidade, quase tangível em campo, de uma civilização brasileira.

O time brasileiro passou pela primeira fase da Copa com duas goleadas sobre Escócia e Nova Zelândia, após uma partida difícil contra a União Soviética, na qual, depois de sofrer um primeiro gol e cometer um possível pênalti não marcado, inventou dois gols espetaculares, inclusive pela presença do impressionante goleiro Dasayev: dois dribles largos de Sócrates, seguidos de um chute preciso no ângulo, e o já comentado corta-luz de Falcão abrindo espaço para o chute forte de Éder. Nas partidas seguintes, o jogo fluía muitas vezes com uma facilidade a que tínhamos nos desacostumado, e encantava uma torcida que reconhecia novamente, nos resultados e no estilo, a chama de uma tradição viva.

A fase seguinte consistia numa decisão triangular entre Brasil, Argentina e Itália, da qual sairia apenas um time para as semifinais. O Brasil venceu com autoridade a Argentina de Maradona por 3 × 1, confirmando o que havia de fulgurante promessa nos jogos iniciais. É importante ressaltar aqui o ponto decisivo: como é sabido, a Argentina é tradicionalmente o arquirrival do futebol brasileiro, o antagonista mais temido — no fundo o mais admirado — e o objeto da mais incontrastada sanha de vitória. É difícil sondar todas as implicações desse complexo rivalitário. Por um lado, além de ser uma tradição futebolística poderosa e de nos humilhar com algumas de suas conquistas civilizatórias (a renda melhor distribuída, a cultura letrada muito mais consistente, a clareza urbanística de sua capital), a Argentina é o país vizinho e o mais parecido: como disse Pasolini, o "futebol de poesia" nos é familiar, além de sermos, também, "donos da bola". Essa verdade tem sua expressão máxima, justamente, em Maradona (que é, por sua vez, de maneira muito peculiar e quase secreta, idolatrado no Brasil, onde é aceito como o único jogador que pode ser comparado — embora não igualado — a Pelé). A publicidade do Guaraná Antarctica pouco antes da Copa de 2006, em que Maradona aparecia, num ambíguo sonho-pesadelo, vestido com a camisa da seleção canarinho e cantando o hino nacional brasileiro, pode ser interpretada como a realização de um recalcado desejo recíproco.

Caetano Veloso mostrou que um texto de Jorge Luis Borges sobre o modo argentino de vivenciar e confundir o público e o privado podia ser confundido, por sua vez, com uma verdadeira dissertação, de corte sérgio-buarquiano, sobre o Brasil.[158] Ao mesmo tempo, a tradição nacional argentina é profundamente diferente na sua ânsia europeísta, na sua concepção de cosmopolitismo, na sanha histórica com que quer implantar a civilização contra a barbárie a golpes de barbárie (riscar os índios e abstrair os negros, "desrealizando-os" obscuramente), na volúpia congênita com que quer ser a *dona do campo* e emparelhar-se com a Inglaterra. Podem ser vistos, aliás, como documentos díspares dessa mesma pulsão a obra do próprio Borges, a prática do rúgbi e do polo ou a invasão das Malvinas.

Os sucessos e fracassos dessa empreitada e dessa síndrome são distintos dos sucessos e fracassos brasileiros na administração

---

158. Ver Caetano Veloso, "Diferentemente dos americanos do norte". In *O mundo não é chato*. São Paulo: Companhia das Letras, 2005, pp. 42-6.

de sua mestiçagem congênita, de sua indefinição crônica e de sua ambivalência versátil e evasiva. Se se pode dizer assim, a Argentina tende a ser maníaco-depressiva, expondo-se aos ânimos contrários mais desnivelados no confronto real com seus modelos, enquanto o Brasil é vagamente ciclotímico, dissolvendo-os numa oscilação volátil e inconsequente, através da qual passa da vanglória à autodepreciação com a mesma facilidade. O comportamento das torcidas espelha exatamente esses traços opostos: torcidas argentinas entoam cânticos incansáveis durante todo o jogo, empurrando a sua equipe independentemente do resultado, enquanto torcidas brasileiras partem de uma euforia prévia para incertezas e vaias assim que o seu time der mostras de não corresponder à idealização. De certo modo, cada uma dessas duas culturas expõe a outra, surdamente, ao seu próprio *carma*, isto é, à sua ferida histórica mal elaborada. Os brasileiros são remetidos, entre outras coisas, ao seu atraso vergonhoso diante das exigências mínimas de um padrão letrado e iluminista. Os argentinos são cutucados na culpa e na inveja de uma cultura sincrética e mestiça que eles não tiveram ou que recusaram.

É sintomático, nesse ponto, que jogadores brasileiros fossem, como já vimos, chamados de "macaquitos" na Argentina desde o período amadorista, quando os negros e mulatos eram ainda renegados ou denegados no nosso futebol (mesmo assim já éramos, para alguns jornalistas argentinos, suficientemente mestiços). Mais do que um xingamento localizado e específico do futebol, essa nomeação insistente é prototípica e projetiva de uma diferença sistêmica e difusa. Em 1920, quando a questão se manifestou através de um jornal de Buenos Aires em face da presença da seleção brasileira, Lima Barreto contra-atacou em *Careta* com um artigo intitulado "Macaquitos", em que propunha que se assumisse o *macaco* — positivamente, afirmativamente, sem problemas — como totem identificatório do Brasil. O escritor e grande inimigo do futebol não deixava de estar secretando, com isso, mais uma ironia sobre as baixas preocupações que cercavam o mundo futebolístico. Mas estava pondo em ação, ao mesmo tempo, uma curiosa virada ao avesso de um estigma sofrido, procedimento que se tornaria característico, como já vimos, de torcidas de futebol. No caso, ele o fazia com bons argumentos: se os franceses têm o galo como seu "totem" e dele se orgulham (um animal muito inferior ao macaco na escala zoológica), se os russos se identificam com os ursos nem tão inteligentes e ladinos, se os alemães com as pouco simpáticas águias, se os ingleses com o leopardo e o aristocrático unicórnio, e se os belgas com o leão carniceiro, Lima Barreto propunha que assumíssemos sem "motivos para zanga" o culto a um animal "frugívoro, inteligente e parente próximo do homem", objeto "endiabrado" de simpatia nas nossas histórias populares. Como sabemos, Lima Barreto foi o primeiro escritor brasileiro a assumir-se objetiva e subjetivamente mulato, sem fazer disso motivo de privilégio ou comiseração: parece-me inegável que falou mais alto do que o seu desprezo ao futebol, aqui, a resposta ao desprezo argentino pela condição mestiça brasileira (que lá se expunha como xingamento, e que aqui se escondia como vergonha).[159]

A trama miúda das semelhanças e diferenças culturais entre brasileiros e argentinos iria longe. No conjunto, temos aí uma relação similar à de "irmãos" não explicitados, personificados em estados-nações, agarrados aos respectivos pontos fortes e falhos, exercitando-se na rivalidade por meio de uma relação mal confessada e ambivalente de amor e ódio, para a qual o futebol oferece, mais uma vez, o melhor campo de provas. Neste, pode se chegar aos mais altos cumes do desafio lúdico assim como ao confronto ríspido de parte a parte, expresso volta e meia em provocação e vio-

---

159. Lima Barreto, "Macaquitos", *Careta*, 23 out. 1920. In *Coisas do Reino de Jambon*. São Paulo: Brasiliense, 1956.

lência, ou em garra, catimba e astúcia redobradas, como aconteceu em parte, aliás, no jogo em questão — ao qual retornamos.

Na Copa de 1982, quando o Brasil abriu uma vantagem de 3 × 0, alguns jogadores argentinos, vendo-se já eliminados (pois tinham perdido também da Itália), tentaram levar consigo alguns brasileiros contundidos, o que acarretou a expulsão de Maradona. Seria certamente um exagero dizer que ganhar da Argentina, naquele momento, equivalia intimamente a um Maracanã com "Touradas em Madri". Mas, sem desistir da comparação, pelas suas consequências, pode-se dizer que a vitória trazia, dessa vez, a sensação equívoca de que *o touro já tinha sido pego à unha*, pois o fantasma interior mais difícil e resistente tinha sido vencido. Aliás, para o psicanalista Tales Ab'Sáber, a derrota para a Itália começou exatamente ali, no final da partida com a Argentina, quando, ganhando já de 3 × 0, o time do Brasil sofre um gol aparentemente irrelevante, não fosse o fato de que ele prefigura o segundo gol italiano alguns dias depois (um passe em falso na intermediária, de Batista para Éder, roubado por Tarantini e finalizado por Ramón Diaz será repetido quase literalmente por um passe em falso de Cerezo para Falcão, roubado e finalizado pela "sombra invisível" de Paolo Rossi). Um tal erro insistente, repisado na mesma região do campo e obedecendo aos mesmos movimentos como numa partida de xadrez, poderia ser visto também como um sintoma, e sondado interpretativamente (é o que parece sugerir Ab'Sáber).[160]

A Itália, por sua vez, vinha comendo por fora em grãos mínimos. Desacreditada e atacada por sua imprensa nacional, tinha passado pela primeira fase sem uma única vitória: um empate com a Polônia em zero a zero e dois empates com Peru e Camarões em 1 × 1. A vitória sobre a Argentina por 2 × 1, por ter sido a

---

160. Tales A. M. Ab'Sáber, "A civilização pela bola", *Folha de S.Paulo, Mais!*, 4 jun. 2006, p. 6.

única até então e sem a marca impositiva da vitória brasileira sobre o mesmo adversário, parecia quase sem efeito, como um acidente prestes a ser corrigido pela suposta vitória do Brasil, que, aliás, só necessitava novamente de um empate. Mas, à maneira do Uruguai em 1950, a Itália mostrou quem era exatamente nessa hora, ao vencer o Brasil — e depois a Polônia e a Alemanha, numa subitamente firme e inesperada trajetória ascendente, sagrando-se campeã.

O jogo entre Itália e Brasil foi uma narrativa modelar da gangorra entre a prosa consistente e as irrupções de poesia, sempre a ponto de estabilizar-se num ponto médio ideal para cair, como que fatidicamente, na revanche do golpe de realidade. Aos cinco minutos, uma bola rápida erguida para a área, vinda do lado esquerdo, foi completada de cabeça por Paolo Rossi, como quem (ergo) demonstrasse fulminantemente um teorema começando direto pela conclusão. O monólogo teatral de Davide Enia, "Itália-Brasil 3 a 2",[161] nos dá uma versão literalmente espetacular do jogo da perspectiva de uma família italiana, com suas superstições católicas e pagãs, e a consciência de estar diante de "uma empresa titânica, um milagre a realizar". Nesse milagre, Paolo Rossi, que tinha caído em desgraça e que vinha sendo visto como um jogador incapaz de chutar com o pé direito ou com o esquerdo, de cabecear ou cobrar faltas, faz o papel de um "Lázaro ressuscitado" que, uma vez redivivo, partirá para "uma série incrível de seis gols consecutivos (três contra o Brasil, dois contra a Polônia e o primeiro contra a Alemanha na final), levando a Itália ao título".

Atônito, o time brasileiro se recuperou com uma jogada em que Zico, marcado implacavelmente por Gentile, desvencilhou-se com o seu surpreendente e rápido "domínio da bola curta", lan-

---

161. Davide Enia, op. cit., pp. 98-107.

çando um passe enviesado de três dedos para Sócrates, que finalizou com perfeição no espaço mínimo entre Zoff e a trave, aos doze minutos. Davide Enia: Sócrates "se espeta como uma espinha na grande área da seleção italiana, levanta a cabeça e [...] chuta a bola com uma precisão cirúrgica" fazendo-a passar "entre o poste e o quarentão".[162] O Brasil empatava e punha-se, com isso, em vantagem, exibindo suas armas mais características. Aos vinte e cinco minutos, no entanto, Toninho Cerezo, no lapso já citado — que corroborava o sentimento difuso e não consciente de uma decisão já dada — entregou de presente o passe não pressionado na sua própria intermediária, e a Itália, novamente através de Paolo Rossi, não perdoou o erro: 2 × 1. Enia parodia a malemolência brasileira: Waldir Peres passa a bola com a mão para Leandro que "em vez de despachar passa para Cerezo, que em vez de a chutar para longe brinca um pouco com ela e depois com toda a calma chuta com doçura na horizontal, para o outro lado do campo, onde se encontra Falcão e Júnior... Mas!". Segue-se a aparição intempestiva de Paolo Rossi "reencarnado num raio", estando, até "há um nanossegundo atrás, inexistente para as pupilas dos adeptos, invisível para os olhos dos jogadores da seleção italiana, dos nossos e do mundo inteiro, não focado pelas câmaras e desaparecido da consciência coletiva".[163] O time do Brasil recuperou-se novamente através de um gol arquitetado aos vinte e três do segundo tempo: Falcão dominou na meia-lua da área, Cerezo entrou pela direita arrastando consigo um zagueiro e atraindo por um momento mínimo a atenção da defesa num corta-luz sem bola, e Falcão aproveitou o espaço que se abriu com essa manobra de astúcia para finalizar ele mesmo com um chute preciso: 2 × 2. Mas o movimento alternado de cá e lá, nessa novela de cortar o fôlego, decidiu-se com uma sobra de bola na área brasileira, que caiu

---

162. Idem, p. 102.
163. Idem, ibidem.

novamente nos pés de Paolo Rossi, com a defesa tentando uma linha de impedimento imperfeita (que Júnior não acompanhou), e o atacante italiano concluiu pela terceira vez, de maneira implacável — 3 × 2, aos vinte e nove minutos do segundo tempo. Júbilo na família de Enia, em Palermo ("O Brasil somos nós") e "o difuso sentimento de orgulho de pertencer a esse farrapo de terra que é a Itália".

No final do jogo, o goleiro Zoff ainda defendeu em cima da linha uma bola cabeceada pelo zagueiro Oscar, que não entrou por um fio. É em parte sobre essa jogada que se concentram, em última instância, os lamentos inevitáveis sobre o *quase* que não se consumou, sobre o "que poderia ter sido e não foi". A sabedoria futebolística que diz que *o jogo só acaba quando termina* guarda uma correlação fatídica com o fato de que, uma vez terminado, ele o faz inacreditavelmente para sempre, ressignificando em definitivo aquilo que nele estava pulsando em aberto até o apito final do juiz — que se torna instantaneamente uma espécie de *apito do juízo final*. Numa mesa-redonda de televisão, a propósito, o próprio Oscar considerou tempos depois o efeito desse lance no sentido geral da partida: afirmou, com humorada melancolia, que se o terceiro gol brasileiro tivesse acontecido naquele momento, a Itália teria feito ainda um quarto no último minuto. Ele percebeu que o desenho daquela partida tivera uma lógica interna baseada na reiteração do mesmo: o primeiro gol pode representar um *acidente*, o segundo, ainda um *acaso*, mas a terceira vez configura uma *estrutura*. O Brasil rebatia os gols da Itália com gols finamente construídos, e a Itália sofria os gols finamente construídos pelo Brasil e os rebatia um a um com uma eficácia sem sobras, através de Paolo Rossi, que estava num desse dias em que um herói astucioso renasce para si mesmo e acorda invencível. Por isso, o comentário de Oscar sugere, com propriedade, que a fantasia de que a partida não terminasse poderia se converter na verdade num pesadelo infinito. *O Outro existe*: a julgar pela avaliação do zagueiro, a constatação não nos pegava, dessa vez, como uma surpresa virginal, como a de 1950, mas como algo que pode ser lido na trama dos fatos. Não a fatalidade inconcebível, mas a fatalidade construída pela prova da sua insistência. Por isso também, a derrota da geração de 1982 não cai necessariamente no domínio da melancolia irreparável, mas de um luto doloroso a ser feito.

Na Copa de 1986, Zico, Sócrates e Júnior, novamente dirigidos por Telê Santana, tentavam o resgate da Copa anterior perdida, mas foram derrotados pela França de Platini numa partida eletrizante, com prorrogação e disputa de pênaltis — duas horas e meia de adrenalina pura suspensas por um fio. Pode-se dizer que essa derrota confirmatória estigmatizava a geração brilhante de 1982-6 com a marca do fracasso, dada pelos fatos e confundida inevitavelmente com uma espécie de Fado. O livro de João Saldanha, *O trauma da bola*, reunindo artigos escritos durante a temporada de 1982, destila certa amargura sobre a campanha, com críticas táticas que, embora apresentadas no livro como proféticas, não são claras nem conclusivas: uma suposta dificuldade de ocupar o lado direito do campo, óbvias dificuldades na marcação etc. (Parece-me que Saldanha se ressente difusamente, na verdade, do descaminho de um time que corresponde fielmente ao modelo que ele mesmo implantou, e com problemas que ele mesmo não teria como solucionar.) Glanville fala do desequilíbrio entre um meio de campo absolutamente excepcional, assim como jogadores de defesa — é o caso de Júnior — que são verdadeiros atacantes, e uma defesa deficiente e um centroavante destoando dos meio-campistas.

Tales Ab'Sáber identifica, no entanto, um problema mais fundo e de longa duração: uma *falha do cristal* que residiria no miolo da marcação, no ponto decisivo e nem sempre visível em que estão geralmente os volantes, e onde se realiza a transmutação da defesa em ataque e do ataque em defesa. É exatamente ali, no enigmático "lugar de um vazio", no "xis de um ponto negativo" que mora a "falha no coração do diamante", onde teria se dado o duplo lapso de Batista e de Cerezo (o "estranho passe" errado "nas costas de Falcão, que não sabia se podia voltar para alcançar a bola ou se a deixaria passar para Júnior, deixando-a enfim para a sombra invisível de Rossi"). Esse ponto obscuro no futebol brasileiro tornou-se, aliás, como já vimos, o cerne do futebol globalizado, com o ataque defensivo de matriz holandesa e a defesa atacante de matriz italiana.

Pode-se dizer que a leitura de Ab'Sáber realiza uma aplicação ao futebol do método psicanalítico da interpretação de um lapso, sua repetição e a sondagem do que ele tem a revelar para além dele. (Pode-se dizer também que o problema, embora dialetizado em 2002, retorna na discussão atual, constantemente levada a efeito por Tostão, sobre o dilema entre volantes marcadores, eminentemente defensivos, e volantes capazes de fazer fluir o jogo e criar situações novas.)[164] Cabe dizer, para nosso efeito, que essa "zona indefinida e pouco nobre, para o futebol brasileiro, entre a zaga e a primeira bola do meio de campo" é o próprio ponto de coalizão entre a poesia e a prosa, o ataque e a defesa, o fluxo e o refluxo da onda viva do jogo. Porque, afinal, o dilema necessário de qualquer time, entre defender-se ou exercer as propriedades de ataque, tornou-se, no caso brasileiro, mais do que um problema estratégico, um ponto arquimédico da alma nacional: como exercer a vocação congenial de ataque sem sofrer a cobrança fatídica do real, e como armar-se em função da defesa sem se trair?

Mas é por isso mesmo que o destino da seleção de 1982 não significa, para grande parte da torcida brasileira, um objeto de rejeição, mas uma perda com a qual podemos nos identificar e nos reconhecer, pois essa *falha luminosa*, que às vezes se transcende em

---

164. Ver, a propósito, Tostão, "Quem tem talento joga bonito", *Folha de S.Paulo*, 11 fev. 2007.

nós e outras vezes nos expõe e nos derrota, é justamente o que nos alimenta. Quando essa compreensão se dá, a contrapelo da oscilação exaustiva entre a apologia e a depreciação — o que não deixa de ser raro no Brasil —, trata-se de um avanço considerável.

O que permanecia no ar, no entanto, é o tabu do longo jejum, confirmado em 1990 com uma derrota ritualmente balanceada, agora, para a Argentina de Maradona. O problema parecia pedir uma aposta forte, e Carlos Alberto Parreira tinha a sua. Em 1994, põe em ação os pressupostos da ocupação intensiva do espaço e do fechamento da defesa como princípio, a ser compensado com gols suficientes para os fins programáticos, sem qualquer devaneio estetizante. Essa visão prosaica do futebol e do mundo pressupunha, contra todas as evidências, a exclusão de Romário, que a essa altura jogava na Europa e que se constituía certamente no maior jogador brasileiro da sua época (e talvez o maior centroavante brasileiro de todos os tempos). A dupla atacante Romário e Bebeto já tinha mostrado sua eficiência na Copa América de 1989 e inviabilizou-se na Copa de 1990, antes da qual Romário sofreu uma fratura de calcanhar. (Nessa ocasião, recusando-se a ser tratado pelo doutor Lídio Toledo, dinossauro médico de outras campanhas, se recupera a tempo mas é colocado na "geladeira".)

A sua prévia *extração cirúrgica* do time de 1994, realizada indefectivelmente por Parreira e Zagallo durante as eliminatórias, soava como uma afirmação de assepsia: não há lugar para o craque independente, carismático, malandro, incontrolável, mulherengo, avesso ao treinamento físico e à rotina da concentração, visto como mau exemplo para os demais. Do ponto de vista *lógico*, é como se a "diferença" de potência máxima não coubesse dentro da concepção acadêmica do futebol — concepção que parecia se sentir em condições, ali, pelo menos até segunda ordem, de tentar uma realização quimicamente pura. Do ponto de vista *psicológico*, é como se os riscos trazidos pela personalidade astuta e nada redutível do craque não fossem compatíveis com um grupo de jogadores presumidamente obedientes, capazes de executar um esquema determinado e de se manter distantes de qualquer declaração polêmica. Mas, dentro e fora do campo, Romário driblava a condição de mero joguete do técnico que se instalou durante esse tempo (não à toa, sua convocação ou permanência tornou-se o pomo da discórdia de três Copas — 1994, 1998 e 2002).

A mentalidade de franca "otimização do rendimento", efetuada em sua plenitude durante as eliminatórias da Copa de 1994, empaca, no entanto, não num problema estético mas prático: o time não deslancha, os gols não saem, e a seleção, até o último jogo contra o Uruguai, depois de perder da Bolívia e empatar com o Equador, estava seriamente arriscada a simplesmente não se classificar. É nesse momento que Romário é chamado, como solução emergencial incontornável, e dá, no Maracanã, um dos maiores shows de talento à prova de pressão que o estádio já vira, com os dois gols memoráveis na vitória por 2 × 0, além de um festival de jogadas exuberantes executadas com um prazer vingativo superior — sublimado em arte. É assim que se forma, mais uma vez, e sintomaticamente *contra* a disposição inicial do técnico e do supervisor — mostrando que 1970 não foi um caso isolado —, o time campeão do mundo de 1994: um centauro constituído por um monobloco defensivo, quase inexpugnável, garantido por Dunga e Mauro Silva, e um aríete ofensivo genial, inventando gols do nada a cada duas ou três bolas que recebia. Uma sólida e retentiva base em prosa acoplada a surtos instantâneos de poesia. Talvez tenha sido a falta de lugar para a "dialética" do meio de campo nessa estrutura dual feita de pragmatismo puro e golpes de "diferença" que tornou sem sentido a presença de Raí nesse time — o irmão de Sócrates, grande meio-campista, campeão mundial interclubes pelo São Paulo dirigido por Telê Santana em 1992, parecia ter seu espaço e seu talento, ali, inexplicavelmente minados. Aliás, os títulos conquistados por

Telê Santana com o São Paulo, em 1992 e 1993 (com a participação de Cerezo), redimiam antigos traumas e prefiguravam a reconquista da Copa em 1994.

Muitas vezes pensa-se que Romário foi apenas um finalizador, um oportunista, um mero marcador de gols. Mas seu repertório, ao longo de grande parte da carreira, é de uma variedade extravagantemente inusual, incluindo dribles curtos, dribles longos, passes clareadores, gols por cobertura a uma distância quase inadmissível, bicicletas de peito (impensáveis sem o seu gosto "peladeiro" pelo futevôlei), lançamentos de trivela, além de arremates fulminantes e instantâneos ou arrancadas sem perdão, guiadas por uma combinação rara de instinto e clareza.

O tempo fez que ele se tornasse cada vez mais econômico, mudando muitas vezes panoramas de partidas inteiras em fração de segundo, sem perder o seu afiado senso do bote conclusivo. A postura corporal do "Baixinho", aparentemente displicente, ajuda a esconder a bola entre as pernas enquanto a cabeça nunca se abaixa. A chamada "matemática" do jogo, a soma de passes certos e errados, o número de vezes que tocou na bola, de chutes a gol etc. não vigora no seu caso, se ele é capaz de revirar tudo num único toque, tanto mais efetivo quanto maior a pressão. Na verdade, ele toma a seu favor a descontinuidade estrutural já apontada aqui, e bem futebolística, entre o gol e o tecido conjuntivo do jogo: o gol pode vir como se do nada, e não só como consequência cumulativa de uma pressão — coisa que não parou de fazer na Copa de 1994.

A maneira mais comum de detestar Romário, por sua vez — que tem tudo para despertar e provocar paixões contrárias —, é considerá-lo malandro, boêmio, folgado e presunçoso. Esses traços são confundidos com a ideia do irresponsável enganador típico, um portador dos defeitos de origem do povo, "brasileiro" no pior sentido da palavra. A sua aliança com a cartolagem clientelística e representativa dos métodos obscuros — Eurico Miranda no

Vasco da Gama — contribui certamente para isso. Mas a crítica representa, por sua vez, a visão de quem quer salvar o Brasil de seus vícios tradicionais através do comportamento produtivo próprio de países economicamente superiores. Para esses, um inconsequente como Romário não seria capaz de acompanhar o vigor físico do futebol atual, suas exigências competitivas, sua necessidade de correr o campo todo etc. O fato é que Romário sempre demonstrou tédio à disciplina, mas paixão pela eficácia, como fez na Copa de 1994, formando uma aliança com Dunga, o gaúcho que se constitui de certa forma no oposto da sua carioquice popular — e fazendo desse elo interno entre contrários a verdadeira liga do time. Significativo também é que contrariou as expectativas mais críticas com uma longevidade incomum e uma eficácia indiscutível (foi artilheiro do Campeonato Brasileiro de 2005 aos 39 anos) — até passar a perseguir a ideia fixa de um hipotético milésimo gol, atingido em maio de 2007.

Nada diz que precisaria. É o segundo maior artilheiro do futebol brasileiro em todos os tempos. Mas, se sabe que não chegará à soma total de gols de Pelé, quer ser o único, com Pelé, a atingir a marca dos mil gols. O psicanalista Tostão analisou essa síndrome tardia num curioso e inesperado artigo, à luz dos conceitos de real, imaginário e simbólico em Lacan. Romário deveria considerar, como disse Carlos Drummond de Andrade sobre Pelé, que, mais do que *mil* gols de Pelé, nada vale *um* gol de Pelé. Assim também, o gol de Romário contra a Holanda, por exemplo, na própria Copa de 1994, desafia o senso comum e o senso incomum. Bebeto cruza rasteiro (ou quase) da esquerda para o centro da área, onde Romário já se projeta frontal e livre da marcação. Ao interceptar a trajetória da bola, o atacante dobra a perna esquerda, como quem fosse chutar com ela, mas chuta na verdade com o lado de fora do pé direito, depois de saltar, numa fração de segundo, sobre essa mesma perna. Nada na força do hábito, corporal ou visual, diria que o chute viria dali, quanto mais tão límpido, certeiro e instantâneo. Um comentarista esportivo americano comparou o movimento, com propriedade, a uma ferroada fatal. Podemos falar, também, em um raio de saci-pererê em céu azul, de uma objetividade atordoante. Giancristiano Desiderio talvez entrevisse ali a mistura de Parmênides com Heráclito.

Gols como esse são lances de pura precisão poética, intraduzíveis no ramerrão da prosa. Numa rigorosa elipse paradoxal, Romário chuta não chutando. No terceiro gol do mesmo jogo, na falta cobrada por Branco, Romário passa instintivamente através da bola sem tocá-la e sem se deixar tocar, seguido cegamente pelo marcador, num embaralhamento das linhas de sentido que dá um curto-circuito na expectativa do goleiro (fazem parte desse gol a catimba com que Branco "cavou" a falta e a contribuição valiosa do Sobrenatural de Almeida). No segundo gol do mesmo jogo, Romário, impedido, vem voltando tão aparentemente alheio, diante de uma bola lançada em jogo, que toda a defesa holandesa também para, num equívoco funcional que deixa o caminho praticamente aberto para a entrada legal de Bebeto. Perícia e astúcia de quem sabe estar não estando, nos três momentos, em uma outra dimensão do tempo do jogo.

Por isso tudo é que a seleção brasileira de 1994 resulta de uma solução de compromisso em que, se a contribuição mais evidente de Zagallo são as variações providencialistas sobre o número treze e a proibição da visita do goleiro Barbosa ao treino dos jogadores (para não trazer consigo o "azar" de 1950), Parreira se encarrega da formação de uma tranca cerrada que fecha a defesa e obtura a *falha do cristal*, enquanto Romário se responsabiliza quase sozinho pela invenção de gols (fez cinco dos onze e deu três assistências). A decisão da Copa, por pênaltis, depois do zero a zero com a Itália, vem, emblematicamente, da decisão gaúcha — Branco, Dunga e Taffarel — e da contribuição de um craque de altíssimo nível técnico e espiritual — o italiano Roberto Baggio — que, testado radicalmente na sua convicção budista, chutou por cima do travessão e contemplou o nada.

OS RONALDOS: A FUTEBOLIZAÇÃO DO MUNDO

A ocupação intensiva do gramado, a intensidade da preparação atlética, o recrudescimento do corpo a corpo e o truncamento maior do jogo, que se esboçavam nos anos 70, anunciavam um acontecimento mais amplo: a ocupação tendencial de todos os níveis do futebol pela sua capitalização, e a ocupação de todas as esferas possíveis pelo jogo, compatibilizando o "futebol total" com uma espécie de *futebolização do mundo*. Essa nova era de concorrência cerrada, que diminui consideravelmente a margem de liberdade e de gratuidade que o futebol incorporou em sua formação, se manifesta, assim, de fora para dentro e de dentro para fora do campo. Exigido dentro do campo pelo princípio do rendimento intensivo, o futebol se aproxima do espírito dos esportes exaustivamente contabilizados, isso resultando muitas vezes numa espécie de autonegação, com a redução da margem de gols ou da diversidade narrativa dos acontecimentos (como se, no caso dele, a concorrência se manifestasse em seu estado "puro", girando em si mesma, sem desafogo numérico, ironicamente "gratuita" na sua falta de gratuidade).

O aumento da margem de violência que acompanha o processo não está separado, certamente, desse contexto geral. Dentro do campo, o choque físico é normalizado, o corpo a corpo — convertido em encontrão ostensivo — explora até onde pode a ambiguidade interpretativa do jogo, e a interrupção do fluxo da jogada parece deixar de ser uma exceção para fazer parte da ordem das coisas. Na América do Sul, a exploração dessa margem ambígua entre a infração e a lei, ocupando a textura do jogo, é bem mais ostensiva do que nos campeonatos europeus ricos, onde a exigência do público consumidor pela qualidade do espetáculo tem, ao que parece, peso considerável. A comparação entre a disputa da Libertadores da América e a da Champions League é clara, a esse respeito. No Brasil, além desse fator — o grande número de faltas evidentes ou disfarçadas —, as recentes ameaças contra jogadores que "abusam" do drible de efeito, considerado como uma espécie de insulto por zagueiros truculentos, volantes duros e técnicos rígidos — como se o excedente de "diferença" virasse traição corporativa —, são um sintoma desse enquadramento do lúdico numa relação competitiva crua. Nas arquibancadas, a separação das torcidas, com aparato policial a garanti-la, e a fermentação da violência em torno dos estádios, explodindo insistentemente pelo mundo, participam da injeção de pressão que o jogo ao mesmo tempo manifesta e sofre, além da erosão de sua representatividade e de sua eficácia simbólica.

Ao lado disso, o alcance global, o poder de apelo e a adesão magnética fazem do futebol um veículo ideal da mercadoria em seu estado de irradiação onipresente. Mais do que todos os outros fenômenos de massa, o futebol é centrífugo e centrípeto: atinge as bordas mais distantes e reporta-se ciclicamente a ritos centralizados, em escala regional, nacional e mundial. Assim, além de o marketing ter invadido campo, bola, frente e dorso das camisas, calções, chuteiras, placas em torno do gramado, uniformes do juiz e dos bandeirinhas (agora designados pelo nome tecnocratizado de "auxiliares técnicos"), uma elite de jogadores é chamada a se converter em suporte privilegiado de marcas publicitárias, emergindo como ícones de um mercado mundializado envolvendo interesses bilionários — processo que já estava dado, em suas linhas gerais, na Copa de 1998. Esse movimento, que supõe a fetichização extra da marca através de sua vinculação ao suposto vencedor absoluto, que se agrega e congrega nas chamadas equipes "galácticas", não marcha sem problemas frente ao fato de o futebol não ser um esporte do mesmo tipo que o basquete, onde, como diz Hortência, "o melhor vai lá e ganha". Por isso mesmo, se olhado do ponto de vista mais óbvio do planejamento empresarial, o futebol representa um incomparável atrativo publicitário pelo imenso alcance do seu entorno, mas também um desafio dos mais árduos, pela sua imprevisibilidade considerável e pela sua imponderabilidade. Nele pode-se ver o próprio nó em que o cerco da mercantilização generalizada ao mesmo tempo se fecha e escapa — *o mais próximo possível de um completamento e da impossibilidade de se completar.*

Mas, olhado ainda do ponto de vista da própria "otimização do rendimento" — pelo seu viés menos óbvio —, o futebol é um lugar privilegiado para a manobra de captura do inconsciente pela capitalização e para a realização de seu alvo mais profundo: a conversão das duas coisas — inconsciente e capitalização — numa coisa só. No caso, essa manobra força a conversão do futebol num sistema que se reproduz na sua própria interminabilidade, como uma partida sem fim e sem acontecimento, com peças intercambiáveis — os jogadores e técnicos em permanente rodízio pelas equipes continuamente desfiguradas — e sem mais os atributos que descrevemos como *quadratura do circo*: a combinação de rito e lei, de jogo esportivizado e dádiva, de agressiva e festiva troca de dons, em que se põe e suspende a violência, admitindo e fomentando a multiplicidade dos estilos e dos gêneros.

As três últimas Copas, de 1998 a 2006, as Copas dos Ronaldos, já se dão sob o signo dessa realidade, que é inseparável delas, embora esteja longe de explicá-las completamente, dada a resistente vinculação do jogo com as múltiplas lógicas que o comandam, que guardam em parte a sua autonomia, mesmo quando dominadas pela "otimização do rendimento". Esse resíduo de liberdade, que se guarda na própria complexidade do jogo, nas suas promessas não caladas, no modo como ele mobiliza um arco extenso e contraditório de capacidades humanas, não pode ser jogado fora pela crítica, que arremataria, com isso, o processo que ela pretende criticar. A complexidade do jogo de futebol, quando se constitui num modelo de liberação e domínio das paixões, de postulação e superação da violência, de reconhecimento mesmo que a contragosto das diferenças, de exercício múltiplo da inteligência, exposta à opacidade da força bruta mas chamando a "presença de espírito" no corpo, além da própria exposição aos poderes do acaso, age contra as formas de manipulação que o utilizam e o reduzem, contra as formas de embrutecimento que o minam por dentro, assim como contra as formas de simplificação que o explicam apenas pelos fatores externos.

Por tudo isso, o entendimento das últimas três Copas traz desafios novos. Para nosso efeito, além do mais, é fundamental, antes de falar delas, identificar o papel sintomático que dois brasileiros têm na configuração desse novo panorama do futebol global capitalizado — falo de Ronaldo, o "Fenômeno", e de João Havelange, presidente da CBF que se tornou presidente da FIFA no período decisivo dessa transformação.

O contexto é muito bem descrito por Jorge Caldeira no início da sua biografia de Ronaldo.[165] Resumindo: a Nike, marca norte-americana de materiais esportivos, tendo falhado em exportar o produto *basquete* para todo o mundo, e diante da extraordinária expansão dos jogos de futebol pela televisão a cabo, liderada pelo campeonato inglês na altura da segunda metade dos anos 80 (que glamourizava o esporte, repaginava os estádios, neutralizava os *hooligans*, elevava o nível social dos

---

165. Ver Jorge Caldeira, "Paris, 11 de julho de 1998", op. cit., pp. 19-31.

públicos, multiplicava o faturamento dos clubes e enriquecia alguns entre eles, como o Manchester United), vê-se na contingência incontornável de investir também no futebol, visando o mercado mundial. O fenômeno inglês, diga-se, reproduzia-se também na Itália (onde se notabiliza a associação entre clube, empresa e televisão no Milan de Berlusconi), na França (com o papel desempenhado pelo Canal Plus e sua relação com o Paris Saint-Germain), na Alemanha (com o investimento da concorrente da Nike, a Adidas, em clubes-empresas), na Espanha (com intervenção da Telefónica, embora, nesse caso, chame a atenção o fato de que um grande clube como o Barcelona prime por rejeitar qualquer logomarca que não seja a sua).[166]

Para entrar no futebol, no entanto, uma megaempresa como a Nike tinha de se haver necessariamente, e a contragosto, segundo Caldeira, com o universo tradicionalmente personalista da *cartolagem*, inapta aos olhos daquela "para entender [...] a potencialidade dos negócios embutida no esporte", refratária aos procedimentos característicos do *business* e mais preocupada "com vaidades políticas e negócios suspeitos".[167] Tratava-se de uma pororoca em potencial do capitalismo de raiz pragmático-protestante, que profissionalizou desde o século XIX a prática do beisebol, do futebol americano e do basquete em bases empresariais, contra um personalismo aliancista mais afinado com as "raízes do Brasil", onde um futebol profissionalizado vigora dentro de organizações não empresariais regidas por arbítrios e interesses menos explícitos. No cume desse mundo está a figura de João

---

166. Para uma análise da especificidade do Barcelona como clube, suas relações com a figuração político-cultural da Catalunha e as contradições de seu diferenciado nacionalismo cosmopolita, ver o capítulo 8, "O discreto charme do nacionalismo burguês", em Foer, op. cit., pp. 169-88.
167. Caldeira, op. cit., p. 27.

Havelange, que, no rastro das conquistas brasileiras dentro de campo, elegeu-se presidente da FIFA em 1974 (cargo em que permaneceu até 1998) e promoveu uma extraordinária expansão da entidade através de campeonatos de juniores, organizados "nos limites da estrutura normativa de amadores", com a inclusão de todos os países possíveis e imagináveis e a consolidação institucionalizada do futebol como o esporte mais popular do mundo. Como se sabe, a FIFA angariou, nisso, mais representantes do que a ONU: diferindo, por exemplo, de suas exigências políticas, a China aceita excepcionalmente, no futebol, compartir a sua inclusão com a de Formosa, e Israel, na impossibilidade de disputar o campeonato do Oriente Médio, insere-se por meio de um arranjo através do qual se torna parte da Oceania e depois da Europa; a Palestina, por sua vez, tem lugar no campo antes de ter assento nas organizações políticas e diplomáticas.

Todas essas mágicas são obra do *cartola dos cartolas*, João Havelange, pondo em ação expedientes similares à política brasileira do favor aplicada em escala mundial, e ganhando apoio em peso das periferias, em especial da América do Sul e da África (cuja adesão à sua candidatura foi decisiva para a ascensão à presidência). Sintomaticamente, ao tratar do caso brasileiro em seu *Como o futebol explica o mundo*, Franklin Foer não encontrou aqui *hooligans* dignos de nota, etnias em conflito, ódios cristalizados, como fez em tantos países, muito menos uma bem-sucedida absorção do futebol pelo planejamento burguês, como em Barcelona, mas o *cartola* em ação, tendo Eurico Miranda, presidente do Vasco da Gama, por referência — seus arbítrios, seus métodos, seus esquemas de poder paralelos etc. João Havelange, percorrendo todos os rincões do mundo levando a boa nova da inclusão na ordem futebolística — dentro da qual "um país pequeno pode fazer-se grande", como disse Roger Milla — e barganhando apoio, dá um sentido novo ao dito de Oswald de Andrade sobre Rui Barbosa: trata-se de *um cartola na Senegâmbia*.[168]

Em suma, o marketing esportivo pesado, a vedetização do craque da vez — sem precedentes, sem limites e sem fronteiras —, a TV a cabo e o *pay-per-view* florescentes, a inclusão das mais remotas nações no mesmo jogo globalizante, a megaempresa capitalista associada aos expedientes do favorecimento oportunista e "amador" dos cartolas, ou em disputa com ele, unificam litigiosamente o universo futebolístico expandido num tabuleiro no qual são repuxados interesses e poderes de grande magnitude. Esse quadro supõe um grau novo de pressão no interior do jogo, que afeta sua textura e se irradia por todas as suas capilaridades. Ao mesmo tempo, exige um ponto de referência simbólico que o unifique imaginariamente e demanda a construção da figura do *número um*, a eleição da estrela máxima do futebol — eleição que, com seus ritos próprios, tal como a conhecemos hoje, é inseparável da capitalização do futebol e da futebolização do mundo. Na verdade, a liturgia oficial do *número um* não existia na época de Pelé, cuja imagem se disseminou espontaneamente pelo planeta ainda na forma mítica de uma lenda viva sem logomarca. Para lembrar a mudança vertiginosa ao longo do processo, vale tomar como exemplo um caso extremo mas, ainda assim, exemplar: depois dos jogos do Santos Futebol Clube campeão, que em poucos anos se tornaria o maior time do mundo, Pepe ainda voltava para São Vicente de ônibus.

168. No "Manifesto Pau-Brasil" se diz, com uma pequena diferença e, evidentemente, num outro sentido: "Rui Barbosa: uma cartola na Senegâmbia" — uma piada sobre o descompasso entre o bacharelismo de fraque e a realidade sociocultural que o circunda, marcada historicamente pelo escravismo. Como vimos, o futebol reverteu esse descompasso, fazendo dos descendentes de escravos seus protagonistas. O sucesso mundial do cartola Havelange não deixa de figurar na esteira histórica desse fato, do qual ele se beneficia com descortino e oportunismo.

Ao lado de disputar espaços e métodos com a FIFA, que, por sua vez, se associava à Adidas, a entrada competitiva da Nike no universo do futebol demandava a escolha de seu representante nos termos protagonizados por Michael Jordan no universo do basquete norte-americano, nos anos 80: um astro que se fizesse a metonímia da marca através de um compromisso de exclusividade, eleito como um alvo publicitário, tomado como a base de uma linha de produtos especiais, recebendo pagamento fixo e participação nas vendas, tudo subindo a valores milionários crescentes.

A entrada da publicidade em larga escala no mundo do futebol, no meio dos anos 90, coincidia com a emergência de Ronaldo, então "Ronaldinho", já artilheiro no Brasil (onde jogou no Cruzeiro em 1993-4), na Holanda (foi para o PSV Eindhoven em 1995) e na Espanha (onde estourou como sensação mundial, através do Barcelona, na temporada de 1996-7, passando em seguida para a Internazionale de Milão, onde recebeu a alcunha de "Fenômeno"). O fato de que o esporte se enquadre então numa poderosa estrutura mundial de entretenimento, tendo jogadores como estrelas, permite que estes, vindos da periferia ou da favela, além de ligados a contratos milionários com os grandes clubes da Europa e participantes da efervescente e altamente rentável venda de camisas com seu nome, tornem-se também astros publicitários e celebridades globais que dividem treinamentos e jogos com aparições mundanas, gestos de filantropia simbólica, amores espetaculosos postos em cena como novela pública, grandes decisões financeiras, tudo gerido por empresários, assessores de imprensa e de imagem, fisioterapeutas e advogados. O que se constitui numa versão potencializada daquela violenta *sucção para cima* a que se referia Anatol Rosenfeld, isto é, uma *queda para o alto* em que a habilidade brasileira, escondida originariamente no recesso mais fundo do nosso amadorismo, ganha um lugar no pináculo da capitalização da imagem pessoal associada à marca, no momento histórico em que esta passou "a ter mais peso no valor de mercado de uma empresa do que o somatório de seus valores tangíveis".[169] Assim, uma moeda produzida por geração espontânea, no viveiro das periferias brasileiras — isto é, o *talento* futebolístico —, encontra uma conversão insólita no cenário volátil em que o capital globalizado varre o mercado com imagens (num sentido amplo de *varrer*: inundar e capturar). Nesse arco vertiginoso o extremo da gratuidade e o extremo da capitalização do imaginário se tocam, porque, em última análise, a otimização do rendimento capitaliza o inconsciente e o desejo: a lógica tecnoempresarial, aplicada ao mercado global, pressiona por engolir a seu modo — ou "devorar antropofagicamente" — a "lógica da diferença". Nos deparamos aqui com o encontro e o choque exemplar entre uma *cultura antropofágica*, notável por assimilar e converter os padrões alheios ao seu *mais-de-gozo*, como faz o futebol brasileiro com o futebol inglês, e uma *economia antropofágica* em que o capital assimila e converte tudo que interessa ao valor da marca, que ele extrai justamente de uma vinculação ao gozo. No processo, a distinção entre economia e cultura vacila, se não sucumbe.

Ninguém mais do que Ronaldo encarnou, a seu modo próprio, os requisitos desse paradigma e desse nó, sem excluir a condição de maior jogador de seu tempo, e incluindo a constituição muito precoce de uma relação empresarial que já parecia adivinhar, ainda na periferia do Rio, segundo Jorge Caldeira, os novos tempos que se abririam para o futebolista como proprietário de sua imagem e representado por seus agentes. Assim, o primeiro grande contrato publicitário no futebol, selado com a Nike pouco antes da Copa de 1998, fez dele o novo modelo do esportista, o

---

169. Isleide A. Fontenelle, "Marketing/cultura de consumo", em Raymond Williams, *Palavras-chave: um vocabulário de cultura e sociedade*. Tradução de Sandra Guardini. São Paulo: Boitempo, 2007, p. 442.

sucessor "realmente global" de Michael Jordan — aquilo que este não poderia ser, dada aquela falha localizada, e já apontada aqui, na hegemonia global do imaginário norte-americano, quando se trata da primazia no domínio do mais mundial dos esportes.

Ao lado de associar-se à figura de Ronaldo como seu astro de eleição, a Nike faz contratos com seleções nacionais: a italiana, a holandesa, a nigeriana, a norte-americana, a sul-coreana e, evidentemente, a brasileira. E ao lado de espalhar-se estrategicamente pelos continentes, como se pode ver, ela encontra no time do Brasil a particularidade de oferecer a um só tempo alegria e arte para os países ricos (os poderosos *donos do campo* no consumo mundial), e autoestima coroada de vitória, além disso, para os pobres (os periclitantes *donos da bola* de todas as periferias). Como contrapartida explícita, cinco partidas anuais de interesse estritamente mercadológico em pontos espalhados e estratégicos do globo, escolhidos pela contratante; como contrapartida entre explícita e implícita, a escalação de seus contratados em todas as situações.

Durante esse tempo, o sistema futebolístico no Brasil atesta a disparidade clássica entre a aparentemente inesgotável capacidade de *gerar* e a insistente indisposição para *gerir*, quando se trata do interesse público. Seguindo ainda Jorge Caldeira, em seu texto de 2002, a CBF cobraria 5% das rendas em todos os estádios e daria preferência a muitos jogos para pouco público em detrimento de um número menor de jogos com grande público, com o decorrente esvaziamento dos campeonatos e o enfraquecimento dos clubes. Além de induzir a evasão de renda, essa "estrutura perversa e arcaica" premiaria sobretudo os intermediários, como aqueles ligados à publicidade nas placas dos estádios em jogos televisionados. No Brasil, as placas se multiplicam e fervilham em torno do gramado, além das logomarcas mercadológicas comparecerem invasivamente, no limite, nos lugares menos esperados do corpo dos jogadores — púbis e nádegas. Esse afã demonstrativo que desvaloriza as próprias marcas, indiferenciando-as pela multiplicação visual poluidora, favorece, ao mesmo tempo, a "cultura" do dirigente que se prevalece muitas vezes de maneira particular e não retorna produtivamente sobre o futebol local. Este fica entregue à canalização precoce dos talentos para o futebol europeu, num regime em que a *queda para o alto* tornou-se afinal uma sistemática *sucção para fora* do país.

O campeão da mundialização no plano institucional da FIFA, João Havelange, mostra-se um coronel refratário a qualquer mudança modernizante no Brasil, onde trava o andamento da Lei Zico, embora seja obrigado a aceitar sem reação as decorrências internacionais do caso Bosman (que revolucionou o estatuto do passe). Havelange perde o controle da CBF com a eleição do almirante Octávio Pinto Guimarães, empossado pela ditadura em 1986, e reconstitui sua base, em 1989, com a eleição do genro Ricardo Teixeira, que permanece no poder até hoje. Enquanto isso, no momento em que se deu a ampliação mundial do fenômeno do futebol pela televisão, esse sistema não foi capaz de qualquer iniciativa no sentido de criar um interesse internacional pelo melhor futebol do mundo. Nesse quadro, tudo contribui para que as condições adversas no contexto mundial se tornem piores no plano interno. Como resultado, a Europa vende as cotas de seus campeonatos televisados e o Brasil vende tecnologia de ponta (ou seja, jogadores, os únicos realmente profissionais no processo) ao preço de matéria-prima.[170] A exportação contínua de jogadores para o mercado europeu se faz à custa de uma certa depauperação do cenário local — que, não obstante, por um automatismo congênito e inconsciente, não para de produzir craques.

170. Ver Jorge Caldeira, op. cit., pp. 60-1.

Ronaldo — originário de Bento Ribeiro, bairro pobre nas cercanias do Rio — era um desses que surgiram depois de já completado o ciclo macunaímico que coincide com o da formação do futebol brasileiro. Num subúrbio que já virava periferia, onde o jogo do bicho cedia lugar ao tráfico e a igreja católica às evangélicas, um DNA cultural em resistente vigor continuava a produzir — de moleques mal escolarizados que se distraem interminavelmente com todas as imitações da bola em todas as imitações de campo — rematados futebolistas. Na sua biografia, persistem alguns traços — à la Garrincha — de peculiaridades no crescimento, combinando retardamento com precocidade, destreza motora e atraso da fala, além de um recorrente sonambulismo: "[...] Duas características logo chamaram a atenção nele: aprendeu a andar relativamente depressa, movendo-se de um lado para o outro da pequena casa e xeretando em tudo que via pela frente — o que exigia um acompanhamento especial e permanente de seus passos. [...] A segunda característica era mais intrigante: ele não falava. [...] Somente quando tinha quatro anos e já preocupava toda a família — é que resolveu abrir a boca, mas sempre com uma certa economia".[171] A função paterna vacila, com o pai atraído pelos botecos e pelo álcool, cercado pelos apelos do tráfico e separado da mãe, em meio à crise econômica dos anos 80. Mesmo que ressoem em Ronaldo, no entanto, alguns índices atávicos típicos da mistura de esperteza corporal e alheamento mental na infância, na qual parece fermentar o gênio macunaímico — à maneira de Garrincha —, ele já é o filho de um mundo que se adaptará, aliás com surpreendente facilidade e capacidade de previsão, ao profissionalismo de grande escala.

Dentro de campo, o seu estilo será o do artilheiro implacável que, contando com todo o repertório de elipses armazenado pelo

---

171. Idem, ibidem, p. 36.

futebol brasileiro, colocará esse arsenal a serviço da ligação direta visando o gol. Na sua fase áurea no Barcelona e na Internazionale de Milão (fase que o grande público brasileiro mal conhece), os dribles funcionais, progressivos, sem preocupação ornamental e sem ênfase no jogo de cintura, mesmo que ornados de elásticos e pedaladas, mas articulados sempre com a perspectiva do arremate — além da avassaladora solidez do arranque, da velocidade e do equilíbrio —, fazem pensar numa curiosa mistura de futebol com Fórmula 1. Seus *rushes* impressionantes lembram mais, às vezes, uma sequência de ultrapassagens ao volante de um carro, com a rápida intuição dos flancos que se abrem, do que propriamente uma série de fintas e gingas clássicas. E é verdade que Ayrton Senna tornou-se um ídolo brasileiro de largo espectro justamente no período da infância de Ronaldo, investindo-se de uma dimensão que se tornou capaz de encobrir, muitas vezes, os grandes ídolos do futebol em sua época. Se Zico era para ele, além de tudo mais, um modelo de comportamento, Ayrton Senna era certamente uma inspiração. Jorge Valdano, ex-jogador argentino, dirigente e escritor atento, descreve Ronaldo, a propósito, como "uma motoniveladora com o motor de uma Ferrari que leva o gol incorporado ao chassi", acrescentando que é "frio, demolidor, desconcertante".[172]

Se considerarmos ainda o fato curioso de que a apresentadora Xuxa também morou em Bento Ribeiro (embora nascida no Rio Grande do Sul), temos aí, no mínimo, uma constelação de ícones dos meios de massa do Brasil recente, unindo automobilismo, futebol e televisão. Eles são índices do entranhamento dos meios do consumo de massa e das inovações tecnológicas na vida popular. Pode-se dizer, aproveitando o embalo da associação entre as figuras, que Ronaldo junta a eficácia e a ousadia de Senna com a pulsão infantil dos *baixinhos* da apresentadora. Direto e

172. Idem, ibidem, p. 134.

sensato nas entrevistas e declarações, sem deixar de ser calculista quando necessário, ele, não obstante esses sinais de maturidade e realismo, dá ao filho o nome de Ronald, em homenagem à marca McDonald's, casa-se com Daniella Cicarelli num castelo francês, inventa um corte de cabelo ingênuo e hilário para a final da Copa de 2002, e comemora gols, no Real Madrid, imitando *cucarachas* estrebuchando no chão — em cena de infantilismo explícito que só é acompanhada, evidentemente, pelos jogadores brasileiros do time.

Descontadas aquelas características de Pelé que *não são dele* — como o cabeceio, a visão instantânea do jogo todo, as frequentes mudanças súbitas no ritmo das arrancadas, a corrida e a parada, com freadas desconcertantes capazes de espalhar e embolar zagueiros como pinos de boliche, além da vocação verticalizante para a distribuição tanto profusa quanto precisa de *chapéus* —, Ronaldo fazia, ainda assim, lembrar o Rei, pelo poder avassalador do seu avanço e pela sua extrema conclusividade, o que absolutamente não é pouco. Ao mesmo tempo, pelo fato de ter crescido para o futebol praticamente fora do Brasil, por ter triunfado precocemente num cenário mundial de riqueza ostensiva, Ronaldo tende facilmente a ser cobrado e negado: a torcida e a imprensa não perdoam nele qualquer fraqueza. Embora tenha sido tratado como o caçula de ouro da seleção de 1994, ele é talvez o primeiro ídolo do futebol brasileiro que não foi *embalado* pela torcida, mimado por ela até a confirmação das melhores expectativas, antes de ser entregue ao mundo.

RONALDOS, RONALDINHOS E RONALDÕES

Desde Didi a Zico e Júnior, os jogadores brasileiros iam para fora do país no ocaso da carreira (Pelé, inclusive, que só pertenceu ao quadro do Santos, aceitou o convite do Cosmos para propagar o futebol nos Estados Unidos depois de já ter se despedido do futebol no Brasil). Bebeto, Romário e Raí pertencem a uma geração que saiu mais cedo, mas só depois de amplamente reconhecidos e rodados em território nacional. Já Ronaldo foi para a Holanda como uma inequívoca revelação, mas não como um jogador com o qual o torcedor tivesse convivido. (Mal começava a era em que os potenciais craques das periferias estarão na mira do mercado internacional mesmo antes de estrearem profissionalmente, identificados na infância e criados às vezes em viveiros clubísticos.)[173]

Esse dado da globalização futebolística — a fuga quase automática dos jogadores de ponta do futebol brasileiro para o exterior — afeta e perturba, entre outras coisas, a familiaridade característica com que sempre foram tratados os ídolos no Brasil. No país, de maneira muito peculiar, o ídolo popular é visto como uma *criança da casa*, um *filho prodigioso* que nos faz gozar do prazer perverso-polimorfo da infância, ao mesmo tempo em que é exigido como um adulto responsável que tem de — em vez de vencer as tentações do prazer para superar a realidade, como o herói tradicional cristão — enfrentar e vencer os obstáculos da realidade para nos trazer o prazer que ele nos produz. Um sintoma flagrante dessa tendência a fazer da pessoalidade o emblema da esfera pública se evidencia no fato de que, se em todas as culturas ocidentais o homem público vem a ser nomeado pelo sobrenome (como tratamento impessoal e distanciado para uso extrafamiliar, tal qual Beckenbauer, Rummenigge, Cruyjff, Platini), a escalação clássica do futebol brasileiro tornou-se, nos anos 50, uma constelação de

---

[173]. Ver José Sérgio Leite Lopes (com a colaboração de Jean-Pierre Fagner), "Considerações em torno das transformações do profissionalismo no futebol a partir das observações da Copa de 1998", *Revista Estudos Históricos*, CPDOC/Fundação Getúlio Vargas, n. 23, 1999.

apelidos: Garrincha, Didi, Vavá, Pelé (nesse ataque, Zagallo é a exceção que confirma a regra, o portador do sobrenome do pai, o pai da pátria convicto de ser, quase que por um capricho do significante, o eterno pai dos outros).

É com os apelidos à solta que o futebol brasileiro parece estar em casa no campo de jogo e encontrado consigo mesmo. Esse modo de tratamento, conhecido tecnicamente como *hipocorístico*, consiste no amaciamento e na suavização dos nomes de estima, para uso no trato familiar e amoroso. Ele esconde o sobrenome do pai como símbolo da identidade pública e instaura uma identidade infantilizada em que prevalece não a transmissão do modelo vertical da autoridade e da hierarquia, mas o laço horizontalizado e lúdico. De maneira quase inimaginável para um estrangeiro, o apelido — marca do grupo de pertinência mais íntimo — ganha no Brasil uma dimensão francamente pública. *Garrincha* ou *Pelé*, *Pinga* ou *Bigode*, *Tostão* ou *Canhoteiro*, *Grafite* ou *Magrão* são alcunhas que "colam" na vida pessoal e se transferem para o domínio geral, consagrando e efetuando, em grande escala, a nomeação comumente compartilhada por pequenos grupos de convivência. (Muitas vezes, quando falta à figura pública um tratamento mais familiar e um sabor pessoal, é o domínio público que trata de corrigir e suplementar a neutra impessoalidade inventando e aplicando o apelido fatal.)

Didi e *Vavá*, por sua vez, são daquelas palavrinhas com sílabas dobradas, "tão das línguas selvagens e da linguagem das crianças", nas quais Gilberto Freyre viu uma língua desossada, infantilizada, africanizada pela ama negra de leite, com seus diminutivos repetidos e ritmados, ao modo de *dodói*, *pipi*, *bumbum*, *neném*, *papá*, *au-au*, *cocô*, *dindinho*, *bimbinha*.[174] O futebol brasileiro esgotou, por exemplo, o paradigma fonético *Dadá-Dedê-Didi-Dodô-Dudu*.

---

174. Ver Gilberto Freyre, op. cit., p. 331.

Babá, Bebeto e *Bobô*, além de *Kaká*, são exemplos espalhados e insistentes ao longo das décadas. *Nenês* são incontáveis. *Julinho, Jairzinho, Edinho, Nelinho, Serginho*: como sugere José Roberto Torero, poderíamos montar inumeráveis seleções rimadas em "inho".[175] O suprassumo do diminutivo comparece na sequência de craques *Zizinho, Zito, Zico*, e encontra sua expressão gramaticalmente pura em *Zinho*. Na série *Júnior* e *Juninho* (são muitos) o nome do pai está posto e já subtraído, como se regredisse a uma fantasiosa origem livre do peso e do custo social.

Esse modo de tratamento (que nomeia oficialmente, em última instância, o presidente da República — Lula) é um desses traços de estilo que marcam a singularidade de uma cultura, algo como um *étimo espiritual* (como dizia a estilística alemã) carregando com ele um mundo de implicações socioculturais. É um traço por excelência do "homem cordial" sérgio-buarquiano, avesso ao ritualismo social, desejoso de intimidade em toda relação interpessoal, substituindo rapidamente a reverência pela familiaridade, numa expansão que tende aos aspectos periféricos e facilitadores da vida coletiva. Na visão de Sérgio Buarque, esse procedimento dribla tanto o peso solenizador da impessoalidade quanto o defrontar-se do indivíduo consigo mesmo.

Em suma, a tendência a identificar-se através da familiaridade, da pessoalidade, da intimidade, é um traço característico que permeia muito da sociabilidade brasileira, do seu imaginário e dos seus clichês. Mas também muitas das suas criações mais altas, que estão impregnadas dessa mesma sociabilidade: Lorenzo Mammì observa que a bossa nova estiliza uma relação aparentemente amadora com o espetáculo público, preservando-o como algo próximo de uma relação entre amigos — Tomzinho, Joãozinho, o

---

175. José Roberto Torero, "Um textinho sobre os 'inhos'", *Folha de S.Paulo*, 3 nov. 1999.

"Poetinha" são formas de tratamento recíproco entre Antonio Carlos Jobim, João Gilberto e Vinicius de Moraes.[176] Esse amadorismo estilizado, sem prejuízo de ser profissional e rigoroso, que põe em cena um desejo de proximidade de tipo íntimo e que se manifesta através de *hipocorísticos*, contrapõe-se ao profissionalismo ostensivo do jazz e da cultura norte-americana (em que o hipocorístico pode vir entranhado no nome completo — "Bird" e "Satchmo" não anulando, por exemplo, Parker e Armstrong). É no contexto dessa comparação que Mammì aponta, como já referimos antes, a "vontade de potência" do jazz e a "promessa de felicidade" da bossa nova. Assim como a bossa nova estiliza o seu desejo utópico de amadorismo sem deixar de ser rigorosa e profissional, o futebol brasileiro carrega consigo a utopia de uma disponibilidade infantil sem deixar, intrigantemente, de atingir uma inequívoca maturidade viril sem a qual não teria chegado a lugar nenhum — estacionando talvez, para sempre, na derrota de 1950.

Não nos enganemos, no entanto, com a ideia simplista de que esse modo de nomeação sugira necessariamente um mundo afável, embora ele projete sobre a vida pública o modelo familiar. Ao contrário, é a própria projeção do padrão familiar sobre a esfera pública que a expõe ao arbítrio, ao capricho irresponsável e ao proveito pessoal (o privilégio, o favorecimento, o tráfico de influência, a impunidade).[177] Sérgio Buarque de Holanda — a propósito, pai do Chico — ressalta o emprego de diminutivos e a omissão do nome de família (tendência portuguesa estranhamente acentuada entre nós, segundo ele) como um traço do "homem cordial" que se

---

176. Ver Lorenzo Mammì, op. cit.
177. No plano da ficção, Guimarães Rosa deu o nome de Joãozinho Bem-Bem, numa ironia ao mesmo tempo melíflua e cruel, ao venerável chefe jagunço de um bando sanguinário (ver "A hora e vez de Augusto Matraga", em *Sagarana*); e, na realidade, a alcunha "Fernandinho Beira-Mar" não nos deixa ilusões a respeito.

apega à proximidade pessoalizada porque tem um inconfessável terror diante da impessoalidade, excessivamente *real*: "no 'homem cordial', a vida em sociedade é, de certo modo, uma verdadeira libertação do pavor que ele sente em viver consigo mesmo, em apoiar-se sobre si próprio em todas as circunstâncias da existência".[178] O nosso modelo de herói familiarizado, adultoinfantil, figura pública e privada, quer nos fazer escapar tanto do peso da impessoalidade excessiva dos protocolos quanto da impessoalidade excessiva da autonomia, do custo da autorreferência e da solidão da responsabilidade. Não nos esqueçamos, a propósito, da crônica de Machado (a "simpática familiaridade" refuga o compromisso e a obrigação, objetivos e impessoais).

Voltemos à bola rolando: no começo da carreira Ronaldo só podia ser *Ronaldinho*, em contraposição ao zagueiro *Ronaldão*, duas formas da linguagem afetiva — que procede tanto pelo diminutivo quanto pelo aumentativo. Com a aparição prolífica, logo depois, de um segundo *Ronaldinho* genial — o "Gaúcho" —, o primeiro *Ronaldinho* teve de "crescer" artificialmente com o nome de *Ronaldo*, o que parece confirmar vagamente uma marca de distância do afeto nacional — um certo apagamento, forçado pelo acaso, mas afinal revelador, da marca de proximidade inscrita no nome. (Quem tomou a decisão sobre a mudança de tratamento foi Wanderley Luxemburgo, técnico da seleção brasileira na época — e que prima, de modo geral, por estabelecer uma relação mais "profissional" e menos "familiar" com os jogadores sob seu comando não os chamando pelos diminutivos.)

Desde algum tempo a onomástica popular já mudava, por sua vez, de órbita, incrementando os proverbiais diminutivos populares com nomes mais inspirados na esfera do estrelato: o do lateral Roberto Carlos é um exemplo pioneiro, o do zagueiro Odivan uma

---

178. Sérgio Buarque de Holanda, op. cit., p. 108.

variação anômala do mesmo caso (o prenome verídico do jogador inspirou-se na canção "O divã", do cantor Roberto Carlos), o do atacante baiano Allan Delon uma alusão deliciosa ao galã do cinema francês. Nomes prestigiados pela presença de Ws passaram a proliferar: Wendel (vários), Washington, Wagner, Wesley. Durante a Copa de 2002, observou-se que a seleção brasileira tinha mais nomes terminados em *son* (Edmilson, Kléberson, Anderson, Emerson, Edílson e Denílson) do que a seleção sueca.

RONALDOS E RIVALDO

Na Copa de 1998, na França, com 21 anos, o maior nome do futebol brasileiro e mundial, erigido à condição de ídolo contemporâneo de extensão mercadológica global, o então *Ronaldinho* já tinha passado precocemente por muitas provas e queimado muitas etapas. A Copa era o esperado confronto com uma comprovação em regra da sua excepcionalidade. Dirigida mais uma vez por Zagallo, e com Zico no papel de supervisor, a seleção brasileira, agora livre da pressão dos sucessivos insucessos de duas décadas, podia "descongelar" o defensivismo de 1994 e voltar a caminhar, em novas bases, "dentro de uma normalidade", "evoluindo ao longo da competição" (para usar duas expressões ao gosto do treinador). Mas vai passando de fase em fase de maneira taticamente descaracterizada, sem exibir um conjunto que traduzisse uma proposta própria de jogo dentro do novo contexto do futebol mundial. De todo modo, a campanha vencedora é levada adiante, em grande parte, pelos valores individuais, especialmente de Rivaldo, um poderoso meio-campista com capacidade goleadora, e Ronaldo. Este, tendo sobre si todas as atenções e expectativas, e criticado no Brasil, ao longo da Copa, por jogar menos do que prometia a mitologia do número um, desempenhava um papel fundamental na artilharia e nas assistências. O grande acontecimento futebolístico que a seleção brasileira chegara a prometer para a Copa de 1998, a dupla Ronaldo-Romário — um efetivo encontro de gênios atacantes complementares e imprevisíveis —, tornou-se impossível pela contusão e pela dispensa controvertida do segundo pouco antes da Copa, considerado incapaz de recuperar-se em tempo hábil (teve papel decisivo nesse corte litigioso o supervisor Zico, posto agora em confronto com Romário, num choque cruel entre o vencedor de 1994 e o perdedor de 1982 e 1986). Mas seja em campo, dividindo com Ronaldo as responsabilidades concentradas sobre este, seja fora dele, com sua experimentada artimanha sem rodeios, Romário foi talvez o elo ausente, o elemento que faltou "ao longo da competição" e no seu estranho momento crucial.

Como sabemos, nas horas que antecederam a partida final contra a França, deu-se o insólito nos bastidores do Brasil: enquanto dormia depois do almoço, no quarto que dividia com o lateral Roberto Carlos, Ronaldo foi tomado de uma perturbação convulsiva que alarmou, com boas razões, jogadores e comissão técnica. Semelhante a um ataque de epilepsia, incompreensível e sinistro, os movimentos assustadores, em meio ao sono, instauraram um alerta geral e a decisão imediata de levar o jogador para um atendimento hospitalar de emergência. Em meio ao nervosismo instalado, no entanto, Ronaldo acorda — de maneira algo desconcertante para todos — sem se dar conta do acontecido, e sem entender a espantada excitação à sua volta (para ele, tudo parecia seguir ainda "dentro de uma normalidade"). Enquanto era conduzido ao hospital, jogadores e técnicos, imbuídos do estado de exceção, se preparavam para a sua substituição por Edmundo. Numa preleção inflamada, Zagallo teria lembrado o transe da substituição de Pelé na Copa de 1962 e a necessidade de superação em situações de perda, que exigem e fazem descobrir em um grupo as suas forças mais insuspeitadas. A propósito, e ao contrário de todos os demais jogos, a delegação partira do hotel rumo ao estádio, naquele dia, sem batucada e sem samba: falava mais alto a convocação para um desafio acima de todo o esperado e para além dos trunfos habituais.

A cena se desenrola, no entanto, com uma nova reversão. Os exames clínicos não revelam nada de importante, ou pelo menos nada de conclusivo, quanto à enigmática síndrome do centroavante, que retorna ao grupo, já nos vestiários do estádio, declarando-se pronto para entrar em campo. A situação é um autêntico nó cego: Ronaldo não viu o que se passou com ele, os outros viram e não sabem explicar, o laudo médico não ajuda em nada e a comissão técnica não toma posição firme diante do acontecido. O fato é que algo de incomum e perturbador se passara, e que o jogador, *sem ter consciência disso*, estava em estado alterado e sob o efeito de medicamentos. Apesar de tudo, liberado pelo médico, Ronaldo é escalado por Zagallo, sob a alegação duvidosa, deste, de que não podia expor-se ao julgamento público frente a uma eventual derrota, tendo barrado o jogador decisivo que manifestava a vontade de jogar. Convenhamos que uma das coisas que se espera de uma liderança madura, por parte do técnico e da direção, na situação confusa e no calor da hora, não é o embate com o suposto julgamento da posteridade, mas a capacidade de reconhecer e marcar os limites. Zagallo, que primou cada vez mais, ao longo da sua carreira de técnico, por marcar a sua ascendência infantilizadora sobre os jogadores em nome da autoridade de sua experiência, não assume, no entanto, como suposto "pai", uma distância objetiva, e adota, em vez disso, o *não-limite*. Aquele mesmo realismo que cortou Romário com antecedência, por exemplo, não funcionou na hora de afastar Ronaldo da partida final. O mais decisivo ainda, em matéria de incoerência, talvez seja que Zagallo desdisse na prática, com isso, a sua própria preleção, e o que entrou em campo foi um time fantasma, derrotado, sem capacidade de reação, por 3 × 0.

O público também permaneceu, durante a partida, no ponto cego frente a uma equipe irreconhecível a todos os olhos, brasileiros ou estrangeiros, tendo apenas, como indício estranho, a primeira escalação sem Ronaldo, anunciada oficialmente horas antes do jogo, e depois desmentida. Se o futebol já é habitualmente, como sabemos, um foco de interpretações inesgotável, o que dizer depois de uma partida anômala em torno da qual os bastidores queimam? Obrigado a revisitar sua neurose — como já dissemos do derrotado —, o torcedor, que se confunde, no caso, com a nação brasileira, precisa desesperadamente de uma explicação compensatória definitiva. As que se alastraram de imediato foram quatro: o culpado é a Nike, que teria imposto a escalação do jogador; o culpado é o próprio Ronaldo, que teria se acovardado diante da responsabilidade que pesava sobre ele; o culpado é o time como um todo, que teria vendido o resultado aos franceses; a culpada é a namorada do jogador, que viria saindo com outro homem durante a Copa.

Como vemos, as cartas se embaralham confusamente, mobilizando realidades e fantasmas que vão do capitalismo global às dimensões secretas da intimidade. Instâncias que, se estão de algum modo em jogo, são chamadas a explicar categoricamente a natureza da implosão do craque e da equipe. A primeira tese tem sabor conspiratório e um teor crítico mais informado do que as outras. Ela é consciente, mesmo que difusamente, de que interesses vultosos, concentrados nas grandes marcas de materiais esportivos, pesam desde então sobre o futebol e estavam envolvidos diretamente naquela partida final. De fato, o acaso fizera com que os antagonistas em foco, Zidane e Ronaldo, França e Brasil, fossem, exatamente, os representantes individuais e coletivos máximos da Adidas e da Nike, na primeira Copa do Mundo do marketing global. No entanto, essa consciência se converte imediatamente na crença em uma intervenção direta da Nike na confusão que se estabeleceu no vestiário, com a ingerência sobre a escalação compulsória de seu contratado. Parece-me pouco verossímil que uma potência mercadológica queira se ver representada a todo custo por um jogador que vem de uma possível convulsão, e que se mobilize para fazê-lo à entrada do túnel, no melhor estilo dos expedientes da cartolagem. Se essa cena tiver acontecido, no entanto, o tiro saiu rotundamente pela culatra. A hipótese de que os interesses da Nike pesassem, por sua vez, em alguma medida, sobre o presidente da CBF e a comissão técnica no momento da decisão não é nada desprezível, embora inconclusiva. A tese da interferência da Nike é sustentada com ênfase, de todo modo, por quem acredita que as coisas se expliquem sempre pelo controle de *todas* as instâncias da realidade por poderes altos e ocultos — a chamada "teoria conspiratória", que, se tem boas razões de ser, entrega imaginariamente ao poder econômico e político o alcance micrototalizante que este *desejaria ter*.

A segunda explicação é mais popular, menos histórico-social, mais fatalista e de uma ingenuidade mais pura: ela suspeita que o herói brasileiro é capaz de tremer na hora H, de "amarelar" diante do perigo, de regredir ao terror diante do real. Não deixa de ser uma tese de valor sintomático que sinaliza uma insegurança de si, projetada sobre quem o representa. Mas definitivamente não se aplica a Ronaldo, que nunca antes, depois ou durante, vacilou diante de decisões futebolísticas, e cujo erro, no caso, terá sido querer entrar em campo a qualquer custo, cego para seus limites.

A terceira explicação, a da venda do resultado a uma França empenhada em vencer a qualquer custo a Copa que ela sediava, é histórica *e* fatalista: ela amarga o sentimento popular brasileiro de se saber vítima imemorial de traição por parte de seus representantes. Transpõe para o futebol a experiência de que as elites, ou quem quer que esteja em posição de acesso a privilégios ilícitos, se vende a eles com uma naturalidade que ultrapassa o próprio cinismo. A interpretação não deixa de ter um valor de depoimento encruado longamente, mas padece do próprio ressentimento alienado e da incapacidade de análise. Porque a ideia de uma farsa grosseira, encenada por jogadores "na gaveta" (como se dizia antigamente), mediante uma mala preta francesa, é afinal a mais inverossímil entre todas as hipóteses.

A quarta explicação, por sua vez, é antiga, clássica, realista, moderna e atravessa as classes sociais: *cherchez la femme* — o triângulo e o traído. Sem muito procurar, o que se sabe é que a namorada do herói era vista no estádio ao lado do jornalista-galã da TV Globo, e isso, combinado com o episódio da convulsão, conjugava elenco e intriga suficientes para a identificação fatal do *affaire* da celebridade esportiva com lances de uma novela das oito em ato. Mais exatamente, dava à fofoca irresistível o sabor, bem a propósito, de uma espécie de *reality show avant la lettre*.

Em suma, temos aí, em torno de Ronaldo e da cena imaginária dos bastidores da final de 1998, duas teorias conspiratórias da história (em que avultam o capitalismo global e a corruptibilidade crônica do oportunismo brasileiro) e dois fantasmas do incontrolável — o medo e a mulher, indo do inconsciente à cena pública no universo das celebridades, regido pela televisão. Não há dúvida de que formam uma constelação de forças objetivas e subjetivas consideráveis, atestando mais uma vez a extensão abarcada pelo futebol em sua expressão contemporânea, mesmo que todas as teorias girem de algum modo em falso. Uma hipótese minoritária, quase folhetinesca, aludia ainda à tradicional especialidade francesa em venenos. Mas, mistério por mistério, a pressão mais concreta e a mais silenciada de todas poderia ser a convivência com dores no joelho, anunciando a ruptura que acontecerá de maneira pungente menos de dois anos depois, levando Ronaldo a se afastar do futebol até o ano da Copa de 2002. Ao mesmo tempo, ele enfrentava surdamente a cobrança e a marcação implacável da opinião brasileira, que repisava o seu conhecido tudo ou nada: como Ronaldo não está jogando *tudo* que se esperava dele, então não está jogando *nada*. Assim, é como se a misteriosa *convulsão* — ou o que quer que tenha sido — fosse uma manifestação paroxística dessa dança de potências reais e imaginárias assombrando um corpo-mente adormecido, posto no centro das atenções do mundo, na iminência de passar pela prova simbólica total.

Jorge Caldeira levanta a hipótese de uma *parassonia*, uma perturbação benigna do sono (não uma convulsão, mas um resto convulsivo de sonho) que afetou, com alguma probabilidade, um sonâmbulo reconhecido desde sempre na sua história familiar (dado biográfico com o qual a comissão técnica da seleção brasileira não contava). Do mesmo modo que a surpreendente explosão ao vivo de Zinedine Zidane (o vencedor daquele dia de 1998) oito anos depois, na final de 2006, a confusão em torno da cabeça de Ronaldo nos aproxima novamente, em última análise, do mote shakespeariano: "som e fúria, significando nada". De alguma maneira, *todas as hipóteses e nenhuma delas*. Mais do que sobredeterminar a dita convulsão com estereótipos à mão, é preciso reconhecer que o acontecimento guarda a sua própria intranscendência como parte essencial do seu enigma. E que as explicações desencadeadas pelo fato, se não o explicam enquanto tal, exemplificam o alcance do conjunto de pressões que pairava sobre a cena. Obviamente, Ronaldo enfrentava naquele momento adversários mais intangíveis do que o time da França, dentro do corpo e fora do campo. O raio que fulmina algum ponto misterioso do torvelinho cerebral do craque junta curiosamente o caso Ronaldo com o caso Zidane: num espaço de três Copas, os seus maiores vencedores e derrotados, ambos figuras do *número um* por excelência, sucumbem por duas vezes, na final, a uma força que os sobrepassa ("que é que tem nessa cabeça, saiba que ela pode explodir, irmão", dizia a canção de Walter Franco). "Pelo nível de exposição que têm, é admirável que a maioria deles não enlouqueça", diz o publicitário Washington Olivetto sobre as estrelas do futebol na sua última forma. O que projeta retrospectivamente mais luz mítica sobre a cabeçada certeira de Pelé — o ser de Parmênides — na final daquela que foi talvez a última Copa — a de 1970 — banhada por uma luz idílica.

Mas em 2002 Ronaldo viverá a sua extraordinária volta por cima: afastado do futebol por uma gravíssima ruptura do tendão patelar — como se o joelho saltasse para fora de si, num momento em que ele tentava "pedalar", jogando pela Inter de Milão, em abril de 2000 —, o jogador vive como que um período expiatório de afastamento do mundo, do qual retorna para a vitória da seleção brasileira e a sua consagração como artilheiro na Copa da Coreia/Japão. Se o futebol não fosse, como já dissemos, tão pouco integrado à mentalidade norte-americana, poderíamos dizer, como já se disse várias vezes, que a estrutura dos acontecimentos obedeceu aos princípios de um script hollywoodiano. Se for lícito ainda, no entanto, no mundo milionário do esporte de última geração, recorrer aos esquemas míticos da Roda da Fortuna medieval, poderíamos dizer que esta fez seu giro, da promessa primaveril de 1994 ao Fenômeno consumado que chegou a 1998 ocupando o topo, no esplendor do seu verão simbólico, quando se dá então o momento da queda inesperada, aprofundada depois em dilaceramento trágico (o *sparagmós* grego), que se redime por sua vez em *anagnorisis*, isto é, num novo reconhecimento — ou renascimento — em 2002.

Na Copa do Oriente o técnico Luiz Felipe Scolari faz jus às conotações afetivas e afirmativas do seu apelido — o "Felipão" — e empolga o Brasil como o agregador capaz de arrastar carismaticamente os jogadores para uma empreitada vencedora focada nos objetivos comuns do grupo, concebido como uma "família". Como jogador, Felipão foi um zagueiro sem méritos técnicos notáveis, que nunca atuou em grandes equipes (jogou no Caxias, no Juventude e no CSA de Alagoas). Além disso, de origem camponesa italiana da serra gaúcha, Felipão parecia não intimidar ou distanciar os jogadores com a frieza esquemática e teórica de um Parreira, com a mania de grandeza forrada de títulos e mitos de um Zagallo, com o dandismo de um Wanderley Luxemburgo. Este, que tinha sido um lateral-esquerdo do Flamengo, também sem grande expressão técnica, revelou-se como técnico ao levar um time sem história como o Bragantino à condição de campeão brasileiro da série B em 1989 e campeão paulista em 1990, e ao dirigir o extraordinário time do Palmeiras em 1993-4. Estrategista mais que talentoso, sublimando a sua origem suburbana num figurino de executivo fashion à beira do campo, chegou a técnico da seleção brasileira em 1999 e 2000, quando foi acusado de ter-se confundido com manobras de interesse particular na venda de jogadores, deixando a seleção mergulhada numa crise profunda que se arrastou para além da chegada de Scolari em julho de 2001.

Felipão congregou o grupo na base da psicologia intuitiva, da animação concreta e do espírito de luta. Os jogadores o reconhecem como o "professor" e ao mesmo tempo como um dos seus, como um ex-*boleiro* que sabe tocar a psicologia do *boleiro*. A preparação de vídeos emocionais exortativos, conectando-os ao clima da torcida brasileira, a invocação de parábolas exemplares e de canções-tema ("Deixa a vida me levar", com Zeca Pagodinho) dá à campanha mais o tom de uma eficiente administração de recursos humanos do que de preparação para uma sequência tática de jogos de xadrez em campo. Se lemos o depoimento de Scolari a Ruy Carlos Ostermann, no livro *Felipão: a alma do Penta*,[179] somos surpreendidos pela relativa generalidade dos seus comentários táticos, embora detalhistas na aparência. Fora a clara opção pelo 3-5-2, sistema de defesa com três zagueiros, até então pouco comum no futebol brasileiro, que ele adotou por princípio, é como se Luiz Felipe

---

179. Ruy Carlos Ostermann, *Felipão: a alma do Penta*. Porto Alegre: Zero Hora, 2002.

não chegasse a fazer uma efetiva leitura dos jogos que venceu, mesmo recorrendo a uma sarabanda de esquemas (3×3×3×1, 3×3×2×2, 3×4×1×2, 3×4×2×1), que ele cita sem maior efeito explicativo. Ou melhor: é como se ele, com a sua impulsividade esfuziante, da qual extrai o correspondente rendimento teatral, não destacasse muito as situações táticas do momento do jogo no qual elas se queimam, referindo-se mais a diferentes conjunturas que variam sobre o sistema 3-5-2 do que propriamente a diferentes sistemas de jogo. Tudo isso ele acompanha com seu extravasamento cênico à beira do campo, temperado nas entrevistas coletivas pelos seus trejeitos fisionômicos e pelo seu característico muxoxo realista e terra a terra, que transformou afinal numa marca registrada.

A referência mestra de Parreira é a ciência, a teoria, a lógica clássica a ser "demonstrada" em campo; a de Zagallo, o apelo aos sortilégios obscuros da providência, continuamente invocados a confirmar o seu caminho predestinado; a de Luxemburgo, a leitura concreta do jogo, a capacidade inegável de intervir sobre os desdobramentos da partida, capacidade com a qual disputa o seu narcisismo e o seu aparato empresarial paralelo; a de Luiz Felipe Scolari, a constituição da identificação grupal e sua interação de tipo "familiar" como extensão do treinador. Para Parreira o jogo é uma projeção do seu intelecto, para Zagallo do seu destino, para Luxemburgo do seu eu analítico — quando não do seu eu, simplesmente —, e, para Scolari, de sua personalidade abrangente, a "alma" estendida ao time. Por isso mesmo ele tem que se manter em performance, o tempo todo, no palco pontilhado da área técnica, como um décimo segundo jogador que atua como um ator-diretor em cena.

A presença de Felipão teve afinal um efeito positivo sobre a seleção brasileira que ele herdou, bastante desgarrada pela experiência da Copa e pós-Copa de 1998. O preço prévio a pagar foi o preço clássico: o afastamento de Romário, cujas reincidentes demonstrações de independência malandra não se coadunavam com o espírito corporativo imprimido ao grupo e com a figura carismática e dominadora do treinador, que o preteriu por atacantes medianos — Luizão e Edílson —, sob os protestos também já clássicos de enorme parte da torcida, especialmente a carioca. (Com diferentes desfechos e em graus progressivos de afastamento, a novela da negação prévia de Romário pelas sucessivas comissões técnicas foi um verdadeiro rito exemplar dos dilemas brasileiros, repetido em 1994, 1998 e 2002.)

Nos primeiros jogos da Copa, o time tinha um meio campo embaralhado por dois condutores de bola mais afeitos a carregá--la do que a passá-la rapidamente, com a diferença de que um deles era extraordinário — Rivaldo — e o outro, um simpático mas inconclusivo driblador sem maior visão dos horizontes do jogo — Juninho Paulista. A substituição deste por Kléberson, a partir do confronto com a Bélgica, "compactou" o time, como se costuma dizer, interrompendo uma certa sangria desatada no meio de campo. Sendo assim, reforçou os méritos da equipe: a capacidade de sustentar um volume de jogo consistente e de resolver a partida em *insights* criativos localizados. É o caso, já citado aqui, das duas jogadas de Ronaldinho Gaúcho na partida contra a Inglaterra — um drible desconcertante que resultou no gol de Rivaldo, e uma folha-seca em pseudocruzamento no segundo gol —, assim como do corta-luz de Rivaldo para Ronaldo na partida final contra a Alemanha. É o caso também da "virada" de Rivaldo no gol isolado contra a Bélgica, e do gol isolado de Ronaldo contra a Turquia, na semifinal, concluindo de "biquinho", com o pé direito, num chute da entrada da área, pelo lado esquerdo (espécie de citação consciente do gol de Romário na primeira partida contra a Suécia em 1994, que é como se ele "copiasse"). Com as vitórias numericamente magras das fases decisivas, mas em série ininterrupta, definidas sempre em relances de invenção dentro de espaços ferreamente disputados, pode-se dizer que o futebol brasileiro atualizava a sua "diferença" no contexto do futebol globalizado, dialetizando-a e fazendo face às exigências da "otimização do rendimento". Num contexto futebolístico fortemente equiparado, sujeito a resultados imprevisíveis como a própria oscilação dos mercados, no qual equipes tradicionais como Itália, Argentina, França e Espanha tiveram dificuldades para impor sua força (em alguns casos decisivos seriamente prejudicados pelos juízes), a acumulação de um repertório inventivo e de um arsenal de *elipses* cultivado desde longa data conseguia *dar ainda um recado* e ao mesmo tempo *dar conta do recado*.

É impossível minimizar o papel de Rivaldo nessa campanha. Alto, magro e desengonçado, como que encaixando os ossos a cada virada, inclusive para compensar a falta de pé direito, mostrava-se de uma precisão impressionante ao "achar" tanto o jeito de colocar a bola com a perna esquerda quanto de arrematar com força, ou de inventar uma forma improvável de concluir, num desvio de trajetória ou numa surpreendente bicicleta. Sempre ao contrário de um miniaturista, precisando de espaços largos nos dribles e nas passadas, ora rápido ao conduzir a bola por distâncias longas (muitas vezes de cabeça baixa, sem olhar o jogo), ora lento ao voltar bamboleando sem ela, Rivaldo "é antes de tudo um forte" (a frase de Euclides da Cunha serve para ele, não propriamente como sertanejo, mas como pernambucano temperado de litoral, capaz de converter limitações em capacidades sólidas).

Embora futebolisticamente vitorioso, Rivaldo manifestou uma angústia de reconhecimento — aliás, nunca se fala o suficiente da extrema importância que ele teve para a campanha de 1998 e para o título de 2002. Chegou ao Barcelona em 1997, ninho de estrelas, ou de "cobras" (se quisermos jogar com o duplo sentido da palavra), e afirmou seu lugar de destaque no time, sem hesitação e sem nenhum complexo de inferioridade (ao contrário de Giovanni, craque futebolisticamente refinado e psicologicamente inseguro, no mesmo time e na mesma época). Ao mesmo tempo, a dificuldade de ter o seu valor futebolístico reconhecido com a devida clareza talvez se deva em alguma medida à inadaptação do seu modo de ser ao panteão da fama no mundo das celebridades e das marcas: fora do campo Rivaldo não ostenta riqueza, não exibe intimidade, não irradia poder, não se comporta como astro pop nem se converte a um cosmopolitismo emprestado. A marca exige um *layout* (segundo observação de Washington Olivetto)[180] que sobra, podemos dizer, aos Ronaldos. Rivaldo não perde, na verdade, o jeito de trabalhador (que ele não deixa de ter em campo), nem uma congênita falta de pose. Independentemente disso, foi eleito o melhor jogador do mundo em 1999. Discreto quanto à sua vida pessoal, perdeu o prumo emocional e futebolístico justamente depois de uma separação conjugal, e transferiu-se para o futebol grego, onde, apesar do seu destaque, desapareceu da cena principal do futebol quase sem ser notado.

Na Copa de 2002, Ronaldinho Gaúcho mostrou seu gênio em momentos relampejantes e contraditórios: na mesma partida com a Inglaterra em que inventou os dois gols desnorteantes, por exemplo, foi expulso de campo depois de uma entrada desleal no zagueiro inglês, deixando suspensa a avaliação do tamanho real do seu futebol. Depois de um longo litígio com o Grêmio porto-alegrense e um período desigual no Paris Saint-Germain, no entanto, transferiu-se para o Barcelona, onde emergiu como sensação mundial nas temporadas de 2004 a 2006. Nessa altura, ganhou uma dimensão única, confirmando amplamente aquela impressão inaugural de quem, em 1999, estreou na seleção brasileira (contra a Venezuela) com um gol de placa no seu primeiro minuto em campo. Ronaldinho Gaúcho é um jogador "pós-moderno", no sentido de que parece domi-

---

180. Washington Olivetto, "Business, show biss e, vá lá, esporte", entrevista a *O Estado de S.Paulo*, *Aliás*, 28 mai. 2006, pp. J4-J5.

nar o repertório do futebol a ponto de fazer de toda jogada algo como uma citação, um comentário sobre si mesma, um ponto numa série infinita de variações sobre as possibilidades já exploradas do jogo. Cada passe, mesmo lateral, cada matada e cada toque participa de uma espécie de mostruário de modos de abordar a bola, de amortecê-la, de fazê-la rodar, de rosquear, de chegar como uma seta certeira ou cheia de efeito a um ponto visado. Toques de calcanhar, de lado, de três dedos, com o dorso ou com a planta do pé, de peito, de testa sucedem-se com uma minúcia incomum, em meio à qual quase não espanta que ele já tenha dado passe de nuca e matado a bola com as costas. Não admira ainda que tenha claramente imitado, jogando pelo Grêmio no início da carreira, um gol típico de Romário, abraçando a bola com o pé num drible em curva no bico esquerdo da pequena área, fechando para dentro num giro de 180 graus e completando no ângulo oposto com a parte externa do pé direito. Ronaldinho Gaúcho é artista de uma época saturada, cujo jogo exibe uma consciência maneirista do próprio fazer: guarda consigo o arsenal estilístico acumulado e, além de ter-se tornado o maior jogador do mundo nesse tempo, tornou-se o índice acabado de uma era de totalização instantânea do tempo.

Seus procedimentos constituem-se numa verdadeira *antologia da elipse*, em que se incluem o elástico de Rivelino, os chapéus de Pelé, a cobrança de falta de Zico, o passe em concha de Ademir da Guia, a finalização por cobertura de Romário, o calcanhar de Sócrates, a folha-seca de Didi, a pedalada de Denílson e da geração 2000. Num efeito que ele transformou quase numa assinatura, e que é a visibilização cabal do seu estilo na forma de uma síntese, Ronaldo Gaúcho torce a cabeça para um lado, quase para trás, e toca a bola, com estudada simplicidade, não destituída de requinte, para o lado contrário ao que ele apontou com a cabeça. A jogada, que, de forma menos ostensiva, já era comum no futebol elegante e manhoso de Djalminha, e que em Barcelona chamam de "estil Laudrup", tornou-se, não por acaso, o ícone em movimento do jogador. Originalmente, ela induz o adversário a acreditar na direção contrária àquela em que a bola irá, abrindo um flanco inesperado, mas Ronaldinho passou a usá-la com tal frequência e velocidade que, menos do que o seu efeito futebolístico direto, ela passa a funcionar como um cacoete de estilo, uma cifra, um gesto quase descolado do jogo e uma marca em si — um *layout*. Não por acaso a Nike tomou-a como mote da sua campanha em 2007. No texto publicitário feito para o vídeo, o próprio Ronaldinho Gaúcho diz que, quando se é objeto do olhar de todo o mundo, a solução é *olhar para o outro lado*. Assim, o trejeito característico, que resume a história da vocação não linear do futebol brasileiro, torna-se também a marca pessoal que se torna logomarca, e ao mesmo tempo um comentário, dentro da própria campanha publicitária, que o superexpõe, sobre a necessidade de libertar-se da condição de objeto de todos os olhares. A jogada, que é um drible de corpo, ou, mais exatamente, um "drible de cabeça", cujo segredo reside na imprevisibilidade, ganha vida independente e faz papel de senha graças à qual o homem célebre dribla a celebridade, no interior da campanha publicitária que eleva a sua celebridade ao paroxismo. Impossível um exemplo mais acabado da contradição paralisada através da qual se desenrola o futebol contemporâneo de escala global.[181]

Por todas essas implicações e características, a figura de Ronaldinho Gaúcho flerta com o simulacro e também com a suspeita, às vezes lançada contra ele, de ser um estilista requintado, no limite da afetação e incapaz de decidir verdadeiramente. No Brasil

---

181. Ao mesmo tempo, é uma inesperada atualização do enigma do *homem célebre* (do famoso conto de Machado de Assis sobre o compositor de polcas), cujo sucesso constitui-se, como já tentei mostrar, num *logro complexo*. Ver José Miguel Wisnik, op. cit., p. 21.

essa suspeita se redobra, é claro, com a acusação de ele nunca conseguir jogar pela seleção brasileira o que jogou pelo Barcelona nos anos antecedentes à Copa de 2006, como se isso fosse necessariamente culpa dele (hoje em dia, essa acusação se redobra com o fato de ele não ter mais jogado pelo próprio Barcelona o que jogou naqueles anos, indicando o ritmo veloz e voraz com que se alternam a idolatria e a pulverização do mito, nas condições aqui descritas). Essas subidas e quedas fazem, de todo modo, parte do enigma. A verdade é que Ronaldinho Gaúcho, assim como aconteceu com Romário, Rivaldo e Ronaldo, encontrou no Barcelona as melhores condições para fazer desfilar o seu talento. Nas temporadas de 2004-6, encontrado com o time, com a torcida e consigo mesmo (depois de assumir seu cabelo afro), atingiu um desses momentos exorbitantes que fazem ver um jogador como um dos maiores de todos os tempos. A movimentação permanente do time, leve e assumidamente atacante, em especial a do camaronês Eto'o, permitiu-lhe desenvolver a enorme capacidade de "achar" os companheiros em movimento com lançamentos precisos em pontos futuros invisíveis, adivinhados por ele como quem intui uma incógnita geodésica. Caindo pela ponta esquerda, sem deixar de ser um número 10 (um armador, articulador e finalizador que rege o time), como um 10 que se disfarçasse de 11, ou vice-versa, Ronaldinho Gaúcho conseguiu explorar essa ambiguidade tática distribuindo assistências a granel e explorando flancos de invasão com dribles e finalizações tantas vezes espetaculares. Tudo isso temperado com a consciência da simples e necessária manutenção do fluxo do jogo, do tecido conjuntivo de onde brotam as jogadas, do banho-maria e do passe lateral. Na iminência da Copa de 2006, Tostão comentava que Ronaldinho Gaúcho estava com a bola tão cheia que ela corria o risco de estourar.

RONALDOS E RONALDOS

Eleito duas vezes o *número um* do mundo, em 2004 e 2005, Ronaldo Gaúcho não estava exatamente sozinho nesse período: Kaká firmava-se no Milan com um futebol maduro e equilibrado no domínio de todos os fundamentos imprescindíveis ao meia atacante; Adriano, pela Inter de Milão, redobrava, sem a mesma maleabilidade genial, as características artilheiras de Ronaldo; e Robinho, no Santos Futebol Clube, revelava-se um esplêndido driblador-inventor que, durante o período de 2002-5, encheu de alegria há muito tempo não vista o futebol brasileiro jogado no país.

Assim, a seleção chegava à Copa de 2006 contando com cinco vocações atacantes excepcionais, e com a condição de favorita reconhecida pela opinião internacional unânime. Contribuíam para isso, além das performances individuais brilhantes, algumas exibições da própria seleção em jogos pelas eliminatórias, como a vitória sobre o Chile por 5 × 0, e as partidas finais da Copa das Confederações de 2005, já na própria Alemanha, contra a Alemanha e a Argentina. Mais do que um simples favoritismo, desenhava-se ali a possibilidade de um renascimento utópico do futebol, que atualizasse em situação contemporânea o reencontro da "dialética" com a "diferença", da prosa com a poesia — possibilidade da qual essas partidas em 2005 eram uma promessa palpável.

O fracasso na Copa da Alemanha, no entanto, em que atuações inexpressivas culminaram com a derrota para a França por 1 × 0, nas quartas de final, suscitou, é claro, muitas e desencontradas interpretações. Mais medíocre do que rotundo — nem a tragédia de 1950 nem a fatalidade sublime a se abater sobre um time alado, como em 1982 —, o fracasso trazia a marca da intranscendência, do desaponto interrogativo sobre tamanha discrepância entre a "promessa de felicidade", que o time do Brasil a essa altura encarnava para o mundo, e a sua irrealização desfigurada. A explicação mais comum no Brasil foi a de que jogadores distanciados do seu país de origem, celebrados pelas atuações em poderosos clubes europeus, acomodados a um sucesso financeiro discrepante das condições brasileiras, tinham perdido a motivação nacional (os termos usados eram evidentemente mais duros). Diferentemente das teorias levantadas para a derrota de 1998, não se tratava agora de jogadores corruptos ou amedrontados. Mais propriamente, tratava-se, na opinião difusa, de jogadores indiferentes ao significado daquilo que representam para o país, como que comprados pelo próprio dinheiro que ganham. Em outras palavras, a globalização teria cavado, mesmo para o "país do futebol", uma cisão entre a vertente passional, gratuita e amadora do jogo, tradicionalmente representada nas Copas do Mundo, e a vertente transnacional do esporte moldada pelo capital, representada especialmente pelos campeonatos europeus onde quase todos passaram a jogar. O emblema desse desligamento foi apontado na atitude do lateral Roberto Carlos na partida contra a França, arrumando a meia como um cortesão decadente enquanto a bola era centrada para a área brasileira, culminando no gol fatal da desclassificação.

Antes de mais nada, no entanto, é perigoso generalizar o caso de Roberto Carlos — um certo tom *blasé* o acompanha há tempos, como na jogada afetada com que perdeu a bola antes de um dos gols de Zidane já na final de 1998, e a pose de efeito inapelavelmente arrogante com que assistiu, como que recostado a um canapé, ao jogo Brasil *vs*. Japão, quando foi poupado e deixado na reserva por Parreira, na Copa da Alemanha. Nas vésperas do jogo com o Brasil o atacante francês Henry, que acabou fazendo o gol da vitória do seu time (enquanto Roberto Carlos arrumava a tal meia), declarava provocativamente, como se tivesse lido o livro de João Saldanha, que o sucesso dos brasileiros no futebol estava associado ao fato de não irem à escola. Enquanto todos os jogadores se calavam para não cair na provocação e para refletir, quem sabe, sobre o que havia sido dito, só Roberto Carlos pôs-se a responder como se a afirmação não tivesse qualquer fundamento. Estender, pois, as atitudes de Roberto Carlos ao time como um todo é certamente uma injustiça.

Mais delicado é o caso de Ronaldo: ao contrário de Pelé, que se concentrou silenciosamente, aos 29 anos, para consumar a sua despedida numa volta majestosa ao alto, em 1970, no máximo da forma possível e no esplendor da experiência, Ronaldo, com a mesma idade em 2006, não parece ter tido a mesma concentração quase ritual, como se nada importasse tanto, ou como se a própria ritualidade dos atos não tivesse mais o correspondente valor. Mesmo assim, com aquele seu jeito de zumbi teleguiado pelo instinto que sempre teve, independentemente do peso, andou encontrando, quando a bola lhe chegava, o caminho do gol.

A ideia de jogadores exilados nas benesses do mundo rico e desinteressados da Copa do Mundo minimiza o valor simbólico de uma conquista dessa natureza, frente à qual *ninguém* que se interesse por futebol é indiferente. Mas faz pensar no fato — que ainda assim não me parece o decisivo — de que os jogadores eram, de forma consciente ou não, *mimados* pela posição de destaque num mundo em que a fama é um espelho hiperbólico descomunal (uso a palavra "mimado" no sentido preciso de alguém que é objeto de um bombardeio mimético — como uma criança incensada pela imitação de sua imagem). Descontado o vulto dos ganhos materiais (que provoca muita acusação de tipo ressentido e simplista, como se o dinheiro fosse a causa necessária e direta de algum "corpo mole" em campo), o fato é que a condição de favorito do mundo, replicada pela economia, pela publicidade e pela tecnologia, submete o sujeito à prova do espelho — no sentido machadiano, de ser tomado pela "alma externa", esgarçando o fio que o liga às motivações criadoras e combativas (ser mimado paralisa evidentemente o sujeito, se isso não for rebatido por uma força interior contrária).

Ao mesmo tempo, dá-se a convivência com uma cultura do simulacro que é desafiadoramente anestesiante para quem vive dentro dela e tem que sustentar um permanente estado de alerta agonístico, exigido, em tantos níveis, pela prontidão para o jogo. Um detalhe aparentemente irrelevante e curioso dá um sinal do alcance dessa imersão: o videogame Winning Eleven, por exemplo, que chegou a um grau extraordinário de imitação do jogo de futebol, *escaneia* a silhueta e os movimentos dos jogadores, simula visual e estatisticamente as suas características e replica com fidelidade surpreendente a dinâmica de uma partida, tendo como seus personagens os dublês virtuais de jogadores reais. (Curiosamente, é de se notar que um dos jogadores mais sintomáticos da última geração, o português Cristiano Ronaldo, parece imitar inconscientemente no seu estilo insinuante, driblador, algo robótico, cheio de pedaladas com a perna esticada e firulas como que digitalizadas, as figuras do Winning Eleven.) Que jogadores brasileiros matassem o tempo na concentração, muitas vezes jogando entre si o Winning Eleven, do qual são personagens em simulacro, não deixa de ser mais uma forma de exposição à prova do espelho.

Mas nada se compara ao peso da publicidade ostensiva no período que antecedeu, no Brasil, a Copa do Mundo de 2006. Com uma fúria monotemática sem precedentes e uma euforização artificial intensiva, a propaganda carregava na imagem dos vencedores por antecipação, desprezava os adversários e elevava os destaques brasileiros à condição de extraterrestres. Em especial, uma peça publicitária do Guaraná Antarctica (marca de fantasia da Ambev, patrocinadora oficial da CBF) apresentava os jogadores do Brasil entrando em campo não pelo túnel, como os adversários, mas chegando por meio de um caminhão mirífico portando a logomarca do refrigerante, cuja porta traseira se abria com a lentidão solene das espaçonaves imaginárias para que dela descessem os craques. Pode-se reconhecer aí o insistente retorno do clima que antecedeu a final de 1950, sem mais aquela atmosfera das "primeiras verduras", isto é, a inocência virginal em relação aos nossos limites e possibilidades. Em vez disso, uma ilusão autoinfligida e disseminada quanto ao sentido do jogo, desfigurado pela quebra da igualdade simbólica entre os oponentes, na forma de um pseudomito perverso elevado ao cúmulo pela publicidade do produto oficial. Os treinos que antecederam a Copa, por sua vez, foram cercados, como de outras vezes, mas com um efeito geral mais cerrado, de uma cobertura jornalística exaustiva em que eram tratados — qualquer "dois toques" — como se fossem já uma partida eliminatória, com um aparato desproporcional de debates e especulações. A CBF, seguindo a tendência mercadológica a espetacularizar todas as atividades da seleção, abriu os treinos a um público frenético tomado pela curiosidade idolátrica, diluindo a sua função de constituir concentradamente um time. Em suma, mídia e publicidade, torcida, confederação, comissão técnica — o país, como sujeito ou objeto, como arma e como alvo — participava mais uma vez — mas talvez mais que nunca — da instauração de um estado de soberana confusão entre preparação e resultado final, concentração e vitória antecipada, treino e mito.

Tamanho burburinho é inseparável de uma atitude pela qual a vitória é difusamente concebida como dada, emanando da natureza e falando por si sem necessidade de esforço. A derrota, sempre destacada das contingências inerentes ao jogo, será sentida como uma traição surda a esse status ilusório, e encontrada no erro daqueles que não provaram a veracidade da posição ideal em que foram colocados — os jogadores (como se os demais elementos produtores do estado de exaltação antecipada não fizessem parte do mesmo jogo cego). Impressiona a resistência da velha síndrome: a tendência a refugar o embate com a aspereza das coisas através da sensação das vitórias já obtidas (que são dadas como se prontas desde sempre, e não objeto de conquistada autossuperação). Não é preciso dizer que a outra face do mesmo mecanismo consiste em, na ausência de motivos de euforia, desacreditar automaticamente o objeto de identificação, reduzido a nada até que ele ofereça motivos para converter-se de forma instantânea, outra vez, em objeto total. Essa variação ciclotímica, entranhadamente brasileira, potencializada pela volatilidade contemporânea, pendula com excessiva mobilidade entre tudo e nada, entre crédito inflado e desprezo, encontrando no futebol o seu objeto por excelência. Ela funciona por uma oscilação polarizada entre *veneno* ou *remédio*, em que um polo de sentido toma repetidamente o lugar do outro sem que se comuniquem e se contaminem, como se não participassem da mesma substância, repetindo-se perpetuamente sem sair do lugar.

No entanto, há que se considerar que uma atitude como essa, se levada a campo, nunca teria levado a lugar nenhum: a repetida ilusão sobre as próprias possibilidades e limites redundaria, a rigor, na incapacidade de superar-se, transformar-se e, afinal, vencer o que quer que fosse. Que o futebol do Brasil tenha se tornado, no entanto, um fenômeno de reinvenção do futebol mundial, só pôde acontecer pelo fato de que, no jogo propriamente dito, deu-se uma operação de passagem ao outro, de conversão dos contrários, de *revirão* em que os opostos saltam para um ponto que os inclui e os ultrapassa. Em suma, uma força necessariamente coletiva menos óbvia, mas poderosa, pressionou historicamente no sentido de fazer desse círculo vicioso uma sequência de elipses virtuosas, e da fixação basculante do veneno remédio uma espécie de alquimia. Já falamos sobre o fato de que essa força extraiu da formação escravista brasileira o seu *fármacon* e virou a história do Brasil de ponta-cabeça, embora na dimensão lúdica e simbólica.

Por que algo assim não aconteceu também, então, na Copa de 2006, quando um tal conjunto de talentos reunidos prometia um salto e uma atualização nessa direção? Afinal, todos os fatores condicionantes apontados (fetichização mercadológica, clima de "já ganhou") fazem parte do jogo como desafios psicológicos, e poderiam ser superados dentro dele por um time que chegasse, não obrigatoriamente a ganhar, mas a jogar. Aqui entram aspectos insondáveis e imponderáveis, que, seja qual for o seu alcance, não podem passar por fora da dinâmica própria ao futebol.

Como é sabido, Carlos Alberto Parreira dispunha de cinco talentos atacantes que só uma personalidade destoante e utópica (algum novo João Saldanha) se arriscaria, no futebol atual, a escalar juntos, dada a necessidade de cercear a iniciativa de jogo adversária com marcação ferrenha desde o seu campo. Por ironia, Parreira é um defensivista histórico, que tinha nas mãos os trunfos que todos — menos, talvez, ele mesmo — gostariam de ter. Por isso, já soava quase utópico que tivesse aceito a condição de escalar o famoso "quadrado mágico", do qual fariam parte os cinco craques *menos um* — a definir. Mas as expectativas de que o próprio Parreira se transformasse em alguém capaz de inventar a partir desse grupo privilegiado uma equipe de características criativas e atacantes também se mostraram utópicas. O próprio fato de que essa equipe já se esboçava com considerável nitidez, durante o ano de 2005, facilitaria o seu trabalho, sugerindo que cabia a ele, principalmente, não atrapalhar o desenvolvimento de um processo que seguia o seu curso com a parte de espontaneidade que lhe cabe. No entanto, falou mais alto, na hora decisiva, uma certa disparidade entre as vocações disponíveis e a tendência ao ramerrão prosaico e acadêmico do estilo do treinador, mais aplicado à lenta administração da posse de bola, evitando a contingência de perdê-la (e resistindo assim à própria natureza intempestiva do jogo), do que à aposta nas pulsões mais imprevisíveis e arriscadas.

Uma parte da opinião brasileira considerava, de boa-fé, que Parreira é alguém que entende de futebol, e que saberia, portanto, o melhor a fazer (o que contribuiria para confundir difusamente o peso de um eventual fracasso com a suposta falta de empenho dos jogadores). Carlos Alberto Parreira é, de fato, como já dissemos em outra parte, inteligente, articulado, competente e equilibrado — embora tudo isso no limite dos termos com que trabalha. Os termos com que ele trabalha são, para retomar os nossos, os da "otimização do rendimento", que passam ao largo da dialética do jogo e pretendem subordinar a "diferença". Entrava em campo aqui, na verdade, mais do que uma questão de competência, uma filosofia do futebol e sua adequação ao momento (completamente diferente de 1994, quando, como já vimos, Parreira teve uma função específica importante). Assim, é como se uma regressão à mentalidade retentiva de 1994 (uma equipe quase toda de defensores) regesse surda e paradoxalmente a seleção de 2006 (formada evidentemente por uma fartura de talentos ofensivos). Entenda-se: não que o time tenha sido montado sobre um princípio literalmente defensivo, mas sobre um espírito retentivo voltado antes para a insistente circulação lateral da bola, através de treinos formais, estáticos e academicamente descolados da realidade viva do jogo, do que para a invenção de opções combinatórias e de formas de ocupação coletiva dos espaços por *aquelas* individualidades singulares. Estas, em vez de preparadas para dar o bote no momento oportuno e surpreender o tempo com irrupções que parecem estendê-lo infinitamente e aboli-lo por um instante, como acontece no futebol assumidamente criativo, eram chamadas a ocupar o tempo e a dominar o tempo — esticando-o e matando-o.

Essa é, aliás, a única explicação plausível para o fato de que, no momento de escolher afinal o "quadrado mágico" da Copa, Parreira tenha feito a opção por dois centroavantes (Adriano e Ronaldo — sem entrar aqui na espinhosa discussão da forma física deste), que superpunham seus papéis de maneira redundante (como dois finalizadores de pebolim à frente), em detrimento de Robinho, que enriquecia o tecido do jogo e produzia centelhas de surpresa e de promessa a cada vez que entrava, sempre no final dos jogos. Prevalece na escolha de Parreira aquela concepção *mecânica* do papel do centroavante (que foi superada providencialmente, como vimos, na formação do time de 1970), redobrada aqui por algo assim como um sistema de alavancas que movimentasse um duplo aríete, sem mexer numa estrutura focada na administração da posse de bola. Robinho, por sua vez, eletrizava e magnetizava o jogo contaminando os seus fluxos: sendo o jogador que mais lembra, no raio eletrizante do drible, o futebol antigo e certos instantâneos de Pelé, é também o que mais entende com naturalidade o princípio do *overlapping*, isto é, do passe curto, rápido e vertical para um companheiro que se desloca, que ele realiza também com instantaneidade vertiginosa. Nesse sentido, é a um só tempo o mais antigo e o mais moderno dos atacantes brasileiros em atividade, o elo perdido entre os tempos de antes e depois de Cláudio Coutinho (tomando aqui o introdutor do *overlapping* como um índice do fim da era clássica). Em suma, a chave secreta do momento pelo qual o futebol brasileiro deveria se reencontrar consigo mesmo em contexto contemporâneo. Escalá-lo seria o gesto óbvio e iluminado de quem antevê o que já está mais do que dado. Parece ter sido irrelevante, ou despercebido para Carlos Alberto Parreira e mesmo para a imprensa em geral, que o jogador tenha estado presente como titular em *todos* os jogos de 2005 em que o Brasil teve as suas grandes atuações, assim como na partida contra o Japão, na Copa, quando, independentemente da fraqueza do adversário, a equipe entendeu melhor a si mesma. Embora não aparecesse àquela altura como um finalizador por excelência (o que é relativo, como sabemos, ao crédito de que um atacante se vê investido), a sua presença tinha o poder de fazer crescer a atuação dos demais, lançando-os para além do esquematismo desfigurado em que os jogadores se perderam, afinal, sem reação, num esquema de treino e de jogo que só os tolhia.

Tostão considera que um dos erros de jogadores como Ronaldinho e Kaká, na Copa, não foi o de terem sido estrelas ausentes e desinteressadas, ao contrário das repetidas acusações, mas de terem sido "excessivamente disciplinados, bem comportados e tentarem fazer tudo o que o Parreira pediu". Aplicados *demais*, no sentido um pouco escolar do termo, e não *de menos*, como quer a leitura superficial. "Um Gerson diria para o técnico: desse jeito não dá", afirma ainda o jogador-analista (enunciando indiretamente, nesse momento, aquela verdade que sua elegância nunca lhe permitiu expressar diretamente, isto é, a de que o time de 1970 soube, numa medida decisiva, se reger e se escalar).[182]

Um detalhe sintomático, no sentido psicanalítico do termo, desses que só a ficção saberia sondar, não pode ser omitido aqui: quando perguntado, ainda antes de embarcar para a Copa da Alemanha, sobre a canção-tema que o inspiraria durante a campanha, Parreira escolheu nem mais nem menos do que a canção "Epitáfio", dos Titãs ("Devia ter amado mais/ ter chorado mais/ ter visto o sol nascer/ devia ter arriscado mais/ até errado mais"). De maneira surpreendente para quem inicia um processo, o hino íntimo do treinador era um deslocado poema de melancolia e culpa, de promessas não cumpridas por falta de entrega ao risco (*não deixei a vida me levar...*), como se o inconsciente entregasse com antecedência e com precisão o *mea culpa* que ele se recusou a fazer depois da Copa, quando falou numa impessoal "falta de química" — expressão conhecida para amores que não rolam. Podemos dizer que boa parte dessa falta de química estava desenhada já na escolha da sua música-tema.

Na verdade, o Brasil só venceu títulos mundiais de futebol

---

182. Ver Tostão, "Menos, menos euforia", *Folha de S.Paulo*, 6 set. 2006.

quando revirou e foi ao cerne problemático do seu *veneno remédio*: em 1958, ao desvelar Garrincha e Pelé para si mesmo; em 1962, ao perder Pelé; em 1970, ao juntar Pelé e Tostão contra as resistências; em 1994, ao retornar Romário vetado; em 2002, ao se dar o renascimento de Ronaldo e do time depois das eliminatórias quase catastróficas. Em 2006, para aqueles que se animavam com a transformação da equipe depois da partida de exceção frente ao Japão, quando Robinho, Cicinho, Gilberto e Juninho Pernambucano entraram no time, Parreira sentenciava uma frase de Leibniz, de efeitos darwinianos: "a natureza não dá saltos". Com isso, queria dizer que, embora mudado, o time não mudava, porque mudam os jogadores mas não muda algo que para ele é mais real que a singularidade dos jogadores: o esquema de jogo. Essa resistência a mudar ("devia ter arriscado mais") é o antirrevirão: "a natureza não dá saltos". Parreira deveria ter se lembrado também da frase de Guimarães Rosa: "sapo não pula por boniteza, mas porém por percisão". Todo processo criativo só acontece aos saltos.

COMENTÁRIOS FINAIS: BOLA NO CHÃO

O escritor francês Michel Houellebecq dá uma interpretação própria para o lugar que o futebol ocupa no mundo contemporâneo.[183] Ele parte da ideia de Auguste Comte sobre a passagem da *era militar* (em que "o principal meio de que uma população dispunha para aumentar seu nível de vida era invadir o território de seus vizinhos") para a *era industrial*, em que a guerra — pelo menos as guerras entre nações industrializadas em campo de batalha — con-

---

183. Michel Houellebecq, "O soldado de Tocqueville", *Folha de S.Paulo, Mais!*, 3 fev. 2008, p. 10. Trata-se de uma conferência pronunciada em Porto Alegre.

verte-se em guerra econômica. Nesse caso, o futebol veio a ser o "canal de escoamento" — que Comte previu que seria necessário inventar — para o desejo coletivo de violência, de combate excitante e de risco, que as guerras e revoluções gratificavam, *malgré tout*, com sua taxa de adrenalina distribuída desde os generais aos soldados rasos. Como sucedâneo da guerra, do horizonte épico da vida reduzido a zero e da viagem aberta ao desconhecido substituída pelo pacote turístico, o futebol libera uma adrenalina real, "menos poderosa que a do combate físico" mas de todo modo efetiva, na forma de um compacto emocional. O futebol reconstituiria assim a identidade nacional em dimensão lúdica, de maneira "temporária e facultativa", diluindo no jogo o seu núcleo belicista, sem deixar de contemplar aquele impulso que a falta de guerras e aventuras deixa sem gratificação.

Na continuação da seu raciocínio, cuja motivação principal não é a discussão do futebol mas uma consideração pessoal de aspectos do mundo contemporâneo, Houellebecq comenta sua admiração pelo pensamento de Tocqueville — aristocrata partidário da democracia e capaz, ao mesmo tempo, de identificar limites inconvenientes da democracia. Para este, a democracia tenderia à "transformação da sociedade em um rebanho obediente, uniforme, de indivíduos não ligados entre si", polarizando-os individualmente na ocupação exclusiva com a própria saúde e prazer. Esse modelo, que é afinal o da democracia norte-americana mundializada em sociedade de consumo, tolheria sob um controle social conformista o "desenvolvimento de individualidades fortes", funcionando como máquina de produção de consenso, de efeito mediocrizante. Para Houellebecq, a arte teria "um funcionamento diametralmente oposto" ao dessa tendência uniformizadora, constituindo-se no canal de escoamento para a manifestação de diferença e a dissolução de estereótipos. Na conclusão de seu raciocínio, Houellebecq acaba por associar a arte e o futebol como formas de um duplo "remédio" (a palavra é usada por dele): futebol "para as frustrações ligadas ao desaparecimento das guerras" (identificadas por Comte) e arte "para as frustrações ligadas ao surgimento da democracia" (identificadas por Tocqueville).

O argumento do escritor francês vai na linha dos artistas que colocam o futebol ao lado da arte. Mas, sem ter tido essa intenção, Houellebecq esboça uma explicação para o fato de que o chamado *futebol-arte* possa fazer — ou imitar — o efeito de uma *panaceia universal*, como o duplo remédio capaz de aliviar frustrações constitutivas da nossa melancólica e compulsiva sociedade. Como viemos mostrando, o futebol ganhou, como uma de suas faces mais marcantes ao longo do seu desdobramento no século xx, uma dimensão artística. O futebol brasileiro teve papel-chave nisso. Aplicar ao futebol procedimentos da crítica de arte foi um dos caminhos que este livro seguiu para tentar captar a singularidade de que ele se investiu no Brasil. No final do século, como também se procurou mostrar, a capitalização intensiva do esporte reduziu o campo da gratuidade em que vigorou o "futebol de poesia", jogando-o para a margem onde ele desponta como uma centelha rara, cuja expectativa é acompanhada de perto pelo sentimento de frustração. O que não quer dizer que a dimensão criativa e a liberdade não se façam presentes no jogo, embora comprimidas por uma restrição de seus horizontes que tem paralelo com as condições da própria arte contemporânea.

Costuma-se conceber a arte como expressão de uma individualidade criadora cristalizada numa forma acabada e encerrada em espaços nos quais se pode admirar sua permanência como protegida dos acidentes do mundo (o museu, o concerto, o teatro, o livro). Muito da arte contemporânea se voltou contra o exclusivismo dessa concepção de arte, mas o futebol está naturalmente fora dela: em vez da autoria individual é uma rede individual e coletiva a cada instante; em vez da repetição e da *mise-en-scène* é acontecimento irrepetível e exposto ao acaso; em vez de formas acabadas, oferece como espetáculo a própria perseguição da forma na base da tentativa e do erro. Nele, o lugar da obra é o mesmo do rascunho, escancarando aquilo diante do que "muitos escritores [...] estremeceriam", segundo Edgar Allan Poe: "a ideia de deixar o público dar uma olhadela, por trás dos bastidores, para as rudezas vacilantes e trabalhosas do pensamento, para os verdadeiros propósitos só alcançados no último instante, para os inúmeros relances de ideias que não chegam à maturidade da visão completa [...]".[184] Em suma, para aquilo que o resultado artístico tende a esconder, e cujas torturas ocultas, na descrição de Poe, se parecem tanto com os acidentes do jogo: escorregões, passes errados, gols perdidos, gols salvadores no último minuto. O futebol vem antes e depois das artes: participa da força que as gerou ao mesmo tempo em que é o último dos seus avatares. Não espanta que não poucos artistas vejam nele algo daquilo que desejam para a própria arte.

O esporte coletivo joga necessariamente com um dos pressupostos de todo poder — a possibilidade, segundo Gumbrecht, "de ocupar e bloquear espaços com corpos". Simultaneamente, com a possibilidade de sustentar ou vencer esse bloqueio à base de força, estratégia, inteligência, astúcia e beleza. Violência e beleza fazem parte do jogo, e estão nele em estado de permanente latência, podendo saltar a ponto de dominá-lo. Se o extremo da violência o desmantela e o inviabiliza, e o da beleza o lança ao plano do memorável e do inesquecível, o futebol, em geral, vive num equilíbrio oscilante entre rasgos de violência e promessas de beleza. Entre os esportes coletivos ele teve a originalidade de instaurar

---

184. Edgar Allan Poe, "Filosofia da composição", em Ivo Barroso (org.) *O Corvo e suas traduções*, Rio de Janeiro: Lacerda Editores, 1998.

uma narrativa fluida, menos quantificável, mais interpretável, mais receptiva à expressão das diferenças culturais, e, nesse sentido, mais "multicultural" que a dos outros esportes modernos. Ao mesmo tempo, está baseado num código universal inteligível, transparente e transcultural, em que interagem múltiplas lógicas de maneira polêmica, polissêmica e internamente articulada. Por isso mesmo, pôde se tornar uma língua geral não verbal do mundo contemporâneo.

Em certos momentos do meio do século XX o futebol atingiu um ponto de equilíbrio flexível entre festa e jogo que se constituiu no ápice da "quadratura do circo" da modernização. Combina a *lei* e o *rito*, o mito da concorrência universal com o da reciprocidade rivalitária, disputada e dadivosa — mesmo que não confessada. Ao vermos as imagens fugazes das Copas do Mundo dos anos de 1950, por exemplo, em que o jogo é jogado sem o aparato imagético e midiático a incensá-lo, vibra nas nossas "retinas fatigadas" a aura de inocência que cerca um brinquedo ainda exposto ao espanto, à piedade e ao terror sagrado. Foi nesse teatro, e em sincronia com ele, que Garrincha desfilou a sua paródia implacável e inocente, maravilhando e fazendo rir a torcida adversária e o mundo.

O futebol brasileiro aproveitou a brecha que a invenção inglesa oferecia, isto é, a margem de festa e ritualização que a narrativa fluida do jogo admite. Richard Giulianotti, nosso já conhecido sociólogo escocês, muda o tom discreto e científico do seu livro quando descreve o êxtase de uma partida no Maracanã, vendo nela uma experiência de religiosidade pagã — impossível na Europa — em que a luz do sol e a sombra da tarde evoluem na elipse do estádio junto com o ritmo sincopado do jogo, com o céu e a topografia montanhosa do Rio, tudo acompanhado pela batucada das torcidas num "hino à graça [...] divina". Impressiona-o, como impressionou Brian Glanville quando descrevia a seleção brasileira de 1950, a alternância de lentidão e velocidade no ritmo do jogo, a mistura de "perambulação" aparentemente gratuita com o "passo rápido" súbito, a desconversa elíptica imprimida à direcionalidade da jogada, tudo acompanhado pelo fervor frenético e fusional da torcida.[185] A própria expressão *Fla--Flu* é uma síntese sonora da rivalidade dadivosa e festiva, os opostos emanando da mesma pulsação e do mesmo sopro, a violência, quando incluída, inseparável da celebração. Aliás, reside nisto o princípio utópico da antropofagia oswaldiana: a agressividade rivalitária convertida num ato de reciprocidade lúdica e criadora.

A ascensão da "otimização do rendimento" acirrando a performance atlética e concorrencial do futebol, fazendo introjetar o planejamento produtivo, projetando o protagonismo do treinador, concentrando craques em oligopólios clubísticos sob o império das grandes marcas, saturando o calendário e reduzindo o valor da experiência à estatística, muda o cenário de relativa inocência em que vigorou o futebol da "alta modernidade". Mais importante ainda do que as transformações na textura do futebol é o fato de que a tendência ao controle generalizado, a desativação da margem de gratuidade e a inervação capitalista do jogo são inseparáveis do descontrole e das frustrações de massa das quais o futebol é também o alvo e o desaguadouro, minando a expressão do espírito lúdico e corroendo-o através da violência em pequena e em grande escala. Esse processo força na direção de uma fratura da "quadratura do circo" a partir da qual não vigoraria, no limite, nem rito nem lei, nem festa nem jogo. O futebol acontece hoje num ponto indeterminado e oscilante entre os extremos. O seu destino

---

185. Giulianotti, op. cit., pp. 37-8.

é o do equilíbrio frágil e explosivo que as sociedades contemporâneas ritualizaram nele.

Nesse panorama, saborear a derrota do adversário mais do que a própria vitória e fixar-se nos lances isolados e repetidos compulsivamente pela televisão são atitudes comuns. Por outro lado, prestar a atenção no jogo como um todo, como uma partitura, como uma trama onde cada detalhe diz algo sobre o conjunto, como um texto cifrado e cheio de enigmas, soa como atitude quase esotérica, deslocada e bizarra. Mas é, de certa maneira, a única forma de acompanhar o lugar menos evidente para onde o acontecimento real do futebol se deslocou e onde se esconde. Pode-se dizer que o estilo crítico de Tostão implantou com autoridade, na discussão do futebol atual, um procedimento de leitura do jogo que corresponde ao melhor estilo de um crítico literário. Entender o ocaso do camisa 10 como totalizador do time, o buraco deixado pelo declínio do papel eminentemente dialético do meia-armador, sua função desempenhada em parte por meias atacantes e por volantes que ganharam, estes, uma importância inédita, muitas vezes abusiva, contracenando com laterais que se convertem ou não em alas, sobrecarregando ou não a zaga, sem desconsiderar a singularidade, as capacidades e as contradições de cada jogador e cada técnico, tudo isso ganha, nas suas colunas, o valor de um comentário sóbrio e penetrante sobre a complexidade e a opacidade do jogo, sobre os imponderáveis do acaso, sobre o saber e o sabor da vida, sobre a arte do futebol. É um modelo de análise abalizada, equilibrada e crítica, não perdoando a estreiteza mental que contracena perpetuamente, em nosso futebol, com as suas enormes potencialidades (consideradas estas, também, sem exagero nem deslumbramento).

O próprio Tostão tempera com certo ceticismo a ideia da "diferença" atual do futebol brasileiro em relação aos demais. Mas talvez deva se considerar, mesmo assim, a persistência, entre tantos jogadores brasileiros que povoam o futebol mundial, daqueles "monstruosos" dribladores e inventores de gols a que se referia Pasolini, como índices de um corpo popular livre, de uma dominação que ainda não se deu por completo:[186] Romário, Ronaldo, Rivaldo, Ronaldo Gaúcho, Kaká, Robinho, Alexandre Pato no horizonte. Os jogos Pan-Americanos do Rio, em 2007, nos trouxeram a surpresa de um futebol feminino com as qualidades de um futebol de poesia, concretizadas em Marta: como o futebol feminino não passou pelo processo de recrudescimento capitalizado do futebol masculino, soa para nós como a epifania de um futebol antigo e redivivo, um afresco de Pompeia, a luz atrasada de uma estrela extinta, a iluminar os vivos.

Tudo isso que venho dizendo neste livro pode ser tomado como a irresponsável elevação de efeitos lúdicos de valor localizado e sem maior relevância à condição de "grande arte". Um tal realce pode ser visto também como fundado em inaceitáveis mecanismos de compensação por tudo o que o Brasil não realiza, compensação tomada como satisfatória em si mesma. Mas a nossa proposta é outra: ler nesses lances exemplares, ao mesmo tempo únicos e representativos da constituição de uma linguagem criativa, as cifras da cultura e sociabilidade singulares que neles se entranham, ou seja, tomá-los como desafio ao entendimento geral da experiência brasileira. E nesse caso, esses índices trazem consigo uma dimensão tal que a sua denegação importa no risco de retardar em muito as realizações e os enfrentamentos da realidade que essas mesmas críticas exigem. Ou seja: em vez de dizer que o Brasil

---

186. Ver Michel Lahud, *A vida clara*, São Paulo: Companhia das Letras / Editora da Unicamp, 1993, em especial pp. 112-3 e 119-29. Como mostra Lahud, a Itália parecia a Pasolini ter perdido, com sua inclusão no consumismo avançado, o essencial de sua rica humanidade. O Brasil, no limiar de se incluir nesse novo consumismo, exibia traços provocadores, irredutíveis e ainda intocados pela última forma.

se faz reconhecer pelo seu poderio futebolístico mas não pelas coisas de fato importantes, é o caso de reconhecer que talvez seja difícil alguma coisa "de fato importante" acontecer se não formos sequer capazes de compreender o sentido da importância que o futebol ganhou no Brasil.

4. Bola ao alto: interpretações do Brasil

A DROGA

Num recente debate com estudantes de letras na USP, o crítico de arte e ficcionista Rodrigo Naves pôs lado a lado, numa *boutade* cheia de razão, Pelé e Machado de Assis. De fato, se a *formação* da literatura brasileira desemboca em Machado, a do futebol brasileiro desemboca em Pelé. Quem ousaria compará-los? Quem dirá quem é superior? Driblarei a questão indo diretamente ao ponto: como foram possíveis um e outro? Ambos nos dão a impressão de *render* as condições que os geraram, como se pairassem acima delas. Render, aqui, significa submetê-las (a pobreza, o atraso, a situação periférica do país) levando-as a suas consequências máximas, e superando-as sem negá-las.[1] A discrepância aparentemente

---

1. Uso aqui essa acepção de "render", como correspondente em português da *Aufhebung* hegeliana, por sugestão de João Camillo Penna, que a toma via Derrida ("élevé" e "relevé"). Ver Philippe Lacoue-Labarthe, *A imitação dos modernos: ensaios sobre arte e filosofia*. Tradução de Virginia de Araújo Figueiredo et al. São Paulo: Paz e Terra, 2000, p. 150.

aberrante da comparação entre o escritor e o jogador de futebol contém nela mesma o xis do problema: ambos são necessários para que se formule a trama de um país mal letrado e exorbitante, cuja destinação passa pelas reversões entre a "alta" e a "baixa" cultura, pelo confronto e pelo contraponto das raças, pela palavra e pelo corpo, e cuja "formação" não poderia se dar apenas na literatura: o ser brasileiro pede minimamente — para se expor em sua extensão e intensidade — a literatura, o futebol e a música popular. (Aliás, uma certa intangibilidade enigmática, comum aos dois, pode ser reconhecida também em João Gilberto.)

Se Machado de Assis tornou-se quase inseparável — depois da interpretação de Roberto Schwarz — do equacionamento das "ideias fora de lugar", isto é, dos desnivelamentos e disparates entre a escravidão cotidiana e a pretensão universalizante do liberalismo burguês que pautou as nações modernas, o futebol brasileiro e Pelé são inseparáveis do "lugar fora das ideias", o vetor inconsciente por meio do qual o substrato histórico e atávico da escravidão se reinventou de forma elíptica, artística e lúdica.

A rigor, o arco da visão machadiana é inconcebível sem a assimilação da literatura universal, a surda travessia de classes, a perspectiva multifocal da sociedade, a intuição dos processos inconscientes e a sua condição racial ambivalente de mestiço — *nem admitido nem rejeitado*, como Friedenreich e Domingos da Guia. É difícil avaliar quanto, mas é indubitável que essa condição social e racial, sem explicar a sua obra, toma parte decisiva e secreta nela.

É fato que o Brasil da literatura machadiana gira em falso repetindo viciosamente, *ad aeternum* e *ad nauseam*, a sua incapacidade de mudança. Mas se tomássemos o pessimismo social machadiano muito ao pé da letra, e em nível raso, o país que Machado de Assis descreve *não poderia sequer ter produzido ele mesmo*, tampouco a extraordinária potência das suas formulações. A verdade é que há, nesse caso, um salto da vida coletiva no talento individual, e podemos dizer que isso só acontece quando as barreiras sociais gritantes e as barreiras veladas que dividem o Brasil se levantam de algum modo, como na estratégia evasiva e fulminante do ironista que viu *tudo*.

Por outro lado, o futebol no Brasil age sobre esse artigo de luxo importado que é o futebol britânico, dando-lhe outra configuração e outra destinação, em paralelo e contraponto com a música popular. No samba e no futebol, negros, brancos e mulatos, habitando uma certa zona de indeterminação criada pela herança do escravismo miscigenante, lidam com *a prontidão e outras bossas*, com seu saldo não verbal e ambivalente, num campo em que o fio da navalha da inclusão e da exclusão se transforma num estilo de ritmar, de entoar e de jogar. Esse estilo, inextrincavelmente associado à já citada "dialética da malandragem", zona de permeabilidade ambígua entre a ordem e a desordem,[2] constituiu-se num sistema acabado e produziu Pelé, que realiza em campo todas as suas virtualidades a ponto de pairar sobre ele, como se livre dos seus estigmas (que permanecem e transparecem vívidos no gênio de Garrincha).

Comparo Machado de Assis a Pelé, assim, não porque sejam semelhantes como personalidades ou estilos, mas porque têm aquela similitude dos opostos complementares: além de todas as diferenças óbvias implicadas nos campos da literatura e do futebol, o foco de um ilumina o cerne da nossa incapacidade de escapar ao retorno vicioso do mesmo, e o do outro a nossa capacidade de invenção lúdica e a extraordinária potência da nossa promessa de felicidade. O que os une é a afirmação, na negatividade e na positividade, da consciência fulminante e da intuição em ato, assim como a capacidade de fazer o país saltar aos nossos olhos como melhor do que ele mesmo.

2. Referência ao ensaio de Antonio Candido, "Dialética da malandragem", op. cit., pp. 19-54. O tema será retomado, ainda uma vez, mais adiante.

Mas *melhor do que ele mesmo* supõe necessariamente um *pior do que ele mesmo*. Machado de Assis radiografou de maneira implacável o nosso atraso com um descortino fulgurante, cujo *avanço* não paramos de descobrir. E só pôde fazê-lo da maneira que o fez, acredito eu, porque viu por dentro a sociedade de ponta a ponta — como condição entranhada em sua trajetória de vida — e porque deu uma poderosa forma nova à tradição literária acumulada. Mais do que o atraso, no entanto, flagrou a paralisia congênita da alma nacional, se quisermos chamar desse modo o renitente sistema de autoilusão compartilhada que refuga os golpes do real à custa de expedientes de acomodação e escape que deixam ileso o estado de coisas, mesmo quando insustentável.

O futebol brasileiro é, por sua vez, o saldo ambivalente desse déficit, seu veneno e seu remédio prodigioso. Seria mais um mecanismo de fuga entre outros se não fosse, ao mesmo tempo, o campo em que a experiência brasileira encontrou uma das vias privilegiadas para atravessar o seu avesso e tocar as fraturas traumáticas que nos constituem e permanecem em nós como um atoleiro. Ele é a confirmação do paradoxo da escravidão brasileira como um mal nunca superado e, ao mesmo tempo, como um bem valioso em nossa existência, não pela escravidão enquanto tal — o que é óbvio e gritante aos céus —, mas pela amplitude de humanidade que desvelou.[3] Por isso mesmo, ele figura como redenção e como falha

---

3. Joaquim Nabuco fez uma análise lúcida da impregnação do regime escravista na vida brasileira, da crueldade bárbara sobre a qual se assentava e das consequências políticas e sociais graves, de longo alcance, a se estender para muito além da abolição. Ver *O abolicionismo: conferências e discursos abolicionistas*. São Paulo: Instituto Progresso Editorial. Não obstante, assinala, em *Minha formação*, São Paulo: Martin Claret, 2007, a dignidade engrandecedora do escravo e a sua contribuição decisiva para uma sensibilidade brasileira da qual se fez inseparável, em passagem que foi musicada por Caetano Veloso na canção "Noites do Norte", contida no CD do mesmo nome, lançado em 2000.

irresolvida, como o remédio irremediável em que pendulamos, na incapacidade de estender os seus dons vitoriosos e potentes às outras áreas da vida nacional — em especial à educação e à política, com implicações para todo o resto. E a mesma cegueira faz com que se queira gozar os seus efeitos como se fossem dados de presente e desde sempre e que se recuse a reconhecer o custo permanente de sua construção.

Se Machado de Assis realiza em obra, disfarçadamente, aquilo que a sociedade abafada que ele descreve faria supor impossível (a atualidade antecipatória de uma criação original no campo intelectual), o futebol brasileiro torna possível em campo aquilo que a sociedade brasileira sistematicamente não realiza (democracia racial em ato, elevação dos pobres à máxima importância, competência inequívoca no domínio de um código internacional). Para que seus dons se irradiassem para áreas menos lúdicas, seria preciso passar por algo como uma segunda abolição da desigualdade (para além da dicotomia de raças) e ao mesmo tempo por uma cura do dispositivo doentio segundo o qual o país é ou receita de felicidade ou fracasso sem saída — ou total ou nulo, ou panaceia ou engodo, ou paradisíaco ou infernal. A meu ver, essa é, aliás, a precondição imaterial de qualquer outra mudança.

Volta e meia fala-se da ideia do "país do futuro", com a obrigatória alusão depreciativa ao livro de Stefan Zweig, como uma ilusão compensatória do atraso. Mas a ideia fixa do país do fracasso, que vem associada automaticamente a essa crítica, é um efeito mais enviesado e mais capcioso da mesma síndrome. Em vez disso, seria preciso ver Machado de Assis pela lente de Pelé e Pelé pela lente de Machado de Assis. Se os sucessos do futebol brasileiro, por exemplo, são uma decorrência, entre outras coisas, da falta de instrução estrutural, seria o caso de atacar a falta de instrução tomando como modelo aquelas produções da cultura que vazaram e reviraram, sempre, os estigmas imobilizados da vida nacional. Quem não intui a possibilidade de um salto de eficácia geral em todas as frentes se uma ação educacional consistente produzisse as condições para que um povo artista e lúdico aprendesse criando, inventando, jogando, com um rigor até então inimaginável, de consequências para todas as áreas?

Uma revisitação aos intérpretes do Brasil da década de 30 nos faz lembrar de quanto está contida e rebatida, neles, a concentração de visadas positivas e negativas que se manifestam cruzadas nos fenômenos do grande escritor e do grande jogador. Pode-se dizer que as características da "formação do Brasil contemporâneo" em Caio Prado Júnior aparecem ao maior analista do nosso atraso como um *veneno* contaminante; que o mesmo processo, visto por Gilberto Freyre em *Casa-grande & senzala*, ganha as propriedades de um *remédio* — a ideia da civilização mestiça e original nos trópicos; e que em *Raízes do Brasil*, de Sérgio Buarque de Holanda, essa formação destila um implícito e ambivalente *veneno remédio* — o "homem cordial" afetivo e arbitrário, afável e truculento, personalista e inconsequente. Essas diferenças podem ser vistas como modulações de um mesmo campo problemático em que a *droga-Brasil*, aparecendo ora num polo, ora noutro, resiste como um *fármacon* rebelde à neutralização.

Em Caio Prado Júnior, a colonização brasileira é descrita como um capítulo longínquo e deslocado da história mundial do capital, uma empresa que se arma através da "incoerência e instabilidade no povoamento", da "pobreza e miséria na economia", da "dissolução nos costumes" e da "inércia e corrupção nos dirigentes leigos e eclesiásticos".[4] Esse aglomerado incoerente e desconexo, mal amalgamado sobre bases precárias, falho de projeto, de justiça, de limite e de caráter, constituindo uma sociedade voltada

---

4. Caio Prado Júnior, *Formação do Brasil contemporâneo*. 16. ed. São Paulo: Brasiliense, 1979, p. 356.

exclusivamente para a exploração econômica a longa distância, não conhece nenhuma vida popular que não seja a da população degradada pela escravidão, por um lado, e a massa marginal de homens livres sem perspectiva, por outro. Sob o realismo minucioso e implacável do seu crivo produtivista, Caio Prado Júnior não vê lugar para o despontar de alguma produção cultural original. Dos índios, avessos à sua incorporação em qualquer sistema produtivo moderno, Caio Prado não fala mais do que do vezo da cachaça (inseparável do rebaixamento a que são submetidos) e, *en passant*, do mutirão (como prática tribal residual, citada em nota de rodapé). Curiosamente, o ensaísta ilustra esse aspecto geral de inércia, estagnação, preguiça e moleza com um exemplo *avant la lettre* de futebol: conta ele que o viajante francês Saint-Hilaire, "depois de longas peregrinações e de uma permanência já de muitos anos em contacto íntimo com a vida do país [ainda na primeira metade do século XIX], não esconderá sua admiração, e por isso elogiará calorosamente os moradores de Itu e Sorocaba [...], porque encontrou aí [...] um *jogo de bola*; no estado de espírito em que se achava [...] constituía isto já uma 'prova' de energia".[5] Dado que o livro do viajante data de 1851, vemos que jogar bola figura casualmente, aí, mesmo antes da invenção do futebol, como uma vocação quase atemporal na vida popular brasileira, temperando um amolengamento inercial sem projeto e sem ação produtiva. Dopado pelo veneno da apatia brasileira ao longo da sua viagem pelos nossos interiores, Saint-Hilaire teria se deixado iludir pelo tônico energético e ilusório do jogo.

Reconhecemos na visão de Caio Prado Júnior não só uma perspectiva individual, mas também a fundação de um paradigma de abordagem do Brasil, com a sua linhagem crítica correspondente, na qual tem um lugar central a sociologia paulista

---

5. Idem, ibidem, p. 349.

e uspiana. Nesta, a ênfase recairá na identificação do atraso e do deslocamento brasileiro na ordem mundial, sem privilégio para originalidades culturais populares, consideradas pouco relevantes no quadro econômico e político. O diagnóstico produzirá uma teoria da dependência e uma análise da condição periférica. Se aplicado ao futebol, investe o seu tônus desmitificador na análise das condições socioeconômicas que cercam o esporte, sem chance para a contemplação de redentoras "gingas" e "jeitos de corpo" — e sem atribuir relevância à singularidade da imbricação cultural.

Mas o parágrafo final de *Formação do Brasil contemporâneo* guarda assim mesmo um índice de outra natureza, a ser ponderado: comentando as adaptações deslocadas do ideário revolucionário francês no fim do período colonial, em que essas, digamos, *ideias fora de lugar* antes do tempo ("liberdade, igualdade e fraternidade") se prestavam a variados e deslocados usos, aproveitando-se do caráter muito genérico e vago da fórmula ("senhores de engenho e fazendeiros contra negociantes; mulatos contra brancos; pés descalços contra calçados; brasileiros contra portugueses...", todos a reivindicar o mote revolucionário francês), Caio Prado Júnior observa que essas reivindicações calavam exatamente o conflito crucial e central de "escravos contra senhores". Isso se dava não só porque os próprios escravos não tinham voz política, mas também porque falavam, em última instância, uma outra linguagem: "*os escravos falavam — quando falavam, porque no mais das vezes agiram apenas e não precisaram de roupagens ideológicas —, falavam na linguagem mais familiar e acessível que lhes vinha das florestas, das estepes e dos desertos africanos...*" (o grifo é meu).[6]

---

6. Idem, ibidem, p. 377.

Intrigantemente, esse parágrafo final suspenso — um caso raro, se não único, de linguagem figurada e reticente no autor da *Formação do Brasil contemporâneo* — constitui-se, mais do que na identificação do déficit político da parte do escravo, e do ponto cego pelo qual o sistema escravista se reproduzia, num sinal de menos que sinaliza um *algo mais*: os escravos não falavam *ideias*, mas falavam um *lugar fora das ideias*. "Florestas", "estepes" e "desertos" podem ser lidos figuradamente, se interpretamos bem a alusão a certa "linguagem mais familiar e acessível", como gestualidade, dança, música, religião — inominadas ações extraideológicas —, ações simbólicas e materiais não despidas de beleza ou violência. O ensaísta reconhece aí a sobra de uma dimensão *a-histórica* ou fora da história ocidental moderna que lhe serve de parâmetro para a análise do "sentido da colonização". Assim, o livro de Caio Prado Júnior tem, entre outros méritos, o de apontar em última instância, ainda que indiretamente, para aquilo que ele mesmo silencia: as vozes caladas da população escrava, que habitam uma outra temporalidade.

Gilberto Freyre, a seu modo, e com pressupostos muito diferentes, não faz outra coisa senão dar corpo ao lado dionisíaco dessa presença silenciada em Caio Prado Júnior — a sobra, ou o excedente humano, investida nessa empreitada colonial. Longos capítulos sobre a "bicontinentalidade" como que bissexual — europeia e africana (moura) — do português; sobre o erotismo, a culinária, as técnicas de corpo, as influências linguísticas, os brinquedos (incluindo os jogos de bola) do índio; sobre o universo afro-brasileiro e a permeabilidade entre a casa-grande e a senzala, tudo isso é a marca registrada do seu livro mais famoso e influente. O despotismo patriarcal brasileiro, como ele o descreve, é uma imbricação violenta e vivaz de antagonismos, de truculência e proximidade, de diferenças sem contradição, de hibridismo e *hybris* unidos plasticamente num "amálgama tenso, mas equilibrado".[7] O mundo colonial aí tratado está longe de ser idílico, ao contrário do que às vezes se supõe ou se diz a respeito de Gilberto Freyre. Nele, os patriarcas, não contrastados senão por rivais que se lhes equivalem, permitem-se castigar e matar escravos e escravas, esposas infiéis e filhos insubordinados, além de exercer todo o tipo de violência sexual. Uma propensão generalizadamente sádica, diz Freyre com todas as letras, permeia e contamina todas as relações de mando, com a correspondente e difusa contrapartida masoquista.

As transgressões que ele explicita são, ainda e sobretudo, violências domésticas, e não as economicamente estruturais do eito, do trabalho do engenho, que ficam ausentes desse clássico da vida privada. Porque a família aparece aí, afinal, como a unidade produtiva e polarizadora da colonização brasileira, em contraste com a empresa colonial, como que sem família, que vige no livro de Caio Prado Júnior. Se na Grécia, por exemplo — compara Ricardo Benzaquen de Araújo —, a escravidão liberava o senhor para o exercício da cidadania e a dedicação à vida pública, no modelo da casa-grande, ao contrário, o senhor se vale da escravidão para depositar todos os seus interesses na esfera mais privada da existência: lucros fáceis nos negócios e satisfação ilimitada dos apetites. Em Gilberto Freyre, ainda assim prevalece, como turbulenta utopia retrospectiva da integração brasileira, azeitada pelo "óleo lúbrico da profunda miscigenação",[8] o "ideal de uma família extensa, híbrida e — um pouco como no Velho Testamento — *poligâmica*, na qual senhores e escravas, cercados de herdeiros legítimos e ilegítimos, convivem sob a luz ambígua

---

7. Ricardo Benzaquen de Araújo, op. cit., p. 57.
8. Gilberto Freyre, op. cit., p. 160.

da intimidade e da violência, da disponibilidade e da confraternização".[9]

O século XIX, tratado em *Sobrados e mucambos*, recobre essa unidade perversa, polimorfa e anarcodespótica do Brasil colonial com novas camadas e vernizes de europeização civilizante. Nela, há lugar para a ascensão de mulatos destacados do magma colonial e assimilados, ainda que ambiguamente, a um modo de vida ocidental modernizante (é onde se inclui, e o que a explica nesse nível sociológico, a figura de Machado de Assis como tipo — o do mulato europeizado sobre cuja condição mestiça paira silêncio). Trata-se aí da invenção de um superego social que a elite inculca a si mesma, de uma hipoteticamente nova função paterna capaz de colocar limites aos impulsos desordenantes do patriarcalismo tradicional, investida, no entanto, de um projeto de codificação civilizatória que se vê obrigado a jogar para baixo de um tapete curto demais o substrato colonial rebelde à desaparição, com o correspondente efeito teatral e algo postiço desse esforço.

É assim que a europeização dos sobrados, distanciados por sua vez dos mucambos, engata na contramarcha do projeto histórico-ideológico de Gilberto Freyre: no país agora independente, os polos promíscuos de *Casa-grande & senzala* se afastam um do outro, perdendo o seu vigor ambivalente e ameaçando cindir aquele fundamento simbiótico e inconsciente que seria, para o ensaísta, o único cimento, ainda que movediço, capaz de constituir uma unidade nacional. A essa linha divergente — civilizadora e europeizante — Gilberto Freyre contrapõe, então, a emergência quase milagrosa, como um *deus ex machina* que viesse do Hades, e não do alto, o povo mulato.[10] Uma inacabada teoria da mulatice sugere afinal o mestiço, racial e cultural, como o intérprete por

---

9. Ricardo Benzaquen de Araújo, op. cit., p. 54.
10. Idem, ibidem, p. 151.

excelência da "reciprocidade de culturas" que forma a sociabilidade brasileira. Esta vigora insistentemente, pode-se dizer, num substrato carnavalizante que a Reforma e a Contrarreforma recalcaram na Europa desde o século XVII. A mistura de sagrado e profano, de cristianismo animista e politeísmo, de religião, festa e jogo, inscritos no fundo colonial, ganha vida renovada na população mestiça sob a escravidão abolida.

O saldo étnico da "sociedade agrária, escravocrata e híbrida", em sua tardia transição para o moderno, forma a base da operação implícita por meio da qual a obra de Gilberto Freyre realiza o seu desígnio originário inconfessado: algo como a passagem do *vira-lata* ao *vira-ser*. Trata-se de apostar na transmutação do povo mestiço desqualificado pelo determinismo científico novecentista, de convertê-lo teoricamente a seu próprio potencial, de transformá-lo paradoxalmente no que ele é, de potencializar o *fármacon* e extrair dos venenos da colonização escravista o remédio da civilização original nos trópicos. Essa reversão estava configurada no modernismo da década de 20: nos termos de Oswald de Andrade, corresponde a devorar a dimensão assustadora do outro, "transformar o tabu em totem", virar o recalque de ponta-cabeça e converter os próprios entraves traumáticos da formação brasileira em fermento libertador.

Em Gilberto Freyre, essa passagem pôde ser anunciada e assistida no advento do futebol brasileiro. O seu crivo lhe permite falar no adoçamento curvilíneo (e quase elíptico) do anguloso futebol anglo-saxão quando jogado no Brasil, porque pressupõe, diferentemente daquele de Caio Prado Júnior, um tropismo positivo guiado pela força hibridizante da mestiçagem e um potencial recalcado que vem à tona como capaz de revirar no seu contrário. Tal como vimos, Gilberto Freyre idealizou ilusoriamente a passagem, no prefácio a *O negro no futebol brasileiro*, de Mário Filho:

pensou a sublimação estetizada da ameaçadora violência social brasileira, realizada pelo futebol e pela música popular, como uma panaceia político-social capaz de harmonizar o país e o perigo de um povo indomado.

Contudo, sejam quais forem os limites de sua cristalização ideológica, especialmente *a posteriori*, os livros de Gilberto Freyre da década de 30 produziram o impacto da instauração de um paradigma apoiado na autorização para *saltar ao polo oposto* e ver os estigmas da colonização brasileira *pelo seu próprio avesso*. A *violência mestiçante* de fundo, uma vez desvelada — e cujo nome, se dito, seria um aterrador *estupro amoroso* —, investe-se de um poder catártico e redentor: um trauma ou um *carma* histórico do qual terá derivado, paradoxalmente, uma humanidade aberta às diferenças. Com alguma liberdade associativa, mas nem tanta, vemos na instauração desse crivo a precondição para que outros intérpretes, tomados de certo furor profético e com uma visão social mais crítica do que a de Gilberto Freyre, tenham postulado e vislumbrado um potencial libertário e redentor nessa conjuração de horror e maravilha que é o Brasil. É o caso de Darcy Ribeiro, ao definir a formação brasileira como a "máquina de moer gente", que, ainda assim, é capaz de produzir a promessa do povo moreno original; de Zé Celso Martinez Corrêa, indo da corrosão paródica à epifania dionisíaca com a união íntima de tragédia e carnaval; da Tropicália, posta entre o "otimismo trágico" e o "pessimismo alegre" graças aos quais Caetano Veloso pôde cantar os "Milagres do povo" ("Quem descobriu o Brasil/ Foi o negro que viu/ A crueldade bem de frente e ainda produziu milagres /De fé no extremo Ocidente").[11]

Nesse caso, a disposição sadomasoquista do patriarcalismo colonial brasileiro, com sua violência constitutiva lubrificada pelas trocas culturais, como formuladas por Gilberto Freyre, é

11. Ver Caetano Veloso, op. cit., pp. 42-73.

objeto de uma reversão antropofágica: a antropofagia, vista assim, não deixa de ser um sadomasoquismo redentor de outra natureza, com o sinal trocado, em que a violência social é projetada na criação artística, absorvida e resgatada pelo sacrifício do reconhecimento ao outro. O Brasil é uma espécie de lugar do sem lugar *que é o lugar*. Pasolini, de passagem pelo país em 1971, ressoa instintiva e imediatamente essa mesma disposição, ao tomar para si a "desgraçada pátria devotada sem escolha à felicidade".[12] No Brasil, a desgraça incontornável da herança histórica teria o dom, quase inconcebível em sociedades cristalizadas e dicotômicas, de forçar o rumo na direção da invenção utópica pela festa e pelo jogo, tornados realidade (lembremos, nesse mesmo ponto, de Vilém Flusser identificando, na sua *Fenomenologia do brasileiro*, uma saída inusual da condição alienada através da alienação da alienação).[13]

Vemos, então, que os dois paradigmas não se soldam, mas também não se soltam, simetricamente unidos pelo ponto cego que converge neles. Se o de Caio Prado Júnior põe ênfase na *empresa* colonial conjugada a uma sociedade amorfa, e o de Gilberto Freyre numa *família* patriarcal como usina de contatos híbridos, o vértice oculto para o qual apontam ambos, na sua intrigante conjugação antitética, seria a imbricação do público e do privado, a mistura do interesse particular com a vida das instituições, a confusão característica entre a *política* e a *economia*, a personalização e a privatização das instâncias representativas da coletividade. E é isso, sintomaticamente, que salta à vista em *Raízes do Brasil* de Sérgio Buarque de Holanda: a permeabilidade, para o bem e para o mal, entre o público e o privado no mundo cordial personalista, a mesma permeabilidade que faz fervilhar de apelidos e diminutivos característicos o panteão de jogadores do futebol brasileiro, em

12. Do poema "Hierarquia", cf. nota 8 do capítulo 3.
13. Cf. supra, pp. 175-6.

contraste cabal com as escalações de todo o resto do mundo ocidental, simbolizados por "sobrenomes". A mesma permeabilidade que é inseparável, certamente, do estilo singular de jogo que grassou no Brasil.

Já comentamos que essa disposição ambivalente e mal servida de limites produziu ao mesmo tempo a informalidade e a impunidade, o carnaval e o favorecimento ilícito, o estilo versátil e a irresponsabilidade, a afabilidade e a truculência, a invenção original e a ignorância básica, a mistura e o imobilismo. No caso específico do futebol: uma reserva coletiva inesgotável de futebol criativo nas mãos de dirigentes que a dilapidam em benefício próprio; uma cultura notável pelo seu alcance inventivo, que germina na incultura; um gigantesco deslocamento das energias produtivas para a esfera lúdica, que só retorna sobre as outras áreas da vida como produção de ilusão fugaz, deixando os problemas intocados.

Como se colocava nos anos 30, a linha ambivalente de interpretação voltada para o diagnóstico do dilema nacional, representada por *Raízes do Brasil*, privilegiava a contradição entre a originalidade brasileira e a sua problemática inserção na modernização. É o que podemos reconhecer, por exemplo, na síntese, feita por Fernando Novais, do livro de Sérgio Buarque: *se o Brasil permanece Brasil não se moderniza, se se moderniza deixa de ser Brasil*.[14] Note-se que a primeira parte do enunciado repõe o crivo de Caio Prado Júnior, e a segunda o de Gilberto Freyre, como se nessa ambivalência se fundissem, num espasmo, os dois. É exatamente esse, também, o cerne agônico do *Macunaíma*, cujo herói é irresponsável, mentiroso, casuísta, inconsequente, incapaz de sustentar projeto, ao mesmo tempo em que é plástico, versátil, adaptativo, inteligente, criativo e tragicamente

---

14. Fernando Novais, "De volta ao homem cordial", em Milton Meira do Nascimento (org.), *Jornal de Resenhas*, vol. 1, São Paulo: Discurso Editorial, 2001, pp. 45-6.

único (é preciso não baratear a complexidade desse paradoxo no livro de Mário de Andrade).

Uma vasta expressão da produção cultural brasileira entre os anos 20 e os anos 60 tenta enfrentar e mergulhar nesse dilema, submetendo-o a operações simbólicas ou, por assim dizer, alquímicas, em que o popular toma parte fundamental — seja o profetismo terceiro-mundista de Glauber, a escritura transcendental do sertão de Guimarães Rosa ou a iluminação dos paradoxos obscuros e recalcados do Brasil pela Tropicália. Mas o grosso do processo do país foi se modernizando sem assimilar o alcance transformador, espiritual e político dessas propostas e provocações culturais, as contradições que elas traziam à tona, sem atar nem desatar o nó e o imbróglio da ambivalência brasileira. Ao contrário, o país foi, de certo modo, *se modernizando sem deixar de ser Brasil e sendo Brasil sem se modernizar*, isto é, entrando de maneira arrevesada numa modernidade compulsória que nem a realiza e nem o realiza: o país "condenado ao moderno", no dizer de Mário Pedrosa, e sem tradição que não seja a da sua invenção, sem passado que não seja o seu futuro, girando em falso na modernidade nunca atingida — que não põe em vigor, para dizer o mínimo, as exigências da cidadania, a desconcentração da renda, a educação de alcance geral —, e que dá sinais de decomposição localizados e múltiplos. Em suma, não sabendo converter sua inserção heterodoxa na modernização e na globalização numa crítica de ponta da modernização e da globalização.

O custo dessa operação perdida é alto para uma vida pública marcada, com a mercantilização universal e a saturação das mídias, pelo aumento do fosso social, existencial e cultural entre classes, pelo rebaixamento da vida letrada, pela superficialização e pelo embrutecimento dos debates. Já que fazer a crítica da insuficiência brasileira tornou-se senso comum, ocorre um efeito vicioso e rebarbativo em que a crítica do mesmo é o mesmo, o que não altera o vaivém entre deslumbramento e corrosão. O espaço público tornou-se, com isso, uma espécie de Fla-Flu deslocado, sem beleza, sem perspectiva e sem regras.

A extraordinária complexificação do país e do mundo adensa, embaralha e emaranha linhas que foram mais claras, embora contraditórias e contrárias entre si, aos olhos dos intérpretes do Brasil na década de 30. Sobre esse imponente *coro dos contrários* basta notar, por exemplo, que, enquanto a primeira página de *Raízes do Brasil* diz que "somos ainda hoje uns desterrados em nossa terra", a de *Casa-grande & senzala* diz enfaticamente que o Brasil é a "prova definitiva" da aptidão da colonização portuguesa para a vida tropical, e a de *Formação do Brasil contemporâneo* diz que "o Brasil não é senão um episódio, um pequeno detalhe" no "quadro imenso" da mundialização dos mercados como empreitada da Europa sobre a América, a África e a Ásia. Conseguimos a proeza de ser, portanto, a um só tempo aptos e adaptados, atados e atrasados, e desencontrados de nós mesmos. Mas é justamente, a meu ver, o desvelamento dessas linhas cruzadas que esses intérpretes traçaram, unificando o campo do seu pensamento, que os atualiza perante o conturbado quadro novo que se coloca. Pois um Brasil em movimento irresolvido, maior do que eles, se pergunta e se diz através deles.

Entre as mudanças culturais cruciais das últimas décadas está o fato de que a marginalidade escancarada pelo crime organizado, que remanejou drasticamente o imaginário da favela na vida brasileira, ganhou dimensão nacional e elaboração cultural correspondente na literatura, no cinema, no rap, no funk. (A comemorar um gol, jogadores de futebol estão visivelmente longe da cultura religiosa que acompanhou o jogo na forma "malandra" dos trabalhos de macumba: ora apontam o céu, gesto que Kaká mundializou, numa alusão ao divino, de base evangélica, ora apontam e acionam uma metralhadora imaginária.) Ao roubar a cena da "dialética da malandragem" que enformou a imagem do Brasil na primeira metade do século por meio do samba e do futebol, a *dialética dura da marginalidade*, sem síntese, sem folga e, afinal, sem dialética, marca a atmosfera geral do país com a lembrança surda e recalcada de um custo social não redimido. Ela não elimina, no entanto, certa confusão peculiar e resistente entre ordem e desordem, tampouco uma dinâmica cultural mais fluida, que é o seu avesso. Instaura-se assim uma certa zona indecidível entre a dureza e a moleza, entre o corte drástico da violência e a indefinição renitente, que desafia qualquer formulação política, artística ou teórica.

Ao lado disso, a crítica da ideia de mestiçagem como traço singular da existência brasileira e como categoria operante para o entendimento do Brasil, levada a efeito por uma militância racialista de inspiração norte-americana, com presença significativa na universidade, pretende converter os termos complexos do problema à oposição inequívoca entre branco e negro.[15] Embora apareça também como um sintoma real — a revanche contra séculos de escravidão e indefinição —, essa corrente, calcada num padrão norte-americano, tenta o impossível: desmitificar a história da experiência brasileira à luz de uma ontologia racial dualista que essa mesma experiência desmente e problematiza. A droga-Brasil é irredutível a uma lógica simplista. As potencialidades surpreendentes e transformadoras do país, mesmo que utópicas ou frustradas, se revelaram sempre, em dimensão cultural, quando se suspenderam num mesmo lance barreiras sociais e mentais e quando veio à tona — na literatura, na música, no futebol e em outros campos — a combinação inusitada de que ele é feito.

---

15. Uma crítica englobante a essa visão é desenvolvida por Antonio Risério em *A utopia brasileira e os movimentos negros*. São Paulo: Editora 34, 2007.

Peço ainda a paciência do leitor para mais uma visita ao tema do destino da *malandragem* no Brasil, com algumas de suas implicações atuais. Como se sabe, Antonio Candido identificou em 1971, através do romance *Memórias de um sargento de milícias* (1853), de Manuel Antônio de Almeida, o processo da "dialética da malandragem" como o mecanismo de oscilação entre a ordem e a desordem que caracteriza a sociabilidade brasileira, com a sua característica labilidade entre os opostos e a sua facilidade para juntar elementos supostamente incompatíveis. No romance, cuja ação se passa no fim do período colonial, durante o interregno brasileiro de d. João VI, um "rancho de baianas", por exemplo, dança numa procissão católica como se fosse já a ala de uma futura escola de samba; o contraventor festeiro sai da prisão investido já como sargento de milícias; o protossambista faz a caricatura da autoridade sem deixar-se pegar e o representante da lei está afinal vestido de uniforme militar da cintura para cima e de "sambista" da cintura para baixo. Essa oscilação entre hemisférios distintos, mas porosos e promíscuos, podia ser vista como uma interpenetração do *cabedal* com o *carnaval*, da ordem produtiva com a improdutiva, da lei com a contravenção, flagrada naquela camada popular de homens livres não proprietários que, à margem da escravidão, viviam a sua condição parasitária e indolente num animado moto-perpétuo de rixas e festas. Focalizado num segmento intervalar da sociedade escravista, o dos homens livres na ordem escravocrata — o barbeiro, o sacristão, o cigano, a comadre, o meirinho, a Maria-Regalada, a gente de ocupação indefinida às voltas com súcias e patuscadas, todos envolvidos em famílias informais e transitórias —, esse regime "malandro" teve o poder de se irradiar pelo conjunto social num processo cujo caráter contagiante desafia a interpretação. Como disse Paulo Arantes, "o mais surpreendente é que esta arraia miúda, beirando a anomia", esse conjunto de desocupados na fronteira e à margem das classes decisivas para a produção, fornecesse o "tom ideológico para o conjunto da sociedade", instaurando uma labilidade entre opostos, uma interpenetração festiva da qual participarão, a seu modo, os descendentes de escravos e os "detentores do mando social".[16] Que o modo de vida de uma classe economicamente não decisiva se transforme em "tom ideológico" generalizado, ou, mais que isso, em modos de relação irradiados por todo o conjunto social, não é, certamente, uma passagem fácil de ser explicada. Tal permeabilidade é surpreendente, eu diria, justamente porque relativiza a categoria *classe social* como capaz de dar conta da dinâmica aí envolvida, vazando contagiosamente fronteiras estruturais. Na colônia, o vínculo econômico com a história mundial e a produção para um mercado distante, aparentemente irreal, se expõe à presença concreta das culturas rituais ou semirrituais, festivas, hibridizadas, "a-históricas" e já marcadas, na base, pelo senso carnavalizante de seu efeito diferido em relação aos modelos colonizadores, aos quais se misturam. Um saldo paródico é quase inerente a esses encontros cotidianos de diferenças, como se vê em tantas cenas e quadros do romance de Manuel Antônio de Almeida e na própria figura de um rei ausente ("Era no tempo do Rei") que ri das trapalhadas de seus meirinhos — representantes da lei que, na primeira página do livro, pedem propina para relaxar seus mandados. Que uma Corte fugida e desembarcada intempestivamente no Rio de Janeiro possa soar como um cortejo carnavalesco, e que o rei, d. João VI, ganhe um indisfarçado aspecto momesco em consonância com o universo ambivalente sobre o qual paira, são motivos quase obrigatórios da cena colonial tardia, cujo substrato *Memórias de um sargento de milícias* flagrou de modo único. Esse mundo tem largo alcance numa história cultural popular brasileira subjacente ao desenvolvi-

---

16. Paulo Eduardo Arantes, "A fratura brasileira do mundo: visões do laboratório brasileiro da mundialização". In *Zero à esquerda*. São Paulo: Conrad, 2004, p. 62.

mento do samba, e vai desembocar por outro lado, como já dissemos, nos escritos de João Saldanha sobre Garrincha. De maneira desidealizada e sem maiores moralismos, essa cultura goza do privilégio de não levar as mascaradas do poder demasiado à risca e de manter uma considerável margem de folga perante apelos produtivistas estritos.

Foi exatamente isso que Antonio Candido viu no livro, de cuja análise extraiu, na parte final de seu ensaio, uma interpretação de surpreendente acento positivo: sua atmosfera produziria um encantador "mundo sem culpa" de ânimo democrático e tolerante, avesso a estigmatizações e caças a bruxas. Compara o caráter excludente de sociedades puritanas, como a norte-americana monorracial e monorreligiosa (onde a forte introjeção da lei endureceria o indivíduo e o grupo, conferindo certa identidade e resistência, mas desumanizando as relações), com o caráter potencialmente dialógico e aberto da sociabilidade espontânea no Brasil (onde o abrandamento dos choques entre a norma e a conduta desafogaria os conflitos de consciência permitindo maior aceitação do outro). Assim, naquele momento de ditadura em que foi escrito o texto, a "dialética da malandragem" (e o decorrente "mundo sem culpa" ao qual está associada) aparece a Antonio Candido como vantagem sobre a ética protestante e o espírito do capitalismo e como um "trunfo para a hipótese de nos integrarmos num mundo mais aberto" (conforme a resenhou Roberto Schwarz). Inspirado pela leitura das *Memórias de um sargento de milícias*, Antonio Candido opta, pois, pela tônica afirmativa da ambivalência sérgio-buarquiana e introduz no paradigma uspiano um inusual elogio das peculiaridades brasileiras natas.

Ao fazer o balanço positivo do método crítico exemplar do mestre, em "Pressuposto, salvo engano, de 'Dialética da malandragem'", Roberto Schwarz introduz, não obstante, a contrapelo, o "comentário impiedoso da atualidade" e critica a positividade da interpretação final.[17] Rebatendo dialeticamente "o encantamento em que se move a parte final do ensaio" de Antonio Candido, ressalta a necessidade de pensar os processos socioculturais, norte-americano e brasileiro, no quadro da "extraordinária unificação do mundo contemporâneo, sob a égide do capital". Diante deste, conforme Schwarz, as mônadas socioculturais imaginárias das nações já não fariam sentido, assim como o valor explicativo do entrelaçamento histórico e a-histórico, no Brasil, de ordem e desordem, de cabedal e carnaval, muito menos de Europa e África. Em vez disso, "o chão prioritário de *tudo*" é a história socioeconômica, que deve ser capaz de incluir e interpretar "inclusive o que lhe pretenda escapar". Podemos dizer que, nesse momento, Roberto Schwarz está reconstruindo o *paradigma Caio Prado Júnior*, para o qual o que vale é o sentido geral da formação brasileira na história mundial do capital, perante o qual o elogio do "mundo sem culpa" da especificidade brasileira terá sido um devaneio do mais alto nível, a ser, no entanto, identificado e corrigido como tal.

Ao fechar o argumento, Schwarz acrescenta, a propósito, um aspecto menos geral mas, me parece, no ponto: a repressão desencadeada pela ditadura militar, "com seus interesses clandestinos em faixa própria, sem definição de responsabilidades, e sempre a bem daquela mesma modernização", participaria também, de forma perversa, nada encantatória, democrática e potencialmente progressista, da atmosfera de "mundo sem culpa" que caracterizaria a "dialética da malandragem". A esse exemplo, próprio de um estado de exceção, poderíamos, concordando com a objeção, acrescentar outros, mais cotidianos, resistentes e típicos, que participam da fenomenologia do "mundo sem culpa" como um sorve-

---

17. Roberto Schwarz, "Pressupostos, salvo engano, de 'Dialética da malandragem'". In *Que horas são?* São Paulo: Companhia das Letras, 1989, pp. 129-55.

douro para o abismo: violência parapolicial, tráfico de influências, impunidade pelo alto, apropriação particular da coisa pública quase como praxe da vida política (e tal como veio à cena, de maneira indefinida entre a saúde ou a doença nacional, nas duas últimas décadas). Assim também, enquanto a intolerância e o racismo explícito nos Estados Unidos se fazem acompanhar em alguns momentos de clara afirmação de direitos individuais politicamente corretos, no Brasil a flexibilidade e a tolerância convivem com a anomia e a dificuldade, quando não a ostensiva resistência, a formulá-los e afirmá-los (o que situa, por sua vez, a razão de ser, junto com a sua artificialidade, do argumento racialista no Brasil).

Se formos fundo na própria formulação textual de Antonio Candido, porém, vemos que ela mesma é mais complexa do que a sua conclusão explícita e vai mais além de uma caracterização dual do positivo e do negativo. Ao definir a sociabilidade brasileira a partir da análise do romance, Candido apresenta-a como uma "vasta acomodação que dissolve os extremos, tira o significado da lei e da ordem, manifesta a penetração recíproca dos grupos, das ideias, das atitudes mais díspares, criando uma espécie de *terra de ninguém moral onde a transgressão é apenas um matiz na gama que vai da norma ao crime*" (o grifo é meu).[18] Ou seja, essa realidade movediça, na qual se reconhece o Brasil, é um largo gradiente sem lastro fixo que comporta, como aspectos do mesmo processo, a malandragem carnavalizante e a marginalidade terrífica confundida com a ordem.[19] Sem fechar-se numa definição de tipo essencialista, o núcleo dialético do argumento de Antonio Candido identificava

---

18. Antonio Candido, op. cit., p. 51.
19. Como Gilberto Freyre temia, aliás, no seu prefácio ao livro de Mário Filho — no caso de que o futebol e a música popular não cumprissem suficientemente o seu papel sublimador e harmonizador.

assim, na sociabilidade brasileira, um campo pouco favorável ao enraizamento da personalidade autoritária, ao preço de deslizar numa pista em que a norma e o crime se comunicam virtualmente através de um sem-número de expedientes intermediários. Digamos que a efetuação cabal desse arco fluido, em toda a sua extensão e em sua polarização cruzada, marca hoje o país e, de maneira emblemática, a cidade do Rio de Janeiro, levando a "dialética da malandragem", que é também a da marginalidade, à mais plena realização da sua irrealização (sem carregar no paradoxo, mas acentuando o fato como expressão da não realização social de suas potencialidades positivas).[20] Por outro lado, vale lembrar que foi exatamente por esse mundo vivo e aberto ao contato real entre os opostos mais sublimes e terríveis que Pasolini se apaixonou, em sua passagem pelo Rio, à mesma época da publicação de "Dialética da malandragem" (mundo que ele contrapunha ao aburguesamento e à fascistização que via na juventude italiana). Essa posição ressoa ainda, pode-se dizer, na afirmação recente de Jorge Mautner: "ou o mundo se brasilifica, ou vira nazista".

Paulo Arantes retomou, no já citado "A fratura brasileira do mundo: Visões do laboratório brasileiro da mundialização",[21] o mote do "mundo sem culpa". Empenhado em liquidar qualquer ilusão acerca da sociabilidade plástica e versátil brasileira enquanto um trunfo no cenário nacional ou mundial, toma como referência derrisória o conceito de *brazilianization* — categoria sociológica criada por Michael Lind para nomear o processo pelo qual avança nos Estados Unidos a fratura social, a cristalização em castas que

---

20. Um exemplo cancional do sentimento de ambivalência em relação ao Rio de Janeiro: Chico Buarque faz em "Subúrbio", do CD *Carioca* (2006), o lamento do Rio como cidade partida, e em "Carioca", do disco *As cidades* (1998), o elogio do Rio como cidade fusional.
21. Em Paulo Eduardo Arantes, op. cit., pp. 25-77.

separa os brancos ricos no topo, emparedados em condomínios fechados e destituídos de quaisquer obrigações cívicas, os negros e mulatos na base, abandonados à sua sorte, e uma "aflita maioria" espremida e sem esperanças.[22] Completa o quadro uma guerra de classes horizontalizada, em que "o ressentimento provocado pelo declínio econômico" se expressa "muito mais na hostilidade entre grupos na base do que numa rebelião contra os do topo",[23] acompanhada ainda de um aumento significativo na proporção dos encarceramentos. A emergência desses aspectos "brasileiros" na desordem-em-progresso norte-americana, reconhecíveis também em países europeus de ponta, nomeadamente a França, poriam o Brasil, segundo Arantes, na posição exultantemente vexaminosa de constituir-se na "vanguarda do pior": o "país do futuro" realizaria por antecipação a fratura social em andamento nos Estados Unidos e na Europa, sem nunca ter chegado a cumprir minimamente a "agenda" moderna. Arantes anuncia, assim, sem disfarçar certo júbilo hipercrítico, que o futuro do mundo é o Brasil e que o *Brasil é o fim do mundo*, nos vários sentidos da palavra *fim* — destino, consumação, fracasso. Despreza as leituras positivas do modo brasileiro no quadro contemporâneo e dá o processo por arrematado: reduz em massa a singularidade brasileira à sintomatologia do "cronicamente inviável" (tomando o filme de Sérgio Bianchi como referência).

Sempre se pode dizer que há todas as razões para o pessimismo, menos uma, ou meia: que *o jogo só acaba quando termina*, como se diz na gíria futebolística, e que ninguém está em posição de dominar todas as suas variáveis. Além disso, a cultura dá sobre os estados das coisas testemunhos às vezes mais interrogantes e inacabados e, por isso mesmo, mais afirmativos do seu estado de

---

22. Em Michael Lind, *The next American nation*. Nova York: The Free Press, 1995.
23. Paulo Eduardo Arantes, op. cit., p. 31.

acontecimento. Voltando ao nosso assunto central: o quadro traçado indica o lugar único que o futebol acabou por ocupar no mundo contemporâneo. É um lugar amplamente exposto à violência entre iguais, à guerra horizontal de classes, ao dilaceramento social e à anomia, que encontram nele um ponto de descarga. Exposto igualmente a todas as manobras da publicidade capitalista, é ainda assim o lugar onde se encontra algo que "falta ao cotidiano capitalista", como disse Terry Eagleton considerando o futebol inglês, ou algo que não se encontra facilmente no mundo: um código simbólico reconhecível, capaz de expressar e atravessar as diferenças culturais, a postulação e a superação da concorrência na forma de um jogo-rito, a *quadratura do circo*, mesmo no limite da sua inviabilização.

EPÍLOGO

Quando as figuras de Pelé, Garrincha, Ronaldo e Ronaldo Gaúcho, representantes da lenda do futebol brasileiro, provindos de um país que sempre equacionou mal as suas dificuldades e potências, são legíveis com nitidez nos mais remotos confins do planeta como uma *promessa de felicidade* que se cumpre, pensamos no "Emplasto Brás Cubas" de Machado de Assis: a pretendida panaceia que deveria curar a humanidade, mas que em vez disso causa ridiculamente a morte de seu inventor, antes mesmo que ele chegue a inventá-la. Não é difícil ler nesse episódio uma alusão irônica e corrosiva ao Brasil. Mas se o famoso drible em xis, de Pelé, sobre o goleiro do Uruguai, na Copa de 1970, nos remete ao xis da ideia fixa de Brás Cubas ("pendurou-se-me uma ideia no cérebro. [...] Deu um grande salto, estendeu os braços e as pernas, até tomar a forma de um X: decifra-me ou devoro-te"), ele realiza, em outra chave, junto com os dribles e cabriolas de Garrincha, a quintessência do emplasto: *o alívio da nossa melancólica humanidade* ("essa ideia era nada menos que a invenção de um medicamento sublime, um emplasto anti-hipocondríaco, destinado a aliviar a nossa melancólica humanidade"). (Que o diga o diretor da biblioteca de Bagdá, ao reconhecer, como vimos, o valor inestimável da atuação do técnico brasileiro que levou o time iraquiano, em território conflagrado, a conquistar em 2007 a Copa da Ásia unindo excepcionalmente sunitas, xiitas e curdos.)

Para além do bem e do mal, o futebol brasileiro insiste, desafiadora e ironicamente, como *o emplasto Brás Cubas que deu certo*. Quando os sinais legíveis do Brasil são interpretados no mundo como levemente inconsequentes no seu chamado ao prazer, ao mesmo tempo em que o país, regido pelos *frívolos* e os *graves* — "as duas colunas máximas da opinião" —, se torna superficial e pesado, ele testemunha ainda, ou testemunhou, junto com a música popular, e não descolado da literatura, uma das mais originais propostas do nosso esboço de civilização: a respiração fora do produtivismo sem trégua, a capacidade de comunicação entre lógicas múltiplas, e a leveza profunda.

Índice remissivo

"1 x 0" (choro de Pixinguinha & Lacerda), 208

Ab'Sáber, Tales, 339, 343-4
Abbondanzzieri, 163
Ademir da Guia, 322-5, 331, 382
"Ademir da Guia" (João Cabral), 324
Adidas, 160, 354, 357, 372
Adorno, Theodor, 149, 154
Adriano, jogador, 126, 385, 392
Afeganistão, 23
Afonsinho, jogador, 327
África, 23-4, 38, 355, 420, 425
Agamben, Giorgio, 73
Agostinho, Santo, 247
Ajax, 47, 134
Albertosi, 292
Alemanha, 21-2, 27, 65, 135, 163, 310, 321, 326, 340, 354, 379, 385-6, 394
Alencar, José de, 254
Alexandre Pato, 402
Alicate, goleiro, 31
alienação, 43, 175-7, 180, 210, 417
Allen, Woody, 144
Allianz Arena, estádio, 66
Almeida, Manuel Antônio de, 189, 279, 422-3
Almirante, cantor, 252
Amarcord (filme), 30
Amarildo, jogador, 282
Ambev, 388
ambivalência, 418
América do Rio de Janeiro, 102, 198, 212, 236
América do Sul, 24, 218, 351, 355
América Mineiro, 319
Anatomia de uma derrota (Perdigão), 246-7
Anderson, 369
Andrade, Carlos Drummond de, 273, 284, 307, 348
Andrade, Mário de, 181, 209-10, 222, 230, 235-6, 275, 278, 307, 419

Andrade, Oswald de, 180, 224, 235, 356, 415
Ano em que meus pais saíram de férias, O (filme), 12
Antezana, Luis, 214, 271, 273, 276
Antonio, tio de Ademir da Guia, 323
Antropofagia, 181, 207, 303, 358, 400, 415, 417
apelidos, 364-8, 417
"Aquarela do Brasil" (Ari Barroso), 236
Arábia Saudita, 119
Aranha Negra *ver* Yashin
Arantes, Paulo Eduardo, 422-3, 427
Araújo, Ricardo Benzaquen de, 264, 413
arbitragem, 104-10, 128-9, 192
Arco e a lira, O (Octavio Paz), 317
Arendt, Hannah, 124
Argentina, 17, 22, 56, 64, 135, 163, 194, 201, 213, 224, 235, 321, 326, 328, 335, 337, 339, 345, 380, 385; e o Brasil, 336-8; *vs.* Alemanha, 163
Argentina 6 × Peru 0 (1978), 328
Arnaldo, jogador, 213
Arnold, Thomas, 91
arte, 396, 397, 398, 402; norte-americana, 146-8, 150
Ásia, 24, 420, 430
Assis, Machado de, 40, 168-70, 172-4, 179, 191, 198, 206, 227, 231, 241, 265, 368, 383, 404-8, 414, 429
Atlético Mineiro, 51, 139, 327, 330

Babo, Lamartine, 255
Baggio, 332, 350
Bahia (clube), 51
Ball ist rund: Kreis Kugel Kosmos, Der (exposição), 158
Bandeira, Manuel, 58, 234

Bangu, 196, 200, 206, 232, 281
Banks, goleiro, 292
Barbosa, goleiro, 138, 261, 262-3, 349
Barbosa, jogador, 31
Barbosa, Rui, 200-1, 356
Barcelona (clube), 47, 119, 354-5, 357, 362, 380-1, 384
Barra, Alan, 151
Barreto, Lima, 202-6, 227, 337-8
Barros, Adhemar de, 259
Barroso, Ari, 236, 252
Barthes, Roland, 62
Bartolomeu, jogador, 213
basquete, 19, 21, 71, 95, 99, 100, 103, 108, 110-1, 113, 152, 154, 352-4, 357
Batista, jogador, 339
Bauer, 222, 250, 267
Beatles, 90
Bebeto, 345, 348-9, 364, 366
Beckenbauer, 332, 364
Beckham, David, 18, 319
Beija-Flor da Vila Margarida, 29, 41
beisebol, 19, 113, 148, 152, 154, 354
Bélgica, 119, 379
Bellos, Alex, 175, 273, 276
Benfica, 37
Benjamin, Walter, 137
Berlusconi, Silvio, 354
Bianchi, Ney, 268, 269
Bigode, jogador, 261-3, 365
Boca de ouro (Nelson Rodrigues), 233
bola, 57-60, 141, 144-5, 156, 159-60, 220; e campo, 60-1, 99; mitologia e história, 61-8
Bolado, Carlos, 23
Boleiros (filme), 103
Bolívia, 193, 346
Bombas de alegria (Pepe), 30, 301
Boniface, Pascal, 22, 24

Borges, Jorge Luis, 336
Bossa nova, 273-4, 366
Botafogo, 140, 200, 230, 267, 279, 282, 294, 303, 327
Bourdieu, Pierre, 11
Bragantino, 377
Braguinha, 252
Branco, jogador, 316, 349
Brás Cubas, 40, 171, 174, 180, 265, 285, 429, 430
Brasil 0 × Escócia 0 (1974), 326
Brasil 0 × Inglaterra 0 (1958), 272
Brasil 0 × Iugoslávia 0 (1974), 326
Brasil 0 × Polônia 0 (1978), 328
Brasil 1 × Alemanha Oriental 0 (1974), 326
Brasil 1 × Argentina 0 (1974), 326
Brasil 1 × Uruguai 0 (1919), 208
Brasil 1 × Zaire 0 (1974), 326
Brasil 2 × Rússia 0 (1958), 269-70, 272-3
Brasil 2 × Rússia 1 (1982), 335
Brasil 2 × Suíça 2 (1950), 249
Brasil 2 × Tchecoslováquia 2 (1938), 185
Brasil 2 × Uruguai 0 (1993), 346
Brasil 2 × Uruguai 1 (1950), 246
Brasil 3 × Argentina 0 (1982), 339
Brasil 3 × Argentina 1 (1982), 335
Brasil 3 × Holanda 2 (1994), 348
Brasil 3 × Polônia 1 (1978), 328
Brasil 3 × Uruguai 1 (1970), 319
Brasil 4 × México 0 (1950), 249
Brasil 4 × Suécia 2 (1938), 192
Brasil 4 × Tchecoslováquia 1 (1970), 304, 306
Brasil 6 × Espanha 1 (1950), 249, 251
Brasil 6 × Polônia 5 (1938), 184
Brasil 7 × Suécia 1 (1950), 249

Brasil *vs.* Alemanha, 135
Brasil *vs.* Argentina, 135
Brasil *vs.* Itália (Copa de 1970), 120
Brasil, país do futuro (Zweig), 408
"Brasil-Argentina" (Mário de Andrade), 235
Bretanha, 93
Brilliant orange: the neurotic genius of dutch football (Winner), 26
Brito, Valdemar de, 288
Brochand, Pierre, 24
Brotherson, Gordon, 72
Buarque, Chico, 31, 60, 155, 217, 218, 220, 229, 311, 317, 367, 427
Buffalo Bills, 151
Burgnich, 292
Burke, Peter, 79, 83, 84

caça à raposa, 86
Caju, Paulo César, 102, 326
calcio florentino, 104
Caldeira, Jorge, 21, 353, 358, 359, 375
Calvet, 35
Camarões, 339
Camões, Luís Vaz de, 265
Campo e a cidade, O (Williams), 95
Campos, Haroldo de, 277-8
Campos, Jorge, 140
Campos, Paulo Mendes, 266, 270-1
Camus, Albert, 15
Candido, Antonio, 189, 279, 406, 422, 424-6
Canhoteiro, 301, 317, 365
capitalização, 397
capoeira, 168, 173-4, 180, 195-6, 202, 206, 252
Cardoso, Fernando Henrique, 411
Cardoso, Gentil, 65

Careca, jogador, 330
Careta, 337
Carlos Alberto, jogador, 36, 126, 135, 198, 303, 345
Carroll, Lewis, 271
"carrossel holandês", 26, 134, 321, 326
Carvalho, Jaime, 252
Carvalho, Paulo Machado de, 293
Casa-grande & senzala (Freyre), 195, 264, 275, 409, 414, 420
Castello, José, 287
Castilho, 140
Castro, Ruy, 266, 268-9, 273, 275, 277, 284
catenaccio italiano, 67, 115, 134
Caymmi, Dorival, 285
CBF, 259, 294, 299, 308, 331, 353, 359-60, 373, 388
Cejas, 36
Celtics, 47
Ceni, Rogério, 140
Cerezo, Toninho, 329-30, 332, 339, 341, 344, 347
Chagas, Marinho, 326
chapéu, 316-7, 382
Chichén, 73-4
Chilavert, 140
Chile, 267, 283, 385
China, 22, 281, 355
"Choro bandido" (Chico Buarque), 219
chute a gol do meio do campo, 318
Cicarelli, Daniella, 363
Cicinho, 395
cinema novo, 274
círculo e quadrilátero, 60, 94
Clodoaldo, 36, 135, 305
cobranças de falta, 291, 315, 382
Coca-Cola, 21, 25, 160

Cocteau, Jean, 246
Coelho Neto, 197, 202, 204, 206, 217
Coelho, Arnaldo César, 121
Colômbia, 38, 140
colonização brasileira, 409
Como o futebol explica o mundo (Foer), 47, 355
"complexo de vira-latas", 171, 264, 268, 415
concretismo, 274
Condição humana, A (Arendt), 124
consumismo, 15, 54, 402
Continental da Vila Melo, 30
contingência, 20
Contrarreforma, 83, 84, 415
convulsão de Ronaldo, 370-6
Copa de 1930, 183
Copa de 1934, 183
Copa de 1938, 183-97, 236, 241, 246
Copa de 1950, 104, 138, 171, 189, 197, 235, 238, 245-67, 399-400
Copa de 1954, 26, 267, 316, 399
Copa de 1958, 197, 267-75, 279, 282, 312, 316, 399
Copa de 1962, 267, 282, 300, 370
Copa de 1966, 293, 300
Copa de 1970, 12, 39, 64, 114, 120, 126, 130, 135, 139, 178, 267, 274, 280, 290-1, 293-309, 322, 429
Copa de 1974, 64, 325, 329
Copa de 1978, 56, 64, 303, 328
Copa de 1982, 120, 329-30, 334, 339
Copa de 1986, 119, 343
Copa de 1990, 345
Copa de 1994, 151, 329, 345-50, 363
Copa de 1998, 109, 164, 351-2, 358, 364, 369-78
Copa de 2002, 65, 318, 352, 363, 369, 374, 376-81

Copa de 2006, 21, 25, 41, 57, 65, 128, 157-67, 336, 352, 384-95
Copa Roca (1914), 213
Coreia, 27, 65, 376
Coreia do Sul, 359
Corinthians, 50, 206, 208, 322, 330
Corinthians da Vila Cascatinha, 30
Corinthians Football Club, 101
corpo a corpo, 101, 102
Corrêa, Zé Celso Martinez, 416
Corriere della Sera, 118
Corso, 117
"corta-luz", 310, 335, 341, 379
"Corvo, O" (Poe), 247
Costa, Flávio, 129, 249, 251, 263
Coutinho, 35-7, 228, 231, 287
Coutinho, Cláudio, 126, 194, 301, 328-31, 393
Cozumalhuapa, 73
críquete, 88
Crítica, A, 233
Crônica de 1892 (Machado de Assis), 168-72
Crônica de 1893 (Machado de Assis), 172
Cruyjff, Johan, 26, 134, 332, 364
Cruzeiro, 51, 139, 295, 357
Cubatão, 33
Cunha, Euclides da, 380
Curupaiti, 202
Cury, Athié Jorge, 288

Da Vinci, Leonardo, 212, 229, 251
dádiva, 399-400
dádiva-dívida, 82, 87, 94
Dalmo, 37
Dança dos deuses: futebol, sociedade e cultura, A (Hilário Franco Júnior), 61

Dario, jogador, 299, 302
Dasayev, 335
De Castilho, 136
"Deixa a vida me levar" (Zeca Pagodinho), 377
Delgado, Ramos, 36
Delon, Allan, jogador, 369
democracia racial, 182, 197, 199, 238-40, 244, 408
Denílson, 133, 369, 382
Deportivo La Coruña, 314
Derrida, Jacques, 40
"Derrota, A" (Lins do Rego), 265
Descobrimento do futebol: modernismo, regionalismo e paixão esportiva em José Lins do Rego, O (Bernardo Borges), 234
Desiderio, Giancristiano, 291-2, 332-3, 349
"dialética da malandragem", 188, 279-80, 282, 406, 421-9
dialética da marginalidade, 421
Diaz, Ramón, 339
Didi, jogador, 267, 269-70, 272, 279, 314-5, 317, 363, 365, 382
Diego, 41
Dimba, jogador, 327
Dínamo, 52
discurso capitalista, 65, 161
Djalma, jogador, 39, 267
Djalminha, 314, 382
Domingos da Guia, 184, 186, 188-90, 199, 226, 232, 236-7, 263, 323, 405
Dondinho, 266
Donga, 234
donos do campo e donos da bola, 155-6, 218, 297, 334, 359
Dorval, 35
Dostoiévski, Fiódor, 234

drible, 270, 310-2; de Garrincha, 270; drible da vaca, 310; em elástico, 156, 313, 322, 382; em xis, 290, 429
Dudu, jogador, 324, 365
Dunga, 109, 346, 348-9
Dunning, Eric, 81, 86

Eagleton, Terry, 17-8, 429
Éder, 310, 330, 335, 339
Edílson, 369, 379
Edinho (filho de Pelé), 287
Edmilson, 369
Edmundo, jogador, 327, 370
Edu, jogador, 36, 326
El fútbol: mitos, ritos e símbolos (Verdú), 63
Elias, Norbert, 81, 86, 90
elipse, 14, 40, 270, 272, 297, 309-21, 361, 380, 382, 400
Em liberdade (Santiago), 235
Emerson, 369
"Emplasto Brás Cubas", 40, 171, 174, 180, 265, 397, 429-30
Enia, Davide, 332, 340-1
"Ensaio sobre a dádiva" (Mauss), 82
"Epitáfio" (Titãs), 394
epyskiros, 93
Equador, 346
Era del fútbol, La (Sebreli), 42, 56
erótico e sagrado, 112-3, 118, 220, 263
Escócia, 47, 315, 326, 335
escravidão, 173, 196, 225, 231, 240-1, 288, 405, 407, 410, 413, 415, 421-2
Eskander, Saad, 23
Espanha, 22, 120, 164, 193, 249, 251-3, 258, 263-4, 354, 357, 380
ESPN, 21
esportivização moderna, 85-6

Estádio Jornalista Mário Filho *ver* Maracanã
Estado de São Paulo, O, 60, 209, 381
Estados Unidos, 22, 24, 142, 146, 148-53, 359, 364, 426, 427; futebol nos, 151-4
Estrela solitária (Ruy Castro), 266, 275
Estrela Vermelha, 47
Euller, 313
Europa, 13, 24, 28, 54, 84, 95, 115, 145, 175, 179, 193, 222, 224, 308, 332, 345, 355, 357, 360, 399, 415, 420, 425, 428
Evtuchenko, Eugenio, 15
Exeter City, 213, 217

Facchetti, 134
Falcão, 291, 310, 329-30, 332, 334, 335, 339, 341, 344
Farmácia de Platão, A (Derrida), 40
fases do futebol: pré-moderna e pós-moderna, 68
Fattori, Giordano, 251
Fausto, jogador, 183, 226, 236
Febre de bola (Hornby), 36, 306
Fedro (Platão), 40
Felipão *ver* Scolari, Luiz Felipe
Felipão: a alma do Penta (Ostermann), 377
Fenomenologia do brasileiro (Flusser), 28, 175, 179, 417
Feola, Vicente, 129
Ferreira, Luiz Carlos *ver* Luisinho
"ferrolho suíço", 67, 134, 249
festa, 399, 400
FIFA, 25, 128, 162, 191-2, 194, 331, 353, 355, 357, 360
Fiorentina, 333
Fla-Flu, 53, 82, 87, 237, 400, 420

"Flama não se apaga" (Pignatari), 288-9
Flamengo, 50, 202, 207, 234, 236, 252, 330-1, 377
Fluminense, 50, 119, 122, 197, 199-200, 202, 207-8, 212-3, 215, 230, 236, 319, 331
Flusser, Vilém, 28, 175-7, 179, 180, 211, 219, 241, 417
Foer, Franklin, 47, 49, 151-4, 354-5
folha-seca, 379, 382
Fontes, Arthur, 102
Football Association, 89, 121
Footballmania (Pereira), 194, 198, 207
Ford, John, 149
Formação do Brasil contemporâneo (Prado Júnior), 409, 411, 412, 420
França, 18, 22, 65, 76, 89, 109, 164, 167, 183, 191, 316, 343, 354, 369-70, 372-3, 375, 380, 385, 428; *vs.* Brasil, 164; *vs.* Portugal, 164
França 1 × Brasil 0 (2006), 385-7
França 3 × Brasil 0 (1998), 371
Franchi, de Franco, 119
Franco Júnior, Hilário, 61
Franco, Walter, 375
Freitas, Heleno de, 190
Freud, Sigmund, 52, 161, 241, 246, 257, 270, 312
Freyre, Gilberto, 40, 180, 195-6, 227, 234, 239, 242-4, 250, 264, 275, 365, 409, 412-8, 426
Friedenreich, 198, 201, 212-3, 222-3, 226, 236, 405
Futebol (trilogia de documentários), 102
futebol amador, 204, 212, 281
futebol americano, 19, 80, 89, 111, 113, 137, 141-4, 146-51, 154, 157, 354

futebol brasileiro: primórdios, 200-1, 206-7, 217-21
"Futebol brasileiro evocado da Europa, O" (João Cabral), 145
futebol de poesia, 13, 114-20, 135, 158, 179, 321, 336, 340, 397, 402
futebol de prosa, 13, 114-20, 126, 135, 158, 321, 340
futebol feminino, 18, 32, 154, 402
futebol pós-1970, 156-8
"Futebol, O" (Chico Buarque), 311
Futebol: o Brasil em campo (Bellos), 175
futebol-arte, 14, 116, 135, 259, 321, 397
futebolização do mundo, 350, 356
futsal, 95, 99, 313

Gagliano Netto, 184, 187, 191
Gália, 93
Gama, Basílio da, 173
Garrincha, 104, 133, 159, 174, 197, 226, 231-2, 266-79, 281-6, 288, 291-2, 311-3, 317, 325, 331, 361, 365, 395, 399, 406, 424, 429
Gas Team, 219
Gazeta Esportiva Ilustrada, 247
Gazeta, A, 209
gêneros narrativos, 19, 103-4, 114, 120, 398
Gentile, jogador, 340
Geraldino, 37
Germânia, 200, 222
Gérson, jogador, 280, 303, 305
Getafe, 119
Ghiggia, 261-3
Gil, Gilberto, 109, 327
Gilbert, Williams, 65
Gilberto, João, 325, 367, 405
Gilberto, jogador, 395

Gilmar, goleiro, 35-6, 140
Giorgetti, Ugo, 103, 222
Giorno, Il, 13, 117
Giovanni, 380
Girard, René, 73
Giulianotti, Richard, 54, 67, 84, 90, 308, 315-6, 399
Glanville, Brian, 184, 186-7, 192, 246, 250, 274, 343, 400
Gledson, John, 169, 170
globalização, 17, 24-5, 27-8, 152, 159, 350, 359, 364, 386, 419
Globo, O, 60, 234
gol de placa, 118-9, 381
Goldberg, B. Z., 23
goleiro, 136-41, 212-6
Golias, Ronald, 307
Gradín, 224-5
Grande Otelo, 307
"Gravatinha", 122, 132, 150, 215, 261
Grécia antiga, 82, 202, 413
Gregor, Mac, 218
Grêmio Porto Alegrense, 51, 381-2
Guaraná Antarctica, 161, 336, 388
Guarani, O (Alencar), 254
guerra, 47, 52, 395
Guimarães, Octávio Pinto, 360
Gumbrecht, Hans Ulrich, 19-20, 26-8, 46, 134, 143, 150, 153, 226-7, 288, 298, 398

Haiti, 23
Hamlet (Shakespeare), 103
handebol, 99
Hannot, Gabriel, 268
harpastum, 93
Havelange, João, 293, 331, 353-6, 360
Hegel, Georg Wilhelm Friedrich, 247
Heidegger, Martin, 247

Heliodora, Bárbara, 213
Henry, jogador, 386
Heráclito, 271, 292, 317, 349
Herrera, Helenio, 134
Hidegkutis, 267
"Hierarquia" (Pasolini), 178
Higuita, 140
"História do Brasil" (Lamartine Babo), 255
História política do futebol brasileiro (Santos), 212
Histórias das quebradas do mundaréu (Plínio Marcos), 30
Hitler, Adolf, 52
Hobbes, Thomas, 333
Hobsbawm, Eric, 17, 24, 43, 55, 178
Holanda, 27, 47, 155, 325-6, 348, 357, 359, 364
Holanda 2 × Brasil 0 (1974), 326
Holanda, Bernardo Borges Buarque de, 234
Holanda, Chico Buarque de *ver* Buarque, Chico
Holanda, Sérgio Buarque de, 40, 169, 189, 366, 367, 409, 417-8
Holderlin, 21
Hollywood, 21
"homem cordial" brasileiro, 169, 189, 366-8, 409, 418
Homem que roubou a taça do mundo, O (filme), 307
Homo ludens (Huizinga), 180
Homo sacer: o poder soberano e a vida nua (Agamben), 73
homossexualidade, 60
Hornby, Nick, 36, 306, 318
Houellebecq, Michel, 395-7
Huizinga, Johan, 180
Hungria, 267

Hungria 4 × Brasil 2 (1954), 267
Husseim, Saddam, 23
Hutchinson, 84

ideal-de-eu, 34, 161
"ideias fora de lugar", 405, 411
identidade nacional, 27
Igor Netto, 270
índios fox, 69
Inglaterra, 22, 47, 67, 81, 85, 88-9, 91, 97, 99, 119, 201, 213, 218, 272, 290, 292-3, 305, 307, 318, 336, 379, 381; parlamentarismo na, 89; vida rural na, 96-9
Inter de Milão, 134, 357, 362, 376, 385
Internacional de Porto Alegre, 330
interpretações do Brasil, 40, 175, 409-29
Introdução à crítica da filosofia do direito de Hegel (Marx), 43
invenção do futebol, 87-95
Ipiranga (clube), 200, 209, 222
Iraque, 23, 152
Isabel, princesa, 197
Isidoro, Paulo, 330
Itália, 22, 27, 39, 50, 65, 120, 135, 163-4, 179, 183, 185, 187, 190-1, 193-4, 200, 208, 291, 321, 329, 335, 339-42, 349, 354, 359, 380, 402
Itália 2 × Argentina 1 (1982), 339
Itália 2 × Brasil 1 (1938), 185
Itália 3 × Brasil 2 (1982), 340-3
Itanhaém, 31
Iugoslávia, 193, 249, 326

Jabaquara (time), 30, 38
Jaguaré, jogador, 236
Jair, jogador, 250
Jairzinho, jogador, 290, 305, 322, 366
Japão, 22, 27, 65, 376, 386, 393, 395
jazz, 151, 367
João de Barro *ver* Braguinha
João VI, d., 422-3
Jobim, Tom, 367
jogo e rito, 70, 75
Jordan, Michael, 357, 359
Jornal dos Sports, 194, 234
Jovem Guarda, 274
Julinho, jogador, 267, 366
Juninho Paulista, 379
Juninho Pernambucano, 395
Júnior, jogador, 330, 341, 343
Juventus, 119

Kaká, 126, 366, 385, 388, 394, 402, 420
kemari, 93
Kemp, Jack, 151
Kléberson, 369, 379
Kocsis, 225
Kruschner, 193
Kubitschek, Juscelino, 245
Kuhn, Thomas, 315
Kuznetzov, 269

Lacan, Jacques, 161, 348
Lacerda, Benedito, 208
Ladislau, tio de Ademir da Guia, 323
Laércio, 36, 140
Lahud, Michel, 13, 15, 178, 260, 402
Laranjeiras, 208, 212
Laurenti, Mariano, 118
Lazaroni, 130
Leandro, jogador, 330, 341
Leão, goleiro, 139, 326
Lee, Rita, 285
lei, 86, 399-400
Leibniz, Gottfried Wilhelm von, 395
Leminski, Paulo, 306

Leônidas, 183, 184, 192-4, 199, 220, 226, 228, 231, 234, 236-7, 239, 251
Lévi-Strauss, Claude, 68-9, 70, 75, 197
Liedholm, Nils, 291
língua geral, 16, 20, 88, 399
literatura e futebol, 401, 404-9
Lobato, Monteiro, 201
lógica clássica, 120-2, 143, 146, 378
lógica da diferença, 122-4, 131-3, 136, 142, 155, 178, 272, 292, 303, 351, 358, 380, 385, 392
lógica dialética, 122, 124, 134-6, 142, 155, 292, 385
lógica empresarial, 124, 130, 160, 162, 354-60, 372
lógica transcendental, 121-2, 146
lógicas do futebol, 120-3, 135
"Lógicas do futebol" (Sampaio), 120, 122
Lokomotiv, 52
Lopes, Dirceu, 295
Lopes, José Sergio Leite, 205, 232, 238, 253, 271, 281, 286, 364
"lugar fora das ideias", 207, 405, 412
Luisinho, 330, 335
Luizão, 379
Lula (Luiz Inácio Lula da Silva), 366
Lula, dirigente do Santos, 129
Luta, A (Mailer), 271
Luxemburgo, Wanderley, 368, 377-8

Machado de Assis, Joaquim Maria *ver* Assis, Machado de
Machado, Cristiano, 259
Macunaíma (Mário de Andrade), 181, 235, 257, 272, 277, 283, 285-6, 418
Magno, M. D., 241
Magnum, agência, 59
Magos da bola (filme), 118

Mailer, Norman, 271
malandragem, 102, 182, 189, 243-4, 280, 406, 422, 424-6
Malho, O, 207-8
Malta, 22
Mammì, Lorenzo, 151, 366, 367
Manchester United, 354
Manchete Esportiva, 268
Manhã, A, 233
"Manifesto antropófago" (Oswald de Andrade), 180-1
Mano, jogador, 202
Manoel Maria, 36
Manteiga, jogador, 198-9, 236-7
Mao Tsé-tung, 280
Maquiavel, Nicolau, 333
Mar del Plata, Estádio de, 328
Maracanã, 37, 119, 171, 238-9, 245, 247-9, 251-2, 256, 262, 265, 331, 339, 346, 399
Maradona, 44, 119, 156, 221, 316, 332, 335, 339, 345
Maranhão, jogador, 213
Marcelinho Carioca, 316
Marcos, Plínio, 30
Maresca, Sylvain, 271, 281
Mário Filho, 187-8, 190-1, 194, 196-7, 199, 202, 208, 215-8, 226, 230, 232-40, 243, 248, 250, 263, 283, 287, 314, 415, 426
marketing, 65, 128, 131, 161, 351, 356, 372, 387
Martins, José de Souza, 48-9, 69
Marx, Karl, 43, 178
Materazzi, 21, 165, 166-7
Matta, Roberto da, 149, 260
Mauss, Marcel, 82-3, 86
Máximo, João, 193, 253, 267, 299
Mazurkiewicz, 319

Mazzola, 118
Mazzoni, Tomás, 183-6, 189, 192, 193, 223-5
McDonald's, 21, 363
McGahey, 217
Meazza, 186
Médici, Garrastazu, 274, 280, 298, 299
Médio, tio de Ademir da Guia, 323
Meisl, Willy, 251, 266
Melo Neto, João Cabral de, 145, 309, 324
Melville, Herman, 149
Memórias de um sargento de milícias (Almeida), 189, 279, 422-4
Memórias póstumas de Brás Cubas (Machado de Assis), 16, 40, 171, 174, 180, 265, 285, 429-30
Mendonça, Ana Amélia, 213
Mendonça, Jorge, 329
Mendonça, Marcos de, 197, 198, 200, 212-7, 221, 236
Mengálvio, 35
Messi, Lionel, 119
mestiçagem, 405, 414, 421
México, 33, 62, 65, 70, 72, 119, 175, 249, 267, 280, 307, 322
México pré-hispânico, 62, 70, 72
Michels, Rinus, 26, 134
Migliaccio, Flávio, 103
Mil e uma noites de futebol: O Brasil moderno de Mário Filho (Silva), 202, 232, 239
Milan, 354, 385
Milla, Roger, 140, 355
Miller, Charles, 200
Miranda, Carmem, 239
Miranda, Eurico, 347, 355
Miroir des Sports, 222
Mitologias (Barthes), 62
moleque, 216, 364

"Moleque e a bola, O" (Chico Buarque), 60, 217-8
Montenegro, 163
Montezuma II, imperador, 74
Moraes Neto, Prudente de, 234
Moraes, Ângelo Mendes de, 259
Moraes, Vinicius de, 367
Morales, Wagner, 48
Moreira, Zezé, 267
Morfologia do Macunaíma (Haroldo de Campos), 277
mulato, 174, 194-9, 206, 231, 414
multi-culturalismo, 18
Mundo Esportivo, O, 237
Mundo, O, 259
Museu Pergamon, 158
Mussolini, Benito, 183

Nabuco, Joaquim, 407
Naismith, James, 99
Naves, Rodrigo, 404
Neder, Vander, 213
Negro no futebol brasileiro, O (Mário Filho), 196, 208, 216, 218, 232, 236, 239, 242, 415
negros no futebol brasileiro, 226-9
Nelinho, 316, 366
Neném Prancha, 281
Neto, jogador, 316
Nigéria, 359
Nike, 21, 160, 162, 353-4, 357-9, 372, 383
Nimzovitch, 271
Nogueira, Armando, 270
Nova Guiné, 68-9, 220
Nova Zelândia, 335
Novais, Fernando, 418

Oceania, 355
Odivan, 368

Oiticica, Hélio, 151
Olivetto, Washington, 376, 381
ONU, 129, 152, 355
Orlando, jogador, 36
Orleans e Bragança, príncipe de, 224
Oscar, jogador, 330
Ostermann, Ruy Carlos, 377
otimização do rendimento, 125-8, 146, 216, 301, 303, 321, 346, 352-3, 358, 380, 392, 400
Owairan, Saeed Al-, 119
Ozzetti, Ná, 333

Pacaembu, estádio do, 249
Pagão, 35, 317
Pagodinho, Zeca, 377
Palestina, 355
Palmeiras, 38, 50, 200, 324, 377
Paris Saint-Germain, 354, 381
Parmênides, 291-2, 349, 376
Parreira, Carlos Alberto, 126-7, 130, 132, 301-2, 329, 331, 345, 349, 377-8, 386, 391-5
Pasolini, Pier Paolo, 13-5, 20, 28, 52, 114, 116-9, 126, 177-80, 306, 315, 318, 321, 336, 402, 417, 427
passe de "três dedos", 314, 341, 382
Pasta Júnior, José Antonio, 245
Patesko, 192
patriarcalismo, 412, 414, 416-7
Pau Grande, 232, 266, 278, 281, 283-4
Pauliceia desvairada (Mário de Andrade), 209-10
Paulistano, 200, 222
Paulistano 7 × Selecionado francês 2 (1925), 223
Paysandu Cricket, 200
Paz, Octavio, 317
Pedro II, d., 224

Peixoto, Afrânio, 204
pelada, 31, 74, 103, 128, 185, 205, 217, 219-21, 286, 297
Pelé, 23, 35-9, 119, 135, 139, 174, 197, 226, 228, 231, 251, 266, 268, 270-1, 273-4, 280, 282, 285-93, 295, 300, 302-3, 305-6, 308, 316-9, 324, 331, 336, 348, 356, 363, 365, 370, 376, 382, 387, 393, 395, 404-8, 429
Pelé eterno (filme), 38, 119, 287
Pelé Station (exposição), 159
Pelé: os dez corações do Rei (Castello), 287
Pensamento selvagem, O (Lévi-Strauss), 68
Pepe, 30, 35, 37, 251, 301, 356
Perdigão, Paulo, 246, 248
Pereira, Leonardo Affonso de Miranda, 194, 198, 200, 207
Pereira, Luís, 326
Peres, Waldir, 330
Perez, Marinho, 326
Perón, Evita, 239
Peru, 328, 339
Peruíbe, 31
Pessoa, Epitácio, 201
Pessoa, Fernando, 135
Piazza, 295, 305
Pignatari, Décio, 288, 323
Pimenta, Ademar, 193
Piola, 185-6, 188, 190, 263
Pixinguinha, 208, 234
Plassmann, Raul, 139
Platão, 40, 161, 291, 333
Platini, 291, 343, 364
Platone e il calcio: saggio sul pallone e la condizione umana (Desiderio), 291
Pociello, Christian, 87-8, 90, 97, 143
Poe, Edgar Allan, 247, 398

poesia do futebol *ver* futebol de poesia
Polônia, 184, 193, 220, 325, 326, 328, 339-40
Polônia 1 × Brasil 0 (1974), 326
Pompeia, goleiro, 102
Pompeia: A metafísica ruinosa d'O Ateneu (Pasta Júnior), 245
Popol Vuh, 71, 72, 74
Portugal, 38, 164, 261
Portuguesa Santista, 30, 38
potlatch, 82
Prado Júnior, Caio, 40, 409-13, 415, 417-8, 425
Prado, Décio de Almeida, 224, 228, 251, 290
Praia Grande, 31
preconceito, 47-9
Prefácio a *O negro no futebol brasileiro* (Freyre), 242
Preguinho, jogador, 202
Preto contra branco (filme), 48
Promessas de um mundo novo (documentário), 23
prosa do futebol *ver* futebol de prosa
Proust, Marcel, 247
psicologia de massas, 52, 56, 161
Puskas, 267

quadratura do circo, 18, 40, 42, 92, 94, 189, 242, 297, 352, 399-400, 429
Quadros, Jânio, 288
Quanta (Gilberto Gil), 110

raça e futebol, 226, 228-9, 240
racialismo, 421
Rádio Clube do Brasil, 184
Raí, 346, 364
Railway Team, 219

Raízes do Brasil (Sérgio Buarque), 169, 189, 409, 417-8, 420
Ramos, Graciliano, 234-5
Ramos, Nuno, 20, 112-3, 118, 156, 220, 263, 296, 323-4
Rangers, 47
Rauschenberg, Robert, 147
Real Madrid, 47, 136, 164, 314, 363
Rede Globo, 109, 374
Reforma protestante, 83-4, 415
Rego, José Lins do, 234, 265
Reinaldo, jogador, 322, 327-30
religião, 42
Reti, 271
revirão, 390, 395, 416
Riachuelo (clube), 213
Ribeiro, Alberto, 252
Ribeiro, Darcy, 283, 416
Rio Cricket, 200
Risério, Antonio, 421
rito, 68-76, 399-400
Rivaldo, 310, 318-9, 369, 379-80, 384, 402
Rivelino, 156, 221, 305, 313, 322, 324, 326, 331, 382
Rivera, 117
Roberto Carlos, cantor, 369
Roberto Carlos, jogador, 316, 368, 370, 386-8
Roberto Dinamite, jogador, 303
Roberto, jogador, 303
Robinho, 41, 126, 133, 313, 385, 393, 395, 402
Rocha, Glauber, 419
Roda da Fortuna, 102, 160, 164, 376
Rodrigues, Mário, 233
Rodrigues, Nelson, 31, 103, 122, 166, 171, 232-3, 237-8, 263-4, 268, 273, 284, 295

Rodrigues, Roberto, 233
Roger, jogador, 319
Roma antiga, 93
Romário, 132-3, 313, 327, 329, 345-9, 364, 370-1, 378-9, 382, 384, 395, 402
Romeu, 192
Ronaldinho Gaúcho, 23, 126, 156, 221, 318, 368, 379, 381-4, 388, 394, 402, 429
Ronaldo, 21, 23, 119, 126, 164, 310, 327, 353, 357-9, 361-4, 368-76, 379, 382, 384-5, 387-8, 392, 395, 402, 429
Ronaldo, Cristiano, 388
Rosa, Guimarães, 236, 286, 367, 395, 419
Rosa, Noel, 229
Rosenfeld, Anatol, 195, 240, 241, 357
Rossi, Paolo, 335, 339-42
Rough, Alan, 315
Rousseau, Jean-Jacques, 169
rúgbi, 80, 85, 87, 89, 94, 97, 137, 141-4, 149, 157, 336
Rummenigge, 364
Rússia, 268, 272

Saint-Hilaire, Auguste de, 410
Saldanha, João, 193, 239, 267, 273, 279-81, 284, 286, 293-4, 297, 299-300, 303, 331, 334, 343, 386, 391, 424
Salles, João Moreira, 102
Salles, Rubens, 213
Sampaio, Luiz Sérgio Coelho de, 120, 122, 292
Sanches, Wanderley, 39
Santa ceia (Da Vinci), 212
Santana, Telê, 130, 134, 329, 330-1, 334, 343, 346
Santiago, Silviano, 235
Santos Futebol Clube, 30-1, 34-6, 38-9, 41, 119, 129, 136, 140, 287, 288, 356, 364, 385
Santos Neto, José Moraes dos, 200, 213
Santos, Joel Rufino dos, 212
Santos, Nilton, 267, 282
Santos, Osmar, 103
"São coisas nossas" (Noel Rosa), 229-31
São Cristóvão (clube), 196
São Januário, Estádio de, 259
São Paulo Athletic, 200
São Paulo Futebol Clube, 34, 36, 50, 222, 330, 334, 346
São Paulo Railway, 30, 200
São Vicente, 29-31, 33, 39, 41, 356
São Vicente Atlético Clube, 30
Schiaffino, 261, 262
Schwarz, Roberto, 405, 424-5
Scolari, Luiz Felipe, 130, 132, 260, 376-8
Sebastião, d., 261
Sebreli, Juan José, 42-5, 56-7, 154
Senna, Ayrton, 362
sentido do futebol, 45-6
Serginho, jogador, 330
Sérvia, 163
Sevcenko, Nicolau, 210-1, 241
Severiano, Jairo, 193, 213, 253
Shakespeare, William, 375
Shapiro, Justine, 23
Silva, Leônidas da *ver* Leônidas
Silva, Marcelino Rodrigues da, 202, 232, 234, 239
Silva, Mauro, 346
Silva, Orlando, 193, 239
Sinhô, 234
Soares, Elza, 283

Sobrados e mucambos (Freyre), 195, 414
"Sobrenatural de Almeida", 122, 132, 135, 150, 349
soccer, 19-20, 81, 89, 141, 147, 151-2, 154
sociologia do esporte, 11
Sociologia do futebol (Giulianotti), 54, 315
Sócrates, filósofo, 292
Sócrates, jogador, 313, 329-30, 332-5, 341, 343, 346, 382
soule, 63, 76-81, 83, 87, 92-3, 98, 100
Sport Club Corinthians Paulista *ver* Corinthians
Sport Club Pau Grande, 281
Steinberg, Leo, 147
Subterrâneos do futebol, Os (Saldanha), 273, 278, 280, 296
Suécia, 192, 249, 250, 258, 267, 274, 316, 379, 399
Suíça, 267, 399

Taffarel, 349
Tajín, 73-4
Tarantini, 339
táticas, 67, 401
Tchecoslováquia, 12, 139, 185, 193, 304, 306, 318
"Tecendo a manhã" (João Cabral), 309-10
técnica, 378
Teeteto (Platão), 292
tempo, 111
tênis, 19, 85, 97, 99, 103, 113, 315
Terça-Feira de Carnestolendas, 81, 123
Titãs, banda, 394
tlachtli, 70, 73-4, 93
Tocqueville, Alexis de, 395-7

Toledo, Lídio, 345
Toninho Guerreiro, 36
Torero, José Roberto 366
Tostão, 28, 126-7, 157, 280, 282, 288, 290, 295-6, 299, 301-3, 305, 319, 324, 331, 344, 348, 365, 384, 394-5, 401
totalitarismo, 43, 44
Tottenham, 47
tourada, 93, 254-5
"Touradas em Madri" (Ribeiro & Braguinha), 249, 252-8, 261, 265, 339
Trauma da bola, O (Saldanha), 343
treinador, 129-31
Tropicalismo, 274, 416
Turquia, 379

Udinese, 332
União Soviética, 310, 335
Uruguai, 171, 183, 208, 224, 235, 246, 249-50, 258, 261, 263-4, 290, 305, 318-9, 340, 346, 429
Uruguai 2 × Brasil 1 (1950), 258-67
Uruguai 2 × Espanha 2 (1950), 258
Uruguai 3 × Suécia 2 (1950), 258
Utopia brasileira e os movimentos negros, A (Risério), 421

Valdano, Jorge, 362
Varela, Obdulio, 263
Vargas, Getúlio, 193, 239, 245, 259, 364
Vasco da Gama, 196, 205, 249, 296, 303, 348, 355
Vavá, jogador, 270, 365
Veloso, Caetano, 336, 407, 416
"veneno remédio", 16, 40, 171, 180, 243, 245, 297, 390, 395, 407, 409, 415

Verdú, Vicente, 63-6, 67, 99, 106, 136, 138, 141
Vernant, Jean-Pierre, 81-2
Vestido de noiva (Nelson Rodrigues), 233
Viagem em torno de Pelé (Mário Filho), 287
Vianna, Hermano, 196, 234
Vidrobrás, 30-1
Vieira, Jorge, 24
Viktor, 318
Vila Belmiro, Estádio de, 35-7
Villa-Lobos, Heitor, 234
violência, 47-9, 86, 91, 95, 244, 350-1, 396, 398, 400, 416; entre torcidas, 53-5
Violência e o sagrado, A (René Girard), 73
violência festiva, 83
Vitória (clube), 51
Vogel, Arno, 259-60
Voinov, 269
vôlei, 19, 95, 99-100, 108, 111, 113
"Voz geral" (Drummond), 307

Wagner, Richard, 159
Wall Street Journal, 151
Washington, jogador, 327
Washington Luís, 224
Weber, Max, 84, 149
Whitman, Walt, 149
Williams, Raymond, 95, 358
Winner, David, 26
Winning Eleven, videogame, 388
Wisnik, Guilherme, 148
WM, 67, 193
World Sports, 251, 266
Wright, Frank Lloyd, 149

xadrez, 157, 271, 339, 377
Xiaokai, Zhao, 167
Xibalba, 74
Xuxa, apresentadora, 362

Yashin, 214, 269-70, 272
Yorkshire, 65

Zagallo, 130, 132, 300-3, 305, 324, 329, 331, 345, 349, 365, 369-71, 377-8
Zico, 291, 315, 329-31, 334, 340, 343, 360, 362-3, 366, 369, 382
Zidane, 21, 156, 164-6, 372, 375, 386
Zito, 35, 366
Zizinho, 226, 250-1, 260, 366
Zoff, 341-2
Zsengellér, Gyula, 192
Zweig, Stefan, 408

1ª EDIÇÃO [2008] 3 reimpressões

ESTA OBRA FOI COMPOSTA PELA PÁGINA VIVA EM MINION E IMPRESSA
EM OFSETE PELA GRÁFICA BARTIRA SOBRE PAPEL PÓLEN SOFT DA
SUZANO S.A. PARA A EDITORA SCHWARCZ EM JANEIRO DE 2023

A marca FSC® é a garantia de que a madeira utilizada na fabricação do papel deste livro provém de florestas que foram gerenciadas de maneira ambientalmente correta, socialmente justa e economicamente viável, além de outras fontes de origem controlada.